★ **British Museum** ④
Zie blz. 126-129

★ **Tower of London** ⑫
Zie blz. 154-157

★ **St Paul's** ⑩
Zie blz. 148-151

Smithfield en
Spitalfields

⑪

⑩

De City

T H A M E S

⑫

Southwark
en
Bankside

★ **Houses of Parliament** ⑧
Zie blz. 72-73

0 kilometer   1

N

Greenwich
en
Blackheath

★ **Museum of London** ⑪
Zie blz. 166-167

★ **Westminster Abbey** ⑦
Zie blz. 76-79

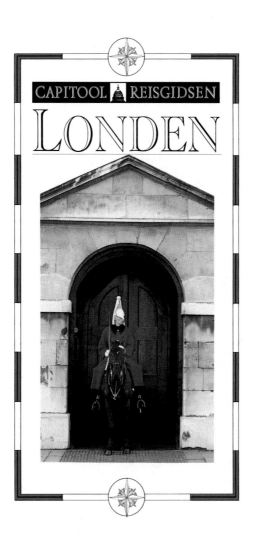

CAPITOOL REISGIDSEN

LONDEN

CAPITOOL REISGIDSEN

LONDEN

MICHAEL LEAPMAN

VAN REEMST
UITGEVERIJ

HOUTEN

Oorspronkelijke titel: Eyewitness Travel Guides – London
© 1997 Oorspronkelijke uitgave:
Dorling Kindersley Limited, Londen
© 1997 Nederlandstalige uitgave:
Van Reemst Uitgeverij bv
Postbus 170
3990 DD Houten

7de herziene druk 1998

Met bijdragen van: Michael Leapman, Christopher Pick,
Lindsay Hunt
Tekstverzorging: *de Redactie*, Amsterdam
Vertaling: Peter Bosma, Maaike Post en Jacqueline Toscani
Bewerking: Jaap Deinema

Actualisering: Ido de Jonge

Cartografie: Dorling Kindersley Cartography
Zetwerk en opmaak: De Vonder PrePress Service, Eindhoven

ISBN 90 410 1800 X
CIP
NUGI 471
WD 1998/0034/138

INHOUD

HOE GEBRUIKT U DEZE GIDS 6

Portret van sir Walter Raleigh (1585)

INLEIDING OP LONDEN

Deur aan Bedford Square

Broadwalk bij Hampton Court (ca. 1720)

WEGWIJS IN LONDEN

Muziektent in St James's Park

Beefeater bij de Tower of London

Houses of Parliament

St Paul's Church: Covent Garden

TIPS VOOR DE REIZIGER

HOE GEBRUIKT U DEZE GIDS

Deze reisgids zal u helpen uw verblijf in Londen met zo min mogelijk praktische problemen zo aangenaam mogelijk te maken. Het eerste deel, *Inleiding op Londen*, beschrijft de geografische ligging en plaatst het moderne Londen in zijn historische context. Ook leest u hoe het leven in Londen door het jaar heen verandert. *Londen in het kort* is een overzicht van de belangrijkste bezienswaardigheden van de stad. Gedetailleerde informatie vindt u in *Londen van buurt tot buurt*.

Daar worden alle bezienswaardigheden via kaarten, foto's en gedetailleerde tekeningen beschreven. Vijf wandelingen nemen u bovendien mee naar delen van Londen die u anders misschien zou missen.

Zorgvuldig nagetrokken tips voor hotels, winkels en markten, restaurants en cafés, sport en vertier vindt u in *Tips voor de reiziger* en *Wegwijs in Londen* adviseert u over alles, van het posten van een brief tot het gebruik van de metro.

VAN BUURT TOT BUURT

De stad is verdeeld in 17 toeristische wijken. Elk deel opent met een korte beschrijving van het karakter en de geschiedenis van de wijk. Tevens treft u een lijst aan met alle bezienswaardigheden. Deze worden duidelijk gelokaliseerd via nummers op een *wijkkaart*. Hierna volgt een gedetailleerde *stratenkaart* die de belangrijkste delen van de wijk bespreekt. De bezienswaardigheden zijn genummerd, zodat u eenvoudig uw weg door de wijk vindt. In de daaropvolgende bladzijden worden de bezienswaardigheden in deze volgorde besproken.

1 Wijkkaart

Op de wijkkaart vindt u de genummerde en gelokaliseerde bezienswaardigheden. De kaart vermeldt ook de metro- en treinstations en parkeergelegenheid.

Foto's van gevels en opmerkelijke details van gebouwen helpen u bezienswaardigheden te lokaliseren.

De kleurcode op elke bladzijde maakt dat u de buurt gemakkelijk vindt.

2 Stratenkaart

Deze kaart biedt een gedetailleerde blik op het hart van iedere bezienswaardige buurt. Om de lokalisatie van de belangrijkste gebouwen tijdens uw wandeling te vereenvoudigen, zijn deze gekleurd.

Een oriëntatiekaart toont uw positie ten opzichte van omliggende buurten. Het gebied van de *stratenkaart* is rood.

Bezienswaardigheden in het kort is een lijst van bezienswaardigheden van de buurt per categorie: historische straten en gebouwen, kerken, musea en galeries, monumenten, en pleinen, parken en tuinen.

De buurt die de *stratenkaart* gedetailleerder laat zien, is rood gekleurd.

Omcirkelde nummertjes lokaliseren alle bezienswaardigheden van de lijst op de kaart van de buurt. Zo is St Margaret's Church **6**.

Reistips helpen u de buurt snel te bereiken.

De aanbevolen route voor een wandeling gaat door de interessantste straten van de buurt.

St Margaret's Church wordt ook op deze kaart getoond.

Rode sterren bij de bezienswaardigheden die u niet mag missen.

LONDEN IN HET KORT
Deelt de bezienswaardigheden in naar onderwerp: *bekende Londenaars, musea en galeries, parken en tuinen, ceremonieën.* De kaart toont de belangrijkste bezienswaardigheden; andere bezienswaardigheden volgen op de daaropvolgende twee bladzijden.

Elk stadsdeel heeft zijn eigen kleur.

Het thema wordt uitgediept op de volgende bladzijden.

3 Informatie over bezienswaardigheden

Alle belangrijke bezienswaardigheden van de wijk worden in dit deel gedetailleerd beschreven, volgens de nummering op de wijkkaart. Ook vindt u hier praktische informatie.

PRAKTISCHE INFORMATIE
Onder elk kopje vindt u de informatie die u nodig hebt voor uw bezoek aan een bezienswaardigheid. De verklaring van de symbolen vindt u achter in het boek.

Telefoonnummer

Verwijzing naar kaarten achter in boek

Adres

St Margaret's Church ❻

— Nummer bezienswaardigheid

Parliament Sq SW1. **Kaart** 13 B5.

☎ *0171-222 5152.* **Ӭ** *Westminster.*
Open *9.30-16.30 uur ma-za, 13.00-16.30 uur zo.* **✝** *11.00 zo.*
Ø **&** **❂** *Concerten.*

Openingstijden

Diensten en faciliteiten

Dichtstbijzijnde metrostation

4 De belangrijkste attracties

Deze bezienswaardigheden worden over twee of meer hele bladzijden beschreven. Historische gebouwen zijn opengewerkt, waardoor het interieur zichtbaar wordt. Musea en galeries hebben een met kleur gecodeerde plattegrond, waardoor u gemakkelijk de belangrijkste onderdelen kunt vinden.

In Tips voor de toerist krijgt u praktische informatie om uw bezoek voor te bereiden.

Het vooraanzicht van elke belangrijke bezienswaardigheid maakt dat u het gebouw snel kunt ontdekken.

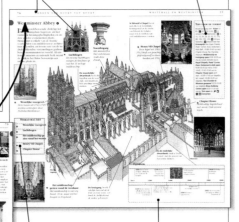

Rode sterren maken u attent op de interessantste architectonische details van het gebouw en de belangrijkste kunstwerken of tentoonstellingen die u binnen kunt vinden.

Een tijdbalk geeft een overzicht van de geschiedenis van de plek.

Inleiding op Londen

Londen in kaart gebracht

L onden is de hoofdstad van het
Verenigd Koninkrijk. Er wonen 7 miljoen mensen in een gebied van 1538
km² in het zuidoosten van Engeland.
Vanuit deze stad aan de Thames kunnen bezoekers via de vele wegen en
spoorlijnen eenvoudig de andere toeristische attracties van het land bereiken.

Uitzicht over de Thames vanaf Southwark

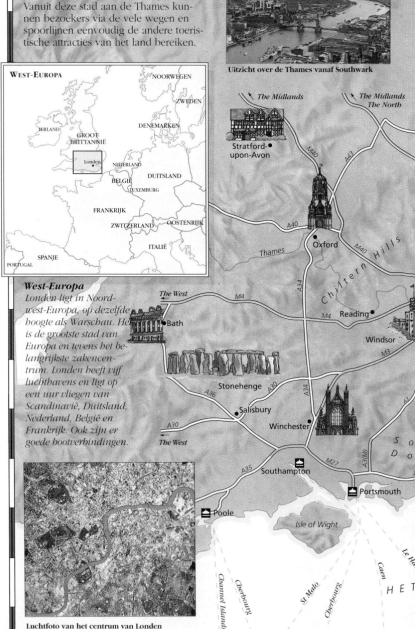

West-Europa

*Londen ligt in Noord-
west-Europa, op dezelfde
hoogte als Warschau. Het
is de grootste stad van
Europa en tevens het be-
langrijkste zakencen-
trum. Londen heeft vijf
luchthavens en ligt op
een uur vliegen van
Scandinavië, Duitsland,
Nederland, België en
Frankrijk. Ook zijn er
goede bootverbindingen.*

WEST-EUROPA

NOORWEGEN

ZWEDEN

IERLAND

DENEMARKEN

GROOT-
BRITTANNIË

Londen

NEDERLAND

BELGIË

DUITSLAND

LUXEMBURG

FRANKRIJK

ZWITZERLAND

OOSTENRIJK

ITALIË

SPANJE

PORTUGAL

The Midlands

The Midlands
The North

Stratford-
upon-Avon

M40

A43

A40

Oxford

M40

Chiltern Hills

Thames

The West

M4

M4

Reading

Bath

Windsor

M3

Stonehenge

A30

A34

A36

Salisbury

A34

Winchester

A30

The West

A35

Southampton

M27

A3(M)

Portsmouth

Poole

Isle of Wight

Channel Islands

Cherbourg

St Malo

Cherbourg

Caen

Le Hav

HET

Luchtfoto van het centrum van Londen

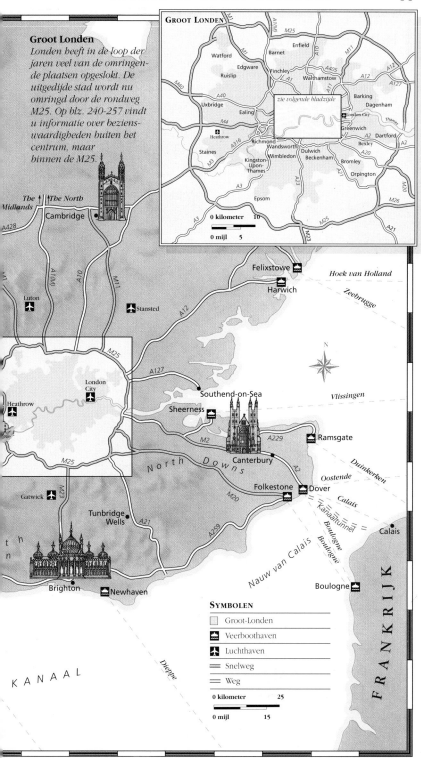

Groot Londen

Londen heeft in de loop der jaren veel van de omringende plaatsen opgeslokt. De uitgedijde stad wordt nu omringd door de rondweg M25. Op blz. 240-257 vindt u informatie over bezienswaardigheden buiten het centrum, maar binnen de M25.

GROOT LONDEN

zie volgende bladzijde

0 kilometer 10
0 mijl 5

The North
The Midlands

Cambridge

Luton

Stansted

Felixstowe

Harwich

Hoek van Holland

Zeebrugge

London City

Heathrow

Southend-on-Sea

Sheerness

Vlissingen

Ramsgate

Canterbury

North Downs

Duinkerken

Oostende

Gatwick

Folkestone

Dover

Calais

Kanaaltunnel

Calais

Tunbridge Wells

Brighton

Newhaven

Boulogne

Boulogne

Nauw van Calais

SYMBOLEN

Groot-Londen

Veerboothaven

Luchthaven

Snelweg

Weg

0 kilometer 25
0 mijl 15

KANAAL

Dieppe

FRANKRIJK

Het centrum van Londen

De meeste bezienswaardigheden in dit boek liggen in de 14 stadsdelen van het centrum en in de twee districten Hampstead en Greenwich. Alle districten hebben een apart hoofdstuk. Als u weinig tijd hebt, beperk u dan tot de vijf stadsdelen met de bekendste bezienswaardigheden: Whitehall en Westminster, de City, Bloomsbury en Fitzrovia, Soho en Trafalgar Square, en South Kensington en Knightsbridge.

Blz. 216-223
*Plattegrond, kaarten
3-4, 11-12*

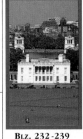

Blz. 232-239
*Plattegrond, kaarten
23-24*

*Regent's Park
en
Marylebone*

Hampstead

Blz. 224-231
*Plattegrond, kaarten
1-2*

*Greenwich en
Blackheath*

*South Kensington
en Knightsbridge*

*Piccadilly
en
St James's*

*Kensington
en
Holland Park*

Blz. 210-215
*Plattegrond, kaarten
9-10, 17*

Chelsea

Blz. 194-209
*Plattegrond, kaarten
10-11, 18-19*

Blz. 188-193
*Plattegrond, kaarten
18-19*

0 kilometer   1

0 mijl   0.5

Blz. 98-109
Plattegrond, kaarten 12-13

Blz. 120-131
Plattegrond, kaarten 4-5, 13

Blz. 110-119
Plattegrond, kaarten 13-14

Blz. 132-141
Plattegrond, kaarten 5-6, 13-14

N

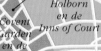

Bloomsbury en Fitzrovia

Soho en Trafalgar Square

Covent Garden en de Strand

Holborn en de Inns of Court

Smithfield en Spitalfields

De City

THAMES

South Bank

Southwark en Bankside

Whitehall en Westminster

Blz. 160-171
Plattegrond, kaarten 6-7, 14, 16

Blz. 142-159
Plattegrond, kaarten 14-16

Blz. 68-85
Plattegrond, kaarten 13, 20-21

Blz. 86-97
Plattegrond, kaarten 12-13, 20

Blz. 180-187
Plattegrond, kaarten 13-14, 21-22

Blz. 172-179
Plattegrond, kaarten 6, 16

GESCHIEDENIS VAN LONDEN

In 55 v.C. viel een Romeins leger onder leiding van Julius Caesar in Kent Engeland binnen en trok in noordwestelijke richting tot aan het tegenwoordige Southwark aan de Thames. Er woonden wel mensen aan de andere kant van de rivier, maar er was geen grote nederzetting. Ten tijde van de tweede Romeinse invasie, 88 jaar later, waren er echter al een haven en een handelsgemeenschap gevestigd. De Romeinen bouwden een brug over de rivier en vestigden op de noordelijke oever hun hoofdkwartier, Londinium.

De griffioen, symbool van de City of Londen

LONDEN ALS HOOFDSTAD

Als snel was Londen de grootste stad in Engeland, en ten tijde van de verovering van Engeland door de Normandiërs in 1066 was het de logische keuze als hoofdstad.

Langzaam vestigden zich mensen buiten de ommuurde stad, die bijna geheel werd verwoest door de Grote Brand van 1666. De wederopbouw vormde de basis van de huidige City. Aan het begin van de 18de eeuw slokte Londen de omringende nederzettingen op, waaronder de City of Westminster, die al langer het religieuze en politieke centrum van Londen was. De explosieve groei van handel en industrie in de 18de en de 19de eeuw maakte Londen de grootste en rijkste stad ter wereld. Er ontstond een welvarende middenklasse, die prachtige huizen liet bouwen. Het vooruitzicht van rijkdom lokte ook miljoenen arme mensen uit binnen- en buitenland naar vervuilde woningen in het oosten van de stad, waar velen werk vonden in de haven.

Tegen het einde van de 19de eeuw woonden in Londen zelf 4,5 miljoen mensen, en 4 miljoen er vlak buiten. Door bombardementen in de Tweede Wereldoorlog werden veel verwoestingen aangericht, wat na de oorlog leidde tot grootscheepse nieuwbouw toen de werven en andere oude industrieën verdwenen.

Op de volgende bladzijden treft u een kort overzicht van de geschiedenis van Londen.

Een kaart uit 1580 van de City of London, met linksonder de City of Westminster

Een manuscript uit de 15de eeuw met de Tower of London en op de achtergrond London Bridge

Romeins Londen

Munt uit de 1ste eeuw

Toen de Romeinen Britannia binnenvielen in de 1ste eeuw n.C., maakten grote gebieden rond de Middellandse Zee al deel uit van hun rijk. Hevig verzet van plaatselijke stammen (zoals de Iceni van koningin Boadicea) maakte het echter moeilijk om Britannia te veroveren. Maar tegen het eind van de eeuw hadden de Romeinen hun macht geconsolideerd. In de havenstad Londinium woonden in de 3de eeuw al zo'n 50.000 mensen. In de 5de eeuw, toen het Romeinse Rijk op instorten stond, verliet het garnizoen Londen, en liet de stad over aan de Saksen.

OMVANG VAN DE STAD

| 125 n.C. | Heden |

Openbare baden

Baden was belangrijk in het leven van een Romein. Dit setje voor de persoonlijke hygiëne en de bronzen wasschotel dateren uit de 1ste eeuw.

Plaats waar nu het Museum of London staat

Romeins fort

Hier staat nu St Paul's

Basilica

Forum

LONDINIUM

Londinium lag waar zich nu de City bevindt (zie blz. 142-159). Met zijn ligging aan de Thames was het een belangrijk handelscentrum voor de rest van het rijk.

Forum en basilica

Zo'n 200 m van London Bridge lagen het forum (de belangrijkste markt en ontmoetingsplaats) en de basilica (stadhuis en rechtbank).

Tempel van Mithras

Mithras beschermde de goeden. Deze buste uit de 2de eeuw stond in zijn tempel.

TIJDBALK

55 v.C. Julius Caesar valt Britannia binnen	**200** Bouw stadsmuren		**410** Langzamerhand vertrekken Romeinse troepen
61 n.C. Aanval Boadicea			
100	200	300	400

43 n.C. Claudius sticht Romeins Londen en bouwt eerste brug

☐ Romeins Londen

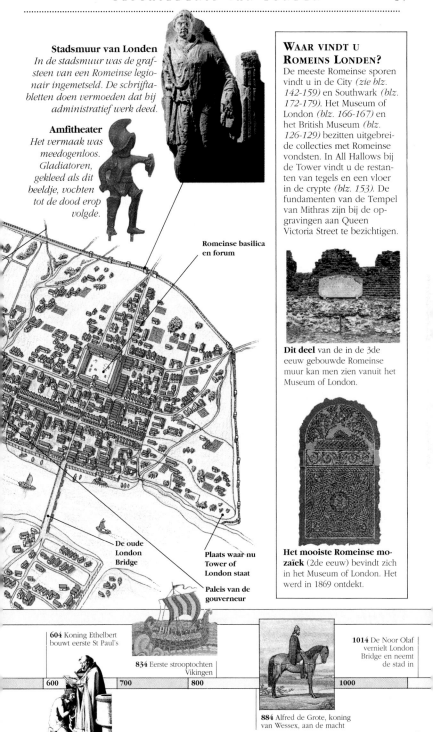

Stadsmuur van Londen
*In de stadsmuur was de graf-
steen van een Romeinse legio-
nair ingemetseld. De schrijfta-
bletten doen vermoeden dat hij
administratief werk deed.*

Amfitheater
*Het vermaak was
meedogenloos.
Gladiatoren,
gekleed als dit
beeldje, vochten
tot de dood erop
volgde.*

Romeinse basilica
en forum

De oude
London
Bridge

Plaats waar nu
Tower of
London staat

Paleis van de
gouverneur

WAAR VINDT U ROMEINS LONDEN?
De meeste Romeinse sporen
vindt u in de City *(zie blz.
142-159)* en Southwark *(blz.
172-179).* Het Museum of
London *(blz. 166-167)* en
het British Museum *(blz.
126-129)* bezitten uitgebreide collecties met Romeinse
vondsten. In All Hallows bij
de Tower vindt u de restanten van tegels en een vloer
in de crypte *(blz. 153).* De
fundamenten van de Tempel
van Mithras zijn bij de opgravingen aan Queen
Victoria Street te bezichtigen.

Dit deel van de in de 3de
eeuw gebouwde Romeinse
muur kan men zien vanuit het
Museum of London.

**Het mooiste Romeinse mo-
zaïek** (2de eeuw) bevindt zich
in het Museum of London. Het
werd in 1869 ontdekt.

604 Koning Ethelbert
bouwt eerste St Paul's

834 Eerste strooptochten
Vikingen

884 Alfred de Grote, koning
van Wessex, aan de macht

1014 De Noor Olaf
vernielt London
Bridge en neemt
de stad in

| 600 | 700 | 800 | 1000 |

Middeleeuws Londen

De tweedeling tussen het handelscentrum (de City) en het bestuurlijke centrum van Londen (Westminster) ontstond in het midden van de 11de eeuw, toen Edward I zijn regering en abdij vestigde in Westminster *(zie blz. 76-79)*. Ondertussen richtten handelslieden in de City hun genootschappen en gilden op. Ziekte kwam echter veel voor, en het inwonertal werd nooit veel groter dan de 50.000. Bijna de helft van de bevolking kwam om tijdens de Zwarte Dood (1348).

OMVANG VAN DE STAD

▨ *1200*   ☐ *Heden*

LONDON BRIDGE

De eerste stenen brug werd in 1209 gebouwd en hield 600 jaar stand. Tot de bouw van Westminster Bridge (1750) was het de enige brug over de Thames.

De Chapel of St Thomas was een van de eerste gebouwen op de brug.

IJzeren balustrade

Thomas à Becket
Deze aartsbisschop van Canterbury werd in 1170 op last van Hendrik II vermoord. Thomas werd heilig verklaard en zijn graf in Canterbury werd door talloze pelgrims bezocht.

Huizen en winkels
Deze staken uit aan weerszijden van de brug. De winkeliers maakten hun eigen handelswaar en woonden boven hun winkel. Leerjongens deden de verkoop.

Dick Whittington
De handelaar was in de 15de eeuw burgemeester van Londen (zie blz. 39).

De pijlers bestonden uit houten palen die in de rivierbodem werden geslagen.

De hertenjacht
Zulke sporten werden veel beoefend door rijke landeigenaren.

De bogen varieerden van 4,5 tot 10 m in breedte.

TIJDBALK

1042 Edward I wordt koning	**1086** Domesday Book wordt gepubliceerd		**1191** Henry Fitzalwin wordt Londens eerste burgemeester	**1215** De Magna Carta van koning Jan geeft City meer macht	
1050	1100	1150	1200		1250
	1066 Willem I in Abbey gekroond	**1176** Bouw van eerste stenen London Bridge begint	**1240** Vergadering eerste parlement in Westminster		
	1065 Westminster Abbey voltooid				

☐ **Middeleeuws Londen**

Ridderlijkheid

Middeleeuwse ridders werden geïdealiseerd om hun moed en eergevoel. Edward Burne-Jones (1833-1898) schilderde George (Joris), de patroonheilige van Engeland, die een maagd redt van een draak.

Geoffrey Chaucer

Deze dichter (zie blz. 39) is beroemd geworden door zijn Canterbury tales, die een goed beeld geven van het 14de-eeuwse Engeland.

Plattegrond van de Bridge
De brug bestond uit 19 bogen. Jarenlang was het de langste stenen brug van Engeland.

WAAR VINDT U MIDDELEEUWS LONDEN?

Slechts een paar gebouwen hebben de Grote Brand van 1666 *(zie blz. 22-23)* overleefd: de Tower *(blz. 154-157)* en Westminster Hall *(blz. 72)* en Abbey *(blz. 76-79)*. Het Museum of London *(blz. 166-167)* bezit objecten en de Tate Gallery *(blz. 82-85)* en de National Gallery *(blz. 104-107)* schilderijen. Manuscripten, waaronder het *Domesday Book*, liggen in de British Library *(blz. 129)*.

De bouw van de Tower of London begon in 1078. Het was een van de weinige plaatsen in de stad waar het vorstenhuis macht bezat.

Een 14de-eeuws roosvenster is het enige wat rest van Winchester Palace, bij de Clink *(zie blz. 177)*.

Veel 13de-eeuwse pelgrims gingen naar Canterbury.

1348 Duizenden sterven aan de Zwarte Dood

1394 Westminster Hall herbouwd door Henry Yevele

Het grootzegel van Richard I toont hoe een middeleeuwse koning eruit zag

1350	1400	1450

1381 Boerenopstand neergeslagen

1397 Richard Whittington wordt burgemeester

1476 William Caxton drukt eerste boeken in Westminster

Elizabethaans Londen

In de 16de eeuw was het koningshuis sterker dan ooit. De Tudors brachten vrede in heel Engeland, waardoor kunst en handel konden floreren. Deze opbloei bereikte zijn hoogtepunt onder Elizabeth I, toen ontdekkingsreizigers de Nieuwe Wereld ontsloten en het Engelse theater, de belangrijkste bijdrage aan de wereldcultuur werd geboren.

Gordijn

OMVANG VAN DE STAD

☐ 1561　　☐ Heden

GLOBE THEATRE

Theaters werden gemaakt van hout en slechts gedeeltelijk overdekt, zodat toneelstukken bij slecht weer werden afgelast.

Een balkon op het podium was onderdeel van het decor.

In het voortoneel bevond zich een valluik.

Levend verbrand

De Tudors traden hard op tegen afwijkende opvattingen. Hier worden de bisschoppen Latimer en Ridley verbrand wegens ketterij in 1555, toen de zuster van Elizabeth, Mary I, koningin was. Verraders werden opgehangen en gevierendeeld.

In de parterre stonden burgers naar het stuk te kijken.

De valkenjacht

De jacht was populair, zoals te zien is op dit kussensloop.

TIJDBALK

Rattenvangers konden de pestepidemie niet voorkomen

1536 Anna Boleyn, tweede vrouw van Hendrik VIII, wordt geëxecuteerd

1535 Sir Thomas More wegens verraad geëxecuteerd

| 1530 | 1550 |

1534 Hendrik VIII breekt met de Rooms-Katholieke Kerk

1553 Edward sterft; zijn zuster Mary I volgt hem op

1547 Hendrik sterft en wordt opgevolgd door zijn zoon Edward VI

☐ **Elizabethaans Londen**

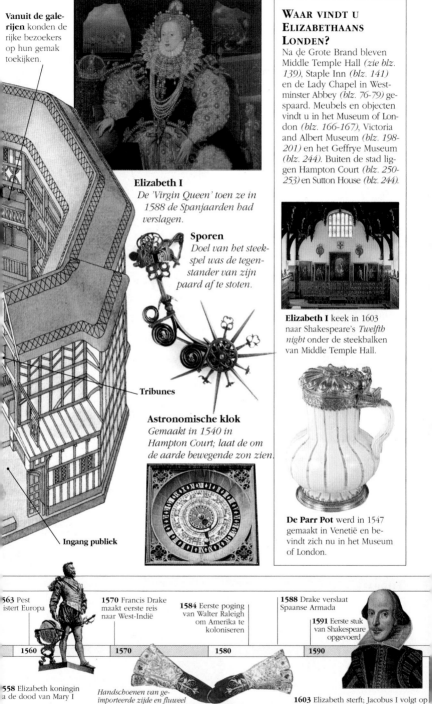

Vanuit de galerijen konden de rijke bezoekers op hun gemak toekijken.

Elizabeth I
De 'Virgin Queen' toen ze in 1588 de Spanjaarden had verslagen.

Sporen
Doel van het steekspel was de tegenstander van zijn paard af te stoten.

Tribunes

Astronomische klok
Gemaakt in 1540 in Hampton Court; laat de om de aarde bewegende zon zien.

Ingang publiek

WAAR VINDT U ELIZABETHAANS LONDEN?

Na de Grote Brand bleven Middle Temple Hall (*zie blz. 139*), Staple Inn (*blz. 141*) en de Lady Chapel in Westminster Abbey (*blz. 76-79*) gespaard. Meubels en objecten vindt u in het Museum of London (*blz. 166-167*), Victoria and Albert Museum (*blz. 198-201*) en het Geffrye Museum (*blz. 244*). Buiten de stad liggen Hampton Court (*blz. 250-253*) en Sutton House (*blz. 244*).

Elizabeth I keek in 1603 naar Shakespeare's *Twelfth night* onder de steekbalken van Middle Temple Hall.

De Parr Pot werd in 1547 gemaakt in Venetië en bevindt zich nu in het Museum of London.

563 Pest istert Europa

558 Elizabeth koningin a de dood van Mary I

Handschoenen van geïmporteerde zijde en fluweel

1570 Francis Drake maakt eerste reis naar West-Indië

1584 Eerste poging van Walter Raleigh om Amerika te koloniseren

1588 Drake verslaat Spaanse Armada

1591 Eerste stuk van Shakespeare opgevoerd

1560	1570	1580	1590

1603 Elizabeth sterft; Jacobus I volgt op

Londen tijdens de restauratie

In 1642 brak een burgeroorlog uit nadat de kooplieden hadden geëist dat het parlement meer macht zou krijgen. De republiek die toen ontstond, werd overheerst door de Puriteinen onder leiding van Oliver Cromwell. Zij verboden alledaags vermaak als dans en theater. Het herstel van de monarchie onder Karel II in 1660 werd dan ook met opgetogenheid begroet en leidde tot creativiteit. Er vonden echter ook twee grote tragedies plaats: de pestepidemie van 1665 en de Grote Brand (1666).

OMVANG VAN DE STAD

▪ *1680*   ▫ *Heden*

St Paul's Cathedral werd in de tot aan Fetter Lane *(kaart 14E1)* woedende brand verwoest.

London Bridge zelf bleef gespaard, maar veel van de gebouwen erop werden verwoest.

Oliver Cromwell
Hij leidde het parlementaire leger en was 'Lord Protector' van 1653 tot zijn dood in 1658. Na de restauratie werd zijn lichaam opgegraven en opgehangen in Tyburn (bij Hyde Park zie blz. 207).

Dood Karel I
Wegens despotisme werd de koning bij Banqueting House onthoofd op 30 januari 1649 (zie blz. 80).

Karel I
Zijn geloof in het goddelijk recht van koningen was een van de oorzaken van de burgeroorlog.

TIJDBALK

1605 Guy Fawkes leidt mislukte poging om koning en parlement op te blazen

1623 *First folio* van Shakespeare gepubliceerd

1625 Jacobus I sterft; zijn zoon Karel I volgt hem op

1642 Begin burgeroorlog als parlement koning trotseert

1620	1640	1650

Helm met veren van de Cavaliers

1649 Karel I geëxecuteerd; ontstaan Republiek

▫ **Londen tijdens de restauratie**

De telescoop van Newton
De fysicus en astronoom Isaac Newton (1642-1727) ontdekte de wet van de zwaarte-kracht.

Samuel Pepys
Zijn dagboeken geven een levendig beeld van het Londen uit zijn tijd.

De Tower of London
bleef nog net gespaard.

DE GROTE BRAND VAN 1666
Een onbekende Hollandse kunstenaar schilderde de brand, waarbij 13.000 huizen in de as werden gelegd.

De pest
In 1665 werden de doden met een kar buiten de stad gebracht en in een massagraf begraven.

WAAR VINDT U HET LONDEN TIJDENS DE RESTAURATIE?
De kerken van Wren en zijn St Paul's Cathedral *(zie blz. 47 en blz. 148-151)* zijn te zamen met het Banqueting House van Inigo Jones de beroemdste 17de-eeuwse gebouwen in Londen. Iets bescheidener zijn Lincoln's Inn *(blz. 136)* en Cloth Fair *(blz. 165)*. Het British Museum *(blz. 126-129)* en het Victoria and Albert Museum *(blz. 198-201)* bezitten collecties aardewerk, zilver en textiel.

Ham House *(blz. 248)* werd gebouwd in 1610, maar later uitgebreid en heeft het fraaiste interieur uit die tijd in Engeland.

Peter Paul Rubens schilderde het plafond van het Banqueting House *(blz. 80)*. Dit is een van de panelen.

1664–1665 100.000 mensen sterven aan de pest

1666 Grote Brand

1685 Karel II sterft; de katholiek Jacobus II wordt koning

1692 Eerste verzekeringsmarkt geopend bij Lloyd's

1660	1670		1690

1660 Herstel monarchie onder Karel II

Een scheerkom, gemaakt in 1681 door Londense pottenbakkers

1688 Jacobus afgezet ten gunste van protestant Willem III

1694 Eerste Bank of England opgericht door William Paterson

Georgian Londen

De stichting van de Bank of England in 1694 leidde tot de groei van Londen, en toen George I in 1714 aan de macht kwam, was Londen een belangrijk financieel en commercieel centrum geworden. Aristocraten uit West End legden elegante pleinen aan en lieten huizen bouwen voor de rijke kooplieden. Architecten als de gebroeders Adam, John Soane en John Nash bouwden stijlvolle huizen, waarvoor ze hun inspiratie ontleenden aan de grote Europese hoofdsteden, net als Engelse schilders, beeldhouwers, componisten en vaklieden.

George I (koning 1714–1727)

OMVANG VAN DE STAD

☐ 1810   ☐ Heden

Manchester Square werd aangelegd in 1776–1778.

Portman Square lag aan de rand van de stad toen het in 1764 werd aangelegd.

Great Cumberland Place
Gebouwd in 1790 en genoemd naar een hertog en militair leider.

Grosvenor Square
Enkele oorspronkelijke huizen staan nog aan dit grote, oude plein in Mayfair (1720).

Havens
De haven groeide mee met de wereldhandel.

TIJDBALK

1714 George I wordt koning

1727 George II wordt koning

1717 Aanleg Hanover Square; begin van nieuwbouw West End

1729 John Wesley (1703–1791) sticht Methodist Church

1759 Kew Gardens aangelegd

1768 Stichting Royal Academy of Art

1760 George III wordt koning

| 1720 | 1740 | 1760 | 1 |

☐ Georgian Londen

John Nash
Met variaties op klassieke thema's gaf Nash vorm aan het 18de-eeuwse Londen, zoals bij deze boog in Cumberland Terrace bij Regent's Park.

WEST END
Het stratenplan van een groot deel van West End is nog hetzelfde als in 1828, toen deze kaart werd gemaakt.

WAAR VINDT U GEORGIAN LONDEN?

De zuilengalerij van het Theatre Royal, Haymarket *(zie blz. 326-327)* geeft een indruk van de stijl van Londen rond 1825. Hetzelfde geldt voor de Reform Club en de Travellers' Club van Charles Barry in Pall Mall *(blz. 92)*. Aan de meeste pleinen van West End staan enkele gebouwen uit deze tijd. Het Victoria en Albert Museum (V&A *blz. 198-201*) bezit zilver, evenals de London Silver Vaults *(blz. 41)*, waar het ook te koop is. De schilderijen van Hogarth in de Tate *(blz. 82-85)* en het Sir John Soane's Museum *(blz. 136-137)* tonen de sociale omstandigheden.

Deze Engelse klok (1725) van eike- en dennenhout met Chinese motieven bevindt zich in het V&A.

Kapitein Cook
Deze zeeman uit Yorkshire ontdekte Australië op een reis rond de wereld in 1768-1771.

Berkeley Square
Aangelegd in de jaren dertig en veertig van de 18de eeuw. Aan de westkant vindt u een aantal karakteristieke oorspronkelijke huizen.

Smeedwerk
Dit versierde hek bevindt zich op Manchester Square.

Ondertekenaars Amerikaanse Onafhankelijkheidsverklaring

1811 George III krankzinnig; zijn zoon George wordt regent

1820 George III sterft; prins-regent George IV wordt koning

1830 George IV sterft; zijn broer Willem IV wordt koning

1800	1810	1820	1830

1776 Groot Brittannië verliest Amerika met de Onafhankelijkheidsverklaring

1802 Londense Beurs officieel opgericht

1829 Eerste paardebus in Londen

Victoriaans Londen

Een groot deel van Londen is victoriaans. Tot aan het begin van de 19de eeuw was de omvang van Londen beperkt gebleven tot die van de oorspronkelijke Romeinse stad plus Westminster en Mayfair, omringd door landerijen en dorpen. Vanaf 1820 werden deze ruimten snel opgevuld met woningen voor hen die in verband met de industrialisatie naar Londen trokken. De snelle groei was soms een probleem voor de stad. De eerste cholera-epidemie brak uit in 1832, en in 1858 werd de stank van de Thames zo erg dat de vergaderingen van het parlement werden opgeschort (de 'Great Stink'). Het riool van Joseph Bazalgette (1875) verlichtte het probleem aan beide zijden van de Thames.

Koningin Victoria in haar kroningsjaar (1838)

OMVANG VAN DE STAD

☐ *1900*   ☐ *Heden*

Het gebouw was 560 m lang en 33 m hoog.

Bijna 14.000 stands van over de hele wereld met meer dan 100.000 tentoongestelde voorwerpen.

Pantomime
Deze nog steeds populaire vorm van vermaak stamt als kerstvertier uit de 19de eeuw (zie blz. 326).

PUSS IN BOOTS

The CRYSTAL PALACE GRAND CHRISTMAS PANTOMIME

Soldaten sprongen voor de opening op de vloer om te zien of deze wel sterk genoeg was.

Enorme iepen in Hyde Park mochten blijven staan en het paleis werd eromheen gebouwd.

De Crystal Fountain was 8 m hoog.

Tapijten en gebrandschilderd glas hingen omlaag van de galerijen.

TIJDBALK

1837 Victoria wordt koningin

POSTAGE

1851 Wereldtentoonstelling

Seizoenkaart voor Wereldtentoonstelling

Wedgwood-bord in karakteristieke victoriaanse stijl

1861 Dood prins Albert

1860

1836 Opening eerste Londense treinstation bij London Bridge

ONE PENNY

1840 Rowland Hill introduceert penny-post

SEASON TICKET

1863 Opening van 's werelds eerste metro, de Metropolitan Railway

1870 Eerste Peabody Buildings voor huisvesting van de armen gebouwd aan Blackfriars Road

☐ **Regeringsperiode Victoria**

Spoorwegen
Rond 1900 reden snelle treinen, zoals deze Scotch Express, *door het hele land.*

WAAR VINDT U HET VICTORIAANSE LONDEN?
Het victoriaanse karakter ziet u terug in de treinstations, de musea in Kensington *(zie blz. 194-209)* en de Royal Albert Hall *(blz. 203).* Aardewerk en textiel vindt u in het Victoria and Albert Museum, en het London Transport Museum *(blz. 114)* bezit bussen, trams en treinen.

Telegraaf
Nieuwe communicatiemiddelen zoals deze telegraaf uit 1840 maakten economische groei eenvoudiger.

Crystal Palace
Tussen mei en oktober 1851 bezochten 6 miljoen mensen dit door Joseph Paxton ontworpen wonder van bouwkunst. In 1852 werd het afgebroken en weer opgebouwd in Zuid-Londen, waar het in 1936 in vlammen opging.

De victoriaanse stijl past goed bij gebouwen als het Public Record Office *(blz. 137).*

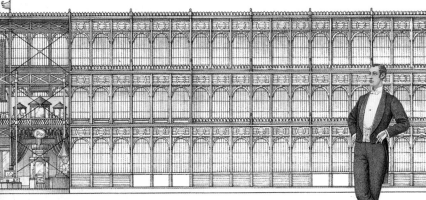

WERELDTENTOONSTELLING VAN 1851
De tentoonstelling in het Crystal Palace in Hyde Park was opgedragen aan industrie, technologie en het Britse Rijk.

Avondkleding
Onder Victoria werd het mode om meer bescheiden avondkleding te dragen.

Een hoededoos voor hoge hoeden

1889 Stichting London City Council (LCC)

1891 Bouw eerste openbare woonruimte in Shoreditch

1899 Eerste motorbussen

1901 Dood koningin Victoria; Edward II volgt haar op

1880 | **1890** | **1900**

1890 Eerste elektrische metrolijn van Bank naar Stockwell

Herdenkingswaaier voor de Boerenoorlog, die eindigde in 1903

Tussen de wereldoorlogen

Art Deco porselein van Cliff

De maatschappij die na de Eerste Wereldoorlog ontstond, omarmde de vernieuwingen uit het begin van de eeuw: de auto, de telefoon, forensenvervoer. De bioscoop introduceerde de Amerikaanse cultuur, vooral jazz en swing.

Men keerde de sociale beperkingen van de victoriaanse tijd de rug toe: mensen kwamen bijeen in restaurants, clubs en dancings om te dansen. Toen kwam de Depressie van de jaren dertig en kort daarna brak de Tweede Wereldoorlog uit.

OMVANG VAN DE STAD

 1938   ☐ Heden

METRO-LAND PRICE TWO-PENCE

Avondkleding, met hoeden voor zowel mannen als vrouwen, was nog steeds verplicht bij het uitgaan in West End.

Forenzen
De nieuwe buitenwijken van Londen werden door de metro populair. In het noorden lag 'Metroland', genoemd naar de metrolijn naar Hertfordshire.

Haute-couture
De lange, golvende nieuwe stijlen staken scherp af tegen de overdreven victoriaanse en edwardiaanse mode. Deze jurk dateert uit de jaren twintig.

UITGAANSLEVEN
Dit schilderij van Maurice Greiflenhagen (1926) geeft een goed beeld van Londen bij nacht.

TIJDBALK

Medailles als deze uit 1914 werden geslagen tijdens de campagne voor vrouwenstemrecht

1921 Aanleg noordelijke ringweg naar voorsteden

1922 Eerste nationale BBC-radiouitzending

1910   1920

1910 George V volgt Edward VII op

De cavalerie werd tijdens de Eerste Wereldoorlog nog gebruikt in het Midden-Oosten

☐ **Interbellum**

Beginjaren van de film
De in Londen geboren Charlie Chaplin (1889-1977), hier in een scène uit City Lights, *speelde in zowel stomme films als geluidsfilms.*

Zeven nieuwe theaters werden er tussen 1924 en 1931 in Londen gebouwd.

George VI
Oswald Birley schilderde dit portret van de koning, die in de oorlog het symbool van verzet en eenheid werd.

De eerste motorbussen hadden geen dak, net als de oude, door paarden getrokken bussen.

In deze periode werden de krantenoplagen steeds hoger. In 1930 verkocht *The Daily Herald* 2 miljoen kranten per dag.

Communicatie
De radio bracht vermaak en informatie in ieder huis. Dit model is uit 1933.

TWEEDE WERELD-OORLOG EN DE 'BLITZ'
In de Tweede Wereldoorlog werden voor het eerst op grote schaal burgers gebombardeerd. Veel Londenaren zochten beschermingen in de metrostations en kinderen werden naar het platteland geëvacueerd.

WOMEN OF BRITAIN
COME INTO THE FACTORIES

Net als in de Eerste Wereldoorlog werkten de vrouwen omdat de mannen in het leger zaten.

Bombardementen in 1940 en 1941 (de 'Blitz') richtten enorme schade aan.

Het naoorlogse Londen

Een groot deel van Londen werd in de Tweede Wereldoorlog platgebombardeerd. De nieuwbouw getuigt niet van veel vindingrijkheid en een aantal bouwwerken is alweer neergehaald. In de jaren zestig was Londen het centrum van mode en popmuziek en werd de stad door *Time* 'Swinging London' genoemd. Er rezen wolkenkrabbers de lucht in, maar sommige bleven leeg vanwege de recessie van de jaren negentig.

OMVANG VAN DE STAD

■ *1959*   □ *Heden*

The Beatles
Deze popgroep uit Liverpool (hier in 1965) werd enorm populair met frisse, eenvoudig liedjes. The Beatles symboliseerden het zorgeloze Londen uit de jaren zestig.

Margaret Thatcher
De eerste Britse vrouwelijke premier (1979-1990) propageerde de vrije-markt politiek die leidde tot een opleving in de jaren tachtig.

Festival of Britain
Na de oorlog deed de viering van de 100ste verjaardag van de Wereldtentoonstelling van 1851 het moreel van de stad veel goed (zie blz. 26-27).

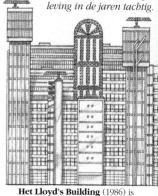

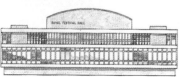

De Royal Festival Hall (1951) was het belangrijkste bouwwerk van het Festival *(zie blz. 184).*

De Telecom Tower (1964) is 180 m hoog en domineert de skyline van Fitzrovia.

Het Lloyd's Building (1986) is een post-modern bouwwerk van Richard Rogers *(zie blz. 159).*

TIJDBALK

1948 Olympische Spelen in London

OLYMPIC GAMES LONDON

OFFICIAL SOUVENIR

1952 Dood George VI; zijn dochter Elizabeth II volgt hem op

De kleine, handige Mini's symboliseerden de sfeer van 'vrijheid-blijheid' uit de jaren zestig

1945	1950	1955	1960	1965

1951 Festival of Britain

1945 Einde Tweede Wereldoorlog

1954 Voedselrantsoenering uit Tweede Wereldoorlog afgeschaft

RATION BOOK

1963 National Theatre opgericht in de Old Vic

□   **Het naoorlogse Londen**

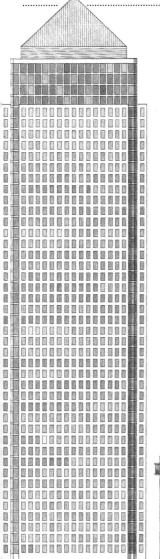

De Canada Tower (1991), gebouwd door César Pelli, is het hoogste gebouw van Londen *(zie blz. 247).*

Docklands Light Railway
In de jaren tachtig vervoerden nieuwe, computergestuurde treinen mensen naar de groeikern Docklands.

POST-MODERNE ARCHITECTUUR

De nieuwe lichting architecten van de jaren tachtig komt in opstand tegen de sombere, stijve vormen van de modernisten. Sommigen, zoals Richard Rogers, benadrukken de bouwkundige aspecten in hun ontwerp. Anderen, zoals Terry Farrell, hebben een meer speelse benadering, waarbij ze klassieke elementen toepassen.

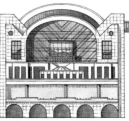

Bij Charing Cross (1991) staat de glazen constructie van Terry Farrell op het station *(zie blz. 119).*

JEUGDCULTUUR

Door hun toegenomen mobiliteit en financiële mogelijkheden beïnvloedden jongeren de populaire cultuur in de jaren na de Tweede Wereldoorlog. Muziek, mode en design werden steeds meer toegesneden op een snel veranderende smaak.

Punks dateren uit de jaren zeventig en tachtig. Hun uiterlijk en gedrag waren bedoeld om te choqueren.

Prins Charles
De kroonprins heeft een uitgesproken mening over veel recente architectuur. Hij prefereert klassieke stijlen.

1977 Zilveren jubileum koningin; werk begint aan metrolijn Jubilee

1984 Dam in Thames voltooid

De kleding van Vivienne Westwood won vele prijzen

1986 Greater London Council opgeheven

970 | 1975 | 1980 | 1985 | 1990 | 1995

1971 Bouw New London Bridge

1982 Laatste dok in London dicht

1985 Ethiopische hongersnood leidt tot Live Aid-campagne

1992 Projectontwikkeling van Canary Wharf

1995 Echtscheiding aangekondigd tussen prins Charles en prinses Diana

Koningen en koninginnen

L onden is al de koninklijke hoofdstad sinds 1066, toen Willem de Veroveraar in Westminster Abbey werd gekroond, als eerste in een lange traditie. Sindsdien hebben opeenvolgende monarchen hun stempel op Londen gedrukt en veel van de plaatsen in dit boek worden met hen geassocieerd: in Richmond ging Hendrik VIII op jacht, Karel I werd in Whitehall geëxecuteerd en in Queensway reed de jonge koningin Victoria paard. Het koningshuis speelt ook een rol in veel traditionele plechtigheden (zie bladzijden 52-55).

1413-1422 Hendrik V

1399-1413 Hendrik IV

1509-1547 Hendrik VIII

1485-1509 Hendrik VII

1066-1087 Willem de Veroveraar

1087-1100 Willem II

1100-1135 Hendrik I

1135-1154 Stephen

1327-1377 Edward III

1483-1485 Richard III

1050	1100	1150	1200	1250	1300	1350	1400	1450	1500
NORMANDIËRS		PLANTAGENET					LANCASTER	YORK	TUDOR
1050	1100	1150	1200	1250	1300	1350	1400	1450	1500

1154-1189 Hendrik II

1189-1199 Richard I

1199-1216 Jan

1216-1272 Hendrik III

1307-1327 Edward II

1272-1307 Edward I

1461-1470 en 1471-1483 Edward IV

1422-1461 en 1470-1471 Hendrik VI

1377-1399 Richard II

In deze kroniek van Matthew Paris uit de 13de eeuw ziet u de koningen Richard I, Hendrik II, Jan en Hendrik III

1483 Edward V

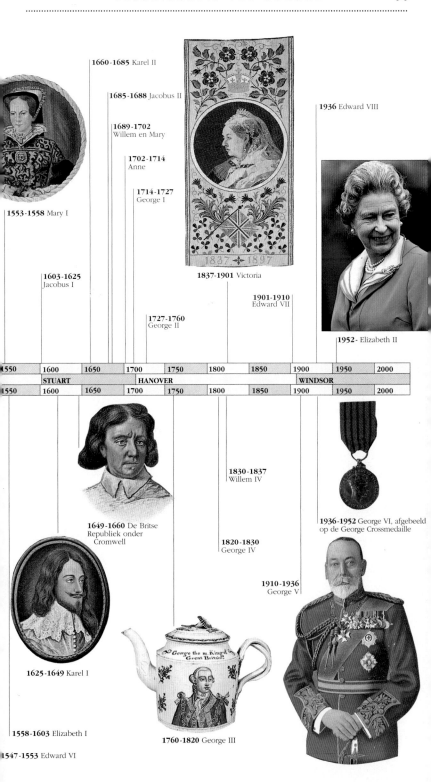

1660-1685 Karel II

1685-1688 Jacobus II

1689-1702 Willem en Mary

1702-1714 Anne

1714-1727 George I

1936 Edward VIII

1553-1558 Mary I

1603-1625 Jacobus I

1837-1901 Victoria

1901-1910 Edward VII

1727-1760 George II

1952- Elizabeth II

1550	1600	1650	1700	1750	1800	1850	1900	1950	2000
	STUART		HANOVER				WINDSOR		
1550	1600	1650	1700	1750	1800	1850	1900	1950	2000

1830-1837 Willem IV

1649-1660 De Britse Republiek onder Cromwell

1936-1952 George VI, afgebeeld op de George Crossmedaille

1820-1830 George IV

1910-1936 George V

1625-1649 Karel I

1558-1603 Elizabeth I

1760-1820 George III

1547-1553 Edward VI

LONDEN IN HET KORT

Bijna 300 bezienswaardigheden worden beschreven in het hoofdstuk *Van buurt tot buurt,* variërend van het vrolijke Museum of the Moving Image *(zie blz. 184)* tot het gruwelijke Old St Thomas Operating Theatre *(blz. 176),* en van het oude Charterhouse *(blz. 64)* tot de moderne Canary Wharf *(blz. 245).* Als u weinig tijd hebt en die goed wilt besteden, gebruik dan de volgende 20 bladzijden als gids. Musea en galeries, kerken, en parken en tuinen hebben elk hun eigen hoofdstuk en bovendien vindt u hier informatie over bekende Londenaren en ceremonieën. Bij elke bezienswaardigheid vindt u een verwijzing naar de uitgebreide beschrijving. Hieronder de top tien van toeristische attracties.

DE TIEN BEKENDSTE TOERISTENATTRACTIES

St Paul's
Zie blz. 148-151.

Hampton Court
Zie blz. 250-253.

Aflossen van de wacht
Buckingham Palace, zie blz. 94-95.

British Museum
Zie blz. 126-129.

National Gallery
Zie blz. 104-107.

Westminster Abbey
Zie blz. 76-79.

Madame Tussaud's
Zie blz. 220.

Houses of Parliament
Zie blz. 72-73.

Tower of London
Zie blz. 154-157.

Victoria and Albert Museum
Zie blz. 198-201.

Westminster Bridge en de Houses of Parliament

Beroemde bezoekers en inwoners

Veel bekende Londenaren komen ook inderdaad uit Londen: Samuel Pepys, Christopher Wren, dr Samuel Johnson, Charles Dickens en talloze anderen *(zie blz. 38-39)*. Als centrum van de internationale cultuur, handel en politiek heeft de Engelse hoofdstad ook altijd beroemdheden van buiten het eiland aangetrokken. Sommigen vluchtten voor oorlog of vervolging in hun eigen land, anderen kwamen om te werken of te studeren, of als toerist. Soms is hun associatie met Londen weinig bekend en verrassend.

Mary Seacole *(1805-1881)*
Deze in Jamaica geboren schrijfster en ver-pleegster woonde eerst in Tavistock Street en later in Cambridge Street, Paddington.

Regent's Park en Marylebone

Richard Wagner
(1813-1883)
In 1877 woonde de Duitse opera-componist op Orme Square 12, Bayswater, vanwaar hij door het park naar de Royal Albert Hall kon lopen om te dirigeren (zie blz. 203).

South Kensington en Knightsbridge

Kensington en Holland Park

Henry James *(1843-1916)*
De Amerikaanse romanschrijver woonde op Bolton Street 3, Mayfair en later op De Vere Gardens 34, Kensington (1866-1892). Hij overleed in Carlyle Mansions, Cheyne Walk.

Dwight Eisenhower
(1890-1969)
In de Tweede Wereldoorlog plande hij de invasie van Noord-Afrika vanuit een huis aan Grosvenor Square, Mayfair.

Chelsea

Mark Twain
(1835-1910)
De schepper van Huckleberry Finn woonde van 1896 tot 1897 op Tedworth Square 23.

Jenny Lind
(1827-1887)
De 'Zweedse nachte-gaal' woonde een tijdje op Old Brompton Road 189, Kensington.

DIO POPOLO PENSIERO
1805   1872
IN THIS   COUNTRY

GIUSEPPE MAZZINI
THE APOSTLE OF MODERN
DEMOCRACY INSPIRED
YOUNG ITALY WITH THE
IDEAL OF THE INDEPENDENCE
UNITY AND REGENERATION
OF HIS COUNTRY
1922

Giuseppe Mazzini
(1805-1872)
*De architect van de
Italiaanse eenheid werd in
1837 naar Londen verban-
nen en woonde tot 1840 op
Gower Street 183. Hij stichtte een school voor Italiaanse
immigranten op Hatton
Garden 5.*

Karl Marx *(1818-1883)*
*De Duitse filosoof woonde op Dean
Street 28 en schreef Das Kapital
in de leeszaal van de British
Library* (zie blz. 129).

Bloomsbury en
Fitzrovia

Smithfield en
Spitalfields

Holborn en
de Inns of
Court

De City

Soho en
Trafalgar
Square

Covent
Garden en
de Strand

T H A M E S

South Bank

Southwark en
Bankside

...adilly
.. St
..nes's

Whitehall en
Westminster

0 kilometer   1

0 mijl   0.5

GREATER LONDON COUNCIL
GENERAL
CHARLES DE GAULLE
President of the
French National Committee
set up
the Headquarters of the
Free French Forces
here in
1940

Charles
de Gaulle *(1890-1970) In de
Tweede Wereldoorlog organi-
seerde hij het Franse verzet
vanuit Carlton House Terrace.*

Mahatma Gandhi *(1869-1948)*
*De stichter van onafhankelijk
India studeerde in 1889 rechten
in Inner Temple* (zie blz. 139)
*en at bij Central, een vegeta-
risch restaurant aan St Bride's
Lane.*

Charlie Chaplin *(1889-1977)*
*Amerika's grootste filmkomiek
werd in Zuid-Londen geboren en
woonde op Kennington Road 287.
Hij begon zijn carrière in het
Londense variété-theater.*

Opmerkelijke Londenaren

Door de jaren heen hebben invloedrijke en prominente personen zich altijd al tot Londen aangetrokken gevoeld. Sommige van hen kwamen uit andere delen van Groot-Brittannië of uit het buitenland; anderen waren er geboren en getogen. Allen hebben hun stempel gedrukt op Londen, door prachtige bouwwerken te ontwerpen en door hun stad te schilderen of erover te schrijven. Hun invloed bleef niet alleen beperkt tot Londen, maar verspreidde zich ook over de rest van de wereld.

Karikatuur van de hertog van Wellington

Venus Venticordia **van Dante Gabriel Rossetti**

ARCHITECTEN EN BOUWKUNDIGEN

Het Theatre Royal Haymarket van John Nash (1821)

Het werk van een aantal vroege Londense architecten is nog steeds te zien. De Londenaar Inigo Jones (1573-1652) was de grondlegger van de Engelse renaissance-architectuur. Hij schilderde ook landschappen en ontwierp decors. Jones woonde en werkte aan Great Scotland Yard in Whitehall, toentertijd de woning van de koninklijke architect, een functie waarin hij later werd opgevolgd door Christopher Wren (1632-1723). De belangrijkste opvolgers van Wren waren zijn protégé Nicholas Hawksmoor (1661-1736) en James Gibbs (1682-1754). Ook in de generaties na hen drukten geniale architecten hun stempel op de stad: in de 18de eeuw de broers Robert (1728-1792) en James Adam (1730-1794), daarna John Nash (1752-1835), sir Charles Barry (1795-1860), Decimus Burton (1800-1881), en de victorianen Alfred Waterhouse (1830-

1905), Norman Shaw (1831-1912) en sir George Gilbert Scott (1811-1878). Sir Joseph Bazalgette (1819-1891) legde het riool aan en bouwde de Thames Embankment.

SCHILDERS

Net als in veel ander steden woonden Londense schilders vaak in dezelfde buurt. In de 18de eeuw woonden kunstenaars rond St James's Palace om dicht bij hun beschermheren te zijn.

Zo woonden en werkten William Hogarth (1697-1764) en sir Joshua Reynolds (1723-1792) aan Leicester Square, en Thomas Gainsborough (1727-1788) in Pall Mall. (Chiswick House was het buitenhuis van Hogarth.) Later werd Cheyne Walk in Chelsea, met zijn uitzicht over de rivier geliefd bij schilders, onder wie J.M.W. Turner (1775-1851), James McNeill Whistler (1834-1903), Dante Gabriel Rossetti (1828-1882), Philip Wilson Steer (1860-1942) en de beeldhouwer sir Jacob Epstein (1880-1959).

HISTORISCHE LONDONSE HUIZEN

Vier huizen van schrijvers die zijn opgeknapt en voor bezoekers toegankelijk zijn gemaakt, zijn van de romantische dichter **John Keats** (1795-1821), waar hij verliefd werd op Fanny Brawne; de historicus **Thomas Carlyle** (1795-1881); de lexicograaf **dr Samuel Johnson** (1709-1784); en de produktieve romanschrijver **Charles Dickens** (1812-1870). Het huis dat de architect **John Soane** (1753-1837) voor zichzelf ontwierp, ziet er nog grotendeels uit als toen hij stierf, evenals het huis waarin de psychiater **Sigmund Freud** (1856-1939) woonde nadat hij bij het uitbreken van de Tweede Wereldoorlog voor de nazi's was gevlucht. Het huis aan Hyde Park Corner van de **hertog van Wellington** (1769-1852), held van de slag bij Waterloo, wordt opgeknapt. **Sir Arthur Conan Doyle** situeerde de kamers van zijn **Sherlock Holmes** in Baker Street.

Dickens House

Carlyle's House

GEDENKPLATEN

Door heel Londen hangen gedenkplaten op de voormalige huizen van bekende personen, vooral in Chelsea, Kensington en Mayfair. Kijk maar eens hoeveel namen u kunt herkennen.

No. 3 Sussex Square, Kensington

No. 50 Lawford Road, Islington

No. 56 Oakley Street, Chelsea

Augustus John (1879-1961) en John Singer Sargent (1856-1925) hadden hun atelier in Tite Street. John Constable (1776-1837) is bekend als schilder uit Suffolk, maar woonde ook een tijdje in Hampstead, waar hij veel mooie schilderijen van Hampstead Heath maakte.

SCHRIJVERS

Geoffrey Chaucer (ongeveer 1345-1400), de schrijver van de *Canterbury tales*, werd geboren in Upper Thames Street als zoon van een herbergier.
Zowel William Shakespeare (1564-1616) als Christopher Marlowe (1564-1593) waren verbonden aan de theaters in Southwark.
De dichters John Donne (1572-1631) en John Milton (1608-1674) werden beiden geboren in Bread Street in de City. Samuel Pepys (1633-1703) werd vlak bij Fleet Street geboren.
De schrijfster Jane Austen (1775-1817) woonde kort in een

George Bernard Shaw

zijstraat van Sloane Street, niet ver van het Cadogan Hotel, waar Oscar Wilde (1854-1900) in 1895 wegens homoseksualiteit werd gearresteerd. Toneelschrijver George Bernard Shaw (1856-1950) woonde aan Fitzroy Square 29 in Bloomsbury. Later woonde hier ook Virginia Woolf (1882-1941) en werd het huis een ontmoetings-plaats voor de Bloomsbury Group, een groep schrijvers en schilders met onder meer Vanessa Bell, John Maynard Keynes, E.M. Forster, Roger Fry en Duncan Grant.

LEIDERS

Volgens overlevering kwam Dick Whittington met zijn kat zonder een cent op zak naar Londen om het fortuin te zoeken, waarna hij later burgemeester werd. In werkelijkheid was Richard Whittington (1360?-1423) van adel en was hij tussen 1397 en 1420 driemaal burgemeester en een van Londens meest gevierde politici. Sir Thomas More (1478-1535) uit Chelsea was Lord Chancellor van Hendrik VIII totdat ze ruzie kregen over de breuk met de Katholieke Kerk en Hendrik More liet executeren. Sir Thomas Gresham (1519?-1579) stichtte de Royal Exchange. Sir Robert Peel (1788-1850) richtte het Londense politiekorps op; de agenten werden naar hem 'bobbies' genoemd.

ACTEURS

Nell Gwynne (1650-1687) was bekender als maîtresse van Karel II dan als actrice. Ze trad echter wel op in het Drury Lane Theatre, waar ze ook sinaasappels verkocht. De Shakespeare-acteur Edmund Kean (1789-1833) en de grote actrice Sarah Siddons (1755-1831) speelden ook in Drury Lane, evenals Henry Irving (1838-1905) en Ellen Terry (1847-1928), die 24 jaar samen optraden. Charlie Chaplin (1889-1977), geboren in Kennington, groeide op in armoede in een Londense achterbuurt.
In de 20ste eeuw kwam in de Old Vic een groep uitstekende acteurs regelmatig bijeen, onder wie sir John Gielgud (1904-), sir Ralph Richardson (1902-1983), dame Peggy Ashcroft (1907-1991) en Sir Laurence Olivier (1907-1989), die werd benoemd als eerste directeur van het National Theatre.

Laurence Olivier

WAAR VIND U HISTORISCHE LONDONSE HUIZEN

Hoogtepunten: musea en galeries

De musea in Londen staan vol met een verbazingwekkende hoeveelheid kunstschatten van over de hele wereld. Op deze kaart vindt u 15 van de belangrijkste musea in de stad, met voor elk wat wils. Een aantal collecties komt voort uit de nalatenschap van 18de- en 19de-eeuwse ontdekkingsreizigers en verzamelaars. Andere bepalen zich tot één aspect van kunst, geschiedenis, wetenschap of technologie. Een gedetailleerd overzicht van de musea en galeries vindt u op bladzijden 42-43.

British Museum
Deze Angelsaksische helm behoort tot een grote collectie antiquiteiten.

Wallace Collection
De Lachende *cavalier van Frans Hals is een bekende attractie van dit museum voor kunst, meubels, wapenrustingen en* objets d'art.

Regent's Park en Marylebone

Royal Academy of Arts
Hier worden grote internationale tentoonstellingen gehouden. Elk jaar vindt de bekende Summer Exhibition plaats, waar werken te koop worden aangeboden.

Kensington en Holland Park

South Kensington en Knightsbridge

Picc e St Ja

Science Museum
De stoommachine van Newcomen uit 1712 zal zowel leek als expert aanspreken.

Chelsea

Natural History Museum
Het leven in al zijn facetten, variërend van dinosaurussen (zoals deze Triceratops-schedel) tot vlinders.

0 kilometer   1

0 mijl   0.5

Victoria and Albert
Dit museum heeft de grootste collectie decoratieve kunst ter wereld. Deze Indiase vaas dateert uit de 18de eeuw.

National Portrait Gallery
Belangrijke Britse personen worden gedocumenteerd met schilderijen en foto's. Dit is Vivian Leigh, door Angus McBean (1954).

National Gallery
De wereldberoemde schilderijen in de collectie zijn voornamelijk Europees en dateren uit de 15de tot de 19de eeuw.

Museum of London
Deze liftdeur uit 1920 en andere voorwerpen vertellen de geschiedenis van Londen vanaf de Prehistorie.

Tower of London
Hier liggen de Kroonjuwelen en wapenrustingen. Dit harnas was van een 14de-eeuwse Italiaanse ridder.

Design Museum
Nieuwe uitvindingen en prototypen naast bekende alledaagse voorwerpen uit verleden en heden.

Bloomsbury en Fitzrovia

Smithfield en Spitalfields

Holborn en de Inns of Court

De City

Soho en Trafalgar Square

Covent Garden en de Strand

Southwark en Bankside

South Bank

Whitehall en Westminster

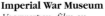

Courtauld Institute
In de galerijen vindt u bekende werken als Bar in de Folies Bergère *van Manet.*

Tate Gallery
Hier zijn twee prachtige collecties ondergebracht: Britse kunst van 1550 tot heden en internationale moderne kunst.

Imperial War Museum
Voorwerpen, film en speciale effecten om de 20ste-eeuwse gevechten te doen herleven. Dit is een van de eerste tanks.

Museum of the Moving Image
Acteurs en levensgrote modellen brengen de film tot leven.

Musea en galeries verkennen

Austin Mini in het Design Museum

Londen kan bogen op schitterende en gevarieerde musea, deels het resultaat van zijn positie als centrum van de wereldhandel en een uitgestrekt koloniaal rijk. De wereldberoemde collecties mag u niet missen, maar vergeet de kleinere musea niet. Van bussen tot waaiers, alles komt wel ergens aan bod; bovendien is het er vaak niet zo druk als in de grote musea.

Geffrye Museum: art nouveau-kamer

ANTIQUITEITEN EN ARCHEOLOGIE

Enkele van de beroemdste kunstvoorwerpen uit Azië, Egypte, Griekenland en Rome bevinden zich in het **British Museum**. Andere oude voorwerpen, waaronder boeken, manuscripten, schilderijen, bustes en juwelen, zijn te zien in het **Sir John Soane's Museum**, een van de eigenaardigste musea in Londen. De archeologische collectie van het **Museum of London** geeft een overzicht van de geschiedenis van de stad.

Eclectische collectie in Sir John Soane's Museum

MEUBELS EN INTERIEURS

In het **Museum of London** vindt u karakteristieke huiselijke en zakelijke interieurs vanaf de Romeinse tijd tot het heden. Het **Victoria and Albert Museum** (V&A) beschikt over complete kamers uit nu verdwenen gebouwen en tevens over een magnifieke collectie meubels vanaf de 16de eeuw tot aan werk van moderne ontwerpers.

Stoelen in het Design Museum

Het wat bescheidener **Geffrye Museum** heeft volledig ingerichte kamers daterend van 1600 tot 1930. Woningen van schrijvers *(zie blz. 38)*, zoals het **Freud Museum**, laten zien welke meubels bij welke tijd horen, en het **Linley Sambourne House** biedt bezoekers een uitstekend voorbeeld van een laat-victoriaans interieur.

KOSTUUMS EN SIERADEN

In de collecties van het **V&A** treft u ook Engelse en continentale kleding uit de afgelopen 400 jaar aan, en tevens prachtige sieraden uit China, India en Japan. De onbetaalbare Kroonjuwelen in de **Tower of London** zijn zeker een bezoek waard. De collectie hofkleding in **Kensington Palace** geeft een indruk van de kleding en etiquette aan het hof vanaf 1750. Het **Theatre Museum** heeft kostuums, rekwisieten en andere voorwerpen, en in het **Museum of Mankind** vindt u kleding van de Maya's, de Azteken en Afrikaanse volken.

AMBACHTEN EN DESIGN

Hiervoor moet u weer in het **Victoria and Albert Museum (V&A)** zijn: de collecties in dit museum zijn ongeëvenaard. De **William Morris Gallery** toont veel werk van de 19de-eeuwse ontwerper uit de Arts and Crafts-beweging. Voor moderner werk moet u in het **Design Museum** zijn, dat zich heeft gespecialiseerd in massaprodukten. De **Crafts Council Gallery** bezit (en verkoopt soms) moderne Britse ambachtelijke produkten.

MILITAIRE COLLECTIES

Het **National Army Museum** maakt gebruik van modellen voor het weergeven van de geschiedenis van het Britse leger van Hendrik VII tot het heden. In het **Guards' Museum** gaat de meest aandacht uit naar de Foot Guards, keurkorpsen die de elite van het Britse leger vormen. In de Royal Armouries van de **Tower of**

London, het oudste museum van Engeland, vindt u de nationale collectie van wapens en wapenrustingen. Ook in de **Wallace Collection** worden wapens tentoongesteld. In het **Imperial War Museum** laten modellen van loopgraven uit de Eerste Wereldoorlog en de Blitz van 1940 de èchte oorlog zien.

SPEELGOED EN KINDERJAREN

Teddyberen, speelgoedsoldaatjes, poppenhuizen en Dinky Toys zijn slechts een paar van de voorwerpen uit het **London Toy and Model Museum**. **Pollock's Toy Museum** heeft een vergelijkbare collectie, waaronder Eric, 'de oudste teddybeer'. Het **Bethnal Green Museum of Childhood** en het **Museum of London** zijn iets formeler; ze tonen de sociale geschiedenis van de kindertijd.

WETENSCHAP

Computers, elektriciteit, ruimtevaart, industriële processen en transport zijn alle te bezichtigen in het **Science Museum**. In het **Transport Museum** kunnen bezoekers binnenstappen in treinen, bussen en trams. Er zijn nog meer specialistische musea, zoals het **Faraday Museum**, over de ontwikkeling van de elektriciteit; het **Kew Bridge Steam Museum**; het **National Maritime Museum**; en het **Museum of the Moving Image**. Het **Natural History Museum** schenkt zowel aandacht aan het leven van dieren als aan de milieuproble-

matiek. Het **Museum of Garden History** is gewijd aan de tuin, volgens velen de favoriete hobby van de Britten.

Imperial War Museum

BEELDENDE KUNSTEN

De sterkste punten van de **National Gallery** zijn werken uit de vroeg-renaissancistische Italiaanse schilderkunst en de 17de-eeuwse Spaanse schilderkunst, en een prachtige collectie Hollandse Meesters. De specialiteit van de **Tate Gallery** is 20ste-eeuwse Europese en Amerikaanse kunst, en Britse kunst uit alle perioden. De **Clore Gallery** is gewijd aan het werk van Turner. Het **V&A** heeft veel Europese kunst van 1500-1900 en Britse kunst

van 1700-1900. De **Royal Academy** en de **Hayward Gallery** zijn gespecialiseerd in grote tijdelijke exposities. Het **Courtauld Institute** bezit impressionistische en post-impressionistische werken en de **Wallace Collection** heeft 17de-eeuwse Nederlandse en 18de-eeuwse Franse doeken. In **Kenwood House** vindt u schilderijen van Reynolds, Gainsborough en Rubens in fraaie interieurs van Adam. Informatie over tijdelijke exposities staat in de uitkranten (*zie blz. 324*).

Simson en Delila (1620) door Van Dyck in de Dulwich Picture Gallery

Stenen danser (1913) door Gaudier-Breszka in de Tate Gallery

Hoogtepunten: kerken

Het is zeker aan te raden om de Londense kerken eens van binnen te bekijken, als ze tenminste open zijn. Er hangt een sfeer die u nergens anders in de stad tegenkomt. Veel kerken hebben steeds weer de plaats ingenomen van andere bouwwerken op die plaats. Soms stonden ze eerst in dorpjes buiten de stadsmuren van Londen en werden ze opgeslokt toen de stad zich in 18de eeuw uitbreidde. De grafmonumenten in de kerken en kerkhoven van Londen bieden een fascinerende blik op het plaatselijk leven, waarbij u veel bekende namen tegenkomt. Een gedetailleerd overzicht van de kerken in Londen vindt u op bladzijden 46-47.

All Souls
Dit beeld staat op een graf in de Regency-kerk van John Nash.

St Paul's Covent Garden
Deze klassiek kerk van Inigo Jones werd wel de 'mooiste schuur in Engeland' genoemd.

Bloomsbury en Fitzrovia

Regent's Park en Marylebone

Soho en Trafalgar Square

Piccadilly en St James's

St Martin-in-the Fields
In het begin vond men deze kerk van James Gibbs uit 1722-1726 'te vrolijk' voor protestantse diensten.

South Kensington en Knightsbridge

| 0 kilometer | 1 |
| 0 mijl | 0.5 |

Whiteha Westmin

Westminster Cathedral
Deze Italiaans-Byzantijnse katholieke kathedraal met een exterieur van rood-witte baksteen bezit een fraai interieur van veelkleurige marmersoorten.

Westminster Abbey
De magnifieke middeleeuwse architectuur van deze beroemde abdijkerk met haar indrukwekkende tomben en monumenten is de fraaiste in Londen.

Brompton Oratory
Deze barokkerk is gedecoreerd met werk van Italiaanse kunstenaars.

St Mary-le-Strand

Deze scheepsvormige kerk werd door James Gibbs in 1714-1717 gebouwd naar een levendig barok ontwerp. De kerk heeft hoge ramen en een fraai interieur en is zo degelijk gebouwd dat het straatrumoer niet te horen is.

St Mary Woolnoth

Deze kleine barokkerk (1716-1727) van Nicholas Hawksmoor lijkt van binnen groter dan van buiten.

Holborn en de Inns of Court

Smithfield en Spitalfields

Covent Garden en de Strand

De City

THAMES

South Bank

Southwark en Bankside

St Stephen Walbrook

Het overkoepelde interieur (1672-1677) van Wren is prachtig. Henry Moore maakte het sobere, moderne altaar.

St Paul's

Met 110 m is de koepel van Wrens kathedraal de op één na hoogste ter wereld, na de St Pieter in Rome.

Southwark Cathedral

Deze priorij uit de 13de eeuw werd pas een kathedraal in 1905. Het bezit een fraai middeleeuws koor.

Temple Church

Deze kerk werd in de 12de en 13de eeuw gebouwd voor de tempelridders en is een van de weinige ronde kerken in Engeland.

Kerken verkennen

De kerktorens van Londen illustreren veel van de gebeurtenissen die de stad hebben gevormd: de Normandische verovering in 1066; de Grote Brand van 1666; de hierop volgende grote restauratie die werd geleid door Wren; de Regency-periode; de zelfverzekerdheid van het victoriaanse tijdperk; en de verwoestingen in de Tweede Wereldoorlog. Dit alles heeft zijn sporen nagelaten in de kerken, waarvan vele werden ontworpen door de invloedrijkste architecten van hun generatie.

St Paul's, Covent Garden

MIDDELEEUWSE KERKEN

De beroemdste oude kerk die de Grote Brand van 1666 heeft doorstaan, is de magnifieke 13de-eeuwse **Westminster Abbey**, de kroningskerk met haar graftomben voor Britse vorsten en helden. Minder bekend zijn de goed verstopte Normandische kerk **St Bartholemew-the-Great**, de oudste kerk van Londen (1123), de ronde **Temple Church**, gebouwd in 1160 door de tempelridders, en **Southwark Cathedral**, die staat tussen 19de-eeuwse spoorbanen en pakhuizen. **Chelsea Old Church** is een charmant dorpskerkje bij de rivier.

KERKEN VAN JONES

Inigo Jones (1573-1652) was een tijdgenoot van Shakespeare, en zijn werk was bijna net zo revolutionair als dat van de grote bard. De kerken van Jones uit 1620-1640 choqueerden een publiek dat gewend was aan de conservatieve gotische stijl. De bekendste is **St Paul's Church** uit 1630, het middelpunt van het plein in Covent Garden. **Queen's Chapel, St James** werd in 1623 gebouwd voor de katholieke vrouw van Karel I. Deze eerste klassieke kerk in Engeland heeft een schitterend interieur, maar is helaas meestal gesloten voor publiek.

KERKEN VAN HAWKSMOOR

Nicholas Hawksmoor (1661-1736) was de meest getalenteerde leerling van Wren, en zijn kerken behoren

TORENSPITSEN

Let eens op de fraaie versierde Londense torenspitsen. Hieronder vier van de opvallendste in de stad.

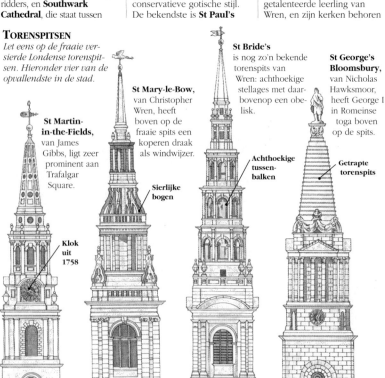

St Martin-in-the-Fields, van James Gibbs, ligt zeer prominent aan Trafalgar Square.

Klok uit 1758

St Mary-le-Bow, van Christopher Wren, heeft boven op de fraaie spits een koperen draak als windwijzer.

Sierlijke bogen

St Bride's is nog zo'n bekende torenspits van Wren: achthoekige stellages met daarbovenop een obelisk.

Achthoekige tussenbalken

St George's Bloomsbury, van Nicholas Hawksmoor, heeft George I in Romeinse toga boven op de spits.

Getrapte torenspits

tot de mooiste barokgebouwen in Engeland.
St George's Bloomsbury (1716-1731) heeft een ongewoon gecentraliseerd grondplan en een piramidevormige spits met daarbovenop een standbeeld van George I.
St Mary Woolnoth is een juweeltje uit 1716-1727. Ten oosten hiervan staat de barokke **Christ Church, Spitalfields** uit 1714-1729, die momenteel wordt gerestaureerd. In East End bouwde Hawksmoor de magnifieke **St Anne's, Limehouse** en **St Alfege** (1714-1717), die aan de andere kant van de rivier in Greenwich staat.

St Anne's, Limehouse

KERKEN VAN GIBBS

James Gibbs (1682-1754) was behoudender dan zijn barokke tijdgenoten zoals Hawksmoor, en hij waagde zich niet aan de na 1720 zo populaire neoklassieke stijl. Zijn typerende kerken waren zeer invloedrijk. **St Mary-le-Strand** (1714-1717), waar de invloed van de Italiaanse Barok op zijn werk uit blijkt, lijkt over de Strand te varen. De radicale **St Martin-in-the-Fields** (1722-1726) aan Trafalgar Square werd 100 jaar voor het plein gebouwd.

REGENCY-KERKEN

Het einde van de napoleontische oorlogen in 1815 bracht een opleving in de bouw van kerken. De behoefte aan nieuwe kerken viel samen met een hernieuwde

---

CHRISTOPHER WREN

Sir Christopher Wren (1632-1723) was de belangrijkste van de vele architecten die hielpen bij de wederopbouw van Londen na de Grote Brand. Hij ontwierp een nieuw stadsplan, waarin de nauwe straatjes plaats maakten voor brede avenues. Zijn plan werd verworpen, maar hij kreeg wel de opdracht om 52 nieuwe kerken te bouwen; 31 daarvan hebben sloop en de Tweede Wereldoorlog overleefd, hoewel van zes kerken slechts de buitenkant resteert. Wrens meesterwerk is de enorme **St Paul's**. De schitterende **St Stephen Walbrook**, zijn koepelkerk uit 1672-1677, ligt er dicht bij. Andere mijlpalen zijn **St Bride's**, bij Fleet Street, en **St Magnus Martyr** in Lower Thames Street. De favoriet van Wren zelf was **St James's, Piccadilly**, uit 1683-1684. Klein maar fraai zijn **St Clement Danes**, aan de Strand (1680-1682) en **St James, Garlickhythe** uit 1674-1687.

---

belangstelling voor het Classicisme. Deze kerken missen de uitbundigheid van Hawksmoor, maar bezitten hun eigen sobere elegantie.
All Souls, Langham Place (1822-1824), ten noorden van Regent Street, is een werk van John Nash, die toentertijd werd bespot om zijn ongewone combinatie van stijlen. Ook de voor haar tijd karakteristieke **St Pancras**, een neoklassieke kerk uit 1819-1822, is een bezoekje waard.

VICTORIAANSE KERKEN

Londen bezit een aantal van de mooiste 19de-eeuwse kerken van Europa. De weelderige versieringen van deze indrukwekkende kerken vormen een schril contrast met het kuise Neoclassicisme van het Regency-tijdperk. Wellicht de mooiste victoriaanse kerk van Londen is **Westminster Cathedral**, een schitterend

Brompton Oratory

versierde katholieke kathedraal in de Italiaanse stijl uit 1895-1903, ontworpen door J.F. Bentley en met kruiswegstaties van Eric Gill.
Brompton Oratory, gebaseerd op een kerk in Rome, is een statige neobarokke kerk waarvan de prachtige inrichting afkomstig is uit een aantal Europese kerken.

WAAR VINDT U DE KERKEN?

Hoogtepunten: parken en tuinen

Al sinds de Middeleeuwen bezit Londen grote groenstroken. Sommige, zoals Hampstead Heath, waren oorspronkelijk gemeenschapsgrond, waar kleine boeren hun dieren konden laten grazen. Andere, zoals Richmond Park en Holland Park, waren koninklijke jachtgronden of tuinen van grote huizen; sommige kenmerken dateren nog steeds uit die tijd. U steekt een groot deel van het centrum van Londen over als u van St James's Park in het oosten naar Kensington Gardens in het westen loopt. Aangelegde parken als Battersea Park en botanische tuinen als Kew kwamen pas later.

Hampstead Heath
Deze winderige open ruimte ligt midden in noord-Londen. Vanaf Parliament Hill hebt u uitzicht over St Paul's, de City en West End.

Kensington Gardens
Dit reliëf bevindt zich in de Italian Garden, een van de tuinen in dit elegante park.

Holland Park
Het voormalige grondgebied van een van Londens grootste huizen is nu het meest romantisch park van de stad.

Kew Gardens
De eerste botanische tuin ter wereld is een must voor iedereen met belangstelling voor planten, exotisch of alledaags.

0 kilometer 1

0 mijl 0.5

Richmond Park
Het grootste koninklijke park in Londen is nog grotendeels onbedorven, met herten en een fantastische uitzicht over de Thames.

Regent's Park
In dit beschaafde park met rondom regency-gebouwen kunt u om de rozentuin wande-len, het openlucht-theater bezoeken of ge-woon zitten en genie-ten van het uitzicht.

Greenwich Park
Het National Maritime Museum is een bezoek waard, zowel vanwege het gebouw zelf als vanwege de tentoongestelde voorwerpen. U hebt ook een mooi uitzicht.

Hyde Park
Behalve de Serpentine vindt u in dit park restaurants, een galerie en de Speaker's Corner.

Green Park
Over de met bladeren bezaaide paden rennen 's morgens de joggers uit de hotels in Mayfair.

Battersea Park
Bezoekers kunnen hier een boot huren voor mooie uitzichten op de victoriaanse tuinarchi-tectuur rond het meer.

St James's Park
Hier komt men de een-den voeren of pelikanen kijken. 's Zomers speelt hier een muziekkorps.

Parken en tuinen verkennen

Londen heeft een van de groenste stadscentra ter wereld, met tal van parken en pleinen vol met bomen. Elk park in Londen heeft zijn eigen karakter en charmes, van de intimiteit van de Chelsea Physic Garden tot de wilde open ruimten van Hampstead Heath. Voor wie belangstelling heeft voor sport, dieren of bloemen, volgt hier een overzicht van de interessantste Londense parken.

Camilla japonica

BLOEMENTUINEN

De Britten staan bekend om hun tuinen en hun liefde voor bloemen, wat duidelijk is te zien in tal van Londense parken. Echte tuinliefhebbers vinden alles wat ze willen weten in **Kew Gardens** en de **Chelsea Physic Garden**, met kruiden als specialiteit. Dichter bij het centrum kan **St James's Park** bogen op een aantal opvallende bloembedden, vol met tuinplanten, elk jaar weer andere. **Hyde Park** heeft in de lente een prachtige tentoonstelling van narcissen en krokussen, en de mooiste rozentuin van Londen treft u aan in

Queen Mary's in **Regent's Park**. **Kensington Gardens** bezit een typisch Engelse gemengde border. En een lieflijk 17de-eeuws tuintje vindt u in het **Museum of Garden History**.
Battersea Park bezit ook een mooie bloementuin, en liefhebbers van kamerplanten moeten eens gaan kijken in de kas van het **Barbican Centre**.

GEOMETRISCHE TUINEN

De opvallendste geometrische tuin ligt in **Hampton Court**, dat tal van tuinen uit verschillende perioden bezit. Verspreid over de tuinen van **Chiswick House**

Embankment Gardens

vindt u 18de-eeuwse beeldhouwwerken en paviljoens. Andere gereconstrueerde tuinen zijn het 17de-eeuwse **Ham House** en **Osterley Park**. **Fenton House** beschikt over een zeer fraaie ommuurde tuin. **Kenwood** heeft een gebied met bos en is wat minder stijf. **The Hill** is in de zomer heel mooi. De verdiepte tuin van **Kensington Palace** is symmetrisch van opzet en in **Holland Park** staan er bloemen rondom de standbeelden.

RUSTIGE PLEKJES

De Londense pleinen zijn koel en schaduwrijk, maar helaas meestal alleen toegankelijk voor bewoners van de omringende huizen. Van de wel toegankelijke pleinen is **Russell Square** het grootst en het stilst. **Berkeley Square** is open maar kaal. **Green Park** heeft schaduwrijke bomen en ligstoelen en u kunt er in hartje Londen uitstekend picknicken. In de Inns of Court is het ook goed toeven: in de tuinen van **Gray's Inn** en **Middle**

Verdiepte tuin bij Kensington Palace

GROEN LONDEN

In Greater London zijn er 1700 parken met een totaaloppervlak van 174 km². Ze herbergen zo'n 2000 plantesoorten, en zo'n 100 vogelsoorten broeden in de bomen. Bomen zijn de groene longen van de stad – ze maken zuurstof van de vervuilde lucht. Hier een paar soorten die u waarschijnlijk in Londen wel zult zien.

De gewone plataan is tegenwoordig de meest voorkomende boom in de Londense straten.

De zomereik komt voor in heel Europa. De marine bouwde er vroeger schepen van.

Temple Inn en **Lincoln's Inn Fields**. **Soho Square** wordt omringd door straten en is levendiger.

MUZIEK IN DE ZOMER

Liggend in het gras of in een ligstoel luisteren naar muziek is een Britse traditie. Militaire en andere kapellen geven in de zomer regelmatig concerten in **St James's Park** en **Regent's Park** en ook in **Parliament Hill Fields**. Het programma van de concerten hangt meestal bij de muziektent in het park. In tal van parken worden 's zomers openluchtfestivals met klassieke muziek georganiseerd *(zie blz. 331)*.

DIEREN

In **St James's Park** bevinden zich eenden en andere watervogels, zelfs een paar pelikanen. Liefhebbers van eenden kunnen ook terecht in **Regent's Park**, **Hyde Park**, **Battersea Park** en **Hampstead Heath**. In **Richmond Park** en **Greenwich Park** lopen herten rond. Dieren in gevangenschap treft u aan in **London Zoo** in **Regent's Park**, en in sommige parken en tuinen staan vogelkooien en aquaria, zoals in **Kew Gardens** en **Syon House**.

Ganzen in St James's park

HISTORISCHE BEGRAAFPLAATSEN

Even voor 1840 werd een ring van privé-begraafplaatsen rond Londen aangelegd om de overbevolkte begraafplaatsen in de stad te ontlasten. Een aantal ervan (vooral **Highgate Cemetery** en Kensal Green, Harrow Road W10) is zeker een bezoek waard om de vredige sfeer en de victoriaanse monumenten. **Bunhill Fields** is ouder en werd voor het eerst gebruikt tijdens de pest van 1665.

Kerkhof Kensal Green

Bootvijver in Regent's Park

SPORT

Fietsen wordt niet echt gestimuleerd in de parken van Londen, en voetpaden zijn vaak te hobbelig voor rolschaatsen. De meeste parken hebben echter tennisbanen, die gewoonlijk moeten worden gereserveerd. In **Hyde Park**, **Regent's Park** en **Battersea Park** kunt u onder meer roeiboten huren. Atletiekbanen vindt u in Battersea Park en **Parliament Hill**. In de vijvers van **Hampstead Heath** en in de Serpentine in Hyde Park mag u zwemmen. Hampstead Heath is ook ideaal voor vliegeraars.

WAAR VINDT U DE PARKEN?

De beuk is verwant aan de bruine beuk, die roodbruine bladeren heeft.

De witte paardekastanje heeft harde ronde vruchten, die kinderen gebruiken om te knikkeren.

Hoogtepunten: ceremoniën

Veel van Londens rijke erfenis aan tradities en ceremoniën hebben met het koningshuis te maken. Een aantal dateert nog uit de Middeleeuwen, toen de koning absolute macht had en tegen zijn opponenten moest worden beschermd. Op deze kaart staan de plaatsen waar de belangrijkste Londense ceremoniën plaatsvinden. Op bladzijden 54-55 vindt u meer informatie over deze en andere ceremoniën. Informatie over uiteenlopende evenementen in Londen vindt u op bladzijden 56-59.

St James's Palace en Buckingham Palace
Soldaten van de Queen's Life Guard staan voor de twee koninklijke paleizen. De wacht wordt in de zomer elke dag afgelost.

Bloomsbu
en Fitzrou

Soho en
Trafalgar
Square

South Kensington en Knightsbridge

Piccadilly en
St James's

Hyde Park
Uit een kanon in het park worden elk jaar saluutschoten afgevuurd tijdens zes koninklijke verjaardagen en andere gelegenheden.

Whitehall en
Westminster

Chelsea

Chelsea Hospital
In 1651 verstopte Karel II zich voor het parlementaire leger in een eik. Op Oak Apple Day versieren de Chelsea Pensioners zijn standbeeld met eikebladeren en -takken.

Horse Guards
Tijdens Trooping the Colour, de uitbundigste van de Londense plechtigheden, groet de koningin een bataljon Foot Guards die voor haar langs marcheren.

De City en Embankment
*Op de Lord Mayor's Show escorteren piekeniers
en musketiers de pas gekozen Lord Mayor in
zijn gouden staatsiekoets door de City.*

*Holborn en de
Inns of Court*

*vent
len en
trand*

De City

South Bank

*Southwark en
Bankside*

T H A M E S

De Cenotaph
*Op Remembrance Sunday
bewijst de koningin eer aan
de Britse oorlogsslachtoffers.*

0 kilometer   1

0 mijl   0.5

Tower of London
*In de nachtelijke
Ceremony of the Keys
sluit een Yeoman
Warder de poorten. Een
militair escorte waakt
voor diefstal.*

Houses of Parliament
*Elk najaar gaat de koningin in de
Irish State Coach naar
het parlement
om het nieuwe
seizoen te ope-
nen.*

Plechtigheden in Londen

Het vorstenhuis en de handel zijn grotendeels verantwoordelijk voor het grote aantal ceremoniële evenementen. Hoe eigenaardig en ouderwets deze rituelen ook zijn, ze hebben wel degelijk een historische betekenis. Veel ceremoniën ontstonden al in de Middeleeuwen.

KONINKLIJKE PLECHTIGHEDEN

Ofschoon de rol van de koningin nu grotendeels symbolisch is, doet de paleiswacht van Buckingham Palace nog steeds de ronde. De indrukwekkende ceremonie van het **Aflossen van de Wacht** – prachtige uniformen, geschreeuwde bevelen, marsmuziek – houdt in dat de oude wacht op het voorhof van het paleis de wacht overdraagt aan de nieuwe wacht. De wacht bestaat uit drie officieren en 40 man als de koningin aanwezig is, en uit drie officieren en 31 man als ze er niet is. De overdracht vindt voor het paleis plaats en is voor ieder een te volgen. De wacht wordt ook afgelost bij Horse Guards en op Tower Green bij de Tower of London.

Een van de Queen's Life Guards

De **Ceremony of the Keys** bij de Tower is een van de tijdloze ceremoniën in Londen. Nadat alle poorten van de Tower op slot zijn gedaan, blaast een trompettist de taptoe voordat de sleutels in het Queen's House worden opgeborgen.

Bij de Tower en in Hyde Park vinden ook de **Royal Salutes** plaats tijdens verjaardagen en andere gelegenheden. Om 12 uur 's middags worden dan in Hyde Park 41 schoten afgevuurd en om 1 uur bij de Tower 62. Het is een spectaculair gezicht als in Hyde Park paarden en kanonnen hun plaats innemen en het gebulder van het geschut begint. De combinatie van vertoon, kleur en muziek maakt de jaarlijkse **Trooping the Colour** het hoogtepunt van het ceremoniële jaar in Londen. Er worden saluutschoten gelost voor de koningin en nadat haar troepen zijn voorbijgemarcheerd, leidt ze hen naar Buckingham Palace, waar nogmaals wordt gemarcheerd. De beste plaats om dit spektakel te bekijken, is vanuit St James's Park, aan de kant van de Horse Guards Parade. Regimenten van de Household Cavalry en de Foot Guards voeren de plechtigheid **Beating the**

Queens Guard in de winter

Retreat op tijdens de Horse Guards Parade. Dit vindt zes tot acht keer plaats in de veertien dagen voor **Trooping the Colour**.

De **State Opening of Parliament**, als de koningin de jaarlijkse vergadering van het Hogerhuis opent – meestal in november – is niet toegankelijk voor het publiek, maar wordt wel op televisie uitgezonden. De enorme koninklijke optocht van Buckingham Palace naar Westminster is een magnifiek schouwspel, waarbij de koningin in de sierlijke Irish State Coach wordt voortgetrokken door vier paarden.

MILITAIRE PLECHTIGHEDEN

Bij de Cenotaph in Whitehall wordt op **Remembrance Sunday** een plechtigheid gehouden voor diegenen die in de twee wereldoorlogen het leven lieten. Op **Navy Day** houdt men een parade over de Mall, gevolgd door een kerkdienst bij Nelson's Column op Trafalgar Square.

Royal Salute bij de Tower

Aflossen van de wacht, Tower of London

Silent Change Ceremony voor de nieuwe Lord Mayor bij Guildhall

PLECHTIGHEDEN IN DE CITY

In november vinden de meeste plechtigheden in de City of London plaats. Bij de **Silent Change** in Guildhall overhandigt de vertrekkende Lord Mayor de ambtstekens aan de nieuwe Mayor in een ceremonie waarbij bijna geen woord wordt gesproken. De volgende dag vindt de lawaaiige **Lord Mayor's Show** plaats. Begeleid door fanfares, versierde karren en militaire regimenten, rijdt de Lord Mayor per koets van Guildhall naar de Law Courts, en weer terug langs de Thames.

De ambtsketen van de Lord Mayor

Veel plechtigheden in de City hebben te maken met de activiteiten van de gilden (zie blz. 152). Zo ook de jaarlijkse viering van wijnoogst tijdens de **Vintner's and Distiller's Wine Harvest** en de **Cakes and Ale Sermon** van het boekhandelaarsgilde in St Paul's, waar, overeenkomstig het testament van een 17de-eeuwse boekverkoper, cake en bier wordt uitgedeeld.

NAAMDAGPLECHTIGHEDEN

Elke 21ste mei wordt koning Hendrik VI, die in 1471 in de Tower werd vermoord, herdacht door de leden van twee van zijn beroemde stichtingen, Eton College en King's College in Cambridge, die voor een plechtigheid bijeen komen bij de Wakefield Tower waar Hendrik werd gedood. Op **Oak Apple Day** wordt de ontsnapping gevierd van Karel II uit de handen van het parlementaire leger van Oliver Cromwell in 1651. De koning verstopte zich in een holle eik, en te genwoordig wordt zijn nagedachtenis geëerd door zijn standbeeld bij Chelsea Hospital met eikebladeren en -takken te versieren. Op 18 december wordt dagboekschrijver **dr Johnson** herdacht in een jaarlijkse dienst in Westminster Abbey.

INFORMELE PLECHTIGHEDEN

Elk jaar in juli strijden zes gildeleden om de eerste prijs in **Doggett's Coat and Badge Race**. In de herfst komen de **Pearly Kings and Queens**, vertegenwoordigers van handelaars uit oost-Londen, bijeen in St Martin-in-the-Fields. In maart krijgen kinderen sinaasappels en citroenen tijdens de **Oranges and Lemons Service** in St Clemens Danes Church. In februari doen clowns mee aan een dienst voor **Joseph Grimaldi** (1779-1837) in de Holy Trinity Church in Dalston E8.

Pearly Queen

Agenda van Londen

Als in de lente de dagen langer worden, lijkt de stad weer tot leven te komen. De parken zijn bezaaid met het vrolijke geel van de narcissen, en veel Londenaren gaan weer voor het eerst joggen, waarbij ze hijgend achter de serieuze lopers aanlopen die trainen voor de marathon. Als de lente in de zomer overgaat, zijn de koninklijke parken op hun mooist; in Kensington Park komt men bijeen om te keuvelen onder de oude kastanjebomen. In het najaar hebben diezelfde bomen prachtig rode en gouden kleuren, en bezoeken de Londenaren hun musea en galeries, met daarna een kopje thee in een tearoom. Het jaar loopt ten einde met Guy Fawkesfeesten en winkelen in West End. Informatie over de evenementen vindt u bij de London Tourist Board *(zie blz. 345)* of in de uitkranten *(blz. 325)*.

Lente

In de lente is het weer onbestendig en een paraplu komt dan goed van pas. Druïden vieren de lentenachtevening met een ingetogen ceremonie op Tower Hill. Schilders wedijveren om hun werk te laten aanvaarden door de Royal Academy. De voetballers sluiten hun seizoen af met de Cup Final op Wembley, cricketers trekken hun sweaters aan om hun seizoen te beginnen en de universiteiten van Oxford en Cambridge roeien hun jaarlijkse wedstrijd over de Thames.

Hardlopers passeren Tower Bridge tijdens de London Marathon

Maart

Chelsea Antiques Fair *(tweede week)*, Chelsea Old Town Hall, King's Rd SW3.
Oranges and Lemons Service, St Clement Danes *(blz. 55)*. Dienst voor schoolkinderen. Elk kind krijgt een sinaasappel en een citroen.
Roeiwedstrijd tussen Oxforá en Cambridge *(za voor Pasen; of Pasen)*, van Putney naar Mortlake *(blz. 337)*.
Viering lentenachtevening *(21 maart)*, Tower Hill EC3. Ingetogen heidens ritueel met eigentijdse druïden.

Pasen

Goede Vrijdag en de maandag daarop zijn officiële feestdagen. **Paasparades**, Covent Garden *(blz. 114)*, Battersea Park *(blz. 247)*.
Vliegeren, Blackheath *(blz. 239)* en Hampstead Heath *(blz. 230)*.

Paasprocessie en gezang *(Tweede Paasdag)*, Westminster Abbey *(blz. 76-79)*.
International Model Railway Exhibition *(paasweekend)*, Royal Horticultural Hall, Vincent Sq SW1. Niet alleen voor de treinfanaat.

April

Saluutschoten op Koninginnedag *(21 april)*

Lente in een park in Londen

Hyde Park, Tower of London *(blz. 54)*.
Marathon van Londen *(zo in apr of mei)*, van Greenwich naar Westminster *(blz. 337)*.

Mei

Eerste en laatste maandag zijn officiële feestdagen.
FA Cup Final, Wembley. Hoogtepunt van het voetbalseizoen *(blz. 336)*.
Henry VI Memorial *(blz. 55)*.
Beating the Bounds *(Hemelvaartsdag)*, in de hele City. Jongens uit de City slaan op bepaalde gebouwen om de grenzen van de parochie af te bakenen.
Oak Apple Day, bij het Royal Hospital, Chelsea *(blz. 55)*.
Kermissen *(eind mei)*, verschillende parken.
Chelsea Flower Show *(eind mei)*, Royal Hospital, Chelsea.
Beating the Retreat *(blz. 54)*.
Royal Academy Summer Exhibition *(mei-juli)*, Piccadilly *(blz. 90)*.

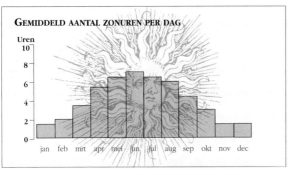

GEMIDDELD AANTAL ZONUREN PER DAG

Uren
10 8 6 4 2 0

jan feb mrt apr mei jun jul aug sep okt nov dec

Zonnetabel

De langste en heetste dagen in Londen vallen tussen mei en augustus. Hartje zomer is het licht van voor 5.00 tot na 21.00 uur. In de winter zijn de dagen veel korter, maar ook in een winterzonnetje kan Londen heel mooi zijn.

ZOMER

In de zomer vinden in Londen tal van activiteiten plaats. Het weer is erg onbestendig, zelfs midden in de zomer, maar tenzij u veel pech hebt, zijn er genoeg mooie dagen om van het aanbod te genieten.

Er vinden veel traditionele evenementen plaats, zoals de tenniswedstrijden van Wimbledon, en de talloze cricketwedstrijden op Lord's en de Oval. Buiten het zicht van het grote publiek en spiedende fotografen houdt de koningin tuinfeestjes voor bevoorrechte onderdanen op het prachtige terrein van Buckingham Palace. Op zomerse feestdagen zijn er ook veel kermissen in de meeste parken van Londen.

JUNI

Morrisdansen *(wo-avonden, gedurende de hele zomer)*, Westminster Abbey *(blz. 76-79)*. Traditionele Engelse volksdansen.

Saluutschoten op Coronation Day *(2 juni)*, Hyde Park en Tower of London *(blz. 54)*.

Pottenbakkersmarkt, Dorchester Hotel, Park Lane W1.

Kunst- en antiekmarkt, Olympia, Olympia Way W14.

Trooping the Colour, Horse Guards *(blz. 54)*.

Herdenkingsdienst Charles Dickens *(9 juni)*, Westminster Abbey *(blz. 76-79)*. Herdenking van Londens bekendste auteur.

Saluutschoten op verjaardag hertog van Edinburgh

Pret op Notting Hill Carnival

(10 juni), Hyde Park en Tower *(blz. 54)*.

Wimbledon tenniskampioenschap *(twee weken, eind juni; blz. 336)*.

Cricket-testmatch, Lord's *(blz. 336)*.

Shakespeare-voorstellingen in open lucht *(gehele zomer)*, Regent's Park. Zeer geschikt om te picknicken *(blz. 327)*.

Openluchtconcerten, Kenwood, Hampstead Heath, Crystal Palace, Marble Hill, St James's Park *(blz. 331)*.

Straattheaterfestival *(eind juni)*, Greenwich, Spitalfields en Primrose Hill. Informatie over tijd en plaats bij het London Tourist Board *(blz. 345)* of uit de uitkranten *(blz. 325)*.

JULI

Zomerfestivals, City of London en Richmond.

Uitverkoop. Opruiming in veel Londense winkels *(blz. 311)*.

Doggett's Coat and Badge

Race *(blz. 55)*.

Hampton Court Flower Show, Hampton Court Palace *(blz. 250-253)*.

Royal Tournament *(midden juli)*, Earl's Court, Warwick Rd SW5. Indrukwekkend militair spektakel door de gecombineerde strijdkrachten.

Capital Radio Jazz Festival, Royal Festival Hall *(blz. 184)*.

Henry Wood Promenade Concerts *(eind juli-sept.)*, Royal Albert Hall *(blz. 203)*.

AUGUSTUS

De laatste maandag is een officiële feestdag.

Saluutschoten op verjaardag koningin-moeder *(4 aug.)*, Hyde Park en Tower of London *(blz. 54)*.

Notting Hill Carnival *(weekend eind aug.)*. Een feest georganiseerd door de etnische groeperingen in Londen *(blz. 215)*.

Kermissen *(vakantie aug.)*, in veel Londense parken.

Muziekkorps, St James's Park

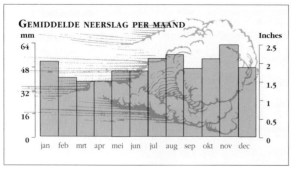

GEMIDDELDE NEERSLAG PER MAAND

| mm | | | | | | | | | | | | Inches |

Regentabel
De gemiddelde neer-slag in Londen blijft het hele jaar vrij con-stant. Juli en augus-tus, de twee warmste maanden, behoren ook tot de natste. In de lente regent het iets minder vaak, maar u moet het hele jaar rekening hou-den met een bui.

HERFST

In het najaar hangt er een doelgerichte sfeer in Londen. De komst van het drukke winkelseizoen, het begin van het academische jaar en de opening van de parlementsvergaderingen door de koningin geven wat levendigheid aan de koude maanden. De laatste test-matches van het cricketsei-zoen worden op Lord's ge-speeld en in de sacristie van St Mary-at-Hill, een fraaie kerk van Wren, kunt u de vele vissen bewonderen die daar uitgestald liggen om de visvangst te vieren.

Op 5 november wordt met vreugdevuren en vuurwerk gevierd dat Guy Fawkes er niet in slaagde om in 1605 het Palace of Westminster op te blazen. Een paar dagen later worden de doden van de twee wereldoorlogen her-dacht in een ceremonie in Whitehall.

Pearly Kings tijdens het oogstfeest bij St Martin-in-the-Fields

SEPTEMBER

National Rose Society Annual Show, Royal Horticultural Hall, Vincent Sq W1.
Chelsea Antiques Fair *(derde week*, Chelsea Old Town Hall, King's Road SW3.
Last Night of the Proms *(eind sept.)*, Royal Albert Hall *(blz. 203)*.

OKTOBER

Pearly Harvest Festival *(3 okt.)*, St Martin-in-the-Fields *(blz. 55)*.
Punch and Judy Festival *(3 okt.)*, Covent Garden WC2. Feest ter ere van Jan Klaassen en Katrijn.
Horse of the Year Show *(begin okt.)*, Wembley *(blz. 337)*. Belangrijk springcon-cours.
Harvest of the Sea *(tweede zo)*, St Mary-at-Hill *(blz. 152)*.
Vintner's and Distillers'

Wine Harvest *(blz. 55)*.
Navy Day *(blz. 54)*.
State Opening of Parliament *(blz. 54)*.

NOVEMBER

Guy Fawkes Night *(5 nov.)*. Uitkranten geven informatie over vuurwerkshows *(blz. 324)*.
Remembrance Day, dienst *(blz. 54)*.
Silent Change *(blz. 55)*.
Lord Mayor's Show *(blz. 55)*.
London-to-Brighton; race voor oude auto's *(eerste zo)*. Start in Hyde Park *(blz. 207)*.

London-to-Brighton autorace

Herfstkleuren in een Londens park

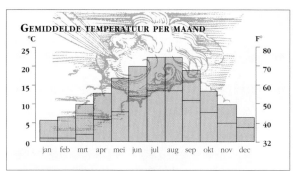

GEMIDDELDE TEMPERATUUR PER MAAND

jan feb mrt apr mei jun jul aug sep okt nov dec

Temperatuurtabel

De gemiddelde zomertemperatuur van net onder de 25°C lijkt strijdig met de reputatie van Londen als kille stad. Maar als de dagen korter worden, daalt de temperatuur langzaam. Van november tot februari kan het behoorlijk vriezen.

WINTER

Vaak levert het winterse Londen de mooiste plaatjes op: schilderijen met vrolijke mensen in de 17de en 18de eeuw – toen de Thames geheel was dichtgevroren – en de gezichten van Claude Monet met de rivier en haar bruggen.

Eeuwenlang was de dichte mist een onvermijdelijk aspect van de winter, tot de Clean Air Act van 1956 het verbranden van kolen in open haarden verbood.

Overal zijn kerstbomen en twinkelende lichtjes, van de winkelstraten in West End tot op de bouwterreinen. De geur van geroosterde kastanjes verspreidt zich door de straten, waar verkopers met hun gloeiende verrijdbare komforen ze aan de man proberen te brengen.

Op het menu staan gebraden kalkoen, pasteitjes en de beroemde Christmas pudding. In de theaters kunt u traditioneel terecht voor pantomime (waar tot verwarring van veel bezoekers de vrouwen mannenkleren dragen en andersom - *blz. 327*), en balletvoorstellingen zoals het *Zwanenmeer* of *De notenkrakersuite*.

FEESTDAGEN

Nieuwjaar (1 jan.); **Goede Vrijdag; Tweede Paasdag; May Day** (eerste maandag in mei); **Tweede Pinksterdag** (laatste maandag in mei); **August Bank Holiday** (laatste maandag in augustus); **Kerstmis** (25-26 december).

Winter in Kensington Gardens

DECEMBER

Rugbywedstrijd Oxford tegen Cambridge *(midden dec.)*, Twickenham *(blz. 337)*.
Herdenkingsdienst dr Johnson *(18 dec.)*, Westminster Abbey *(blz. 55)*.

KERSTMIS EN NIEUWJAAR

25-26 dec. en 1 jan. zijn officiële feestdagen. Er rijden geen treinen op Eerste Kerstdag.
Kerstliederen *(elke avond*

kort voor Kerstmis), Trafalgar Sq *(blz. 102)*, St Paul's *(blz. 148-151)*, Westminster Abbey *(blz. 76-79)* en andere kerken.
Kalkoenmarkt *(24 dec)*, Smithfield Market *(blz. 164)*,
Zwemmen op Eerste Kerstdag Serpentine, Hyde Park *(blz. 207)*.
Oudejaarsavond *(31 dec.)*, Trafalgar Square, St Paul's.

JANUARI

Uitverkoop *(blz. 311)*
International Boat Show Earl's Court, Warwick Rd SW5.
International Mime Festival *(midden jan.-begin feb.)*, verschillende lokaties.
Herdenking Karel I *(laatste zo)*, optocht van St James's Palace *(blz. 91)* naar Banqueting House *(blz. 80)*.
Chinese Nieuwjaar *(eind jan.-begin feb.)*, Chinatown *(blz. 108)* en Soho *(blz. 109)*.

FEBRUARI

Clowns' Service *(eerste zo)*, Dalston *(blz. 55)*.
Saluutschoten ter ere van troonsbestijging koningin *(6 feb.)*, 41 schoten in Hyde Park; 62 bij Tower. *(blz. 54)*.
Pancake races *(Vastenavond)*, Lincoln's Inn Fields *(blz. 137)* en Covent Garden *(blz. 114)*.

Kerstverlichting op Trafalgar Square

LONDEN VANAF DE THAMES

Teme is Oud-keltisch voor 'rivier', en de Romeinen gebruikten dit woord als naam voor de grote rivier waaraan ze twee eeuwen geleden de stad *Londinium (zie blz. 16-17)* stichtten. De Romeinse kolonisten bouwden hun stad op de meest oostelijk gelegen plaats waar de rivier met de toenmalige techniek kon worden overbrugd. Sinds die tijd heeft de Thames altijd een belangrijke rol gespeeld in de geschiedenis van Londen. De vijandelijke Noormannen volgden de rivier in de 8ste en 9de eeuw en hier werd in de Tudor-periode de Royal Navy opgericht. Bovendien was de Thames tot ver in de jaren vijftig van deze eeuw van groot belang voor de Britse handel. Grote schepen worden hier niet meer gemaakt; de rivier is nu de belangrijkste vrijetijdsvoorziening van

Versiering op Southwark Bridge

Londen. Waar eens werven en pakhuizen stonden, bevinden zich nu promenades, jachthavens, cafés en restaurants.

Een goede manier om de stad te bekijken, is door een boottocht te maken met een van de bedrijven die rondvaarten door het centrum aanbieden. Ze variëren in lengte van 30 minuten tot 4 uur. Het populairste deel van de rivier loopt stroomafwaarts van de Houses of Parliament tot Tower Bridge. Vanaf de rivier krijgt u een heel andere aanblik van Londen. U ziet bijvoorbeeld Traitor's Gate, de beruchte rivieringang naar de Tower, waar gevangenen na hun proces in Westminster Hall *(zie blz. 72-73)* werden opgesloten. U kunt ook langere tochten maken langs gebouwen in verschillende architectonische stijlen tussen Hampton Court en de Thames Barrier.

De Thames in Londen

Passagiersboten bestrijken zo'n 50 km van de Thames, van Hampton Court in het westen naar de Thames Barrier in de voormalige Docklands in het oosten.

Woonboot in Chelsea

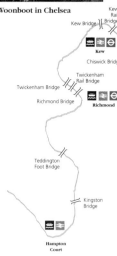

Kew Rail Bridge
Kew Bridge
Kew
Chiswick Bridge
Twickenham Rail Bridge
Twickenham Bridge
Richmond Bridge
Richmond
Teddington Foot Bridge
Kingston Bridge
Hampton Court

BOOTTOCHTEN

De meeste maatschappijen varen tussen 1 april en eind september, waarna de dienstregeling voor de winter ingaat; soms gaat deze echter later in, dus bel eerst! In de winter zijn er stroomopwaarts geen lijndiensten.

Een rondvaart op de *Mercedes*

Westminster Pier
Kaart 13 C5.
⊖ *Westminster.*

Stroomafwaarts naar Tower Pier

📞 *0171-515 1415.*
Vertrektijden 10.20, 10.40, 11.00, 11.30 en 12.00 uur. Dan elke 20 minuten tot 15.00 uur. Dan elke 30 minuten tot 17.00 uur (in hoogseizoen tot 18.00, dan elk uur tot 21.00 uur).
Duur 30 minuten.

Stroomafwaarts naar Greenwich
📞 *0171-930 4097.*
Vertrektijden elke 30 minuten, 10.30-16.00 uur (hoogseizoen 20.00 uur).
Duur 1 uur.

Stroomafwaarts naar Thames Barrier
📞 *0171-930 3373.*
Vertrektijden 10.15, 11.15, 12.45, 13.45 en 15.15 uur.
Duur 2½ uur.

Privé-feestje op een gehuurde boot

Stroomopwaarts naar Kew
📞 *0171-930 4721.*
Vertrektijden elke 30 minuten, 10.00, 10.30, 11.15, 12.00 en 14.00 uur.
Duur 1½ uur.

Stroomopwaarts naar Richmond
📞 *0171-930 4721.*
Vertrektijden 10.30 en 12.00 uur.
Duur ongeveer 3 uur.

Stroomopwaarts naar Hampton Court
📞 *0171-930 4721.*
Vertrektijden 11.15 en 12.00 uur.

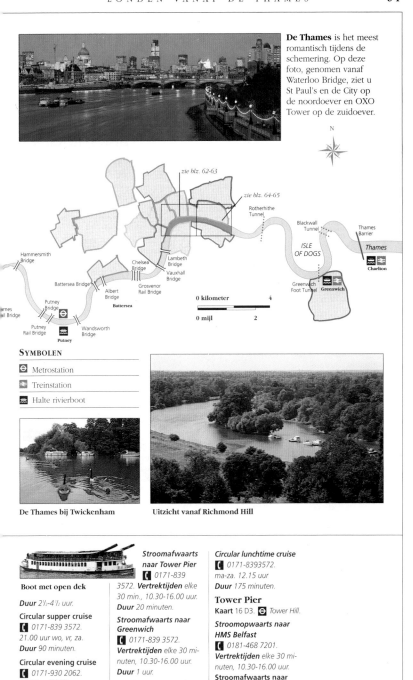

De Thames is het meest romantisch tijdens de schemering. Op deze foto, genomen vanaf Waterloo Bridge, ziet u St Paul's en de City op de noordoever en OXO Tower op de zuidoever.

N

zie blz. 62-63

zie blz. 64-65

Rotherhithe Tunnel

Blackwall Tunnel

Thames Barrier

ISLE OF DOGS

Thames

Charlton

Hammersmith Bridge

Chelsea Bridge

Lambeth Bridge

Vauxhall Bridge

Battersea Bridge

Albert Bridge

Grosvenor Rail Bridge

Battersea

arnes ail Bridge

Putney Bridge

Putney Rail Bridge

Wandsworth Bridge

Putney

Greenwich Foot Tunnel

Greenwich

0 kilometer   4

0 mijl   2

Symbolen

Metrostation

Treinstation

Halte rivierboot

De Thames bij Twickenham

Uitzicht vanaf Richmond Hill

Boot met open dek

Duur 2¹/₂-4¹/₂ *uur.*

Circular supper cruise
0171-839 3572.
21.00 uur wo, vr, za.
Duur 90 minuten.

Circular evening cruise
0171-930 2062.
19.30 en 20.30 uur.
Duur 45 minuten.

Charing Cross Pier
Kaart 13 C3.
Charing Cross, Embankment.

Stroomafwaarts naar Tower Pier
0171-839 3572. **Vertrektijden** elke 30 min., 10.30-16.00 uur.
Duur 20 minuten.

Stroomafwaarts naar Greenwich
0171-839 3572.
Vertrektijden elke 30 minuten, 10.30-16.00 uur.
Duur 1 uur.

Circular evening cruise
0171-839 3572.
18.30, 19.30 en 20.30 uur.
Duur 45 minuten.

Temple Pier
Kaart 14 D2. Temple.

Circular lunchtime cruise
0171-8393572.
ma-za. 12.15 uur
Duur 175 minuten.

Tower Pier
Kaart 16 D3. Tower Hill.

Stroomopwaarts naar HMS Belfast
0181-468 7201.
Vertrektijden elke 30 minuten, 10.30-16.00 uur.

Stroomafwaarts naar Greenwich
0171-839 3572.
Vertrektijden elke 30 minuten, 10.00-16.30 uur.
Duur 35 minuten.

Rondvaartboot

Van Westminster Bridge naar Blackfriars Bridge

Tot aan de Tweede Wereldoorlog markeerde dit deel van de rivier de grens tussen arm en rijk Londen. Op de noordoever stonden de kantoren, winkels, luxehotels en appartementen van Whitehall en de Strand, de Inns of Court en het krantendistrict. Op de zuidoever stonden de rokende fabrieken en armoedige woningen. Met het Festival of Britain in 1951 begon de vernieuwing van de South Bank (blz. 181-187), en tegenwoordig staan hier vele interessante gebouwen.

Savoy Hotel
Dit hotel staat op de plaats van een middeleeuws kasteel (blz. 116).

Shell Mex House
In 1931 werden kantoren voor Shell gebouwd op de lokatie van het enorme Cecil Hotel.

Somerset House is een kantoorcomplex uit 1786 (blz. 117).

Cleopatra's Needle komt uit het oude Egypte en werd in 1819 aan Londen geschonken (blz. 118).

Embankment Gardens is in de zomer de lokatie voor veel openluchtconcerten (blz. 118).

Waterloo Bridge

Charing Cross

Embankment

Charing Cross Pier

Festival Pier

Hungerford Railway Bridge

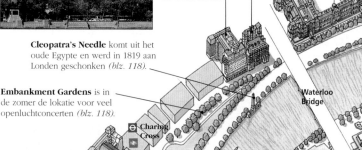

Charing Cross
Dit treinstation wordt omsloten door een postmodern gebouw met veel winkels (blz. 119).

Het South Bank Centre was de lokatie van het Festival of Britain in 1951 en is Londens belangrijkste cultuurcentrum. Het wordt gedomineerd door de Festival Hall, het National Theatre en de Hayward Gallery (blz. 181-187).

Banqueting House is een van de fraaiste werken van Inigo Jones. Het werd gebouwd als deel van Whitehall Palace (blz. 80).

Het ministerie van Defensie is een logge witte burcht uit de jaren vijftig.

Westminster

Westminster Bridge

County Hall
In het begin van de eeuw gebouwd als provinciehuis, maar wordt nu verbouwd tot hotel (blz. 185).

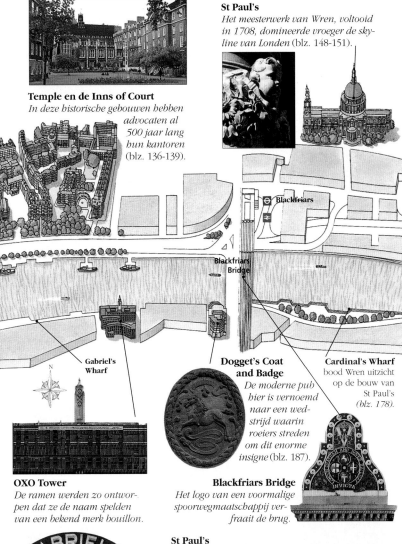

St Paul's
Het meesterwerk van Wren, voltooid in 1708, domineerde vroeger de skyline van Londen (blz. 148-151).

Temple en de Inns of Court
In deze historische gebouwen hebben advocaten al 500 jaar lang hun kantoren (blz. 136-139).

Blackfriars

Blackfriars Bridge

Gabriel's Wharf

Dogget's Coat and Badge
De moderne pub hier is vernoemd naar een wedstrijd waarin roeiers streden om dit enorme insigne (blz. 187).

Cardinal's Wharf
bood Wren uitzicht op de bouw van St Paul's *(blz. 178).*

OXO Tower
De ramen werden zo ontworpen dat ze de naam spelden van een bekend merk bouillon.

Blackfriars Bridge
Het logo van een voormalige spoorwegmaatschappij verfraait de brug.

St Paul's
De kathedraal is vanaf de zuidoever goed te zien.

Gabriel's Wharf
Waar vroeger warenhuizen stonden, is nu een levendige ambachtsmarkt (blz. 187).

SYMBOLEN

⊖	Metrostation
⇌	Treinstation
▬	Halte rivierboot

Van Southwark Bridge naar St Katharine's Dock

Euwenlang was het stuk ten oosten van London Bridge het drukste gedeelte van de Thames. Grote en kleine schepen verdrongen zich om hun lading te kunnen lossen. In de 19de eeuw nam door de aanleg van havens verder naar het oosten de drukte iets af. De meeste bezienswaardigheden hebben te maken met dit commerciële verleden.

Old Billingsgate
Let op de visvormige windwijzers op wat eens Londens belangrijkste vismarkt was (blz. 152).

Fishmongers' Hall
De hall (1834) van dit oude gilde domineert het uitzicht naar het noorden vanaf London Bridge (blz. 152).

Monument
De Grote Brand van 1666 begon hier (blz. 152).

Een Customs House staat hier al sinds 1272. Dit gebouw dateert uit 1825.

Cannon Street

Monument

Southwark Bridge

Cannon Street Railway Bridge

Swan Lane Pier

London Bridge

London City Pier

London Bridge

St Olave's House
Art deco-gebouw, fraai te zien vanaf de rivier (blz. 177).

The Anchor
Vlak bij deze pub bevond zich het Globe Theatre van Shakespeare (blz. 178).

Southwark Cathedral
Delen van dit gebouw dateren uit de 12de eeuw. Het bevat aandenkens aan Shakespeare (blz. 176).

Hay's Galleria
Deze voormalige werf voor het uitladen van voedsel is nu een overdekt winkelcentrum (blz. 177).

Southwark Wharves
Waar vroeger schepen aanlegden, zijn nu wandelpromenades.

Tower Bridge
De brug gaat nog steeds omhoog om grote schepen door te laten, maar niet meer zo vaak als vroeger (blz. 153).

Tower of London
Door Traitor's Gate kwamen de gevangenen per boot de Tower binnen (blz. 154-157).

St Katharine's Dock
Dit voormalige dok is nu een drukke toeristenattractie. De jachthaven is zeer fraai (blz. 158).

Tower Pier

Tower Bridge

Victoriaanse pakhuizen
op Butlers Wharf zijn verbouwd tot appartementen.

HMS Belfast
Deze kruiser uit de Tweede Wereldoorlog is nu een museum (blz.179).

Design Museum
Dit scheepsvormige gebouw, dat in 1989 werd geopend, is een fraai voorbeeld van nieuwbouw in de Docklands (blz. 179).

Londen van
buurt tot buurt

WHITEHALL EN WESTMINSTER

Al meer dan duizend jaar is de politieke en religieuze macht in Engeland geconcentreerd in Whitehall en Westminster. Koning Knut, uit het begin van de 11de eeuw, was de eerste vorst die een paleis bezat op wat toen een eiland was in de moerassige samenloop van de Thames en de nu verdwenen zijrivier de Tyburn. Knut bouwde zijn paleis naast de kerk die zo'n 50 jaar later door Edward de Belijder werd verbouwd

Horse Guard bij Whitehall

tot Engelands grootste abdij, die het gebied zijn naam geeft. (Een 'minster' is een abdijkerk.) Later werden de overheidsgebouwen hier ook gevestigd. Dit alles wordt weerspiegeld in de standbeelden van Whitehall en de imposante regeringsgebouwen. Ten noorden hiervan, Trafalgar Square, begint het uitgaansdistrict West End.

BEZIENSWAARDIGHEDEN IN HET KORT

Historische straten en gebouwen

Houses of Parliament blz. 72-73 ❶
Big Ben ❷
Jewel Tower ❸
Dean's Yard ❺
Parliament Square ❼
Downing Street ❾
Cabinet War Rooms ❿
Banqueting House ⓫
Horse Guards ⓬
Queen Anne's Gate ⓮
St James's Park Station ⓰
Blewcoat School ⓱

Kerken en kathedralen

Westminster Abbey blz. 76-79 ❹
St Margaret's Church ❻
Westminster Cathedral ⓲
St John's, Smith Square ⓳

Musea

Guards' Museum ⓯
Tate Gallery blz. 82-85 ⓴

Theaters

Whitehall Theatre ⓭

Monumenten

Cenotaph ❽

BEREIKBAARHEID

Met de trein of metrolijnen Victoria, District of Circle. Bussen 3, 11, 12, 24, 29, 53, 77, 77A, 88, 109, 159, 170 en 184 gaan naar Whitehall; 2, 2B, 16, 25, 36A, 38, 39, 52, 52A, 73, 76, 135, 507 en 510 naar Victoria.

SYMBOLEN

- ▦ Stratenkaart
- 🚇 Metrostation
- 🚆 Treinstation
- P Parkeerplaats

0 meter 500
0 yard 500

ZIE OOK

- *Plattegrond*, kaarten 13, 20, 21
- *Accommodatie* blz. 276-277
- *Restaurants* blz. 292-294

Whitehall en de Big Ben

Onder de loep: Whitehall en Westminster

Vergeleken met veel andere hoofdsteden heeft Londen weinig pompeuze monumentale architectuur. Hier, in het historische centrum van zowel Staat als Kerk, komt de stad het dichtst in de buurt van de brede, statige avenues van Parijs, Rome en Madrid. Door de week lopen er door de straten talloze ambtenaren, die voornamelijk in dit gebied werken. In de weekends lopen er alleen toeristen, die een bezoek brengen aan de overbekende bezienswaardigheden.

Earl Haig, de Britse bevelhebber uit de Eerste Wereldoorlog. Een beeld van Alfred Hardiman uit 1936.

Downing Street
Britse premiers wonen hier al sinds 1732 ❾

Central Hall, een voormalige samenkomsthal voor methodisten, is een sierlijk voorbeeld van de beaux arts-stijl. In 1946 werd hier de eerste Algemene Vergadering van de VN gehouden.

★ **Cabinet War Rooms**
Dit hoofdkwartier van Winston Churchill uit de Tweede Wereldoorlog is nu toegankelijk voor het publiek ❿

★ **Westminster Abbey**
De Abbey is de oudste en belangrijkste kerk in Londen ❹

De Sanctuary was in de Middeleeuwen een veilige plaats voor hen die op de vlucht waren.

Het standbeeld van Richard I van Carlo Marochetti (1860) stelt de *Coeur de Lion* (Leeuwenhart) voor.

Dean's Yard
In 1540 werd hier Westminster School opgericht ❺

Jewel Tower
Hier sloegen koningen hun kostbaarheden op ❸

De burgers van Calais is een afgietsel van Auguste Rodins origineel in Parijs.

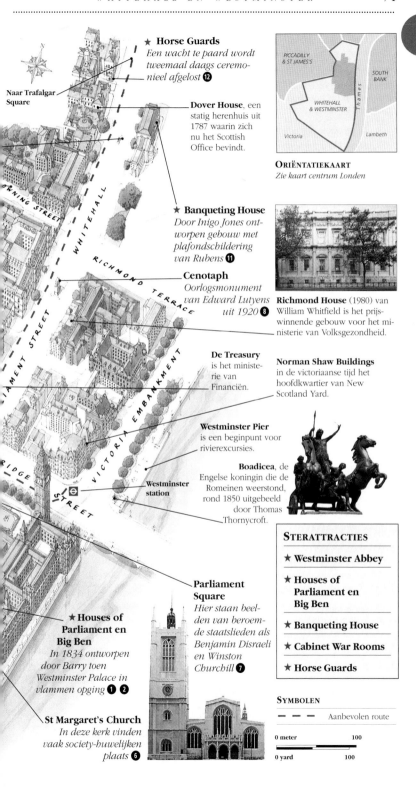

★ Horse Guards
*Een wacht te paard wordt
tweemaal daags ceremo-
nieel afgelost* ⓬

**Naar Trafalgar
Square**

Dover House, een
statig herenhuis uit
1787 waarin zich
nu het Scottish
Office bevindt.

PICCADILLY
& ST. JAMES'S

SOUTH
BANK

WHITEHALL
& WESTMINSTER

Thames

Victoria

Lambeth

ORIËNTATIEKAART
Zie kaart centrum Londen

★ Banqueting House
*Door Inigo Jones ont-
worpen gebouw met
plafondschildering
van Rubens* ⓫

Cenotaph
*Oorlogsmonument
van Edward Lutyens
uit 1920* ⓼

Richmond House (1980) van
William Whitfield is het prijs-
winnende gebouw voor het ministerie van Volksgezondheid.

De Treasury
is het ministe-
rie van
Financiën.

Norman Shaw Buildings
in de victoriaanse tijd het
hoofdkwartier van New
Scotland Yard.

Westminster Pier
is een beginpunt voor
rivierexcursies.

Boadicea, de
Engelse koningin die de
Romeinen weerstond,
rond 1850 uitgebeeld
door Thomas
Thornycroft.

**Westminster
station**

STERATTRACTIES

★ **Westminster Abbey**

★ **Houses of
Parliament en
Big Ben**

★ **Banqueting House**

★ **Cabinet War Rooms**

★ **Horse Guards**

**Parliament
Square**
*Hier staan beel-
den van beroem-
de staatslieden als
Benjamin Disraeli
en Winston
Churchill* ⓻

**★ Houses of
Parliament en
Big Ben**
*In 1834 ontworpen
door Barry toen
Westminster Palace in
vlammen opging* ❶ ❷

St Margaret's Church
*In deze kerk vinden
vaak society-huwelijken
plaats* ❻

SYMBOLEN

━ ━ ━ Aanbevolen route

0 meter   100

0 yard   100

Houses of Parliament ❶

Sinds 1512 is het Palace of Westminster de zetel van het House of Lords (Hogerhuis) en het House of Commons (Lagerhuis). Het Lagerhuis bestaat uit gekozen Members of Parliament (MP's) van verschillende politieke partijen. De partij met de meeste MP's vormt de regering, en haar leider wordt premier. MP's van andere partijen vormen de oppositie. In het Lagerhuis vinden soms heftige debatten plaats, die onpartijdig worden voorgezeten door de Speaker. Voordat een wetsvoorstel wordt aangenomen, moet er eerst in beide Huizen over worden gedebatteerd.

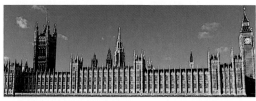

Het neogotische gebouw werd ontworpen door de victoriaanse architect sir Charles Barry. Victoria Tower, links, bevat 1,5 miljoen sinds 1497 aangenomen wetten.

★ **Commons' Chamber**
Deze zaal heeft een groene bekleding. De regering zit links, de oppositie rechts en de Speaker op een stoel tussen hen in.

Big Ben
De enorme klok werd in 1858 opgehangen en slaat elk uur; vier kleinere klokken slaan elk kwartier (zie blz. 74).

Ingang parlementsleden

STERATTRACTIES
★ **Westminster Hall**
★ **Lords' Chamber**
★ **Commons' Chamber**

★ **Westminster Hall**
Het enige bewaard gebleven deel van het oorspronkelijk Palace of Westminster dateert uit 1097; het steekbalken dak uit de 14de eeuw.

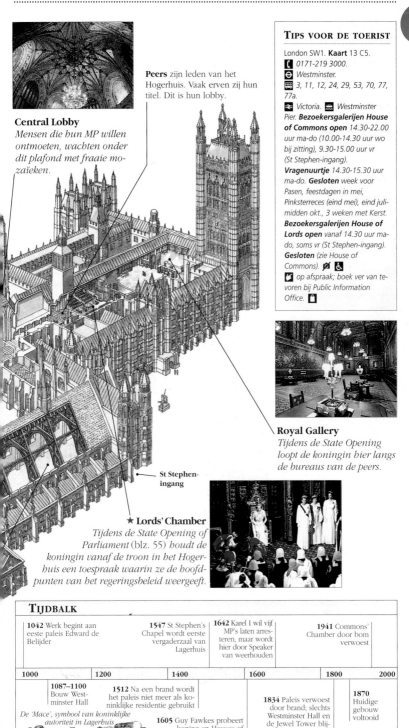

Peers zijn leden van het Hogerhuis. Vaak erven zij hun titel. Dit is hun lobby.

Central Lobby
Mensen die hun MP willen ontmoeten, wachten onder dit plafond met fraaie mozaïeken.

Royal Gallery
Tijdens de State Opening loopt de koningin hier langs de bureaus van de peers.

St Stephen-ingang

★ **Lords' Chamber**
Tijdens de State Opening of Parliament (blz. 55) *houdt de koningin vanaf de troon in het Hogerhuis een toespraak waarin ze de hoofdpunten van het regeringsbeleid weergeeft.*

TIJDBALK

1042 Werk begint aan eeste paleis Edward de Belijder

1547 St Stephen's Chapel wordt eerste vergaderzaal van Lagerhuis

1642 Karel I wil vijf MP's laten arresteren, maar wordt hier door Speaker van weerhouden

1941 Commons' Chamber door bom verwoest

1000	1200	1400	1600	1800	2000

1087–1100 Bouw Westminster Hall

De 'Mace', symbool van koninklijke autoriteit in Lagerhuis

1512 Na een brand wordt het paleis niet meer als koninklijke residentie gebruikt

1605 Guy Fawkes probeert koning en Houses of Parliament op te blazen

1834 Paleis verwoest door brand; slechts Westminster Hall en de Jewel Tower blijven gespaard

1870 Huidige gebouw voltooid

Houses of Parliament ❶

Zie blz. 72-73.

Big Ben ❷

Bridge St SW1. **Kaart** 13 C5.
☎ *0171-222 2219.* ⊖ *Westminster.*
Niet toegankelijk *voor publiek.*

O m de puntjes op de i te zetten: Big Ben is niet de naam van het uurwerk of van de 106 m hoge toren van de Houses of Parliament, maar van de galmende 14 ton zware klok die de uren slaat. De klok werd genoemd naar de opzichter sir Benjamin Hall en geplaatst in 1858. De enorme klok werd gegoten in Whitechapel en was de tweede die voor de toren werd gemaakt, nadat de eerste bij het testen een barst had opgelopen. (De huidige klok heeft ook een kleine barst.) Het uurwerk is het grootste van Groot-Brittannië, met vier wijzerplaten van 7,5 m in doorsnee en een minutenwijzer van 4,25 m, gemaakt van hol koper. Al sinds de eerste dag in mei 1859 geeft het uurwerk bijna onafgebroken de juiste tijd aan. Het galmende klokgebeier is over de hele wereld een symbool voor Groot-Brittannië en wordt elke dag op de BBC-radio uitgezonden.

Jewel Tower ❸

Abingdon St SW1. **Kaart** 13 B5.
☎ *0171-222 2219.* ⊖ *Westminster.*
Open *april-sept.: 10.00-18.00 uur dag.; okt.-maart: 10.00-schemer dag.*
Gesloten *13.00-14.00 uur dagelijks; 24-26 dec., 1 jan., voor staatsaangelegenheden.* **Niet gratis.** 📷 🚻

D eze toren en Westminster Hall *(blz. 72)* zijn de enige restanten van het oude Palace of Westminster. De toren werd gebouwd in 1366 als bewaarplaats voor de schatten van Edward III, en is nu een klein museum met voorwerpen die betrekking hebben op het paleis, aardewerk dat uit de gracht is opgegraven, en tekeningen van een aantal verliezende ontwerpen voor de herbouw van de parlementsgebouwen na de brand in 1834. Van 1869 tot 1938 diende de toren als ijkkantoor voor maten en gewichten, wat te zien is in een andere tentoonstelling.

Westminster Abbey ❹

Zie blz. 76-79.

Dean's Yard ❺

Broad Sanctuary SW1. **Kaart** 13 B5.
⊖ *Westminster.* **Complex niet toegankelijk** *voor publiek.*

Ingang naar de Abbey en kloostergang vanaf Dean's Yard

E en poort bij de westelijke deur van de abdij leidt naar dit afgezonderde grasveld, dat wordt omringd door een allegaartje aan gebouwen uit veel verschillende perioden. Een middeleeuws huis aan de oostkant heeft een opvallende dakkapel en grenst met de achterzijde aan Little Dean's Yard, waar vroeger de woonvertrekken van de monniken waren. Dean's Yard is privé-terrein. Het behoort aan de deken en het kapittel van Westminster en ligt vlak bij Westminster School, waarop onder meer de dichter John Dryden en toneelschrijver Ben Jonson hebben gezeten.

St Margaret's Church ❻

Parliament Sq SW1. **Kaart** 13 B5.
☎ *0171-222 5152.* ⊖ *Westminster.*
Open *9.30-15.45 ma-vr, 9.00-14.00 za, 13.00-17.30 uur zo.* 🕁 *11.00 uur zo.* 🚫 🚻 🎵 **Concerten.**

Beeld van Karel I boven de ingang van St Margaret's

D eze 15de-eeuwse kerk wordt overschaduwd door de Abbey. Al heel lang worden hier society-huwelijken en huwelijken van politici gesloten. Hoewel de kerk geheel gerestaureerd is, bezit zij nog wat Tudor-kenmerken, met name een gebrandschilderd raam ter ere van de verloving van Catharina van Aragón met Arthur, de oudere broer van Hendrik VIII.

Parliament Square ❼

SW1. **Kaart** 13 B5. ⊖ *Westminster.*

D it plein werd aangelegd in de jaren veertig van de vorige eeuw om de nieuwe Houses of Parliament een toegankelijker aanzien te geven en werd in 1926 de eerste officiële Britse rotonde. Tegenwoordig raast hier het verkeer omheen. Standbeelden van staatslieden en soldaten worden gedomineerd door Winston Churchill in zijn overjas, die met boze blik naar het Lagerhuis kijkt. Aan de noordkant ziet u een beeld van Abraham Lincoln.

Cenotaph ❽

Whitehall SW1. **Kaart** 13 B4.
⊖ *Westminster.*

D it gepast sombere en grauwe monument staat midden in Whitehall. Het werd in 1920 door sir Edwin Lutyens gemaakt om de gevallen uit de Eerste Wereldoorlog te herdenken. Op Remembrance Day – de zondag voor of na 11 november – plaatsen de vorstin en andere hoogwaardigheidsbekleders kransen van rode klaprozen. Tijdens deze ceremonie worden de gevallenen uit de beide wereldoorlogen herdacht *(blz. 54-55).*

De Cenotaph

Cabinet War Rooms ⑩

Clive Steps, King Charles St SW1.
Kaart 13 B5. 0171-930 6961.
Westminster. **Open** 10.00-18.00 uur dag. (toegang tot 17.15 uur). **Gesloten** 24-26 dec., 1 jan. **Niet gratis.**

Dit boeiende stukje 20ste-eeuwse geschiedenis is een wirwar van kelderkamers onder het Government Office Building ten noorden van Parliament Square. Toen in de Tweede Wereldoorlog de bommen op Londen vielen, kwam hier het oorlogskabinet bijeen. De War Rooms bestaan onder meer uit woonvertrekken voor de belangrijkste ministers en militaire leiders en een geluidsdichte Cabinet Room, waar veel stra-

Telefoons in de Map Room van de Cabinet War Rooms

tegische beslissingen werden genomen. Alle kamers worden beschermd door een 1 m dikke laag beton. Ze zien er nog net zo uit als aan het eind van de oorlog, compleet met meubilair (waaronder het bureau van Churchill), wat ouderwetse communicatieapparatuur, en kaarten en viltstiften voor het uiteenzetten van de strategie.

Downing Street ⑨

SW1. **Kaart** 13 B4. Westminster.
Niet toegankelijk voor publiek.

Sir George Downing (1623-1684) bracht een deel van zijn jeugd in de Amerikaanse koloniën door. In de Engelse Burgeroorlog vocht hij aan de zijde van de Parlementariërs. In 1680 kocht hij wat land vlak bij Whitehall Palace en

liet een straat met huizen aanleggen. Vier huizen zijn bewaard gebleven, maar niet meer in de oorspronkelijke staat. In 1732 schonk George II nr. 10 aan sir Robert Walpole. Sindsdien is het de ambtswoning van de premier en bevat het zowel kantoren als privé-vertrekken. In 1989 werden ijzeren hekken geplaatst aan de kant van Whitehall.

Het overheidsbeleid wordt bepaald in de Cabinet Room van nr. 10.

De bekende voordeur van nr. 10

No. 12, de Whips' Office, waar de politieke campagnes worden georganiseerd.

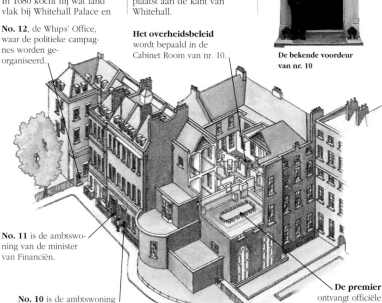

No. 11 is de ambtswoning van de minister van Financiën.

No. 10 is de ambtswoning van de premier.

De premier ontvangt officiële gasten in de State Dining Room.

Westminster Abbey ❹

In deze wereldberoemde abdij ligt het
Britse koningshuis begraven, en hier
vinden de kroningsplechtigheden en andere grootse evenementen plaats.
Binnen ziet u enkele van de fraaiste
voorbeelden van middeleeuwse architectuur in Londen, en tevens een van de in-
drukwekkendste verzamelingen graftomben en monumenten ter wereld. Als nationaal museum en nationale kerk neemt
de abdij in het Britse bewustzijn een
unieke plaats in.

Noordingang
*Het steenwerk is
hier victoriaans,
zoals deze
draak.*

★ Luchtbogen
*De enorme luchtbogen
vangen de krachten op
van het 31 m hoge
middenschip.*

**De noordelijke
dwarsbeuk** heeft drie
kapellen aan de oost-
zijde, met daarin en-
kele prachtige monu-
menten.

★ Westelijke voorgevel
*Deze torens uit 1743-1745
werden ontworpen door
Nicholas Hawksmoor.*

STERATTRACTIES

★ **Westelijke voorgevel**

★ **Luchtbogen**

★ **Het middenschip ge-
zien vanaf het westen**

★ **De Lady Chapel**

★ **Chapter House**

Hoofd-
ingang

**★ Het middenschip
gezien vanaf het westen**
*Het middenschip is niet erg
breed, 10 m, maar wel het
hoogste in Engeland.*

De kruisgang, hoofd-
zakelijk daterend uit de
13de en 14de eeuw, ver-
bond de abdijkerk met
de andere gebouwen.

St Edward's Chapel bevat niet alleen de koninklijke kroningsstoel en de tombe van Edward de Belijder, maar ook de tomben van veel middeleeuwse vorsten.

★ **De Lady Chapel**
Deze kapel uit 1503-1512 heeft een prachtig plafondgewelf en koorbanken uit 1512.

TIPS VOOR DE TOERIST

Broad Sanctuary SW1. **Kaart** 13 B5. 🛈 0171-222 5152. 🚇 *St James's Park, Westminster.* 🚌 *3, 11, 12, 24, 29, 53, 70, 77, 77a, 88, 109, 159, 170.* 🚆 *Victoria, Waterloo.* 🚢 *Westminster Pier.* **Entreeprijs** *voor Royal Chapels, Poets' Corner, Koor, Statesmen's Aisle (beh. 19.00-19.45 uur wo), Chapter House, Pyx Chamber, Museum.* **Middenschip en kruisgang open** *8.00-16.00 uur dag.* **Royal Chapels, Poets' Corner, Koor, Statesmen's Aisle open** *9.00-15.45 uur ma-vr, 9.00-13.45, 15.45-16.45 uur za.* **Chapter House open** *10.30-16.00 dag.* **Pyx Chamber & Museum geopend** *10.30-16.00 uur dagelijks.* **Brass Rubbing Centre open** *10.30-16.00 dag.* **Tuin open** do. 🚫 📷 🎧 📱 **Concerten.** ♿

★ **Chapter House**
Achthoekige kapittelzaal met mooie 13de-eeuwse tegels.

In de zuidelijke dwarsbeuk vindt u 'Poets' Corner', met de graven van beroemde dichters.

Museum

TIJDBALK

1050 Bouw benedictijnse abdijkerk door Edward de Belijder

1376 Henry Yevele herbouwt het middenschip

13de-eeuwse tegel uit het Chapter House

1838 Kroning koningin Victoria

1000	1200	1400	1600	1800	2000

1245 Bouw nieuwe adbijkerk naar ontwerp van Hendrik van Reims

1269 Lichaam van Edward de Belijder verplaatst naar nieuwe schrijn in de abdijkerk.

1734 Bouw westelijke torens

1540 Klooster opgeheven

1953 Meest recente kroning in Abbey: Elizabeth II

Rondleiding door de Westminster Abbey

Binnen in de abdij vindt u een groot aantal totaal verschillende architectonische en beeldhouwkundige stijlen, variërend van de strenge Franse Gotiek van het middenschip tot de verbluffende complexiteit van de kapel in Tudor-stijl van Hendrik VII en de onstuimige grafmonumenten uit het einde van de 18de eeuw. Veel Engelse monarchen liggen hier begraven; soms zijn hun graftomben opzettelijk sober, soms zijn ze overdadig versierd. Monumenten voor een aantal zeer bekende Britse personen – van politici tot dichters – liggen opeengepakt in de zij- en dwarsbeuken.

HISTORISCH GRONDPLAN VAN DE ABDIJ

De eerste abdijkerk werd al in de 10de eeuw gebouwd, toen St Dunstan met een groep benedictijner monniken in dit gebied arriveerde. Het huidige bouwwerk verraadt Franse invloeden en dateert grotendeels uit de 13de eeuw. De bouw begon in 1245 in opdracht van Hendrik III. Vanwege haar unieke rol als kroningskerk overleefde de kerk de woeste aanvallen van Hendrik VIII op de Britse kloostergebouwen in de 16de eeuw.

SYMBOLEN

▨	Gebouwd vóór 1400
▣	Toegevoegd in 15e eeuw
▨	Gebouwd in 1503–1519
▣	Voltooid in 1745
▢	Voltooid na 1850

② Lady Nightingale's Memorial
In de noordelijke dwarsbeuk bevinden zich enkele van de fraaiste monumenten. Dit monument van Roubiliac is voor lady Nightingale (1761).

Noordelijke ingang

① Het middenschip
Ga de kerk binnen en loop door het 10,5 m brede en 31 m hoge middenschip, dat pas na 150 jaar werd voltooid.

In het koor bevindt zich een verguld scherm uit 1840 dat restanten van het 13de-eeuwse origineel bevat.

⑧ De kruisgang
Hier kunt u uw eigen souvenirs maken door op papier afdrukken te maken van koperen reliëfs, zoals bijvoorbeeld van de graftombe van een ridder.

Hoofdingang

De Jerusalem Chamber heeft een 17de-eeuwse schouw, wandtapijten uit 1540 en een interessante plafondschildering.

De Jericho Parlour werd toegevoegd in het begin van de 16de eeuw en is voorzien van fraaie panelen.

De Deanery is het vertrek waarin de abt woonde.

De Chapel of St John the Baptist is vol tomben uit de 14de tot de 19de eeuw.

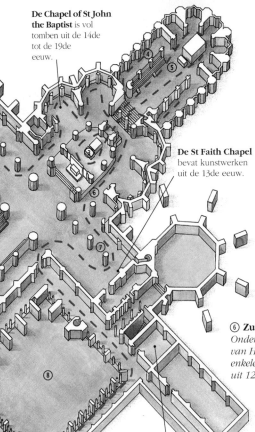

De St Faith Chapel bevat kunstwerken uit de 13de eeuw.

③ St Edward's Chapel
Hier bevinden zich de koninklijke kroningszetel, de schrijn van de Saksische koning Edward de Belijder en de tomben van veel middeleeuwse vorsten.

④ Tombe van Elizabeth I
In de kapel van Hendrik VII vindt u de enorme tombe van Elizabeth I. Hierin ligt ook het lichaam van haar zuster, 'Bloody' Mary I.

⑤ Henry VII Chapel
De onderzijden van de koorbanken uit 1512 zijn prachtig versierd met uitgesneden fantasiefiguren.

⑥ Zuidelijke galerij
Onder de tombe van Philippa van Hainault bevinden zich enkele fraaie panelen uit 1270.

De Pyx Chamber bezit slanke zuilen uit de 11de eeuw.

⑦ Poets' Corner
Neem de tijd om te kijken naar de grafstenen van talloze literaire zwaargewichten, zoals Shakespeare en Dickens.

Ingang Dean's Yard

SYMBOLEN

 Route rondleiding

Banqueting House ⑪

Whitehall SW1. **Kaart** 13 B4. 📞 *0171-839 7569.* 🚇 *Charing Cross, Embankment, Westminster.* **Open** *10.00-17.00 uur ma-za (toegang tot 16.30 uur).* **Gesloten** *24 dec.-2 jan., kort voor plechtigheden.* **Niet gratis.** 🖼 🎞 📹 **Videopresentaties.**

Dit prachtige gebouw uit 1622 is van groot bouwkundig belang. Het was het eerste bouwwerk in het centrum waarbij gebruik werd gemaakt van de palladio-stijl die de ontwerper Inigo Jones uit zijn reizen naar Italië had meegenomen. De strenge voorgevel breekt resoluut met de vele torentjes en de overdreven versieringen van de elizabethaanse stijl. Het bleef als enige gespaard bij de brand die in 1698 Whitehall Palace in de as legde.
De opdracht voor de plafondschilderingen van Rubens, een complexe allegorie over de verheffing van Jacobus I, werd in 1630 gegeven door zijn zoon Karel I. Deze schaamteloze verheerlijking van het koningschap werd veracht door Oliver Cromwell en de Parlementariërs, die de koning in 1649 lieten onthoofden op een schavot voor Banqueting House. Het is ironisch dat Karel II hier 20 jaar later vierde dat het koningschap weer was hersteld.

Schildwachten te paard bij de Horse Guards

Horse Guards ⑫

Whitehall SW1. **Kaart** 13 B4. 📞 *0171-930 4466.* 🚇 *Westminster, Charing Cross.* **Gesloten** *alle za in juni.* **Aflossing van de wacht** *11.00 uur ma-za, 10.00 uur zo.* **Dismounting Ceremony** *16.00 uur dagelijks. De tijden voor beide zijn aan verandering onderhevig (bel 0891-505452).* **Trooping the Colour** *zie* **Plechtigheden in Londen** *blz. 52-55.*

Op het voormalige toernooiveld van Hendrik VIII vindt het aflossen van de wacht elke dag plaats. De sierlijke gebouwen werden voltooid in 1755 en ontworpen door William Kent. Links ziet u de Old Treasury, ook van Kent, en de achterkant van Dover House, voltooid in 1758 en tegenwoordig in gebruik als het Scottish Office.

Vlakbij ziet u het tennisveld waar volgens overlevering Hendrik VIII de voorloper van het moderne tennis speelde. Aan de andere kant hebt u uitzicht op een met klimop begroeide citadel. Dit was een bomvrij bouwwerk dat in 1940 naast de Admiraliteit werd gebouwd. In de Tweede Wereldoorlog werd het gebruikt als verbindingscentrum van de marine.

Whitehall Theatre ⑬

Whitehall SW1. **Kaart** 13 B3. 📞 *0171-369 1735.* 🚇 *Charing Cross.* **Open** *alleen voor voorstellingen. Zie* **Amusement** *blz. 326-327.*

Detail van loge in Whitehall Theatre

De eenvoudige witte voorgevel lijkt de Cenotaph aan de andere kant van de straat te willen imiteren, maar binnen kan het theater zich beroemen op prachtige art deco-versieringen. Van 1950 tot 1970 werden hier veel kluchten opgevoerd.

Queen Anne's Gate ⑭

SW1. **Kaart** 13 A5. 🚇 *St James's Park.*

De rijtjeshuizen aan de westkant van dit goed bewaard gebleven gebied dateren uit 1704 en staan bekend om de boven de voordeuren versierde gevels. Aan de andere kant staan huizen die zo'n 70 jaar later werden gebouwd; ze zijn voorzien van blauwe gedenkplaten met daarop de namen van voormalige bewoners, zoals lord Palmerston, de victoriaanse premier. Naar verluidt was tot voor kort de Britse geheime dienst, MI5, op deze onwaarschijnlijke plaats gehuisvest. Een klein beeld van koningin Anne staat voor de muur die nrs. 13 en 15 van elkaar scheidt. Cockpit Steps,

Panelen van het door Rubens geschilderde plafond in Banqueting House

de trap die omlaag leidt naar Birdcage Walk, ligt op de plaats van een 17de-eeuws terrein voor hanengevechten, een destijds populaire maar bloedige sport.

Guards' Museum ⓮

Birdcage Walk SW1. **Kaart** 13 A5.
☎ 0171-930 4466 x 3271. ➔ St James's Park. **Open** 10.00-16.00 uur dagelijks. **Gesloten** 25 dec., 1 jan., plechtigheden. **Niet gratis** 📷 ♿

Het museum ligt onder het exercitieterrein van Wellington Barracks, het hoofdkwartier van de vijf Guards-regimenten. Voor liefhebbers van het leger is dit museum verplichte kost. Het maakt gebruik van maquettes en tableaus om de veldslagen uit te beelden waaraan de Guards hebben deelgenomen, vanaf de Engelse Burgeroorlog (1642-1648) tot heden. Tot de collectie behoren wapens, uniformen en een verzameling modellen.

St James's Park Station ⓰

55 Broadway SW1. **Kaart** 13 A5.
➔ St James's Park.

Sculptuur van Epstein bij St James's Park Station

Het station bevindt zich in Broadway House, een werk van Charles Holden uit 1929. Het staat bekend om de beelden van Jacob Epstein en reliëfs van Henry Moore en Eric Gill.

Blewcoat School ⓱

23 Caxton St SW1. **Kaart** 13 A5.
☎ 0171-222 2877. ➔ St James's Park. **Open** 10.00-17.30 uur ma-wo, vr; 10.00-19.00 uur do.

Beeld van Blewcoat-leerling boven de ingang in Caxton Street

Dit aantrekkelijke gebouwtje van rode baksteen wordt omringd door de kantoortorens van Victoria Street. Het werd in 1709 gebouwd als armenschool om kinderen les te geven. Het bleef een school tot 1939, diende als militaire opslagplaats en werd in 1954 door de National Trust aangekocht. Het prachtig bewaard gebleven interieur dient nu als souvenirswinkel voor de National Trust.

Westminster Cathedral ⓲

Ashley Place SW1. **Kaart** 20 F1.
☎ 0171-798 9055. ➔ Victoria. **Open** 6.45-19.00 uur dagelijks. **Entreeprijs** voor lift klokketoren (april-okt. 9.00-13.00, 14.00-16.30 uur). ✝ 17.30 uur ma-vr, 10.30 uur za-zo, gezongen mis (bel voor andere diensten). ♿ **Concerten.**

Deze kathedraal op de plaats van een voormalige gevangenis is een van de weinige Byzantijnse bouwwerken in Londen. Het werd ontworpen door John Francis Bentley voor het katholieke bisdom en voltooid in 1903. De 87 m hoge toren van rode baksteen met horizontale witte strepen vormt een opvallend contrast met de nabijgelegen Abbey. Een vredig

plein aan de noordzijde biedt goed zicht op de kathedraal. Binnenin vallen de koepels boven het middenschip enigszins uit de toon bij de decoratie van marmer in verschillende kleuren en ingewikkelde mozaïeken. Door geldgebrek zijn de koepels niet versierd. De dramatische reliëfs van Eric Gill vindt u in het middenschip. Ze werden tijdens de Eerste Wereldoorlog gemaakt. Het orgel is een van de mooiste in Europa; elke tweede dinsdag van juni tot september worden hier concerten gegeven.

St John's, Smith Square ⓳

Smith Sq SW1. **Kaart** 21 B1.
☎ 0171-222 1061. ➔ Westminster, **Open** 10.00-17.00 uur en voor avondconcerten. 🚫 🍴 🎵 **Concerten**. Zie **Amusement** blz. 330-331.

Première-avond in St John's, Smith Square

De kunstenaar en kunsthistoricus sir Hugh Casson noemde dit een van de meesterwerken van de Engelse barokke architectuur. De plompe kerk van Thomas Archer met op elke hoek een torentje lijkt bijna te groot voor het pleintje en de fraaie 18de-eeuwse huizen aan de noordkant. De kerk kende veel tegenspoed: ze werd voltooid in 1728, ging in vlammen op in 1742, werd door de bliksem getroffen in 1773 en werd werom verwoest in 1941 door een bom. Er zit een redelijk geprijsd restaurant in het souterrain – wat in dit gebied niet veel voorkomt – dat dagelijks geopend is voor de lunch en tijdens avondconcerten.

Tate Gallery ⓴

Zie blz. 82-85.

Tate Gallery ⑳

De bouw van de Tate Gallery werd gefinancierd door de suikermagnaat sir Henry Tate. Het museum beschikt over een uitgebreide collectie Britse kunstwerken uit de 16de tot de 20ste eeuw en is het belangrijkste museum voor moderne kunst in Londen. In de naastgelegen Clore Gallery vindt u de Turner Bequest, door de landschapschilder J M W Turner zelf aan de natie nagelaten.

Het portaal van de Tate Gallery, uit 1897, kijkt uit over de Thames.

WEGWIJZER

Het grootste deel van de collectie bevindt zich op de begane grond.. Tijdelijke tentoonstellingen vindt u in het souterrain. De schilderijen zijn chronologisch opgehangen: van Britse kunst vanaf 1550 in zaal 1 tot hedendaagse kunst in zalen 27-30. Elk jaar worden er andere werken opgehangen om verschillende aspecten van de collectie te benadrukken. Niet alle werken die hier zijn afgebeeld, zijn dus te bezichtigen.

Trap naar benedenverdieping

Trappen naar benedenverdieping

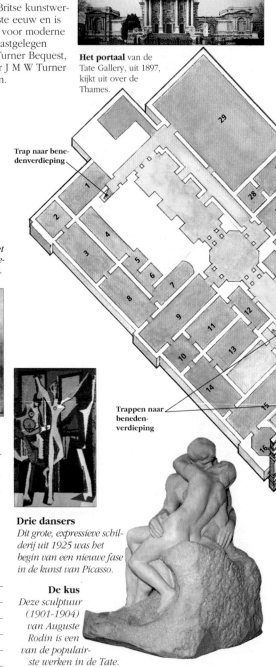

★ **Peace – burial at sea**
Dit is het eerbetoon van Turner aan zijn vriend en rivaal David Wilkie. Het werd geschilderd in 1842, het jaar nadat Wilkie op zee overleed.

Drie dansers
Dit grote, expressieve schilderij uit 1925 was het begin van een nieuwe fase in de kunst van Picasso.

De kus
Deze sculptuur (1901-1904) van Auguste Rodin is een van de populairste werken in de Tate.

SYMBOLEN

- ☐ Beeldhouwwerken
- ☐ Tijdelijke tentoonstellingen
- ☐ Schilderijen
- ☐ Clore Gallery (Turner)
- ☐ Geen tentoonstelling

DE KUNST VAN HET KOKEN

Naast een café bezit de Tate ook een restaurant in het souterrain dat is voorzien van een muurschildering van Rex Whistler. Deze vertelt het verhaal van de bewoners van het mythische Epicurania en hun zoektocht naar exotische gerechten. Een lunch is aan te raden; dineren kunt u er echter niet.

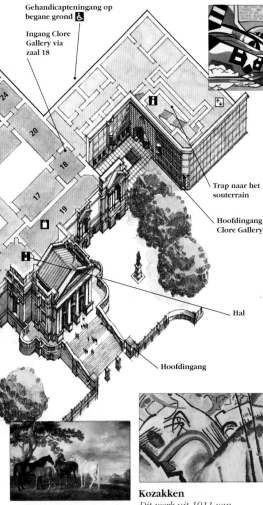

Gehandicapteningang op begane grond

Ingang Clore Gallery via zaal 18

Trap naar het souterrain

Hoofdingang Clore Gallery

Hal

Hoofdingang

★ Mares and foals
Perfecte anatomische details in dit werk (1762-1768) van George Stubbs.

Kozakken
Dit werk uit 1911 van Vassily Kandinsky was een belangrijke stap in de ontwikkeling van abstracte kunst.

★ Whaam!
De Amerikaanse pop art-kunstenaar Roy Lichtenstein maakte gebruik van een strip voor dit werk uit 1963.

★ Three studies for figures at the base of a crucifixion (1944)
Dit is het middelste paneel van Bacons drieluik.

STERATTRACTIES

★ **Mares and foals** van George Stubbs

★ **Burial at sea** van J M W Turner

★ **Three studies** van Francis Bacon

★ **Whaam!** van Roy Lichtenstein

De collectie van de Tate

De collectie bestaat uit drie basiselementen: Britse kunst van 1550 tot heden; internationale 20ste-eeuwse kunst; en de Turner Collection, die gehuisvest is in de speciaal daarvoor gebouwde Clore Gallery.

16DE- EN 17DE-EEUWSE BRITSE KUNST

Endymion Porter (1643-1645) van William Dobson

In deze periode werden voornamelijk formele portretten geschilderd. In het oudste schilderij van de Tate, *A man in a black cap*, in 1545 door John Bettes geschilderd, is de invloed zichtbaar van Hans Holbein, die de renaissancekunst in Engeland introduceerde. De nauwgezette, strakke stijl van Holbein is te zien in veel werken. Een van Engelands eerste grote talenten was de miniaturist Nicholas Hilliard. Hij wordt hier vertegenwoordigd door een zeldzaam, heel mooi portret op ware grootte van Elizabeth I. In de 17de eeuw ontstond onder invloed van sir Anthony van Dyck een nieuwe, plechtig elegante stijl

van portretkunst. *Lady of the Spencer family* van Van Dyck en *Endymion Porter* van William Dobson zijn hiervan twee uitstekende voorbeelden. Ook zeer fraai zijn *Monkeys and spaniels playing* van Francis Barlow en *Landscape with rainbow, Henley-on-Thames* van Jan Silbrecht, die het ontstaan van de Engelse landschapstraditie markeert.

18DE-EEUWSE BRITSE KUNST

Naast de vroeg-18de-eeuwse illustratieve schilderijen vindt u in deze collectie ook een paar fraaie voorbeelden van genrestukken, waaronder de elegante, poppenachtige *James family* van Arthur Devis, en *The Strode family at breakfast*, een levendig schilderij van William Hogarth. Hogarth was de leidende figuur in de Britse 18de-eeuwse kunst en staat bekend om zijn satirische werken. De 'Grand Style' uit het einde van de 18de eeuw verschilt van het vederlichte penseelwerk van zijn rivaal Thomas Gainsborough. In de landschappen van Richard Wilson uit dezelfde periode vindt u dezelfde Grand Style terug, en George Stubbs wordt goed vertegenwoordigd door zijn schilderingen van het platteland.

19DE-EEUWSE KUNST

Satan smiting Job with sore boils (ca. 1826) van William Blake

De Tate bezit een groot aantal werken van William Blake, het visionaire genie uit de 19de eeuw. Ook zijn er werken van opvolgers van Blake, zoals Samuel Palmer, wiens pastorale taferelen zijn doordrongen van mystieke intensiteit. De twee grootste landschapschilders uit deze eeuw zijn ook goed vertegenwoordigd: de werken van Turner (in de Clore) overtreffen in aantal die van John Constable, maar er zijn nog aardig wat schetsen en schilderijen van Constable te bezichtigen, zoals de *Flatford mill*. Tevens hangen er landschappen van Crome, Cotman, Bonington en anderen. De collectie toont de grote verscheidenheid aan onderwerpen en stijlen in de victoriaanse kunst, van uiterst sentimentele genrestukken als *The blind fiddler* van Wilkie, wiens dood wordt herdacht in *Peace* van Turner *(blz. 82)*, tot aan *Derby day* van William Frith en de emotioneel intense beelden van de pre-rafaëlieten.

TURNER IN DE CLORE GALLERY

Toen J M W Turner (1775-1851) zijn werken aan de staat vermaakte, was dat op de voorwaarde dat ze bij elkaar zouden blijven. Maar pas toen de Clore Gallery in 1987 werd geopend, werd de hele nalatenschap, waaronder duizenden studies, bijeengebracht. Het museum bezit ook de aquarellen van Turner, zoals *A city on a river at sunset*, dat deel uit maakt van zijn serie werken over de grote rivieren van Europa.

A city on a river at sunset (1832)

IMPRESSIONISME EN POST-IMPRESSIONISME

De tuinman (1906) van Paul Cézanne

Veel van de belangrijke impressionistische en post-impressionistische werken zijn verplaatst naar de National Gallery *(zie blz. 104-107)*, maar de Tate bezit nog steeds een aantal werken van vermaarde schilders waarmee de moderne kunst een aanvang nam. Renoir, Pissarro, Sisley, Degas, Toulouse-Lautrec, Van Gogh, Gauguin en Seurat zijn allen vertegenwoordigd. Hoogtepunten zijn *Populieren aan de Epte* van Claude Monet en *De tuinman* van Cézanne. Beiden pasten volledig nieuwe schildertechnieken toe, die leidden tot de abstracte kunst.

BEGIN 20STE EEUW

De 20ste eeuw begint met de intieme decoratieve taferelen van Nabis, Vuillard en Bonnard. Vervolgens komen de avant-gardeschilderwerken, beginnend met het Fauvisme (fauves betekent 'wilde dieren'), met als voorbeeld het portret van de fauvist Derain door zijn collega Henri Matisse. Alle belangrijke stromingen uit het begin van de eeuw zijn hier aanwezig: het revolutionaire Kubisme van Picasso, Braque en Leger; het dynamische, door machines geïnspireerde Futurisme van kunstenaars als Severini en Boccioni; de verontrustende werken van Munch,

Kirchner, Beckmann en de andere Duitse expressionisten; en tevens de meer traditionele stijlen die na de Eerste Wereldoorlog in Groot-Brittannië floreerden. De opvallendste schilderijen in dit gedeelte zijn werken van sir Stanley Spencer, waaronder de enorme *Resurrection, Cookham*. Er zijn ook bekende werken van abstracte kunstenaars als Kandinsky, Mondriaan en Malevitsj, en van Britse abstracte schilders als Ben Nicholson. Bekende beeldhouwwerken zijn er van Rodin, Brancusi, Hepworth en Moore. Dali voert de surrealisten aan.

Madame Derain met witte omslagdoek (1919-20) van André Derain

EIND 20STE EEUW

De collectie werken van na de Tweede Wereldoorlog omvat enorm veel verschillende stijlen en scholen. Zij weerspiegelen de internationale ontwikkelingen in de abstracte en figuratieve schilder- en beeldhouwkunst. De effecten van de Tweede Wereldoorlog kunnen direct en indirect worden waargenomen in de werken uit de

jaren veertig en vijftig, van *Totes Meer*, het angstaanjagende door oorlog verscheurde landschap van Paul Nash, tot aan de verontrustende 'nieuwe beelden van de mens' van Giacometti, Dubuffet en Bacon. Late werken van Picasso, Matisse en Leger weerspiegelen de expressionistische en abstracte ontwikkelingen van na de oorlog. Een van de mooiste werken is de enorme collage van uitgeknipt papier van Matisse, *Slak*. De Tate bezit ook enkele indrukwekkende schilderijen van Amerikaanse abstracte expressionisten uit de jaren veertig en vijftig: De Kooning, Newman, Pollock en Rothko. Op (Optical) Art en kinetische (bewegende) kunst zijn twee stromingen uit de jaren zestig die, net als de verbazingwekkende rode plaatstalen sculptuur *Early one morning* van Anthony Caro, breken met het Expressionisme uit de jaren vijftig. De Tate bezit ook een aantal zeer bekende werken van Amerikaanse en Britse pop artschilders, waaronder *Toy shop* van Blake, *Whaam!* van Lichtenstein en *Marilyn diptych* van Andy Warhol. Er hangen ook veel belangrijke werken van recente Britse figuratieve kunstenaars: Freud, Auerbach, Kossoff, Kitaj, Hockney en Bacon. Controversiëler zijn de minimalistische werken – *Equivalent VIII* van de Amerikaan Carl André is een extreem voorbeeld. Tevens kunt u een grote verscheidenheid aan 'conceptual art' zien, zoals de landschappen van Richard Long, waarin kaarten, foto's en gedrukte tekst de visie van de kunstenaar op de natuur symboliseren.

Mr and mrs Clark and Percy (1970-1971) van David Hockney

PICCADILLY EN ST JAMES'S

Sierslot van Buckingham Palace

Piccadilly is de belangrijkste straat in West End. Vroeger heette de straat Portugal Street; de huidige naam is afkomstig van de 'pickadills', de plooikragen van de dandy's uit de 17de eeuw. In St James's vindt u nog steeds sporen van de 18de eeuw, toen hier de koninklijke residenties stonden, en hovelingen en personen uit de betere kringen in St James's hun boodschappen deden en zich vermaakten. Enkele winkels in St James's Street doen die tijd herleven. Fortnum and Mason op Piccadilly serveert al 300 jaar uitstekende gerechten. Mayfair in het noorden is het meest modieus; op de grens met Soho ligt Piccadilly Circus.

BEZIENSWAARDIGHEDEN IN HET KORT

Historische straten en gebouwen
Piccadilly Circus ❶
Albany ❸
Burlington Arcade ❻
Ritz Hotel ❼
Spencer House ❽
St James's Palace ❾
St James's Square ❿
Royal Opera Arcade ⓫
Pall Mall ⓬
The Mall ⓯
Marlborough House ⓰
Clarence House ⓲
Lancaster House ⓳
*Buckingham Palace
blz. 94-95* ⓴
Royal Mews ㉒
Wellington Arch ㉓
Shepherd Market ㉕

Musea en Galeries
Royal Acadamy of Arts ❹
Museum of Mankind ❺
Institute of Contemporary Arts ⓭
Queen's Gallery ㉑
Royal Mews ㉒
Apsley House ㉔
Faraday Museum ㉗

Kerken
St James's Church ❷
Queen's Chapel ⓱

Parken en tuinen
St James's Park ⓮
Green Park ㉖

ZIE OOK

- *Plattegrond*, kaarten 12, 13
- *Accommodatie* blz. 276-277
- *Restaurants* blz. 292-294

- *Plattegrond*, kaarten 12, 13
- *Accommodatie* blz. 276-277
- *Restaurants* blz. 292-294

BEREIKBAARHEID
De Piccadilly-metrolijn gaat naar Hyde Park Corner, Piccadilly Circus en Green Park. De lijnen Bakerloo en Jubilee gaan naar Charing Cross. Bussen 6, 9, 15, 23 en 139 rijden naar deze buurt.

SYMBOLEN

▢	Stratenkaart
⊖	Metrostation
⇄	Treinstation
P	Parkeerplaats

0 meter — 500
0 yard — 500

Fraaie winkels in Piccadilly Arcade

Onder de loep: Piccadilly en St James's

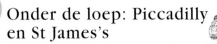

Nadat Hendrik VIII St James's Palace had voltooid in 1532, werd het gebied eromheen het centrum van modieus Londen en dat is het nog steeds. De invloedrijkste personen van het land wandelen door de historische straten op weg naar de lunch in hun club, winkelen in de oudste en exclusiefste winkels van Londen of bezoeken een van de vele galeries.

★ Museum of Mankind
Deze ivoren luipaard maakt deel uit van de collectie primitieve kunst ❺

Albany
Sinds de opening in 1774 is dit een van de chicste woonadressen in Londen ❸

★ Royal Academy of Arts
Sir Joshua Reynolds stichtte deze academie in 1768. Er zijn tegenwoordig veel tentoonstellingen ❹

★ Burlington Arcade
Geüniformeerde oppassers zorgen voor goed gedrag in deze 19de-eeuwse galerij ❻

Fortnum and Mason
in 1707 opgericht door een lakei van koningin Anne (blz. 311).

De Ritz
Dit luxehotel werd geopend in 1906 en genoemd naar César Ritz ❼

Spencer House
Een voorvader van lady Diana bouwde dit huis in 1766 ❽

St James's Palace
Dit Tudor-gebouw is officieel nog steeds het paleis van het hof ❾

Naar de Mall

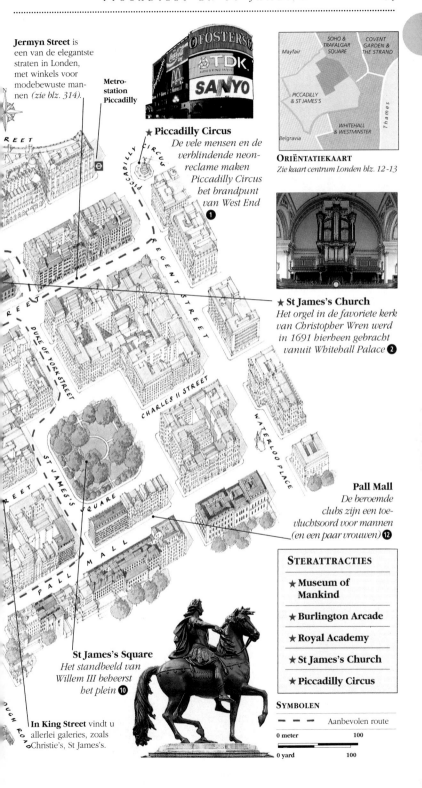

Jermyn Street is een van de elegantste straten in Londen, met winkels voor modebewuste mannen *(zie blz. 314).*

Metro-station Piccadilly

★ **Piccadilly Circus**
De vele mensen en de verblindende neon-reclame maken Piccadilly Circus het brandpunt van West End ❶

ORIËNTATIEKAART
Zie kaart centrum Londen blz. 12-13

★ **St James's Church**
Het orgel in de favoriete kerk van Christopher Wren werd in 1691 hierheen gebracht vanuit Whitehall Palace ❷

Pall Mall
De beroemde clubs zijn een toe-vluchtsoord voor mannen (en een paar vrouwen) ❶❷

STERATTRACTIES

★ **Museum of Mankind**

★ **Burlington Arcade**

★ **Royal Academy**

★ **St James's Church**

★ **Piccadilly Circus**

St James's Square
Het standbeeld van Willem III beheerst het plein ❶⓪

In King Street vindt u allerlei galeries, zoals Christie's, St James's.

SYMBOLEN

– – – Aanbevolen route

0 meter   100

0 yard   100

Piccadilly Circus ❶

W1. **Kaart** 13 A3. ⊖ *Piccadilly Circus.*

Eros van Alfred Gilbert

Al jarenlang komen mensen bijeen onder het standbeeld van Eros, oorspronkelijk bedoeld als engel der genade, maar hernoemd naar de Griekse liefdesgod. Het beeld dateert uit 1892 en is een monument voor de graaf van Shaftesbury, de victoriaanse filantroop. Piccadilly Circus maakte deel uit van het ontwerp van Nash voor Regent's Street *(blz. 220)*, maar heeft de laatste jaren behoorlijk wat veranderingen ondergaan en bestaat nu voornamelijk uit winkelcentra. Een daarvan bevindt zich achter de voorgevel van het London Pavilion (1885), eens een populaire concertzaal. Piccadilly Circus beschikt over de opzichtigste neonreclame in heel Londen. Het markeert de toegang tot het levendige uitgaanscentrum van de stad, met bioscopen, theaters, nachtclubs en pubs.

St James's Church ❷

197 Piccadilly W1. **Kaart** 13 A3. ☎ *0171-734 4511.* ⊖ *Piccadilly Circus, Green Park.* **Open** *9.00-18.00 uur dagelijks.* **Ambachtsmarkt** *10.00-18.00 uur do, vr, za behalve voor Pasen.* ∅ *tijdens diensten.* 🎵 **Concerten, lezingen.**

Van de vele kerken die Wren bouwde *(blz. 47),* is dit een van zijn eigen favorieten. De kerk is in de loop der jaren gewijzigd en werd in 1940 half verwoest door een bom, maar de hoofdkenmerken uit 1684 zijn bewaard gebleven: de hoge, gebogen ramen, slanke torenspits (een fiberglazen replica uit 1966) en een licht, statig interieur. Het fraai bewerkte scherm achter het altaar is een van de mooiste werken van de 17de-eeuwse meesterhoutsnijder Grinling Gibbons, die ook de prachtige marmeren doopvont maakte, met daarop Adam en Eva en de Boom des Levens. Schilder en dichter William Blake en premier Pitt de Oudere werden hier gedoopt. Nog meer snijwerk van Gibbons vindt u boven het magnifieke orgel. Tegenwoordig heeft de kerk een drukbezet programma; ook vindt u er het vegetarische Wren Coffee House.

Albany ❸

Albany Court Yard, Piccadilly W1. **Kaart** 12 F3. ⊖ *Green Park, Piccadilly Circus.*

Deze gewilde en discrete vrijgezellenappartementen, die half verscholen achter Piccadilly liggen, werden in 1803 gebouwd door Henry Holland. Bekende bewoners waren onder meer lord Byron, Graham Greene, William Gladstone, Edward Heath en de acteur Terence Stamp. In 1878 werden getrouwde mannen toegelaten, maar hun vrouwen mochten pas na 1919 bij hen komen wonen. Tegenwoordig mogen er ook vrouwen alleen wonen.

Lord Byron woonde in Albany

Royal Academy of Arts ❹

Burlington House, Piccadilly W1. **Kaart** 12 F3. ☎ *0171-439 7438.* ⊖ *Piccadilly Circus, Green Park.* **Open** *10.00-18.00 uur dagelijks (toegang tot 17.30).* **Gesloten** *24-26 dec., Goede Vr.* **Niet gratis.** ∅ 🚽 ♿ 🎵 🍴 📷 🛍 **Lezingen.**

Madonna en Kind van Michelangelo

Op het voorhof van Burlington House, een van de weinige overgebleven herenhuizen uit het begin van de 18de eeuw, staan vaak drommen mensen te wachten om toegang te krijgen tot een van de tentoonstellingen van de in 1768 opgerichte Royal Academy. De jaarlijkse zomertentoonstelling wordt nu al 200 jaar gehouden en exposeert 1200 nieuwe werken van zowel gearriveerde als onbekende schilders, beeldhouwers en architecten. Elke kunstenaar kan werk voordragen. In de ruim opgezette Sackler Galleries (1991), ontworpen door Norman Foster in de voormalige Diploma Galleries, ziet u rondreizende tentoonstellingen. In de sculptuurpromenade buiten de zalen vindt u permanente werken, met als opvallendste een reliëf van Michelangelo van Madonna en Kind (1505). De collectie (niet alles is te zien) bevat onder meer een werk van ieder huidig en voormalig lid van de Academie. Op de eerste verdieping zit een winkel die kaarten en andere door leden van de Academie ontworpen voorwerpen verkoopt.

Museum of Mankind ❺

6 Burlington Gdns W1. **Kaart** 12 F3.
📞 *0171-437 2224.* 🚇 *Piccadilly Circus, Green Park.* **Open** *10.00-17.00 ma-za, 14.30-18.00 uur zo.* **Gesloten** *24-26 dec., 1 jan., Goede Vr, 1ste ma in mei.* 📷 ♿ 🔝 📱
🎦 *Lezingen, filmpresentaties.*

D it kleine, goed opgezette filiaal van het British · Museum *(blz. 126-129)* bevindt zich in een uitbreiding van Burlington House (de Royal Academy). De hoogtepunten van de uitstekende collectie uit zowel oude als moderne culturen vindt u op de eerst verdieping: figuren, maskers, sieraden en een aantal reusachtige beelden. Onder de kostbaarheden uit West-Afrika bevinden zich een paar ivoren luipaarden uit Benin en een Yoruba-deurpaneel met ingewikkeld snijwerk. Op de benedenverdieping vindt u wisselende tentoonstellingen over bepaalde culturen, waarbij wak gebouwen en dorpen worden nagebouwd.

In het Colombiaanse café kunt u verfrissingen, soep en lichte maaltijden gebruiken. De toegang wordt geflankeerd door enorme afgietsels van Maya-zuilen.

Hawaïaanse oorlogsgod, Museum of Mankind

Burlington Arcade ❻

Piccadilly W1. **Kaart** 12 F3. 🚇 *Green Park, Piccadilly Circus. Zie* **Winkelen** *blz. 318.*

D it is een van de drie 19de-eeuwse winkelgalerijen met kleine winkels die traditionele Britse luxe-artikelen verkopen. (De andere, Piccadilly Arcade en Princes Arcade, liggen ten zuiden van Piccadilly.) De galerij werd in 1819 voor lord Cavendish gebouwd om voorbijgangers te beletten rommel in zijn tuin te gooien. Oppassers zien erop toe dat iedereen zich netjes gedraagt.

Afternoon tea in het weelderige Palm Court van de Ritz

Ritz Hotel ❼

Piccadilly W1. **Kaart** 12 F3. 📞 *0171-493 8181.* 🚇 *Green Park.* **Open** *voor bezoekers: restaurant.* ♿ 📷 *Zie* **Accommodatie** *blz. 282 en* **Restaurants en pubs** *blz. 306.*

C ésar Ritz, een Zwitserse hotelier, was al bijna met pensioen toen dit hotel werd gebouwd en naar hem genoemd. De zuilengang aan de voorzijde van dit overheersende gebouw in château-stijl moest doen denken aan Parijs, waar tijdens de eeuwwisseling de toonaangevende hotels stonden. In het weelderige hotel hangt nog steeds een edwardiaanse sfeer en als u de juiste kleding draagt, kunt u er net als vele Britten 's middags thee gaan drinken.

Spencer House ❽

27 St James's Pl SW1. **Kaart** 12 F4.
📞 *0171-499 8620.* 🚇 *Green Park.* **Open** *10.00-17.30 uur zo (toegang tot 16.45).* **Gesloten** *jan. en aug.* **Niet gratis. Geen kinderen** *onder 10 jaar.* 🚫 ♿ 📷 *verplicht.*

D it prachtige palladiaanse paleis werd voltooid in 1766 voor de eerste graaf Spencer, een voorvader van lady Di. Het is nu teruggebracht in zijn oorspronkelijke 18de-eeuwse staat en bevat fraaie schilderwerken en hedendaagse meubelstukken. Een van de hoogtepunten is de prachtig versierde geschilderde kamer. Het paleis is voor het publiek toegankelijk.

St James's Palace ❾

The Mall SW1. **Kaart** 12 F4. 🚇 *Green Park.* **Niet toegankelijk** *voor publiek.*

D it paleis werd door Hendrik VIII tegen 1540 gebouwd op de plaats van een voormalig leprozenhospitaal. Het was slechts kort het koninklijke paleis, hoofdzakelijk tijdens de regering van Elizabeth I en eind 17de/begin 18de eeuw. In 1952 hield koningin Elizabeth II hier haar eerste toespraak, en buitenlandse ambassadeurs worden nog immer geaccrediteerd aan het Court of St James. Het noordelijke poortgebouw is een van Londens fraaiste Tudor-gebouwen. De paleis-vertrekken erachter worden nu bewoond door bevoorrechte dienaren van de Kroon.

Poortgebouw van St James's Palace

Royal Opera Arcade

St James's Square ❿

SW1. **Kaart** 13 A3. 🚇 *Green Park, Piccadilly Circus.*

Dit plein werd aangelegd tussen 1670 en 1680 en is een van de oudste in Londen. Eromheen staan exclusieve huizen voor diegenen wier zaken het destijds vereisten dat ze dicht bij St James's Palace woonden. Veel van de huizen dateren uit de 18de en 19de eeuw en hebben illustere bewoners gekend. Tijdens de Tweede Wereldoorlog hadden de generaals Eisenhower en De Gaulle hier hun hoofdkwartier.
In Chatham House (1736), nr. 10 aan de noordkant, is het Royal Institute for International Affairs gevestigd; in de noordoosthoek vindt u de London Library (1896), die door Thomas Carlyle *(blz. 192)* en anderen werd gesticht. In de tuinen in het midden staat sinds 1808 een ruiterstandbeeld van Willem III.

Royal Opera Arcade ⓫

SW1. **Kaart** 13 A3. 🚇 *Piccadilly Circus.*

Dit was de eerste winkelgalerij van Londen. Dit ontwerp van John Nash bevindt zich achter het Haymarket Opera House (tegenwoordig Her Majesty's Theatre) en werd voltooid in 1818. Farlows, aan de Pall Mallzijde van het winkelcentrum, verkoopt jachtbenodigdhe-

den, visgerei, waaronder de beroemde Wellington boots, en een grote verscheidenheid aan andere benodigdheden voor het traditionele landleven.

Pall Mall ⓬

SW1. **Kaart** 13 A4. 🚇 *Charing Cross, Green Park.*

De hertog van Wellington (1842) kwam vaak in Pall Mall

Deze voorname straat is genoemd naar het spel *palle-maille*, een kruising tussen croquet en golf, dat hier in het begin van de 17de eeuw werd gespeeld. Al meer dan 150 jaar is Pall Mall het centrum van de Londense clubs. Hier werden exclusieve herenclubs opgericht waarin leden zich konden verschuilen voor hun vrouwen.
De clubgebouwen vormen een staalkaart van het werk van de populairste architecten van die tijd. Aan de linkerkant gezien vanaf het oosten bevindt zich de van zuilen voorziene ingang van de United Services Club (1827) van Nash. Er tegenover, aan de andere

kant van Waterloo Place, staat het Athenaeum, dat drie jaar later door Decimus Burton werd ontworpen en lang de stuwende kracht van het Britse establishment was. Hiernaast staan twee clubs van sir Charles Barry, de architect van de Houses of Parliament *(blz. 72-73)*; de Travellers' vindt u op nr. 106 en de Reform op nr. 104. De statige interieurs van de clubs zijn goed bewaard gebleven, maar alleen leden en hun gasten hebben toegang.

Institute of Contemporary Arts ⓭

The Mall SW1. **Kaart** 13 B3.
📞 *0171-930 3647.* 🚇 *Charing Cross, Piccadilly Circus.* **Open** *12.00-1.00 uur dagelijks.* **Gesloten** *Kerstweek, feestdagen.* **Niet gratis.** ♿ *van tevoren aankondigen.* 📷 🎭 🍴
🎫 *Concerten, theater, dans, lezingen. Zie* **Amusement** *blz. 332-333.*

Het ICA werd opgericht in 1947 in een poging om Britse kunstenaars een aantal van de faciliteiten te bieden die beschikbaar waren voor kunstenaars uit de Verenigde Staten in het Museum of Modern Art in New York. Vroeger zat het ICA aan Dover Street, maar sinds 1968 bevindt het zich in een deel van het klassieke Carlton House Terrace van Nash (1833). Vanuit de ingang aan the Mall komt u terecht in een ingewikkeld doolhof met een bioscoop, auditorium, boekwinkel, galerie, bar en een uitstekend restaurant. U kunt er terecht voor levendige tentoonstellingen, lezingen, concerten, films en toneelstukken.

Institute of Contemporary Arts, Carlton House Terrace

St James's Park ⓮

SW1. **Kaart** 13 A4. 📞 *0171-930 1793.* 🚇 *St James's Park.* **Open dagelijks.** 🅿 **Open** *dagelijks.* ♿ **Concerten** *tweemaal daags in de zomer.* **Veel vogelsoorten.**

In de zomer ligt kantoorpersoneel te zonnebaden tussen de kleurrijke bloemenpracht van het sierlijkste park in Londen. In de winter wandelen de ambtenaren langs het meer en kijken naar de eenden, ganzen en pelikanen. Het park ontstond toen Hendrik VIII een moeras drooglegde en het bij zijn jachtgronden voegde. Later maakte Karel II het geschikt voor voetgangers, en plaatste hij een vogelhuis aan de zuidzijde. Het is nog steeds een populaire plaats om een luchtje te scheppen en u hebt een mooi uitzicht op de daken van Whitehall. In de zomer zijn er concerten in de muziektent.

The Mall ⓯

SW1. **Kaart** 13 A4. 🚇 *Charing Cross, Green Park, Piccadilly Circus.*

Deze toegangsweg naar Buckingham Palace werd gemaakt door Aston Webb toen hij in 1911 de voorzijde van het paleis en het Victoria Monument opnieuw ontwierp *(foto blz. 96)*. De weg volgt het oude pad aan de rand van St James's Park, dat ten tijde van Karel II de populairste promenade van Londen was. Aan de vlaggestokken aan weerszijden van the Mall wapperen de nationale vlaggen van bezoekende buitenlandse staatshoofden.

Marlborough House ⓰

Pall Mall SW1. **Kaart** 13 A4. 📞 *0171-839 3411.* 🚇 *St James's Park, Green Park. Bel voor afspraak voor een rondleiding.*

Marlborough House werd ontworpen door Christopher Wren *(blz. 47)* voor de hertogin van Marlborough en voltooid in 1711. Het werd aanzienlijk vergroot in de 19de eeuw en bewoond door leden van de koninklijke familie. In de tijd dat de prins en prinses van Wales hier woonden (van 1863 tot 1903, toen de prins Edward VII werd) was dit het society-centrum van Londen. Een art nouveau-monument in de muur herdenkt de gemalin van Edward, Alexandra. Het gebouw huisvest nu het Commonwealth Secretariat.

Queen's Chapel

Queen's Chapel ⓱

Marlborough Rd SW1. **Kaart** 13 A4. 🚇 *Green Park.* **Niet toegankelijk** *voor het publiek.*

Dit prachtige werk van Inigo Jones werd in 1627 gebouwd voor Henriette Maria, de Franse vrouw van Karel I, en was de eerste classicistische kerk in Engeland. De kerk zou oorspronkelijk deel uitmaken van St James's Palace, maar wordt er nu van gescheiden door Marlborough Gate. George III trouwde hier in 1761 met Charlotte van Mecklenburg-Strelitz (die hem 15 kinderen schonk).

Het interieur van de kapel met het magnifieke altaarstuk van Annibale Caracci, is helaas alleen toegankelijk voor reguliere kerkgangers in de lente en het begin van de zomer.

Vroege zomer in St James's Park

Buckingham Palace ⑳

Buckingham Palace is het paleis van het Britse vorstenhuis. Er wordt zowel in gewoond als gewerkt en het wordt tevens gebruikt voor ceremoniële staatsbezoeken, onder meer voor een banket voor een bezoekend staatshoofd. Zo'n 300 personen werken in het paleis, onder wie leden van de koninklijke hofhouding en paleispersoneel. John Nash verbouwde het oorspronkelijke Buckingham House in een paleis voor George IV (1820-1830). Zowel hij als zijn broer Willem IV (1830-1837) stierven voordat de bouw was voltooid, zodat koningin Victoria de eerste was die in het paleis woonde. De huidige oostgevel werd in 1913 toegevoegd.

Music Room
In deze kamer, met een schitterende parketvloer van Nash, worden gasten geïntroduceerd en vinden koninklijke doopplechtigheden plaats.

De Picture Gallery bevat een selectie van de kostbare schilderijenverzameling van de koningin.

De State Dining Room wordt gebruikt bij minder formele maaltijden.

Keuken en personeelsvertrekken

Blue Drawing Room
Door Nash ontworpen zuilen van imitatie-onyx sieren deze zaal.

Eigen postkantoor

State Ballroom
Deze barokke balzaal wordt gebruikt voor staatsbanketten en inhuldigingen.

Aflossen van de wacht
In de zomer wordt in een kleurrijke plechtigheid elke dag de wacht afgelost (zie blz. 52-55).

TIPS VOOR DE TOERIST

SW1. **Kaart** 12 F5. ☎ 0171-930 4832. ⊖ St James's Park, Victoria. 🚌 2B, 11, 16, 24, 25, 36, 38, 52, 73, 135, C1. 🚆 Victoria. **State rooms**: aug.-sept.: 9.30-17.30 uur di-zo (toegang tot 16.15). **Niet gratis.** 📷 **Aflossen van de wacht**: mei-aug.: 11:30 uur dagelijks; sept.-april om de dag, maar wijzigingen mogelijk.

In de White Drawing Room komen de leden van de koninklijke familie bijeen voordat ze naar de State Dining Room of Ball Room gaan.

Een zwembad en een privé-bioscoop horen ook bij het paleis.

De tuin met zijn talrijke soorten dieren en planten is te zien vanuit de meeste weelderig ingerichte vertrekken aan de achterkant van het paleis.

De Throne Room wordt verlicht door zeven imposante kroonluchters.

De Green Drawing Room is de eerste staatsiezaal waarin de gasten komen tijdens plechtigheden.

Queen's Audience Chamber
Dit is een van de 12 privé-vertrekken van de koningin op de eerste verdieping.

Het koninklijk vaandel is gehesen als de koningin aanwezig is.

Wie wonen er in Buckingham Palace?
Het paleis is de residentie van de koningin en haar man, de hertog van Edinburgh. Prins Edward heeft hier ook een suite, evenals prinses Anne en de hertog van York. Zo'n 50 personeelsleden hebben vertrekken in het paleis. In de Royal Mews bevinden zich nog meer personeelsvertrekken (blz. 96).

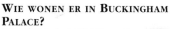

Uitzicht over the Mall
Volgens traditie zwaait de koninklijke familie het volk toe vanaf het balkon.

Clarence House ⑱

Stable Yard SW1. **Kaart** 12 F4.
🚇 *Green Park, St James's Park.*
Niet toegankelijk *voor het publiek.*

Dit huis, dat uitkijkt over the Mall, werd in 1827 door John Nash gebouwd voor hertog William van Clarence, die hier ging wonen nadat hij in 1830 koning was geworden. Het huis behoort nu toe aan de koningin-moeder.

Lancaster House ⑲

Stable Yard SW1. **Kaart** 12 F4.
🚇 *Green Park, St James's Park.*
Niet toegankelijk *voor het publiek.*

Lancaster House

Deze koninklijke residentie werd in 1825 gebouwd voor de hertog van York door Benjamin Wyatt, de architect van Apsley House. In 1848 speelde Chopin hier voor koningin Victoria, prins Albert en de hertog van Wellington.

Buckingham Palace ⑳

Zie blz. 94-95.

Queen's Gallery ㉑

Buckingham Palace Rd SW1.
Kaart 12 F5. ☎ *0171-839 1377.*
🚇 *St James's Park, Victoria.* **Open** *10.00-17.00 di-za, 14.00-17.00 uur zo.* **Gesloten** *25-26 dec., 1 jan.* **Niet gratis.** 🚫 📷

De koningin bezit een van de rijkste en waardevolste schilderijenverzamelingen ter wereld, met veel werk van oude meesters, zoals Vermeer en Leonardo da Vinci. (Sir Anthony Blunt was 30 jaar lang haar kunstadviseur, tot hij in 1979 werd ontmaskerd als Sovjetspion en zijn ridderschap hem werd ontnomen.)
Een deel van de werken is te zien in dit museum (aan de kant van het paleis), dat in 1962 werd geopend. Het gebouw deed vroeger onder meer dienst als kapel, en er is nog steeds een afgeschermde ruimte waar men kan bidden. De wisselende tentoonstellingen hebben altijd een bepaald thema. Een winkel verkoopt allerlei koninklijke snuisterijen.

Royal Mews ㉒

Buckingham Palace Rd SW1.
Kaart 12 E5. ☎ *0171-839 1377.*
🚇 *St James's Park, Victoria.* **Open** *12.00-16.00 uur wo, en op andere dagen in de zomer. Kan onverhoeds sluiten (bel eerst).* **Niet gratis.** ♿ 📷

De koninklijke stallen zijn maar enkele uren per week open, maar zeker interessant voor wie houdt van paarden en koninklijke pracht en praal. De stallen en koetshuizen werden in 1825 ontworpen door Nash. Hierin bevinden zich de paarden en koetsen die door de koninklijke familie tijdens staatsaangelegenheden worden gebruikt, en ook de Rolls-Royces met doorzichtige bovenkant, die de

Ei van Fabergé, Queen's Gallery

inzittenden voor omstanders zichtbaar maakt. Het bekendste onderdeel van de collectie is de gouden staatsiekoets die in 1761 voor George III werd gebouwd. De panelen zijn geschilderd door Giovanni Cipriani. Verder staan er de Ierse staatsiekoets, door koningin Victoria gekocht voor de State Opening of Parliament (opening van het parlementaire zittingsjaar); de open koninklijke landauer; en de glazen koets die wordt gebruikt bij koninklijke bruiloften en voor het vervoeren van buitenlandse ambassadeurs. De stallen zijn geopend gedurende de week van de Royal Ascot-race in juni. Voor deze gebeurtenis gaan de voertuigen echter naar de drafbaan in Berkshire, waar ze de koninklijke gasten vervoeren langs de eretribune.

Het Victoria Monument voor Buckingham Palace

Wellington Arch ❸

SW1. **Kaart** 12 D4. ⊖ *Hyde Park
Corner.* **Open** *5.00-24.00 uur dagelijks.*

Na een jaar delibereren over wat er moest gebeuren met het stuk land voor Apsley House, werd er in 1828 naar een ontwerp van Decimus Burton een grote triomfboog gebouwd die Wellington Arch werd genoemd. Het beeld van Adrian Jones werd in 1912 toegevoegd. Voordat het op de boog werd geplaatst, slaagde Jones erin om acht mensen te laten dineren in het holle, bootvormige lichaam van een van de paarden.
Tot 1992 bevond zich het op één na kleinste politiebureau (het kleinste zit op Trafalgar Square) in de boog, die ook wel de Constitution Arch wordt genoemd.

Wellington Arch

Apsley House ❹

149 Piccadilly W1. **Kaart** 12 D4.
█ *0171-499 5676.*
⊖ *Hyde Park Corner.*
Open *11.00-17.00 uur di-zo (toegang tot 16.30 uur).*
Gesloten *24-26 dec., 1 jan., Goede Vrijdag, May Day.* **Niet gratis.** 🔲 🔲
eerst bellen.

Apsley House, op de zuidoosthoek van Hyde Park, werd in 1778 door Robert Adam voor baron Apsley voltooid. Vijftig jaar later werd het vergroot en verbouwd door de architecten Benjamin en Philip Wyatt, zodat de hertog van Wellington – de held van de slag bij Waterloo (1815) tegen Napoleon – een passend onderkomen zou krijgen. Wellington werd later premier. Het is nu een museum met memorabilia van

Interieur van Apsley House

Wellington en een aantal van zijn trofeeën, en wordt overheerst door Canova's enorme beeld van Napoleon – de aartsvijand van Wellington – slechts gekleed in vijgeblad. Dit stond vroeger in het Louvre in Parijs. De meeste schilderijen zijn van Wellingtons tijdgenoten, maar er hangen ook een paar oude meesters. De bewaard gebleven interieurs van Adam zijn het bekijken waard.

Shepherd Market ❺

W1. **Kaart** 12 E4. ⊖ *Green Park.*

Dit gracieuze voetgangersgebied tussen Piccadilly en Curzon Street met kleine winkels, restaurants en terrasjes is genoemd naar Edward Shepherd, die het in het midden van de 18de eeuw bouwde. In de 17de eeuw werd hier de jaarlijkse 'May Fair' (de meikermis waarnaar het gebied is genoemd) gehouden, en tegenwoordig is Shepherd Market nog steeds het centrum van Mayfair.

Green Park ❻

SW1. **Kaart** 12 E4. █ *0171-930 1793.*
⊖ *Green Park, Hyde Park Corner.*
Open *5.00-24.00 uur dagelijks.*

Net als St James's Park maakte dit park deel uit van de jachtgronden van Hendrik VIII en werd het door Karel II rond 1660 opengesteld voor het publiek. Het is een natuurlijk, golvend landschap van gras en bomen. In de 18de eeuw werden hier vaak duels uitgevochten. In 1771 werd de dichter Alfieri verwond door de man van zijn minnares, waarna hij zich terugspoedde naar Haymarket Theatre om nog net de laatste akte van het toneelstuk te kunnen zien. In het park wordt tegenwoordig veel gejogd door gasten van de hotels in Mayfair.

Faraday Museum ❼

The Royal Institution, 21 Albemarle St
W1. **Kaart** 12 F3. █ *0171-409 2992.*
⊖ *Green Park.* **Open** *10.00-18.00 uur ma-vr.* **Niet gratis.** 🔲 *eerst bellen.*

Michael Faraday was een 19de-eeuwse pionier op het gebied van de elektriciteit. Zijn laboratorium uit 1850-1860 is nagebouwd in de kelder van het Royal Institution en is te bezichtigen samen met een klein museum met apparatuur en persoonlijke bezittingen van Faraday.

Michael Faraday

SOHO EN TRAFALGAR SQUARE

Al sinds het einde van de 17de eeuw staat Soho bekend als een plaats waar een ieder kan genieten van de goede dingen des levens. In het begin was de buurt een van de deftigste in Londen, en stond hij bekend om de extravagante feesten van de bewoners. Tegenwoordig is dit de bekendste rosse buurt van Londen, zelfs nadat de meeste prostituées in 1959 van de straat werden verbannen. Er bestaat ook een levendige subcultuur van kunstenaars en schrijvers in de sjofele pubs en clubs.

Soho is een van de bontst gekleurde wijken van Londen. De eerste immigranten waren 18de-eeuwse hugenoten uit Frankrijk *(zie Christ Church, Spitalfields blz. 170)*. Zij werden gevolgd door mensen uit andere delen van Europa, maar Soho staat tegenwoordig bekend als Chinatown.

Klok op warenhuis Liberty

BEZIENSWAARDIGHEDEN IN HET KORT

Historische straten en gebouwen
Trafalgar Square ❶
Admiralty Arch ❷
Leicester Square ❻
Shaftesbury Avenue ❽
Chinatown ❾
Charing Cross Road ❿
Soho Square ⑫
Carnaby Street ⑭

Winkels en markten
Berwick Street Market ⑬
Liberty ⑮

Kerken
St Martin-in-the-Fields ❹

Musea
National Gallery blz. 104-107 ❸
National Portrait Gallery ❺
Design Council ❼

Theaters
Palace Theatre ⑪

BEREIKBAARHEID
De buurt is bereikbaar met de metrolijnen Central, Piccadilly, Bakerloo, Victoria, Northern en Jubilee. Veel bussen gaan via Trafalgar Square. Charing Cross is een treinstation.

SYMBOLEN
⬜ Stratenkaart
Ⓔ Metrostation
✈ Treinstation
Ⓟ Parkeerplaats

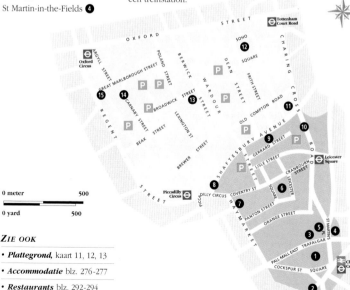

0 meter 500
0 yard 500

ZIE OOK

• **Plattegrond,** kaart 11, 12, 13

• **Accommodatie** blz. 276-277

• **Restaurants** blz. 292-294

De fonteinen van Trafalgar Square

Onder de loep: Trafalgar Square

Theaters, bioscopen, nachtclubs en restaurants
maken dit het belangrijkste
uitgaanscentrum van Londen.
U vindt er ook grote overheidsgebouwen en nauwe
winkelstraten.

**Naar station Tottenham
Court Road**

Charing Cross Road
*Een waar mekka voor
boekenliefhebbers* **10**

Shaftesbury Avenue
*Deze grote theater-
straat hangt vol aan-
kondigingen van
voorstellingen* **8**

★ **Chinatown**
*Een wijk met Chinese restau-
rants en winkels. Chinees is
hier voor velen de voertaal* **9**

De pub Blue Posts staat
waar zich in de 18de
eeuw een instaphalte voor
draagstoelen bevond.

**Guinness World of
Records:** het beste,
slechtste en meeste van
alles en nog wat *(blz. 340)*.

**Gemechaniseerde pop-
sterren** wuiven vanaf het
balkon van Rock Circus, in
het oude London Pavilion.

STERATTRACTIES

★ **National Gallery**

★ **National Portrait
Gallery**

★ **St Martin-in-
the-Fields**

★ **Chinatown**

★ **Trafalgar Square**

Design Council
*Het beste Britse de-
sign kunt u hier zien
en kopen* **7**

Leicester Square
*Filmpionier Charlie
Chaplin staat op dit
autoloze plein.* **6**

SYMBOLEN

– – – Aanbevolen route

0 meter   100

0 yard   100

Het Theatre Royal, op de lokatie van een ouder theater, heeft
een portaal van John Nash.

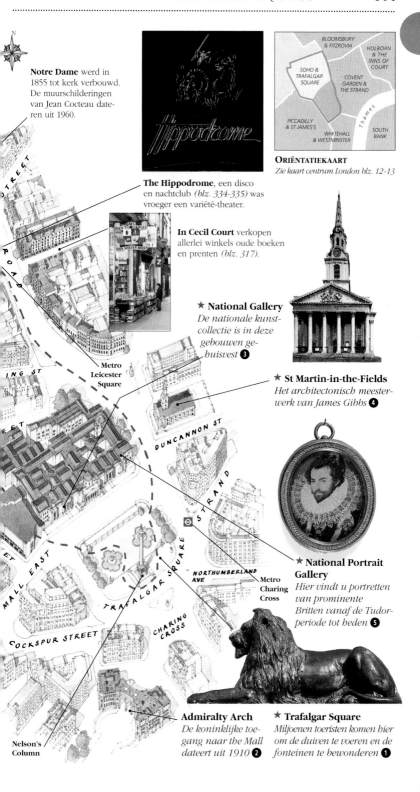

Notre Dame werd in 1855 tot kerk verbouwd. De muurschilderingen van Jean Cocteau dateren uit 1960.

ORIËNTATIEKAART
Zie kaart centrum London blz. 12-13

The Hippodrome, een disco en nachtclub *(blz. 334-335)* was vroeger een variété-theater.

In Cecil Court verkopen allerlei winkels oude boeken en prenten *(blz. 317)*.

★ **National Gallery**
De nationale kunst-collectie is in deze gebouwen ge-huisvest ❸

Metro Leicester Square

★ **St Martin-in-the-Fields**
Het architectonisch meesterwerk van James Gibbs ❹

★ **National Portrait Gallery**
Hier vindt u portretten van prominente Britten vanaf de Tudor-periode tot heden ❺

Admiralty Arch
De koninklijke toegang naar the Mall dateert uit 1910 ❷

★ **Trafalgar Square**
Miljoenen toeristen komen hier om de duiven te voeren en de fonteinen te bewonderen ❶

Nelson's Column

Trafalgar Square ❶

WC2. **Kaart** 13 B3. Ⓔ *Charing Cross.*

Hier worden vaak demonstraties en openbare bijeenkomsten gehouden. Het plein werd ontworpen door John Nash en grotendeels aangelegd in de jaren dertig van de vorige eeuw. De 50 m hoge zuil gedenkt admiraal lord Nelson, de bekendste Britse zeeheld, die in 1805 in het harnas stierf tijdens de Zeeslag bij Trafalgar tegen Napoleon. De zuil dateert uit 1842; 14 steenhouwers dineerden boven op de zuil voordat het standbeeld van Nelson werd geplaatst. De vier roerloze leeuwen werden 25 jaar later toegevoegd om te waken over de voet van de zuil. Het noordelijke deel van het plein wordt tegenwoordig ingenomen door de National Gallery *(blz. 104-107),* met links Canada House en rechts South Africa House. De gerestaureerde Grand Buildings aan de zuidkant, met hun mooie zuilengalerij, werden in 1880 gebouwd als het Grand Hotel. Het plein met zijn vele duiven is een populair verzamelpunt voor demonstraties en oudjaarsfestiviteiten.

Nelson op zijn zuil kijkt uit over het plein

Admiralty Arch ❷

The Mall SW1. **Kaart** 13 B3.
Ⓔ *Charing Cross.*

Deze in 1911 ontworpen drievoudige triomfboog maakte deel uit van het plan van Aston Webb om van de Mall een grootse processieweg te maken ter ere van koningin Victoria. De boog sluit de oostkant van de Mall af (door de kleinere zijbogen rijdt wel verkeer) en vormt de scheiding tussen het rumoerige Trafalgar Square en het meer verfijnde Londen. De middelste boog wordt alleen geopend voor koninklijke processies en vormt dan een fraaie achtergrond voor de koetsen en paarden.

De verfilming van *Howard's End* bij Admiralty Arch

National Gallery ❸

Zie blz. 104-107.

St Martin-in-the-Fields ❹

Trafalgar Sq WC2. **Kaart** 13 B3.
🕿 *0171-930 1862.* Ⓔ *Charing Cross.*
Open 9.00-18.00 uur dagelijks. 🕿
11.30 uur zo. ⛭ 🖬 🖰 **London Brass Rubbing Centre** 🕿 071-930 9306. **Open** 10.00-18.00 uur ma-za, 12.00-18.00 uur zo. **Concerten** zie **Amusement** blz. 330-331.

Al sinds de 13de eeuw staat er een kerk op deze locatie. Veel beroemde personen liggen hier begraven, onder wie Nell Gwynn, de maîtresse van Karel II, en de schilders William Hogarth en Joshua Reynolds. De huidige kerk werd ontworpen door James Gibbs en voltooid in 1726. Qua architectuur is het een van de invloedrijkste kerken die er zijn gebouwd. Er staan veel kopieën in de Verenigde Staten, waar de kerk model stond voor de koloniale stijl. Een opvallend aspect van het ruime interieur is de koninklijke loge links van het altaar ter hoogte van de galerij. Van 1914 tot 1927 diende de crypte als tehuis voor dakloze soldaten en zwervers, en tijdens de Tweede Wereldoorlog als schuilkelder. Nog steeds worden de daklozen geholpen en wordt er soep uitgedeeld. Ook vindt u er een café, een religieuze boekwinkel, het London Brass Rubbing Centre en in de tuin een ambachtsmarkt *(blz. 323).* Regelmatig worden er in de kerk middag- en avondconcerten gegeven.

National Portrait Gallery ❺

2 St Martin's Place WC2. **Kaart** 13 B3.
🕿 *0171-306 0055.* Ⓔ *Leicester Sq, Charing Cross.* **Open** 10.00-18.00 uur ma-za, 12.00-18.00 uur zo. **Gesloten** Goede Vrijdag, May Day, 25 dec., 1 jan. 🚫 ⛭ ingang Orange St. 🎥 in aug. 🖰 **Lezingen.**

Vanwege de National Gallery ernaast wordt dit fascinerende museum vaak overgeslagen. Het geeft de ontwikkeling van Groot Brittannië aan de hand van portretten van belangrijke personen uit de Britse geschiedenis, waarbij de namen uit de geschiedenisboeken gezichten krijgen. U vindt er schilderijen van koningen, koninginnen, dichters, musici,

Portret van Margaret Thatcher door Rodrigo Moynihan (1984)

schilders, filosofen, helden en schurken uit alle perioden sinds het einde van de 14de eeuw. Tot de oudste werken, op de vierde verdieping, behoren onder meer een schets van Hendrik VIII door Hans Holbein en doeken van een aantal van zijn onfortuinlijke vrouwen. Een verdieping hoger hangt het vermoedelijk enige tijdens zijn leven gemaakte portret van Shakespeare dat bewaard is gebleven. Op de lagere verdiepingen vindt u in chronologische volgorde werken van schilders als Van Dyck, Reynolds, Gainsborough en Sargent.

Foto's en schilderijen uit de 20ste eeuw treft u aan op de eerste verdieping. De popmuzikanten Elton John en Mick Jagger en de modeontwerpers Mary Quant en Katherine Hamnett hangen in de buurt van de koninklijke familie en politici.

Er zijn ook tijdelijke tentoonstellingen in het museum en er is een uitstekende winkel met boeken over kunst en literatuur en een uitgebreide verzameling kaarten en posters van schilderijen uit de collectie.

Leicester Square ❻

WC2. **Kaart** 13 B2. 🚇 *Leicester Sq, Piccadilly Circus.*

Het is moeilijk voor te stellen dat dit altijd levendige hart van West End eens een chique woonwijk was. Het plein werd aangelegd in 1670 aan de zuidkant van Leicester House, een al lang verdwenen koninklijke residentie. Onder de eerste bewoners bevonden zich de wetenschapper Isaac Newton en later de schilders Joshua Reynolds en William Hogarth. (Het huis van Hogarth, in de zuidoosthoek, werd in 1801 het Hôtel de la Sablionère, waarschijnlijk het eerst openbare restaurant in deze buurt.)

Ten tijde van koningin Victoria bevond zich hier een aantal van de populairste variététheaters van Londen, waaronder het Empire (de bioscoop aan dezelfde kant houdt de naam in ere) en het Alhambra, in 1937 vervangen door het in art deco-stijl gebouwde Odeon. Het centrum van het plein is onlangs opgeknapt en er staat een stalletje waar u goedkope theaterkaartjes kunt kopen *(blz. 326-327).* Het standbeeld van Charlie Chaplin (door John Doubleday) werd in 1981 onthuld. De Shakespeare-fontein dateert uit een eerdere renovatie in 1874.

Design Council ❼

1 Oxendon St SW1. **Kaart** 13 A3. 📞 *0171-208 2121.* 🚇 *Leicester Sq, Piccadilly Circus.* **Niet toegankelijk** *voor het publiek.*
📷 ♿ 🚻

De in 1944 gestichte Council for Industrial Design was tot aan de opening van het Design Museum in Bermondsey *(blz. 179)* de enige plaats waar moderne Britse vormgeving te zien was.

Shaftesbury Avenue ❽

W1. **Kaart** 13 A2. 🚇 *Piccadilly Circus, Leicester Sq.*

Zes theaters en twee bioscopen staan er aan de noordkant van Shaftesbury Avenue, de belangrijkste theaterstraat in Londen. De straat werd tussen 1877 en 1886 dwars door een sloppenwijk aangelegd om de verbindingen in het drukke West End te verbeteren. De naam is afkomstig van de graaf van Shaftesbury (1801-1885), wiens pogingen om de woonomstandigheden van de hier wonende armen te verbeteren, verlichting voor sommigen in deze wijk bracht. (De graaf wordt ook herdacht door het standbeeld van Eros op Piccadilly Circus – *blz. 90.*) Het Lyric Theatre, ontworpen door C.J. Phipps, bestaat al bijna net zo lang als de straat zelf.

West End: het Globe Theatre (staat bekend als het Gielgud)

National Gallery ❸

De voorgevel aan Trafalgar Square

Al sinds het begin van de 19de eeuw is de National Gallery uitermate succesvol. In 1824 haalde George IV een onwillig parlement ertoe over om 38 belangrijke werken van onder anderen Rafaël en Rembrandt aan te schaffen. Dit was het begin van een nationale collectie, die door de jaren heen aangroeide door donaties van mecenassen. Het hoofdgebouw werd in neoklassieke stijl ontworpen door William Wilkins en gebouwd in 1834-1838. Links ligt de in 1991 voltooide Sainsbury-vleugel. Hierin bevinden zich een aantal schitterende kunstwerken uit de Vroeg-Renaissance.

Trap naar lager gelegen zalen

Ingang Orange St ♿

Trap naar benedenverdieping 🛗 🚹 🚻

WEGWIJZER

Het grootste deel van de collectie bevindt zich op één verdieping die in vier vleugels is verdeeld. De vroegste werken (1260-1510) hangen in de Sainsbury-vleugel; de andere vleugels beslaan de jaren 1510-1600, 1600-1700 en 1700-1920. Minder bekende doeken uit alle perioden hangen op de benedenverdieping.

Verbinding met hoofdgebouw

Trap naar lager gelegen zalen

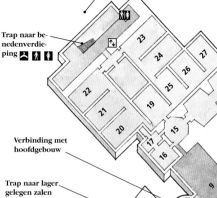

★ **Tekeningen van Leonardo da Vinci** *(ca. 1510) Krijttekening door Leonardo da Vinci van Madonna met Kind en de heilige Anna en Johannes de Doper.*

Hoofdingang naar Sainsbury-vleugel ♿

Doge Leonardo Loredan *(1501) Giovanni Bellini portretteerde deze Venetiaan als een serene vaderfiguur.*

SYMBOLEN

☐	Schilderijen 1260-1510
☐	Schilderijen 1510-1600
☐	Schilderijen 1600-1700
☐	Schilderijen 1700-1920
☐	Speciale tentoonstellingen
☐	Geen tentoonstellingsruimte

★ **Rokeby Venus** (1649)
Doek van Diego Velázquez ter vervanging van een verloren Venetiaans naakt.

★ **The Haywain** (1821)
In dit beroemde doek slaagt John Constable er goed in om de afwisseling van licht en schaduw weer te geven en een gevoel van diepte te creëren.

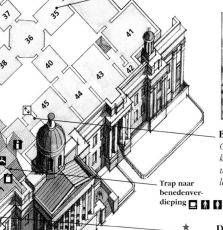

Baders in Asnières (1884)
George Seurat gebruikte miljoenen kleine stipjes voor deze neoklassieke weergave van het moderne stadsleven.

Trap naar benedenverdieping 📷 ♿ 🍴

Ingang aan Trafalgar Square

★ **De gezanten**
Het vreemde voorwerp op de voorgrond van dit doek van Hans Holbein is een schedel in perspectief, een symbool van sterfelijkheid.

★ **De doop van Christus**
Piero della Francesca schilderde dit serene meesterwerk (Vroeg-Renaissance; ca. 1450) voor een kerk in Umbrië.

Arnolfini-bruiloft
De vrouw in dit beroemde portret van Jan van Eyck (1434) is niet zwanger. Ronde buiken zoals hier afgebeeld werden destijds mooi gevonden.

STERATTRACTIES

★ **De doop van Christus door Piero della Francesca**

★ **Tekening van Leonardo da Vinci**

★ **Rokeby Venus door Diego Velázquez**

★ **De gezanten door Hans Holbein**

★ **The Haywain door John Constable**

De collectie van de National Gallery

Met meer dan 2200 schilderijen is de National Gallery het belangrijkst kunstmuseum van Londen. De uitgebreide collectie varieert van vroege werken van Giotto uit de 13de eeuw tot aan 20ste-eeuwse Picasso's, maar vooral de Hollandse, vroeg-renaissancistische Italiaanse en 17de-eeuwse Spaanse meesters zijn goed vertegenwoordigd. Werken van Britse en hedendaagse schilders bevinden zich grotendeels in de Tate Gallery *(blz. 82-85)*.

De verering der koningen **(1564)** van Pieter Breughel de Oudere

VROEG-RENAISSANCE (1260-1510): ITALIË EN HET NOORDEN

Twee luisterrijke panelen van de *Maestà*, het magnifieke altaarstuk van Duccio in de kathedraal van Siena, behoren tot de oudste schilderijen in het museum. Een ander Italiaans werk uit dezelfde periode is de prachtige *Madonna*.
Italiaanse meesters van de gotische stijl zijn onder meer Pisanello en Gentile da Fabriano, wiens *Madonna* vaak naast een andere van Masaccio hangt; beide dateren uit 1426. Er zijn ook doeken van Filippo Lippo, een leerling van Masaccio, en van Botticelli en Uccello. Er hangen Umbrische werken van Piero della Francesca – *Geboorte* en *Doop* – een uitstekende collectie werken van Mantegna, Bellini en andere schilders uit de Venetiaanse en Ferrarese school. *De heilige Hieronymus in zijn studeervertrek* van Antonella da Messina werd vroeger voor een echt Van Eyck gehouden. Het is niet moeilijk te zien waarom als u het vergelijkt met de *Arnolfini-bruiloft*. Ook in de nieuwe Sainsbury-vleugel

hangen belangrijke werken van schilders uit de Lage Landen, waaronder een aantal van Rogier van der Weyden en zijn navolgers.

LAAT-RENAISSANCE (1510-1600): ITALIË, LAGE LANDEN EN DUITSLAND

De doornenkroning **(1490-1500)** van Hieronymus Bosch

De opwekking van Lazarus van Sebastiano del Piombo werd geschilderd, met hulp van Michelangelo, om te wedijveren met de grandioze *Verheerlijking van*

Christus van Rafaël, die in het Vaticaan in Rome hangt. Werken van schilders uit de Laat-Renaissance zijn zeer goed vertegenwoordigd, veelal met enorme doeken. Let op *Madonna en Kind met heiligen* van Parmigianino, *Maagd en Kind*, een krijttekening van Leonardo da Vinci, en zijn tweede versie van de *Maagd van de rotsen*. Ook zijn er delicate en amusante werken van Piero di Cosimo en doeken van Titiaan, waaronder *Bacchus en Ariadne*, dat het publiek te fel en opzichtig vond toen het in 1840 werd schoongemaakt door medewerkers van de National Gallery.
De schilderijen uit de Lage Landen en Duitsland zijn minder van kwaliteit. Wel hangt er een fraai dubbelportret door Holbein: *De Ambassadeurs*. De schitterende *Christus zegt zijn Moeder vaarwel* van Altdorfer werd in 1980 aangekocht. Tevens kunt u van Hieronymus Bosch *De doornenkroning* zien en van Breughel het schitterende *De verering der koningen*.

Maria Boodschap **(1448)** van Filippo Lippi

SAINSBURY-VLEUGEL

De bouwplannen voor deze in 1991 gebouwde vleugel deden een storm van protest opwaaien. Prins Charles noemde een vroeg ontwerp 'een monsterlijke steenpuist op het gezicht van een geliefde vriend'. Het uiteindelijke gebouw van Scott Brown Associates werd betiteld als een saai compromis.

Binnenin bevindt zich de Micro Gallery, een database waarmee u geïllustreerde informatie kunt uitdraaien.

HOLLANDSE, VLAAMSE, ITALIAANSE EN SPAANSE SCHILDERKUNST (1600-1700)

De imposante Hollandse en Vlaamse collectie wijdt twee zalen aan Rembrandt. Er zijn tevens werken van Vermeer, Van Dyck en Rubens. De Italiaanse schilders Carracci en Caravaggio zijn goed vertegenwoordigd en er hangt een gloedvol zelfportret van Salvatora Rosa.
Franse werken zijn onder meer een magnifiek portret van kardinaal Richelieu door Philippe de Champaigne. *Inscheping van de Koningin van Scheba*, het zeezicht van Claude Lorrain, hangt naast een concurrerend doek van Turner, *Dido building Carthage*, zoals Turner zelf had verordonneerd.
De Spaanse school wordt vertegenwoordigd door Murillo, Velázquez, Zurbarán en anderen.

De toonladder der liefde (1715-1718) van Jean Antoine Watteau

VENETIAANSE, FRANSE EN ENGELSE SCHILDERKUNST (1700-1800)

Een van de beroemdste 18de-eeuwse werken van het museum is *De tuin van de steenhouwer* van Canaletto. Andere in het museum aanwezige Venetianen zijn Longhi en Tiepolo.
De Franse collectie bevat rococo-werken van Chardin, Watteau en Boucher. De wat onbeholpen *Mr and Mrs Andrews* en *The morning walk*, vroege werken van Gainsborough, zijn publieksfavorieten. Zijn rivaal sir Joshua Reynolds is vertegenwoordigd met een aantal classicistische werken.

ENGELSE, FRANSE EN DUITSE SCHILDERKUNST (1800-1920)

De 19de-eeuwse landschapschilderkunst is goed vertegenwoordigd, met onder meer fraaie werken van de Britten Constable en Turner en de Fransen Corot en Daubigny.
Het levendige *Paard opgeschrikt door bliksem* van Géricault en verscheidene interessante doeken van Delacroix zijn voorbeelden van de romantische stijl.
Ingres' *Mme Moitessier* – hoewel nog steeds behorend tot de Romantiek – is ingetogener en klassieker.
Er hangen ook talrijke doeken van impressionisten en andere Franse avant-gardeschilders. Hoogtepunten zijn *Waterlelies* van Monet, *Zonnebloemen* van Van Gogh, *De paraplu's* van Renoir, *Baders bij Asnières* van Seurat en *Tropische storm met tijger* van Rousseau.
De meeste Engelse doeken uit deze periode hangen in de Tate Gallery *(blz. 82-85)*.

Jonge vrouw staande bij een virginaal (1670) van Vermeer

De paraplu's (1881-1886) van Pierre-Auguste Renoir

Chinatown ⑨

De straten rondom Gerrard St W1.
Kaart 13 A2. 🚇 *Leicester Sq,
Piccadilly Circus.*

Al sinds de 19de eeuw zit er
een Chinese gemeenschap
in Londen. Oorspronkelijk
woonden de Chinezen bij
Limehouse, in de buurt van
de havens in East End. Toen
het aantal immigranten in de
jaren 1950-1960 toenam, verhuisden velen naar Soho,
waar ze een zich steeds uit-
breidend Chinatown stichtten.
U vindt er talloze restaurants
en winkeltjes waarin een
aroma hangt van oosterse
specerijen. In Gerrard Street
staan drie Chinese bogen; hier
wordt tijdens de viering van
het Chinese Nieuwjaar in februari een kleurrijk festival
gehouden *(blz. 59).*

Charing Cross Road ⑩

WC2. **Kaart** 13 B2. 🚇 *Leicester Sq.
Zie **Winkelen** blz. 316.*

**Antiquarische boeken in Charing
Cross Road**

Deze straat is een mekka
voor boekenliefhebbers:
een rij tweedehands boekwinkels ten zuiden van Cambridge
Circus en ten noorden hiervan
een aantal winkels waar u elk
recent boek kunt krijgen.
U vindt er grote zaken als het
chaotische Foyle's en het
klantvriendelijke Waterstone's
naast kleinere gespecialiseerde
winkels: Zwemmer's voor
kunstboeken, Silver Moon
voor feministische en Books
for a Change voor 'groene'
boeken. Op de kruising met
Oxford Street staat Centre
Point, een wolkenkrabber uit
de jaren zestig. Na de bouw
stond hij tien jaar leeg: dat was
lucratiever dan verhuren.

In het Palace Theatre in 1898

Palace Theatre ⑪

Shaftesbury Ave W1. **Kaart** 13 B2.
☎ **Bespreekbureau** *0171-434 0909.*
🚇 *Leicester Sq.* **Alleen open** *tijdens
voorstellingen. Zie **Amusement**
blz. 326-327.*

De meeste theaters in West
End zijn helaas onopval-
lend. Het Palace Theatre, een
groot gebouw aan de west-
kant van Cambridge Circus, is
met zijn glinsterende terracotta interieur en weelderige inrichting een plezierige uitzondering. Het werd in 1891 op-
geleverd als operagebouw,
maar veranderde het jaar
daarop in een variété-theater.
De balletdanseres Anna
Pavlova maakte hier in 1910
haar debuut in Londen. Op
het programma van het
theater staan shows als *Les
misérables.*

Soho Square ⑫

W1. **Kaart** 13 A1. 🚇 *Tottenham
Court Rd.*

Vlak nadat dit plein in 1681
werd aangelegd, was het
enige tijd de gewildste plek
om te wonen in heel Londen.
De oorspronkelijke naam is
King's Square, zo genoemd
naar het standbeeld van
Karel II dat in het midden
van het plein staat. Tegen het
einde van de 18de eeuw
raakte het plein uit de mode
en het wordt tegenwoordig
omringd door saaie kantoorgebouwen.

Berwick Street Market ⑬

W1. **Kaart** 13 A1. 🚇 *Piccadilly
Circus.* **Open** *9.00-18.00 uur ma-za.
Zie **Winkelen** blz. 322.*

Al sinds ongeveer 1840
wordt hier een markt ge-
houden. De koopman Jack
Smith introduceerde hier in
1890 de grapefruit in Londen.
Tegenwoordig is dit de beste
straatmarkt in West End. Rond
het middaguur is het hier het
drukst. De verste en goedkoopste produkten uit de
wijde omgeving kunt u hier
kopen. Ook zijn er een paar
interessante winkels, vooral
Camisa, een verrukkelijke
Italiaanse delicatessenzaak,
en Borovick's, die opmerkelijke stoffen verkoopt. Aan de
zuidzijde versmalt de straat
tot een steeg, waarin
Raymond's Revue Bar (res-
pectabel voor Soho-begrip-
pen) sinds 1958 een erotisch
festival organiseert.

Goedkope groente en fruit op de Berwick Street Market

Carnaby Street ⓮

W1. **Kaart** 12 F2. 🚇 *Oxford Circus.*

In de jaren zestig was deze straat het centrum van 'swinging London'. Volgens de Oxford English Dictionary betekende het woord 'Carnaby Street' zelfs 'modieuze kleding voor jongeren'. De straat is tegenwoordig niet meer zo exclusief en is meer gericht op toerisme dan op de laatste mode. De oudste pijpenmaker van Engeland, Inderwick's op nr. 45, dateert uit 1797. In nabijgelegen straatjes zitten een paar interessante winkeltjes van jonge vormgevers, vooral in Newburgh Street *(blz. 314-315)*.

De voorgevel van Liberty

Liberty ⓯

Regent St W1. **Kaart** 12 F2. 🚇 *Oxford Circus. Zie **Winkelen** blz. 311.*

Arthur Lasenby Liberty opende in 1875 zijn eerste winkel in oriëntaalse zijde in Regent Street. Tot zijn eerste klanten behoorden de schilders Ruskin, Rossetti en Whistler. Al snel beïnvloedden Liberty-patronen en -ontwerpen, zoals van de kunstenaar William Morris, tierelantijnerige stroming van eind 19de en begin 20ste eeuw. Ze zijn nog steeds erg modieus. Het op een landhuis gelijkende gebouw in pseudo-tudorstijl dateert uit 1925 en werd speciaal als warenhuis gebouwd.

Nog steeds heeft de zaak sterke banden met het Oosten. De oriëntaalse bazaar in de kelder en de vele meubels in art nouveau-stijl op de bovenste verdieping zijn zeker de moeite van een bezoekje waard.

Het hart van Soho

Old Compton Street is de hoofdstraat van Soho. De winkels en restaurants weerspiegelen de verschillende soorten mensen die de afgelopen eeuwen in dit gebied hebben gewoond, onder wie vele grote kunstenaars, schrijvers en musici.

Wheeler's uit 1929 maakte deel uit van de Londense visrestaurantketen.

Ronnie Scott's opende in 1959. Bijna alle bekende namen uit de jazzwereld hebben hier gespeeld *(blz. 333-335)*.

Bar Italia is een coffeeshop onder de kamer waar John Logie Baird in 1926 voor het eerst de televisie demonstreerde. In 1764 en 1765 woonde de jonge Mozart hiernaast met zijn familie.

De Coach and Horses is al sinds de jaren vijftig een populaire pub.

Het Palace Theatre heeft veel succesvolle musicals ten tonele gevoerd.

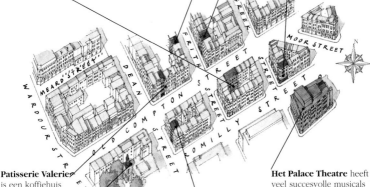

Patisserie Valerie is een koffiehuis met Hongaarse eigenaars waar u heerlijk gebak kunt eten *(blz. 306-307)*.

St Anne's Church Tower is het enige wat is overgebleven nadat een bom in 1940 de kerk had vernield.

Het French House was in trek bij Maurice Chevalier en generaal de Gaulle.

COVENT GARDEN EN DE STRAND

D e terrassen, straatartiesten, modieuze winkels en markten oefenen een sterke aantrekkingskracht uit op toeristen. In het hart ligt het Piazza, waarin tot 1974 een groothandelmarkt zat. De fraaie victoriaanse gebouwen in de omgeving zijn verbouwd en maken de buurt tot een van de levendigste stadsdelen. In de Middeleeuwen lag hier een kloostertuin die Westminster Abbey van groente en fruit voorzag. In 1630-1640 legde Inigo Jones hier het eerste plein van Londen aan, waarvan de westkant wordt gedomineerd door St Paul's Church. De graaf van Bedford, eigenaar van een woning aan de Strand, gaf opdracht tot de bouw van het Piazza. Voordat de Embankment werd gebouwd, liep de Strand langs de Thames.

Gedroogde bloemen op het Piazza

BEZIENSWAARDIGHEDEN IN HET KORT

Historische straten en gebouwen
Piazza en Central Market ❶
Neal Street en
Neal's Yard ❼
Savoy Hotel ⓭
Somerset House ⓯
Roman Bath ⓲
Bush House ⓳
Adelphi ㉒
Charing Cross ㉓

Musea en galeries
London Transport
Museum ❸
Theatre Museum ❹
Photographers' Gallery ⓫
Courtauld Institute
Galleries ⓰

Kerken
St Paul's Church ❷
Savoy Chapel ⓮
St Mary-le-Strand ⓱

Monumenten en standbeelden
Seven Dials ❾
Cleopatra's Needle ⓴

Beroemde Theaters
Theatre Royal ❺
Royal Opera House ❻
Adelphi Theatre ⓬
The London Coliseum ㉔

Parken en tuinen
Victoria Embankment
Gardens ㉑

Historische pubs, winkelgalerijen
Lamb and Flag ❿
Thomas Neal's ❽

ZIE OOK

• *Plattegrond*, kaarten 13, 14

• *Accommodatie* blz. 276-277

• *Restaurants* blz. 292-294

BEREIKBAARHEID
De metrostations Covent Garden, Leicester Square en Charing Cross liggen vlakbij. Ook busdiensten: 9, 11, 15, en 30 naar the Strand of 14, 19, 22b, 24, 29, 38 en 176 naar Shaftesbury Avenue. Treinstation Charing Cross is een klein stukje lopen.

De oude groentemarkt biedt nu onderdak aan winkels en cafés

Onder de loep: Covent Garden

Covent Garden was vroeger een wijk met vervallen straten en warenhuizen, en kwam pas tot leven wanneer de avond was gevallen. Tegenwoordig is het gebied helemaal opgeknapt. Zowel overdag als 's avonds verdringen zich talloze toeristen, bewoners en straatartiesten op het Piazza, net als enkele eeuwen geleden.

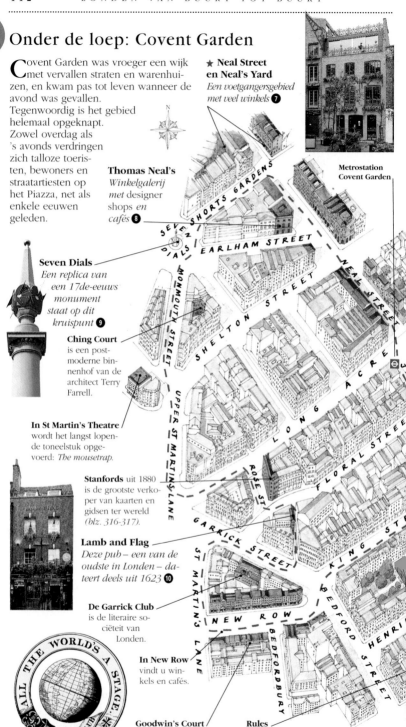

★ **Neal Street en Neal's Yard**
Een voetgangersgebied met veel winkels ❼

Metrostation Covent Garden

Thomas Neal's
Winkelgalerij met designer shops en cafés ❽

Seven Dials
Een replica van een 17de-eeuws monument staat op dit kruispunt ❾

Ching Court
is een postmoderne binnenhof van de architect Terry Farrell.

In St Martin's Theatre
wordt het langst lopende toneelstuk opgevoerd: *The mousetrap.*

Stanfords uit 1880 is de grootste verkoper van kaarten en gidsen ter wereld *(blz. 316-317).*

Lamb and Flag
Deze pub – een van de oudste in Londen – dateert deels uit 1623 ❿

De Garrick Club
is de literaire sociëteit van Londen.

In New Row
vindt u winkels en cafés.

Goodwin's Court
werd in de 18de eeuw bewoond door een groep kleermakers.

Rules
is favoriet bij de welgestelden en vermaard om z'n typisch Engelse gerechten *(blz. 295).*

★ **Piazza en Central Market**
Allerlei straatartiesten – jongleurs, clowns, acrobaten en muzikanten – vermaken de menigte op het plein ❶

ORIËNTATIEKAART
Zie kaart centrum Londen blz. 12-13

Royal Opera House
De meeste beroemde zangers en dansers hebben hier wel op het podium gestaan ❻

In Bow Street Police Station
was in de 18de eeuw Londens eerste politiemacht, de Bow Street Runners, gevestigd. Het bureau werd in 1992 gesloten.

In Floral Hall
werden bloemen en exotisch fruit verkocht.

★ **Theatre Museum**
Hier bevindt zich een collectie voorwerpen uit de toneelwereld ❹

Theatre Royal
In het oude theater worden nu extravagante musicals opgevoerd ❺

Boswells is de plaats waar dr Johnson zijn biograaf Boswell ontmoette. Het is nu een coffeeshop.

Op Jubilee Market
vindt u kleding en bric-à-brac.

★ **London Transport Museum**
De geschiedenis van het openbaar vervoer wordt in dit museum tot leven gebracht ❸

★ **St Paul's Church**
Schijn bedriegt: de ingang zit niet aan het Piazza, maar bij het kerkhof aan de achterkant ❷

STERATTRACTIES

★ **Piazza en Central Market**

★ **St Paul's Church**

★ **London Transport Museum**

★ **Theatre Museum**

★ **Neal Street en Neal's Yard**

SYMBOLEN

– – – Aanbevolen route

0 meter	100
0 yard	100

Piazza en Central Market ❶

Covent Garden WC2. **Kaart** 13 C2.
🚇 *Covent Garden.* ♿ *wel kinderkopjes.* **Straatartiesten** *10.00 uur-schemering dagelijks. Zie* **Winkelen** *blz. 322-323.*

De 17de-eeuwse architect Inigo Jones wilde oorspronkelijk van dit gebied een elegante woonwijk maken, ontworpen naar het voorbeeld van het piazza in het Italiaanse Livorno. Tegenwoordig zijn de gebouwen op en rondom het Piazza bijna allemaal victoriaans. De overdekte Central Market werd in 1833 ontworpen door Charles Fowler voor groothandelaren in groente en fruit. Het dak van glas en ijzer was een voorloper van de enorme treinstations die later in de 19de eeuw werden gebouwd, zoals St Pancras *(blz. 130)* en Waterloo *(blz. 187)*. In de hal vindt u nu een groot aantal winkeltjes met rondom allerlei marktstalletjes die in noordelijke richting doorlopen in de aangrenzende straten en in zuidelijke richting naar de Jubilee Hall uit 1903. De van zuilen voorziene Bedford Chambers aan de noordkant geven een indruk van de bedoeling van Jones, hoewel ook deze gebouwen niet oorspronkelijk zijn: ze werden in 1879 herbouwd en gedeeltelijk gewijzigd. Straatvermaak is in dit gebied een traditie. In 1662 beschreef Samuel Pepys een poppenkastvoorstelling in de portiek van St Paul's Church.

Westingang van St Paul's

St Paul's Church ❷

Bedford St WC2. **Kaart** 13 C2.
📞 *0171-836 5221.* 🚇 *Covent Garden.* **Open** *8.30-16.30 ma-vr, 10.00-13.00 uur zo.* ⛪ *11.00 zo.* 📷 ♿

Inigo Jones voltooide deze kerk in 1633. Het altaar bevond zich aan de westkant, zodat het fraaie portaal met zijn twee ronde en twee vierkante zuilen op het nieuwe Piazza uitkeek. Een aantal geestelijken kwam echter in verzet tegen deze onorthodoxe inrichting, en het altaar werd verplaatst naar de normale positie aan de oostkant. Jones ging wel door met zijn oorspronkelijke ontwerp van de buitenkant. U gaat de kerk dus binnen vanaf de westkant. In 1795 werd het interieur door een brand in de as gelegd, maar herbouwd in de sobere, gracieuze stijl van Jones. Tegenwoordig is de kerk het enig overgebleven bouwwerk van het oorspronkelijke ontwerp van Jones voor het Piazza. St Paul's wordt al lang de 'acteurskerk' genoemd en gedenkplaten vermelden de namen van mannen en vrouwen uit de theaterwereld.

Poppenkastspeler

London Transport Museum ❸

The Piazza WC2. **Kaart** 13 C2.
📞 *0171-379 6344.*
🚇 *Covent Garden.*
Open *10.00-18.00 uur za-do, 11.00-18.00 uur vr. (toegang tot 17.15 uur).*
Gesloten *24-26 dec.*
Niet gratis. 📷 ♿ ♿ 🚻

London Transport Museum

U hoeft geen trein- of busliefhebber te zijn om toch te kunnen genieten van deze tentoonstelling. Sinds 1980 is dit intrigerende museum gehuisvest in de schilderachtige Victorian Flower Market (1872). Er worden talloze attributen getoond over heden en verleden van het openbaar vervoer.
De geschiedenis van het openbaar vervoer in Londen is in wezen een sociale geschiedenis van de hoofdstad. Bus-, tram- en metroroutes weerspiegelden eerst de groei van de stad en bevorderden deze later: de noordelijke en westelijke voorsteden kwamen pas tot bloei nadat de metroverbindingen waren aangelegd. Het museum bezit een fraaie collectie 20ste-eeuwse commerciële kunst. De trein- en busondernemingen waren en zijn vaak de schutspatronen van hedendaagse kunstenaars; in de winkel kunt u mooie posters kopen. U vindt er de vernieuwende art deco-ontwerpen van E. McKnight Kauffer en tevens werk van kunstenaars uit de jaren dertig, zoals Graham Sutherland en Paul Nash.
Het museum is uitstekend geschikt voor kinderen. Veel dingen mogen aangeraakt worden, en kinderen mogen zelfs plaats nemen op de bestuurdersstoel van een bus of metrotrein.

Een gezicht op het Piazza in het midden van de 18de eeuw

Theatre Museum ❹

7 Russell St WC2. **Kaart** 13 C2.
📞 *0171-836 7891.* 🚇 *Covent Garden.* **Open** *11.00-19.00 uur di-zo.* **Gesloten** *25-26 dec., 1 jan., feestdagen.* **Niet gratis.** ♿ 🎫 🏛 **Voorstellingen, activiteiten. Boekingen** *zie blz. 324-325.*

Een groot gouden beeld van de Spirit of Gaiety, dat stond op het dak van het al lang verdwenen variété-theater Gaiety, lokt u naar de ondergrondse zalen en een collectie die met de toneelwereld te maken hebben, waaronder affiches, programma's, rekwisieten en kostuums uit historische produkties, stukken uit het interieur van verdwenen theaters en schilderijen van acteurs en scènes uit toneelstukken. U krijgt ook een indruk hoe het toneel zich heeft ontwikkeld sinds de dagen van Shakespeare. Tentoonstellingen worden gehouden in de Irving- en Gielgud-zaal, en jonge toneelgezelschappen voeren produkties op in het museumtheater.

Theatre Royal ❺

Catherine St WC2. **Kaart** 13 C2.
📞 *0171-494 5040.* 🚇 *Covent Garden, Holborn, Temple.* **Alleen open** *tijdens voorstellingen. Zie* **Amusement** *blz. 326-327.*

Het eerste theater op deze lokatie werd gebouwd in 1663 als één van de twee plaatsen waar toneelstukken konden worden opgevoerd. Hier speelde Nell Gwynn, de minnares van koning Karel II. Drie van de theaters die hier werden gebouwd, gingen in vlammen op, waaronder een ontwerp van sir Christopher Wren *(blz. 47).* Het huidige gebouw van Benjamin Wyatt werd voltooid in 1812. Het theater was aan het begin van de 19de eeuw beroemd om zijn pantomimes. Hoewel de ingang aan Catherine Street zit, wordt het theater Theatre Royal, Drury Lane genoemd.

Het Royal Opera House, ontworpen door E.M. Barry in 1858

Royal Opera House ❻

Covent Garden WC2. **Kaart** 13 C2.
📞 *0171-240 1200.* 🚇 *Covent Garden.* **Alleen open** *tijdens voorstellingen. Zie* **Amusement** *blz. 326-327.*

Het eerste theater op deze lokatie werd gebouwd in 1732 en er werden zowel toneelstukken als concerten uitgevoerd. Net als bij buurman Theatre Royal brak er in dit theater echter vaak brand uit. Het werd verwoest in 1808 en nogmaals in 1856. Het huidige bouwwerk is een ontwerp uit 1858 van E.M. Barry (zoon van de architect van de Houses of Parliament). De portiekfries van John Flaxman (over tragedie en komedie) is afkomstig van het gebouw uit 1809.

Het Opera House heeft zowel hoogtepunten als dieptepunten gekend. In 1892 werd hier de eerste Britse voorstelling van Wagners *Ring des Nibelungen* gedirigeerd door Gustav Mahler. In de Eerste Wereldoorlog werd het theater door de regering als opslagplaats gebruikt. Van de ligging van een fraai operagebouw naast een drukke groentemarkt werd in 1913 gebruik gemaakt door George Bernard Shaw in zijn *Pygmalion,* waarop de musical *My fair lady* is gebaseerd.

Het gebouw is nu het onderkomen van de Royal Opera Company en de Royal Ballet Company. De beste kaarten kosten meer dan £100 en zijn moeilijk te krijgen.

Neal Street en Neal's Yard ❼

Covent Garden WC2. **Kaart** 13 B1.
🚇 *Covent Garden. Zie* **Winkelen** *blz. 312-313.*

Een speciaalzaak in Neal Street

In deze aantrekkelijke straat kunt u voormalige 19de-eeuwse warenhuizen herkennen aan het hooggeplaatste hijsmechanisme op de buitenmuur. De gebouwen zijn verbouwd tot winkels, galeries en restaurants. Vlak bij Neal Street ligt Neal's Yard, een in namaak-landelijke stijl uitgevoerde straat voor liefhebbers van natuurvoeding, boerenkaas en -yoghurt, salades, kruiden en versgebakken brood. Boven het Wholefood Warehouse bevindt zich een eigenaardige en grappige waterklok van Tim Hunkin.

Café in Thomas Neal's

Thomas Neal's **8**

Earlham St WC2. **Kaart** 13 B2.
⊖ Covent Garden.
♿ alleen benedenverdieping.

Dit exclusieve winkelcomplex uit 1990 biedt tal van interessante winkels, met haute couture, sieraden, gebreide kleding, kant, kunstnijverheid en souvenirs. De benedenverdieping heeft een café en een restaurant. In 1992 is bij Thomas Neal's het Donmar Warehousetheater heropend (blz. 328).

Seven Dials **9**

Monmouth St WC2. **Kaart** 13 B2.
⊖ Covent Garden, Leicester Sq.

De pilaar op deze kruising van zeven straten bevat zes zonnewijzers (de middelste pin deed dienst als de zevende). De pilaar is een kopie van een 17de-eeuws

Photographers' Gallery

monument dat in de 19de eeuw werd verwijderd omdat het een ontmoetingsplaats van criminelen was geworden.

Lamb and Flag **10**

33 Rose St WC2. **Kaart** 13 B2.
☎ 0171-497 9504.
⊖ Covent Garden, Leicester Sq.
Open 11.00-23.00 uur ma-za, 12.00-15.00, 17.00-22.30 uur zo.
Zie **Restaurants en pubs** blz. 309.

Er staat hier al een herberg sinds de 16de eeuw, en de krappe bars zijn nog grotendeels ongemoderniseerd. Een gedenkplaat herdenkt de satiricus John Dryden, die hier in 1679 in een steegje werd overvallen, waarschijnlijk omdat hij de hertogin van Portsmouth (een van de minnaressen van Karel II) belachelijk had gemaakt.

Photographers' Gallery **11**

5 & 8 Great Newport St WC2.
Kaart 13 B2.
☎ 0171-831 1772. ⊖ Leicester Sq.
Open 11.00-18.00 uur di-za.
🖼 🎨 ♿

Dit is de toonaangevende galerie in Londen voor fototentoonstellingen. Af en toe worden er lezingen en toneelvoorstellingen gehouden en u kunt rondsnuffelen in de winkel met fotoboeken, originele afdrukken kopen of kennismaken met andere geïnteresseerden in het café. Buiten

herdenkt een gedenkplaat sir Joshua Reynolds, de stichter van de Royal Academy (blz. 90), die hier in de 18de eeuw woonde.

Adelphi Theatre **12**

Strand WC2. **Kaart** 13 C3.
☎ 0171-836 7611. ⊖ Charing Cross, Embankment. **Alleen open** tijdens voorstellingen. Zie **Amusement** blz. 326-327.

Het Adelphi uit 1806 werd geopend door John Scott, een rijke middenstander die zijn dochter hielp bij haar toneelcarrière. In 1930 werd het herbouwd in art deco-stijl. Let op de duidelijk zichtbare letters op de voorgevel, en op de goed onderhouden foyer en zaal, met hun gestileerde motieven.

Adelphi Theatre (1840)

Savoy Hotel **13**

Strand WC2. **Kaart** 13 C2.
☎ 0171-836 4343. ⊖ Charing Cross, Embankment. Zie **Accommodatie** blz. 285.

Het Savoy werd geopend in 1889 op de lokatie van het middeleeuwse Savoy Palace. Het is een van Londens voornaamste hotels en had als eerste elektrische verlichting en badkamers in iedere suite. Het voorplein is de enige straat in Groot-Brittannië waar het verkeer rechts rijdt. Aan het hotel vast zitten het Savoy Theatre (gebouwd op initiatief van D'Oyly Carte), het traditioneel Engelse restaurant Simpson,

Hoofdingang van het Savoy Hotel

met als specialiteit *roast beef* *(blz. 295)*, en het Savoy Taylor's Guild, met een voorgevel in art nouveau-stijl.

Savoy Chapel ⓮

Strand WC2. **Kaart** 13 C2.
📞 *0171-836 7221.* 🚇 *Charing Cross, Embankment.* **Open** *11.30-15.30 uur di-vr.* **Gesloten** *aug.-sept.*
✝ *11.00 uur zo.* 🚫 ✅

De eerste Savoy Chapel werd gebouwd in de 16de eeuw als kapel voor het ziekenhuis dat op de plaats stond van het oude Savoy Palace. Delen van de buitenmuren stammen uit 1502, maar het grootste deel van het gebouw dateert uit het midden van de 19de eeuw. In 1890 kreeg het als eerste kerk in Londen elektrische verlichting. In 1936 werd dit de kapel van de Royal Victorian Order; tegenwoordig is het een privé-kapel van de koningin.

Somerset House ⓯

Strand WC2. **Kaart** 14 D2.
📞 *0171-438 6622.* 🚇 *Temple, Embankment, Charing Cross.*
Niet toegankelijk *voor het publiek.*

Dit imposante klassieke gebouwencomplex werd in de jaren zeventig van de 18de eeuw gebouwd op de lokatie van het renaissancepaleis van de graaf van Somerset. Het was het eerste grote gebouw dat als kantorencomplex was ontworpen en ziet eruit als vier indrukwekkende herenhuizen die rond een plein zijn gegroepeerd. Voordat tegen het eind van de 19de eeuw de dijk langs de Thames werd aangelegd, liep Somerset House door tot aan het water.

Het plein is toegankelijk voor bezoekers, maar het grootste deel van het interieur is alleen toegankelijk voor de daar werkende ambtenaren. De uitzonderingen zijn de Fine Rooms, gebouwd voor de Royal Academy of Arts. Hierin is nu het Courtauld Institute ondergebracht.

Somerset House vanaf de Strand

Courtauld Institute Galleries ⓰

Somerset House, Strand WC2.
Kaart 14 D2. 📞 *0171-873 2526.*
🚇 *Temple, Embankment, Charing Cross.* **Open** *10.00-18.00 uur ma-za, 14.00-18.00 uur zo (toegang tot 17.30 uur).* **Gesloten** *24-26 dec., 1 jan., Goede Vr.* **Niet gratis**, *gratis na 17.00 uur.* 🚫 ♿ 🖥 📷

De spectaculairste kleine collectie schilderijen van Londen is hier sinds 1990 gehuisvest. Het instituut werd opgericht in 1931 door de textielbaron Samuel Courtauld en de collectie is gebaseerd op zijn verzameling impressionistische en post-impressionistische schilderijen. Door donaties is het aantal doeken toegenomen en geeft de collectie een beter beeld van de Europese kunst na de Renaissance.
Onder de oudere werken zijn doeken van Botticelli, Brueghel, Bellini, Rubens en Tiepolo. Maar de impressionisten zijn de belangrijkste attractie, zoals *Bar in de Folies-Bergère* van Manet, één van de twee versies van *Le déjeuner sur l'herbe*, *Zelfportret met verbonden oor* van Van Gogh en doeken van Renoir, Monet, Degas, Gauguin, Cézanne en Toulouse-Lautrec. Het museum bezit ook een fraaie collectie Britse 20ste-eeuwse kunst.

Zelfportret met verbonden oor **(1889) van Van Gogh in het Courtauld**

St Mary-le-Strand ⑰

The Strand WC2. **Kaart** 14 D2.
📞 0171-836 3126. 🚇 Temple,
Holborn. **Open** 11.00-15.30 uur
ma-vr, 10.00-13.00 uur zo.
⛪ 11.00 uur zo. 📷 🚻

Deze charmante, in 1717
voltooide kerk staat nu
op een verkeersheuvel aan de
oostzijde van de Strand. Het
was het eerste openbare gebouw van James Gibbs.
Gibbs werd beïnvloed door
Christopher Wren, maar de
uitbundige versieringen aan
de buitenkant zijn geïnspireerd door de barokke kerken
van Rome, waar Gibbs stu-
deerde. De toren bestaat – als
de lagen van een bruidstaart –
uit verscheidene verdiepingen, die culmineren in een
koepeltje met lantaarn. St
Mary-le-Strand is nu de officiële kerk van de Women's
Royal Naval Service.

St Mary-le-Strand

Roman Bath ⑱

5 Strand Lane WC2. **Kaart** 14 D2.
📞 0171-798 2063.
🚇 Temple, Embankment, Charing
Cross. **Open** op afspraak. ♿ via
Temple Pl.

Via een raam in Surrey
Street kunt u dit kleine
badhuis bezichtigen door op
een lichtschakelaar in de buitenmuur te drukken. Het is
vermoedelijk niet Romeins
zoals de naam doet vermoe-

Bush House vanaf Kingsway

den, want er zijn geen andere
sporen van Romeinse bewo-
ning in de directe omgeving
gevonden. Het is waarschijnlijker dat het deel heeft uitge-
maakt van Arundel House,
een van de vele paleizen die
vanaf de Tudor-periode tot
aan de 17de eeuw aan de
Strand stonden, toen ze plaats
moesten maken voor nieuw-
bouw. In de 19de eeuw kon
men hier een heilzaam koud
bad nemen.

Bush House ⑲

Aldwych WC2. **Kaart** 14 D2.
🚇 Temple, Holborn. **Niet toegankelijk** voor het publiek.

Dit neoklassieke gebouw
uit 1935 werd door de
Amerikaan Irving T. Bush ontworpen als toonzaal voor fa-
brikanten. Het is vooral impo-
sant wanneer u het ziet vanaf
Kingsway. Bij de noordelijke
ingang staan verscheidene
standbeelden die de Anglo-
Amerikaanse relaties symboliseren. Sinds 1940 is het in gebruik als radiostation en is het
het hoofdkwartier van de
BBC World Service, die over
een paar jaar naar West-
Londen wordt verplaatst.

Cleopatra's Needle ⑳

Embankment WC2. **Kaart** 13 C3.
🚇 Embankment, Charing Cross.

Dit monument van roze gra-
niet uit Heliopolis dateert
uit 1500 v.C. en is dus veel
ouder dan Londen zelf. De in-
scripties roemen de daden van

de farao's uit het oude Egypte.
Het werd in 1819 aan Groot-
Brittannië geschonken door de
toenmalige onderkoning
Mohammed Ali en opgericht
in 1878, vlak nadat de
Embankment werd gebouwd.
In Central Park in New York
staat achter het Metropolitan
Museum of Art een zelfde
obelisk.
In de voet bevindt zich een
victoriaanse tijdcapsule met
voorwerpen uit die tijd, zoals
kranten, een spoorboekje en
foto's van toenmalige schoon-
heden.

Victoria Embankment Gardens ㉑

WC2. **Kaart** 13 C3. 🚇 Embankment,
Charing Cross. **Open** 7.30 uur-schemering dagelijks. ♿ 🚻

Deze dunne groenstrook
werd aangelegd tijdens
de bouw van de Embankment
en kan bogen op een aantal
standbeelden van Britse notabelen. De belangrijkste historische attractie is de water-
poort in de noordwestelijke
hoek van het park, die in
1626 als triomfboog werd gebouwd voor de hertog van
Buckingham. Het is een restant van York House, dat
vroeger op deze plaats stond
en was eerst de residentie van
de aartsbisschoppen van York
en vervolgens van de hertog.
Het staat nog steeds op zijn
oorspronkelijke plaats.
Vroeger kabbelde het water
van de Thames ertegenaan,
maar door het aanleggen van
de Thames Enbankment is de
poort nu zo'n 100 m van de
rivier verwijderd.

Victoria Embankment Gardens

Het nieuwe winkel- en kantorencomplex boven Charing Cross

Adelphi ㉒

Strand WC2. **Kaart** 13 C3.
🚇 *Embankment, Charing Cross.*
Niet toegankelijk voor het publiek.

John Adam Street, Adelphi

Adelphi is een variant op *adelphoi*, Grieks voor broers: dit gebied was vroeger een elegante woonwijk die in 1722 werd ontworpen door de broers Robert en John Adam. De naam verwijst nu naar een kantoorgebouw in art deco-stijl waarvan de ingang is verfraaid met heroïsche reliëfs van zwoegende arbeiders door N.A. Trent. Het gebouw verving in 1938 het zeer gewaardeerde appartementencomplex in palladiaanse stijl van de gebroeders Adam. Die sloop wordt nu gezien als een van de ergste daden van overheidsvandalisme uit de 20ste eeuw. Een aantal andere gebouwen van de gebroeders Adam is gelukkig bewaard gebleven, zoals de sierlijke Royal Society for the Encouragement of Arts, Manufactures and Commerce aan de overkant. Dezelfde uitbundige stijl vindt u terug in 1-4 Robert Street, waar Robert Adam een tijdje woonde.

Charing Cross ㉓

Strand WC2. **Kaart** 13 C3.
🚇 *Charing Cross, Embankment.*

De naam is afkomstig van de laatste van de 12 kruisen die door Edward I werden geplaatst van Nottinghamshire naar Westminster Abbey langs de begrafenisroute van zijn vrouw Eleonora van Castilië. Tegenwoordig staat een 19de-eeuwse replica op het plein voor het station. Zowel het kruis als het hotel in de voorzijde van het station werden in 1863 ontworpen door E.M. Barry, de architect van het Royal Opera House *(blz. 115)*. Boven de perrons bevindt zich een opvallend winkelcentrum annex kantoorgebouw dat in 1991 werd voltooid. Het is ontworpen door Terry Farrell en lijkt op een gigantisch oceaanschip. Het enorme complex kunt u het beste bekijken vanaf de rivier. De gewelven aan de achterzijde van het station

zijn verbouwd tot winkels en cafés. Ook vindt u er het nieuwe onderkomen van het Players Theatre, de laatste representant van het victoriaanse variété-theater.

London Coliseum ㉔

St Martin's Lane WC2. **Kaart** 13 B3.
📞 *0171-836 0111.* 🚇 *Leicester Sq, Charing Cross.* **Alleen open** *tijdens voorstellingen.* 🚫 ♿ 📷 🎧 *Lezingen. Zie* **Amusement** *blz. 330-331.*

Dit flamboyante gebouw met erbovenop een grote wereldbol is het grootste theater in Londen. Het werd in 1904 ontworpen door Frank Matcham en had als eerste in Londen een draaiend podium. Het was ook het eerste theater in Europa met liften en heeft een capaciteit van 2500 toeschouwers. Vroeger was het een bekend variété-theater en tegenwoordig is hier de English National Opera gehuisvest.

Neem eens een kijkje in het grotendeels originele edwardiaanse interieur met vergulde engelen en scharlakenrode gordijnen.

London Coliseum

BLOOMSBURY EN FITZROVIA

Sinds het begin van de 20ste eeuw zijn Bloomsbury en Fitzrovia synoniem met literatuur, kunst en wetenschap. De Bloomsbury Group van schrijvers en kunstenaars was actief van het begin van de eeuw tot in de jaren dertig; de naam Fitzrovia werd bedacht door

Reliëf op Russell Square

schrijvers als Dylan Thomas, die de Fitzroy Tavern als stamkroeg had. Bloomsbury kan zich beroemen op de University of London, het British Museum en vele pleinen in de georgian stijl. De wijk is echter ook bekend vanwege de restaurants in Charlotte Street.

BEZIENSWAARDIGHEDEN IN HET KORT

Historische straten en gebouwen
Bloomsbury Square **2**
Bedford Square **4**
Russell Square **5**
Queen Square **6**
St Pancras Station **9**
Woburn Walk **11**
Fitzroy Square **13**
Charlotte Street **15**

Musea
British Museum blz. 126-129 **1**
Dickens House Museum **7**
Thomas Coram Foundation Museum **8**

Percival David Foundation of Chinese Art **12**
Pollock's Toy Museum **16**

Kerken
St George's, Bloomsbury **3**
St Pancras Parish Church **10**

Pubs
Fitzroy Tavern **14**

ZIE OOK

- *Plattegrond*, kaarten 4, 5, 6, 13
- *Accommodatie* blz. 276-277
- *Restaurants* blz. 292-294

BEREIKBAARHEID
Deze buurt is bereikbaar met metrolijnen Circle, Northern, Hammersmith & City en Central, en met buslijnen 8 en 98. Treinstations zijn Euston, St Pancras en King's Cross.

SYMBOLEN

	Stratenkaart
	Metrostation
	Treinstation
P	Parkeerplaats

0 meter   500

0 yard   500

Typisch huis in georgian stijl op Bedford Square

Onder de loep: Bloomsbury

De intellectuele sfeer van het British Museum in Bloomsbury straalt uit naar de omringende straten. Ten noorden van het museum ligt de campus van de London University. Veel schrijvers en kunstenaars hebben in dit gebied gewoond en traditioneel is het tevens het centrum van de handel in boeken. Boekwinkels zijn er nog steeds in overvloed.

Het Senate House (1932) is het bestuurlijke zenuwcentrum van de University of London. Het bezit een bibliotheek van onschatbare waarde.

Bedford Square
De uniforme deuren op dit plein (1775) worden omringd door kunststenen ❹

★ British Museum and Library
Dit gebouw trekt 5 miljoen bezoekers per jaar en is de populairste attractie in Londen ❶

STERATTRACTIES

★ British Museum and Library

★ Russell Square

SYMBOLEN

– – –		Aanbevolen route
0 meter		100
0 yard		100

In Museum Street vindt u talloze cafés en winkels die oude boeken, reprodukties en antiek verkopen.

Pizza Express zit in een fraaie, nog bijna oorspronkelijke victoriaanse zuivelhandel.

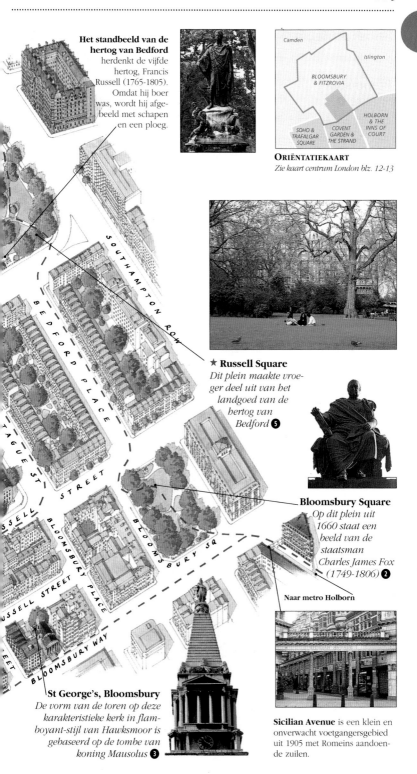

Het standbeeld van de hertog van Bedford herdenkt de vijfde hertog, Francis Russell (1765-1805). Omdat hij boer was, wordt hij afgebeeld met schapen en een ploeg.

ORIËNTATIEKAART
Zie kaart centrum London blz. 12-13

★ **Russell Square**
Dit plein maakte vroeger deel uit van het landgoed van de hertog van Bedford ❺

Bloomsbury Square
Op dit plein uit 1660 staat een beeld van de staatsman Charles James Fox (1749-1806) ❷

Naar metro Holborn

St George's, Bloomsbury
De vorm van de toren op deze karakteristieke kerk in flamboyant-stijl van Hawksmoor is gebaseerd op de tombe van koning Mausolus ❸

Sicilian Avenue is een klein en onverwacht voetgangersgebied uit 1905 met Romeins aandoende zuilen.

British Museum ❶

Zie blz. 126-129.

Bloomsbury Square ❷

WC1. **Kaart** 5 C5. 🚇 *Holborn.*

De schrijfster Virginia Woolf woonde in Bloomsbury

Dit is het oudste plein in Bloomsbury. Het werd aangelegd in 1661 door de graaf van Southampton, die de eigenaar was van het land. Geen van de oorspronkelijke gebouwen is bewaard gebleven en de schaduwrijke tuin wordt omringd door een drukke eenrichtingsweg. (Ongebruikelijk voor het centrum van Londen is dat er bijna altijd plaats is in de parkeergarage onder het plein.)
Het plein kende veel beroemde bewoners. Een gedenkplaat vermeldt de leden van de literaire en artistieke Bloomsbury Group, die aan het begin van de eeuw in deze wijk woonden. Tot de groep behoorden de schrijfster Virginia Woolf, biograaf Lytton Strachey en de schilders Vanessa Bell, Duncan Grant en Dora Carrington.

St George's, Bloomsbury ❸

Bloomsbury Way WC1. **Kaart** 13 B1. 📞 *0171-405 3044.* 🚇 *Holborn, Tottenham Court Rd.* **Open** *9.30-17.30 uur ma-vr, 9.00-17.00 uur zo.* ⛪ *10.00 uur zo.* **Recitals, exposities.**

Deze enigszins eigenaardige kerk werd ontworpen door Nicholas Hawksmoor, een leerling van Wren, en

voltooid in 1730. De kerk was bedoeld voor de bewoners van de chique nieuwbouwwijk Bloomsbury. De vorm van de gelaagde toren, met daarbovenop een beeld van George I, is gebaseerd op de graftombe van koning Mausolus (het oorspronkelijke mausoleum in Turkije). Lange tijd werd er in schampere bewoordingen over de toren gesproken omdat men vond dat de koning te heldhaftig werd afgebeeld.

Bedford Square ❹

WC1. **Kaart** 5 B5. 🚇 *Tottenham Court Rd, Goodge St.*

Dit plein uit 1775 is een van de best bewaard gebleven 18de-eeuwse pleinen van Londen. Al de toegangen naar de bakstenen huizen zijn verfraaid met Coade-steen, een slijtvaste kunststeen uit

Gedenkplaat op Bloomsbury Square met de namen van beroemde bewoners

Lambeth (Zuid-Londen). De statige huizen werden vroeger bewoond door de aristocratie. Nu zijn het allemaal kantoren, waarin tot voor kort uitgevers zaten, die sindsdien naar minder dure panden zijn verhuisd. Een groot deel van de Londense architecten is op nrs. 34-36 geweest, waar de Architectural Association was gehuisvest, onder wie Richard Rogers, de ontwerper van het Lloyd's Building *(blz. 159).*

De welige privé-tuinen van Bedford Square

Russell Square ❺

WC1. **Kaart** 5 B5. 🚇 *Russell Sq.*
📷 *wisselende openingstijden.*

Aan de oostkant van een van Londens grootste pleinen staat misschien wel het mooiste victoriaanse hotel uit de stad. Het Russell Hotel van Charles Doll *(blz. 284)* werd geopend in 1900; het is een wonderbaarlijke constructie van rood terracotta, balkons met zuilen en dansende engeltjes onder de hoofdzuilen. De uitbundigheid wordt voortgezet in de foyer, met zijn marmersoorten in verschillende kleuren.
De dichter T.S. Eliot werkte van 1925 tot 1965 op de westhoek van het plein als redacteur van de befaamde uitgeverij Faber and Faber.

Het flamboyante Russell Hotel op Russell Square

Queen Square ❻

WC1. **Kaart** 5 C5. 🚇 *Russell Sq.*

Hoewel het plein genoemd is naar koningin Anne, staat er een standbeeld van koningin Charlotte. Haar man, George III, verbleef in het huis van een dokter toen hij last kreeg van de erfelijke ziekte die hem uiteindelijk krankzinnig maakte. Hij stierf in 1820. Het plein wordt tegenwoordig omringd door ziekenhuisgebouwen en aan de westkant staan huizen in de vroege georgian stijl.

Beeld van koningin Charlotte op Queen Square

Dickens House Museum ❼

48 Doughty St WC1. **Kaart** 6 D4.
📞 *0171-405 2127.* 🚇 *Chancery Lane, Russell Sq.* **Open** *10.00-17.00 uur ma-za (toegang tot 16.30 uur).*
Gesloten *sommige feestdagen.*
Niet gratis. 🚫 📷

De romanschrijver Charles Dickens woonde drie van zijn produktiefste jaren in dit vroeg-19de-eeuwse rijtjeshuis (1837-1839). De populaire werken *Oliver Twist* en *Nicholas Nickleby* werden hier geschreven en *Pickwick Papers* werd hier voltooid. Hoewel Dickens in veel huizen heeft gewoond, is dit het enige dat bewaard is gebleven. Het werd in 1923 door de Dickens Fellowship aangekocht en is nu een uitstekend museum, waarin enkele kamers in dezelfde staat verkeren als tijdens het leven van Dickens. Andere zijn aangepast ten behoeve van een gevarieerde collectie voorwerpen die met Dickens te maken hebben, waaronder brieven, kranten, portretten en meubelstukken uit zijn andere woningen, en tevens eerste edities van veel van zijn werken.

Thomas Coram Foundation Museum ❽

40 Brunswick Sq WC1. **Kaart** 5 C4.
📞 *0171-278 2424.* 🚇 *Russell Sq.*
Openingstijden *aan veranderingen onderhevig, informeer telefonisch. Alleen bezoekers met een telefonische afspraak worden toegelaten.*
Niet gratis. 🚫 📷

Thomas Coram was een 18de-eeuwse zeekapitein aan wie in 1739 toestemming verleend werd om een ziekenhuis te bouwen voor de verzorging en educatie van vondelingen. Coram vroeg prominente kunstenaars om beschermheer te worden, en een van de eersten was de schilder William Hogarth, die zijn portret van Thomas Coram gaf.
In de schilderijenzaal vindt u ook een afschrift van *The Messiah* door Händel zelf, te zamen met de uniformen die de kinderen moesten dragen en enkele van de voorwerpen die bij hen waren achtergelaten. Het ziekenhuis werd in 1926 gesloopt en de Court Room en eiken trap zijn nu te zien in het museum. De kinderen verhuisden van Londen naar Hertfordshire. De stichting bestaat nog steeds, met als doel de zorg voor kinderen, vooral voor kinderen jonger dan vijf.

Thomas Coram door Hogarth

British Museum and Library ❶

Het British Museum werd opgericht in 1753 en is het oudste museum ter wereld. De rijke collectie kunstschatten werd begonnen door sir Hans Sloane (1660-1735), die ook een van de grondleggers was van de Chelsea Physic Garden *(blz. 193)*. Door de jaren heen zijn er door giften en aankopen veel voorwerpen aan de collectie toegevoegd. Het museum bezit nu kunstschatten uit alle hoeken van de wereld, vaak meegebracht door 18de- en 19de eeuwse ontdekkingsreizigers. Het hoofdgebouw (1823-1850) is een ontwerp van Robert Smirke.

De klassieke Griekse porticus van het museum

Noordelijke trappen

★ Egyptische mummies

De oude Egyptenaren geloofden in een leven na de dood en balsemden daarom hun doden. Dieren die vermeende heilige krachten bezaten, werden vaak ook gemummificeerd. Deze kat komt uit Abydos aan de Nijl en dateert uit ca. 30 v.C.

Noord-ingang

Noordelijke trappen

Westelijke trappen

★ Elgin Marbles

Deze marmeren reliëfs werden door lord Elgin meegenomen van het Parthenon in Athene. De Britse regering kocht ze in 1816 aan voor het museum (blz. 129).

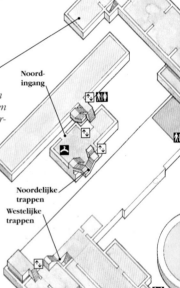

Trappen naar kelder

SYMBOLEN

- ☐ Britse Prehistorie
- ☐ Munten, medaillons, prenten en tekeningen
- ☐ Middeleeuwen, Renaissance en Moderne Tijd
- ☐ Westaziatische collectie
- ☐ Egyptische collectie
- ☐ Griekse en Romeinse collectie
- ☐ Oosterse collectie
- ☐ British Library
- ☐ Tijdelijke tentoonstellingen
- ☐ Geen tentoonstellingen

WEGWIJZER

Griekse, Romeinse, Westaziatische en Egyptische voorwerpen vindt u in de westvleugel van de benedenverdieping. Voorwerpen uit de British Library treft u aan in de oostvleugel. De rest van deze verdieping wordt in beslag genomen door de leeszalen van de Library.

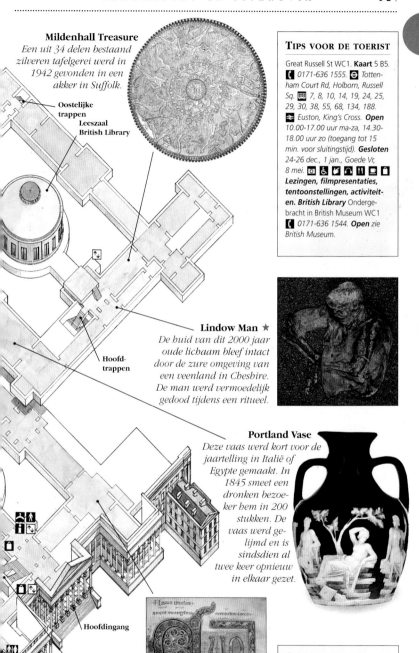

Mildenhall Treasure
Een uit 34 delen bestaand zilveren tafelgerei werd in 1942 gevonden in een akker in Suffolk.

Oostelijke trappen
Leeszaal British Library

TIPS VOOR DE TOERIST

Great Russell St WC1. **Kaart** 5 B5.
📞 0171-636 1555. 🚇 Tottenham Court Rd, Holborn, Russell Sq. 🚌 7, 8, 10, 14, 19, 24, 25, 29, 30, 38, 55, 68, 134, 188. 🚉 Euston, King's Cross. **Open** 10.00-17.00 uur ma-za, 14.30-18.00 uur zo (toegang tot 15 min. voor sluitingstijd). **Gesloten** 24-26 dec., 1 jan., Goede Vr, 8 mei. 🔲 ♿ ✔ 📷 🚻 💻 🛍 **Lezingen, filmpresentaties, tentoonstellingen, activiteiten. British Library** Ondergebracht in British Museum WC1 📞 0171-636 1544. **Open** *zie British Museum.*

Hoofd-trappen

Lindow Man ★
De huid van dit 2000 jaar oude lichaam bleef intact door de zure omgeving van een veenland in Cheshire. De man werd vermoedelijk gedood tijdens een ritueel.

Portland Vase
Deze vaas werd kort voor de jaartelling in Italië of Egypte gemaakt. In 1845 smeet een dronken bezoeker hem in 200 stukken. De vaas werd gelijmd en is sindsdien al twee keer opnieuw in elkaar gezet.

Hoofdingang

Hoofdtrappen

Lindisfarne Gospels ★
De evangeliën werden in 698 in het Latijn geschreven en geïllustreerd door de monnik Eadfrith.

STERATTRACTIES

★ **Elgin Marbles**

★ **Lindow Man**

★ **Egyptische mummies**

★ **Lindisfarne Gospels**

De collectie van het British Museum

De verzameling kunstschatten in het museum omspant twee miljoen jaar wereldgeschiedenis en beschaving. De 94 zalen, met een totale lengte van 2,5 km, zijn onderverdeeld in de volgende afdelingen.

PREHISTORISCH EN ROMEINS BRITTANNIË

Uit de Thames opgedregde bronzen helm uit de 1ste eeuw v.C.

Het tijdperk vanaf de eerste, prehistorische pogingen tot het maken van gereedschap in de Olduvai-kloof in Afrika tot aan het einde van de Romeinse periode wordt behandeld in zes zalen. Aan het eind van de trap staat een groot mozaïek van Christus uit de Romeinse tijd, dat werd opgegraven in een Engelse akker.
De overblijfselen van een man uit de IJzertijd vindt u in zaal 37: 'Lindow Man', vermoedelijk vermoord in de 1ste eeuw n.C., werd in 1984 in een moeras gevonden. De zalen 38 en 39 bevatten indrukwekkende Keltische kunstvoorwerpen; in zaal 40 is de zilveren Mildenhall Treasure ondergebracht.

MIDDELEEUWEN, RENAISSANCE EN DE MODERNE TIJD

De Sutton Hoo-schat, een 7de-eeuws Angelsaksisch grafschip met tal van kunstvoorwerpen, is te bezichtigen in zaal 41. Deze prachtige gouden sieraden zijn ongeschonden bewaard gebleven. De middeleeuwse schaakstukken van walrusslagtanden zijn afkomstig van het eiland Lewis bij Schotland (zaal 42). Zaal 43 herbergt een fraaie collectie klokken, horloges en wetenschappelijke instrumen-

ten. De 400 jaar oude tafelklok, gemaakt voor een keizer van het Heilige Roomse Rijk, is een sierlijk gouden galjoen dat stampte, muziek speelde en een kanon afvuurde. In zaal 45 bevinden zich de kunstschatten van baron Ferdinand Rothschild. Kunstvoorwerpen uit de Renaissance en latere perioden zijn te zien in zaal 47 en de moderne collectie is gehuisvest in zaal 48.

Verguld bronzen klok in de vorm van een schip (eind 16de eeuw)

WEST-AZIË

Er zijn in totaal achttien zalen gewijd aan West-aziatische voorwerpen, die 7000 jaar geschiedenis omspannen. De mooiste stukken uit de collectie zijn waarschijnlijk wel de Assyrische reliëfs uit het paleis van koning Assoerbanipal in Nineve uit de 7de eeuw v.C. (zaal 21). Twee grote stieren met mensekoppen uit Khorsabad dateren uit dezelfde tijd (zaal 16); andere fraaie reliëfs vindt u in de zalen 17, 19, 20 en 89. In zaal 19 staat ook de bekende zwarte obelisk van koning Salmanassar III. In zaal

Detail van een lier van een Soemerische koningin

51 is een deel van de Oxus Treasure ondergebracht, een grote verzameling goud en zilver die 2000 jaar begraven is geweest. De collectie kleitabletten met spijkerschrift is te zien in zaal 55. Deze eerste vorm van schrift dateert uit het begin van de beschaving, zo'n 5000 jaar geleden. Zaal 56 bevat kunstschatten uit het oude Soemer.

HET OUDE EGYPTE

De Egyptische sculpturen van het museum bevinden zich in zaal 25, een enorme galerij vlak bij de ingangshal. De Steen van Rosette, de beroemde sleutel tot de Egyptische hiëroglyfen, staat niet ver van de hoofdingang. In een bijzaal bevindt zich een fraai hoofd van groene schist, daterend uit 1490 v.C., en op de verste muur een grafschildering van een jachtpartij. Kijk ook uit naar de bronzen kat met gouden neusring, in het midden van de hoofdzaal. Het enorme standbeeld van Ramses II is moeilijk over het hoofd te zien.

Deel van een reusachtig granieten beeld van Ramses II, een Egyptische farao uit de 13de eeuw v.C.

GRIEKENLAND EN ROME

De Griekse en Romeinse collecties nemen 30 zalen in beslag. In zaal 8 zijn de Elgin Marbles ondergebracht, de beroemdste kunstschat van het museum. Deze reliëfs uit de 5de eeuw v.C. maakten eens deel uit van een marmeren fries met gebeeldhouwde timpanen en panelen dat de tempel van Athena op de Akropolis in Athene omringde. Veel ervan ging tijdens een oorlog in 1687 verloren; het grootste deel van de restanten werd tussen 1801 en 1804 door de Britse diplomaat

Deze Griekse vaas toont het gevecht van de mythische held Hercules met een stier

lord Elgin meegenomen en verkocht aan de Britse regering. De Griekse regering wil ze nu terug, maar ze zijn nog steeds hier. Ga ook kijken bij het Nereid Monument in zaal 7 en, in zaal 12, de beelden en friezen van het Mausoleum van Halicarnassus, een van de zeven wereldwonderen uit de Oudheid. De Portland Vase uit de 1ste eeuw v.C. werd in 1845 kapot gesmeten door een dronken bezoeker, waarna de stukken met veel geduld weer aan elkaar zijn gelijmd.

OOSTERSE KUNST

De sterke punten van de prachtige Chinese collectie zijn het fraaie porselein en de bronzen voorwerpen uit de Sjang-dynastie. U vindt ze in de onlangs opgeknapte zaal 33, te zamen met andere Chinese kunst en de fraaiste collectie Zuidaziatische sculpturen buiten India. Zaal 33a herbergt sublieme boeddhistische tempelreliëfs uit Amaravati. Een fraaie schildpad van jade is te zien in zaal 34, met islamitische kunst. Zaal 91 is voor tijdelijke tentoonstellingen en de zalen

92-94 zijn de nieuwe Japanse galeries, met een klassiek theehuis in zaal 92 en *netsuke* (ivoren sculpturen) in de hal.

Beeld van de Hindoe-god Shiva Nataraja, koning der dansers (11de eeuw n.C.)

BRITISH LIBRARY

De prachtige 7de-eeuwse geïllustreerde evangeliën van Lindisfarne zijn te zien in zaal 30a; de Magna Charta in zaal 30. Fraaie manuscripten en boekbanden uit vele landen worden getoond in de prachtige King's Library, zaal 32.

LEESZAAL VAN DE BRITISH LIBRARY

De British Library werd ingesteld als gevolg van een wet van 1973. Hoewel de bibliotheek dus nog maar 20 jaar bestaat, kan haar ontstaan worden teruggevoerd op de bouw van het British Museum in 1753. De enorme Round Reading Room

De koepel van de leeszaal heeft een grotere diameter dan de Sint-Pieter in Rome.

werd ontworpen door de architect van het museum, Sydney Smirke. De bibliotheek werd voltooid in 1857 en moest 'alle leergierige en nieuwsgierige personen' toegang verlenen tot de collectie. Het prachtige dak met daarboven twintig hoge boogramen wordt getorst door twintig gietijzeren pilaren. Bezoekers kunnen van maandag tot en met vrijdag om 14.00, 15.00 en 16.00 uur een kijkje nemen. U kunt dan tussen de 30.000 boeken gaan staan en uw gedachten laten gaan over Karl Marx, Mahatma Gandhi of George Bernard Shaw, die hier allen hebben gewerkt.

Drie etages met boeken staan langs de muren van de bibliotheek.

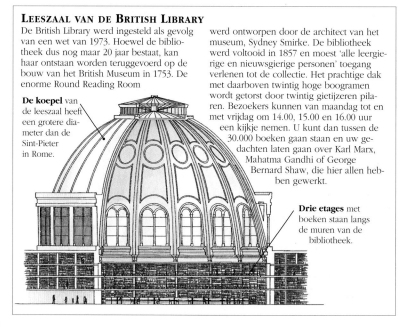

Het indrukwekkende voormalige hotel boven St Pancras Station

St Pancras Station **9**

Euston Rd NW1. **Kaart** 5 B2.
C *0171-387 7070 (inlichtingen British Rail).* **E** *King's Cross, St Pancras.*
Open *5.00-23.00 uur dagelijks. Zie* **De reis naar Londen** *blz. 358-359.*

Dit is verreweg het spectaculairste van de drie treinstations aan Euston Road. De extravagante gotische façade van rode baksteen maakt eigenlijk geen deel uit van het station, maar is het voormalige Midland Grand Hotel van sir George Gilbert Scott. Het hotel opende zijn deuren in 1874 en was met zijn 250 slaapkamers in die tijd een van de weelderigste en modernste hotels. Van 1935 tot het begin van de jaren tachtig diende het gebouw als kan-

toorruimte. Nu wordt het uitgebreid gerestaureerd. De grote treinhal erachter is een voortreffelijk voorbeeld van victoriaanse bouwtechniek, met een dak van 210 m lang en 30 m hoog.

St Pancras Parish Church **10**

Euston Rd NW1. **Kaart** 5 B3.
C *0171-388 1461.* **E** *Euston.*
Open *9.00-12.00 uur ma, 9.30-18.00 uur wo-za, 9.30-12.00, 16.00-18.30 uur zo.*
f *10.00 uur zo.*
O & *Recitals maart-sept.: 13.15 uur do.*

Dit is een statige neoklassieke kerk uit 1822 van William Inwood en zijn zoon Henry, beiden liefhebbers van Atheense architectuur. Het ontwerp is gebaseerd op het Erechtheion op de Akropolis in Athene. Zelfs de houten preekstoel staat op kleine Ionische zuiltjes. De lange galerijen in het interieur bezitten een indrukwekkende soberheid die goed past bij de stijl van de kerk. De vrouwenfiguren op de noordelijke buitenmuur waren oorspronkelijk langer; er moest een stuk uit hun middel worden genomen om ze te laten passen onder het dak dat ze moesten ondersteunen.

Beelden op St Pancras Church

Woburn Walk **11**

WC1. **Kaart** 5 B4. **E** *Euston, Euston Sq.*

Deze mooi gerestaureerde straat werd in 1822 ontworpen door Thomas Cubitt. Het hoge trottoir aan de oostkant moest de winkels beschermen tegen de modder die door de rijtuigen werd opgeworpen. De dichter W.B. Yeats woonde van 1895 tot 1919 op nr. 5.

Percival David Foundation of Chinese Art **12**

53 Gordon Sq WC1. **Kaart** 5 B4.
C *0171-387 3909.* **E** *Russell Sq, Euston Sq, Goodge St.* **Open** *10.30-17.00 uur ma-vr.* **& f**

Het aardewerk uit deze collectie werd gemaakt tussen de 10de en de 18de eeuw en is vooral fascinerend voor degenen met een interesse in Chinees porselein, maar zeker ook interessant voor nietspecialisten. Percival David schonk deze in zeer goede staat verkerende collectie in 1950 aan de University of London; tegenwoordig wordt ze beheerd door de School of Oriental and African Studies. De stichting beschikt over een bibliotheek en houdt naast de permanente collectie speciale exposities over Oostaziatische kunst.

Blauwe tempelvaas uit collectie Percival David

Fitzroy Square **13**

W1. **Kaart** 4 F4. **E** *Warren St, Great Portland St.*

De zuid- en oostzijde van dit in 1794 door Robert Adam ontworpen plein verkeren nog in hun oorspronkelijke staat. Blauwe gedenkplaten op de huizen vermelden de namen van vele schilders, schrijvers en staatslieden: George Bernard Shaw en Virginia Woolf woonden beiden op nr. 29 (maar niet tegelijkertijd). Shaw schonk in 1913 geld aan de kunstenaar Roger Fry om op nr. 33 de Omega-werkplaats te vestigen. Hier kregen jonge kunstenaars een vast loon voor het maken van post-impressionistische werken.

Fitzroy Square 29

Fitzroy Tavern ⓮

16 Charlotte St W1. **Kaart** 4 F5. ☎ *0171-580 3714.* ⊖ *Goodge St.* **Open** *11.00-23.00 uur ma-za, 12.00-15.00, 19.00-22.30 uur zo.* ♿ *Zie* **Restaurants en pubs** *blz. 308-309.*

Deze traditionele pub was tussen de twee wereldoorlogen een ontmoetingsplaats voor schrijvers en kunstenaars die de wijk rondom Fitzroy Square en Charlotte Street 'Fitzrovia' hadden genoemd. De 'Writers and Artists Bar' in de kelder heeft foto's van voormalige gasten, onder wie de schrijvers Dylan Thomas en George Orwell en de schilder Augustus John.

Charlotte Street ⓯

W1. **Kaart** 5 A5. ⊖ *Goodge St.*

Toen de hogere klassen in het begin van de 19de eeuw ten westen van Bloomsbury gingen wonen, kreeg de wijk een grote toestroom van kunstenaars en Europese immigranten te verwerken, waardoor het gebied een noordelijk verlengstuk van Soho *(blz. 98-109)* werd. De schilder John Constable woonde en werkte jarenlang

op nr. 76. Een aantal nieuwe bewoners stichtte kleine werkplaatsen ten behoeve van de kledingzaken in Oxford Street en de meubelzaken in Tottenham Court Road. Anderen begonnen redelijk geprijsde restaurants. In het noorden staat de 180 m hoge Telecom Tower, die in 1964 gebouwde antenne voor tv, radio en telecommunicatie *(blz. 30).*

Pollock's Toy Museum ⓰

1 Scala St W1. **Kaart** 5 A5. ☎ *0171-636 3452.* ⊖ *Goodge St.* **Open** *10.00-17.00 uur ma-za.* **Gesloten** *feestdagen.* **Niet gratis.** 🚻

Benjamin Pollock was rond de eeuwwisseling een bekende maker van miniatuurtheaters. De schrijver Robert

Telecom Tower

Louis Stevenson was een enthousiaste klant. Het museum opende zijn deuren in 1956 en de laatste zaal is gewijd aan podia en marionetten uit theaters van Pollock, te zamen met een reconstructie van zijn werkplaats. Dit is een leuk museum voor kinderen. De kleine kamers in de twee 18de-eeuwse huizen staan vol met een fascinerende verzameling historisch speelgoed van over de hele wereld. Er zijn marionetten, poppen, treinen, auto's, bouwdozen, een fraaie collectie poppenhuizen. In de miniatuurtheaters worden tijdens de schoolvakanties voorstellingen gegeven en kinderen mogen met allerlei speelgoed spelen. De uitgang bereikt u via een zeer verleidelijke speelgoedwinkel.

Pearly king and queen-poppen uit het Pollock's Toy Museum

HOLBORN EN DE INNS OF COURT

Dit is traditioneel het gebied van de juristen en de journalisten. Justitie zetelt hier nog steeds, in de Royal Courts of Justice en de Inns of Court, maar de meeste landelijke dagbladen hebben Fleet Street in de jaren tachtig verlaten. Verscheidene bouwwerken hier dateren van voor

Koninklijk wapen bij Lincoln's Inn

de Grote Brand van 1666 *(blz. 24-25)*, waaronder de luisterrijke gevel van Staple Inn, Prince Henry's Room en het interieur van Middle Temple Hall. De tijden zijn veranderd, maar de juweliers en diamantverkopers van Hatton Garden zijn gebleven, evenals de London Silver Vaults.

BEZIENSWAARDIGHEDEN IN HET KORT

Historische straten en gebouwen
Lincoln's Inn ❷
Old Curiosity Shop ❹
Royal Courts of Justice ❼
Fleet Street ❾
Prince Henry's Room ❿
Temple ⓫
Dr Johnson's House ⓮
Holborn Viaduct ⓰
Hatton Garden ⓲
Staple Inn ⓳
Gray's Inn ㉑

Musea
Sir John Soane's Museum ❶
Public Record Office Museum ❺

Kerken
St Clement Danes ❻

St Bride's ⓬
St Andrew, Holborn ⓯
St Etheldreda's Chapel ⓱

Monumenten
Temple Bar Memorial ❽

Parken en tuinen
Lincoln's Inn Fields ❸

Pubs
Ye Olde Cheshire Cheese ⓭

Winkels
London Silver Vaults ⓴

SYMBOLEN

	Stratenkaart
	Metrostation
	Treinstation
P	Parkeerplaats

BEREIKBAARHEID
Metrolijnen Circle, Central, District, Metropolitan en Piccadilly. Bussen 17, 18, 45, 46, 171, 243 en 259 en nog veel meer. Er is een aantal spoorstations in of vlak bij dit gebied.

ZIE OOK

• *Plattegrond,* kaarten 6, 13, 14
• *Accommodatie* blz. 276-277
• *Restaurants* blz. 292-294

De Royal Courts of Justice aan de Strand

Onder de loep: Lincoln's Inn

In deze wijk van Londen vindt u veel zaken van historisch belang. In Lincoln's Inn, grenzend aan een van de eerste woonwijken in de stad, staan gebouwen uit het einde van de 15de eeuw. Advocaten in donkere pakken lopen met stapels documenten heen en weer tussen hun kantoren en de Law Courts. Vlakbij ligt nog een ander juridisch district, Temple, met een beroemde ronde 13de-eeuwse kerk.

★ **Sir John Soane's Museum**
Deze 19de-eeuwse architect bouwde zijn eigen huis en liet het te zamen met zijn kunstverzameling na aan de staat ❶

Naar Kingsway

★ **Lincoln's Inn Fields**
Deze in tudor-stijl gebouwde poort uit 1845 kijkt uit over de Fields en leidt naar Lincoln's Inn ❸

Old Curiosity Shop
Dit is een zeldzaam 17de-eeuws bouwwerk van voor de Grote Brand ❹

Het Royal College of Surgeons werd in 1836 ontworpen door sir Charles Barry. Hierin bevinden zich de laboratoria voor onderzoek en onderwijs plus een museum met anatomische voorwerpen.

STERATTRACTIES

★ **Sir John Soane's Museum**

★ **Temple**

★ **Lincoln's Inn Fields**

★ **Lincoln's Inn**

SYMBOLEN

– – – Aanbevolen route

0 meter — 100

0 yard — 100

Twinings verkoopt al thee sinds 1706. De voorgevel dateert uit 1787, toen de winkel de Golden Lion heette.

Het Gladstone Statue werd in 1905 opgericht ter ere van William Gladstone, de victoriaanse staatsman die viermaal premier was.

★ Lincoln's Inn
De Court of Chancery hield hier, in Old Hall, zitting van 1835 tot 1858. Sir John Taylor Coleridge was een bekende rechter **2**

ORIËNTATIEKAART
Zie kaart centrum Londen blz. 12-13

Royal Courts of Justice
Dit was het belangrijkste Britse hof voor civiele en be-roepszaken. Het bestaat uit 35 miljoen bakstenen afge-zet met portlandsteen **7**

Public Record Office
Onder de documenten be-vinden zich het testament van Shakespeare **5**

Fleet Street
Dit was twee eeuwen lang het centrum van de landelijke pers. De dagbladen zijn nu alle-maal verhuisd **9**

El Vino's is een eer-biedwaardig wijnlokaal, waar journalisten en juristen bijeenkomen.

Prince Henry's Room
Dit voormalige poort-gebouw herbergt een authentieke 17de-eeuwse kamer **10**

St Clement Danes
Dit ontwerp van Wren (1679) is de kerk van de Royal Air Force **6**

Temple Bar Memorial
Een griffioen staat waar de City of London grenst aan Westminster **8**

★ Temple
Temple werd in de 13de eeuw gebouwd voor de tempeliers; nu wandelen hier advocaten **11**

Bepruikte advocaten op weg naar hun kantoren in Lincoln's Inn

Lincoln's Inn ❷

WC2. **Kaart** 14 D1. 📞 *0171-405 6360.* 🚇 *Holborn, Chancery Lane.* **Terrein open** *7.00-19.00 uur ma-vr.* **Kapel open** *12.00-14.30 uur ma-vr.* **Hall** *informeer in de kapel.* ♿ *alleen terrein.* 📷

Een aantal van de gebouwen in Lincoln's Inn, de mooiste van de Londense Inns of Court, dateert uit het einde van de 15de eeuw. Op het poortgebouw van Chancery Lane hangt het familiewapen van Hendrik VIII; de eikenhouten deur stamt uit dezelfde tijd. Ben Jonson, een tijdgenoot van Shakespeare, heeft vermoedelijk een aantal stenen van deze Inn gemetseld tijdens de regering van Elizabeth I. De gotische kapel dateert uit begin 17de eeuw. Vrouwen mochten hier niet worden begraven tot 1838, toen een treurende lord Brougham smeekte om het verbod op te heffen zodat zijn geliefde dochter in de kapel kon worden begraven. Veel beroemde personen studeerden aan Lincoln's Inn, onder wie Oliver Cromwell,

Sir John Soane's Museum ❶

13 Lincoln's Inn Fields WC2. **Kaart** 14 D1. 📞 *0171-430 0175.* 🚇 *Holborn.* **Open** *10.00-17.00 uur di-za.* **Gesloten** *24-26 dec., 1 jan., Pasen, feestdagen.* 📷 *za 14.30 uur.* ♿ *alleen benedenverdieping.*

Dit is een van de verrassendste musea in Londen. Het huis werd aan het rijk nagelaten onder de vooruitziende voorwaarde dat niets veranderd mocht worden. Soane, de zoon van een metselaar, was een van de toonaangevende architecten in Groot-Brittannië en ontwierp de Bank of England. Na een verstandshuwelijk met de nicht van een rijke aannemer, wiens fortuin hij erfde, kocht en verbouwde hij Lincoln's Inn Fields 12. In 1813 verhuisden hij en zijn vrouw naar nr. 13 en in 1824 verbouwde hij nr. 14. In overeenstemming met de wensen van Soane is de collectie nu grotendeels onveranderd gebleven: een verzameling van eigenaardige en vaak educatieve voorwerpen.

Het gebouw zelf zit vol met architectonische verrassingen en optische illusies. In de grote kamer op de benedenverdieping spelen slim geplaatste spiegels een spel met licht en ruimte. In de schilderijenzaal hangen lagen van uitklapbare panelen met daarachter weer andere schilderijen. Naast andere werken vindt u hier ook veel ontwerpen van Soane zelf, waaronder die voor Pitshanger Manor *(blz. 254)* en de Bank of England *(blz. 147).* Hier hangen ook de *Rake's Progress*-serie en verscheidene andere doeken van William Hogarth.

In het midden van de kelder reikt een atrium tot aan het dak. Een glazen koepel op elke verdieping verlicht de kamers, die vol staan met klassieke beeldhouwwerken.

Een glazen koepel laat licht door naar de kelder.

Een grote sarcofaag staat in de crypte.

de dichter John Donne en William Penn, de stichter van de Amerikaanse staat Pennsylvania.

Lincoln's Inn Fields ❸

WC2. **Kaart** 14 D1. 🚇 *Holborn.* **Open** *8.00 uur-schemering dagelijks.* **Openbare tennisbanen** 📞 *0171-278 4444.*

Hier werden vroeger in het openbaar mensen geëxecuteerd. Onder de Tudors en de Stuarts stierven hier veel religieuze martelaren en vermeende landverraders. Toen de projectontwikkelaar William Newton hier rond 1640 wilde gaan bouwen, lieten de studenten van Lincoln's Inn en de andere bewoners hem beloven dat het land in het midden voor altijd openbaar terrein zou zijn. Dank zij deze milieubeweging avant la lettre kunnen advocaten hier nu de hele zomer tennissen of in de frisse lucht hun papieren doorbladeren. De laatste jaren staan hier ook veel tenten van dakloze Londenaren.

Uithangbord van de Old Curiosity Shop

Old Curiosity Shop ❹

13–14 Portsmouth St WC2. **Kaart** 14 D1. 🚇 *Holborn.*

Of het nou wel of niet ten grondslag lag aan de roman van Dickens met dezelfde naam, de 17de-eeuwse Old Curiosity Shop is bijna zeker de oudste winkel in het centrum van Londen. De winkel geeft een goede indruk van een Londense straat van voor de Grote Brand in 1666.

De Old Curiosity Shop zet de handelstraditie voort en verkoopt nu schoenen. Wettelijke bescherming garandeert het behoud van het gebouw voor de toekomst.

Public Record Office Museum ❺

Chancery Lane WC2. **Kaart** 14 E1. 📞 *0181-876 3444.* 🚇 *Chancery Lane, Holborn, Temple.* **Open** *9.30-16.30 uur ma-za.* **Gesloten** *feestdagen, 1ste twee weken okt.* 🚫 📷 🏛

Hier worden de documenten met betrekking tot officiële handelingen en beslissingen van de regering en de rechtbanken bewaard. Er is een tentoonstelling van een aantal oorspronkelijke documenten. Hier vindt u het *Domesday Book* (de eerste telling van land en personen in Engeland, uit 1086), het rapport van sir Francis Drake over het tot zinken brengen van de Spaanse Armada in 1588, het testament van Shakespeare en een brief van George Washington aan George III.

Elke muur is bedekt en elke kamer staat vol met voorwerpen uit de enorme collectie van Soane.

In de schilderijenzaal hangen de schilderijen aan panelen waarachter nog meer doeken hangen.

De Monk's Parlour staat vol met groteske gotische afgietsels.

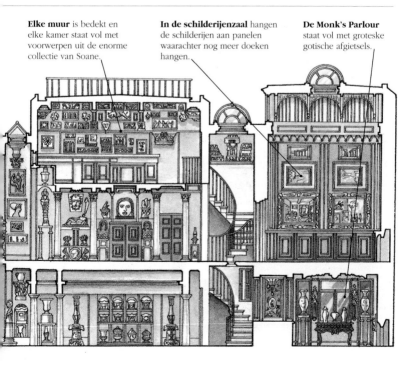

St Clement Danes ❻

Strand WC2. **Kaart** 14 D2. ☎ 0171-242 8282. ⊖ Temple. **Open** 8.00-16.30 uur dagelijks. **Gesloten** vanaf 12.00 uur 25-27 dec. ✝ 11.00 uur zo. Zie **Plechtigheden in Londen** blz. 55.

Deze kerk is een ontwerp van Wren uit 1680. De naam is afkomstig van een eerdere kerk die werd gebouwd door de afstammelingen van Denen die van Alfred de Grote in de 9de eeuw in Londen mochten blijven.
In de 17de, 18de en 19de eeuw werden in de crypte veel mensen begraven. De ketting die er hangt, diende vermoedelijk om de deksels van de doodskisten stevig vast te maken, opdat 'lijkenpikkers' de verse lichamen niet konden verkopen aan academische ziekenhuizen. St Clement Danes is nu de kerk van de Royal Air Force (RAF) en het interieur wordt overheerst door symbolen, gedenktekens en monumenten van

Klok aan de Law Courts

de RAF. Weer buiten ziet u aan de oostkant een standbeeld (1910) van dr Samuel Johnson (blz. 140), die hier vaak de dienst bijwoonde. De kerkklokken spelen om 9.00, 12.00, 15.00 en 18.00 uur een oud Engels kinderliedje, Oranges and lemons, en er is ook een jaarlijkse 'oranges and lemons-dienst'.

Royal Courts of Justice (the Law Courts) ❼

Strand WC2. **Kaart** 14 D2. ☎ 0171-936 6000. ⊖ Holborn, Temple, Chancery Lane. **Open** 10.00-16.30 uur ma-vr. **Gesloten** feestdagen. ♿ beperkt. ▣

Voor dit imposante en grillige victoriaanse bouwwerk staan vaak demonstranten en televisiecamera's te wachten op de uitslag van een controversiële zaak. Dit zijn de belangrijkste burgerlijke rechtbanken van het land, waar echtscheidingen, laster, aansprakelijkheid en beroepen worden behandeld. Criminelen worden berecht in de Old Bailey (blz. 147), zo'n tien minuten lopen in oostelijke richting. Alle rechtszalen zijn voor het publiek toegankelijk en op een lijst wordt vermeld welke zaak in welke zaal dient. Het reusachtige neogotische gebouw met 1000 kamers en 5,6 km aan gangen werd voltooid in 1882.

Temple Bar Memorial ❽

Fleet St EC4. **Kaart** 14 D2. ⊖ Holborn, Temple, Chancery Lane.

Dit monument in het midden van Fleet Street dateert uit 1880 en markeert de toegang tot de City of London. Tijdens staatsaangelegenheden moet de vorstin hier volgens traditie halt houden en aan de Lord Mayor toestemming vragen om de City binnen te gaan. Hier stond vroeger Temple Bar, een poort van Wren. Op de vier reliëfs aan de voet van het monument kunt u zien hoe de situatie vroeger was.

Fleet Street ❾

EC4. **Kaart** 14 E1. ⊖ Temple, Blackfriars, St Paul's.

De eerste drukpers van Engeland werd hier tegen het einde van de 15de eeuw geïnstalleerd door de assistent

De griffioen, het symbool van de City, bij Temple Bar

Gravure van Fleet Street in 1799 door William Capon

van William Caxton. Sinds-dien is Fleet Street het cen-trum van de Londense uitge-verijen. Shakespeare en Ben Jonson waren beschermheren van de oude Mitre Tavern op Fleet Street 37. Het eerste dagblad, *The Daily Courant*, werd in 1702 uitgebracht in Fleet Street, die gunstig gele-gen was tussen de City en Westminster, waar alles ge-beurde. Later werd de straat synoniem met de pers.

De drukpersen onder de kran-tegebouwen werden verlaten in 1987, toen nieuwe technolo-gie het mogelijk maakte om buiten het centrum kranten te drukken in wijken als Wapping en de Docklands. Alle dagbla-den zijn tegenwoordig weg uit Fleet Street en alleen de pers-bureaus Reuter en Press Association zijn gebleven.

Het wijnlokaal El Vino aan de westkant tegenover Fetter Lane is een traditionele verza-melplaats van journalisten en juristen.

Prince Henry's Room ❿

17 Fleet St EC4. **Kaart** 14 E1.
📞 0171-936 2710. 🚇 *Temple, Chancery Lane.*
Open 11.00-14.00 uur ma-za.
Gesloten 25 dec.

Deze kamer uit 1610 maak-te deel uit van een kroeg in Fleet Street en heeft zijn naam te danken aan het fami-liewapen van de prince of Wales en de initialen PH in het midden van het plafond. Ze zijn daar waarschijnlijk ge-plaatst ter gelegenheid van de inhuldiging als prins van Wales van Hendrik, de oudste zoon van Jacobus I. De fraaie vakwerkgevel langs de poort naar Inner Temple is authen-tiek. Er is een tentoonstelling over de dagboekschrijver Samuel Pepys.

Temple ⓫

Inner Temple, King's Bench Walk EC4. **Kaart** 14 E2. 📞 0171-353 1736. 🚇 *Temple.* **Open** 10.00-16.00 uur wo-za, 12.30-16.00 uur zo. 📷 ♿
Middle Temple Hall, Middle Temple Lane EC4. **Kaart** 14 E2. 📞 0171-427 4800. 🚇 *Temple.* **Open** 10.00-16.00 uur ma-vr. **Gesloten** onverwacht voor ceremoniën. 🎫 📷

Hier vindt u twee van de vier Inns of Court: Middle Temple en Inner Temple. (De andere twee zijn Lincoln's Inn en Gray's Inn; *blz. 136 en blz. 141.*)
De namen zijn afkomstig van de Knights Templar (tempe-liers), een ridderorde die ge-

specialiseerd was in het be-schermen van pelgrims naar het Heilige Land. De orde was hier gevestigd van 1185 tot 1312, toen ze door de Kroon werd verboden vanwe-ge de grote macht. Geheime initiatieriten vonden waar-schijnlijk plaats in de crypte van de Temple Church en er liggen beelden van tempeliers in het middenschip.
Middle Temple Hall is een van de interessante oude ge-bouwen in dit stadsdeel. Het elizabethaanse interieur is be-waard gebleven. Hier werd Shakespeare's *Driekoningen-avond* in 1601 opgevoerd.

St Bride's ⓬

Fleet St EC4. **Kaart** 14 F2. 📞 0171-353 1301. 🚇 *Blackfriars, St Paul's.* **Open** 8.00-17.00 uur ma-vr, 9.00-16.30 uur za, 9.00-19.30 uur zo. **Gesloten** feestdagen. 📷 ♿ 🚻 11.30 uur zo. **Concerten.**

St Bride's, kerk van de pers

St Bride's is een van de fraaiste kerken van Wren. Vanwege haar ligging in Fleet Street werd in deze kerk vaak de laatste eer bewezen aan overleden journalisten. Ge-denkplaten aan de muur her-denken journalisten en druk-kers van Fleet Street.
De toren is al sinds de bouw in 1703 een model voor ge-laagde bruidstaarten. Nadat de kerk in 1940 door een bom werd getroffen, werd zij na de oorlog nauwkeurig ge-restaureerd. De crypte bevat restanten van eerdere kerken op deze plaats en een deel van een Romeinse vloer.

Beelden in Temple Church

Ye Olde Cheshire Cheese ⓭

Wine Office Court, 145 Fleet St EC4.
Kaart 14 E1. 📞 *0171-353 6170.*
🚇 *Blackfriars.* **Open** *11.00-23.00
uur ma-za, 12.00-15.00, 18.00-22.00
uur zo. Zie* **Restaurants en pubs**
blz. 308-309.

Er staat hier al eeuwen een
herberg. Delen van het gebouw dateren uit 1667, toen
de Cheshire Cheese werd herbouwd na de Grote Brand.
De schrijver Samuel Pepys
was een regelmatige gast,
maar het was de reputatie van
stamkroeg van dr Johnson die
de pub een pelgrimsoord
voor de 19de-eeuwse literaire
intelligensia maakte, onder
wie de schrijvers Mark Twain
en Charles Dickens.
Het is een van de weinige
pubs die nog steeds de 18de-
eeuwse indeling hebben ge-
handhaafd van kleine kamers
met open haard, tafels en
banken in plaats van er één
groot café van te maken.

Dr Johnson's House ⓮

17 Gough Sq EC4. **Kaart** 14 E1.
📞 *0171-353 3745.* 🚇 *Blackfriars,
Chancery Lane, Temple.* **Open** *april-
sept.: 11.00-16.30 uur ma-za; okt.-
maart: 11.00-17.00 uur ma-za.* **Gesloten** *24-26 dec., 1 jan., Goede Vr,
feestdagen.* **Niet gratis.** 📷 *kleine
vergoeding.* 🚩 ✔️

Dr Samuel Johnson was
een 18de-eeuwse geleer-
de die beroemd is vanwege
zijn geestige (en vaak contro-

Schoolmeisje van St Andrew

versiële) opmerkingen, opge-
tekend en gepubliceerd door
zijn biograaf James Boswell.
Johnson woonde hier van
1748 tot 1759. Hij stelde het
eerste gezaghebbende
Engelse woordenboek (gepubliceerd in 1755) samen op
zolder, waar zes klerken en
assistenten de hele dag achter
een hoge werktafel stonden.
Het huis werd voor 1700 gebouwd en is spaarzaam ge-
meubileerd met 18de-eeuwse
meubels en een kleine verzameling voorwerpen die te
maken hebben met Johnson
en de tijd waarin hij leefde,
waaronder een theeservies
van zijn vriendin mrs Thrale.

Gereconstrueerd interieur van huis van dr Johnson

St Andrew, Holborn ⓯

Holborn Circus EC4. **Kaart** 14 E1.
📞 *0171-353 3544.* 🚇 *Chancery Lane.*
Open *8.00-17.00 uur ma-vr.* 📷

De middeleeuwse kerk die
hier stond, bleef gespaard
tijdens de Grote Brand van
1666. In 1686 werd
Christopher Wren echter ge-
vraagd om een nieuw ont-
werp te maken, en het onderste deel van de toren is praktisch het enige wat is overgebleven van de oude kerk.
Deze ruime kerk brandde uit
tijdens de Tweede Wereld-
oorlog, maar werd nauwkeurig gerestaureerd als de kerk
van de Londense handelsgil-
den. In de 19de eeuw een
armenschool aan de kerk
vastgebouwd.

Holborn Viaduct ⓰

EC1. **Kaart** 14 F1. 🚇 *Farringdon, St
Paul's, Chancery Lane.*

**Gemeentewapen op Holborn
Viaduct**

Deze victoriaanse ijzeren
brug werd rond 1860 ge-
bouwd. U kunt de brug het
beste bekijken vanaf
Farringdon Street, en vervolgens de trap beklimmen en
een blik werpen op de standbeelden van helden uit de
City en bronzen van Handel,
Landbouw, Wetenschap en
Schone Kunsten.

St Etheldreda's Chapel ⓱

14 Ely Place EC1. **Kaart** 6 E5.
📞 *0171-405 1061.* 🚇 *Chancery
Lane, Farringdon.* **Open** *8.00-19.00 uur
dag.* 📷 🔲 *12.00-15.00 uur ma-vr.*

Deze kapel met crypte van
Ely House is een van de
weinige overblijfselen uit de

13de eeuw. In dit huis woonden de bisschoppen van Ely tot aan de Reformatie. Hierna werd het aangekocht door sir Christopher Hatton, wiens nakomelingen het huis verwoestten maar de kapel in een protestantse kerk veranderden. De kapel is sinds 1874 weer katholiek.

Hatton Garden ⓲

EC1. **Kaart** 6 E5. 🚇 *Chancery Lane, Farringdon.*

Het diamanten- en sieradendistrict van Londen staat op grond die vroeger de tuin van Hatton House was. Goedkope en schier onbetaalbare juwelen worden verhandeld in talloze kleine winkeltjes met fonkelende etalages, en zelfs op het trottoir. Hier bevindt zich ook een van de paar nog overgebleven pandjesbazen in de stad, herkenbaar aan het traditionele teken van drie koperen ballen boven de deur.

Staple Inn ⓳

Holborn WC1. **Kaart** 14 E1.
📞 *0171-242 0106.* 🚇 *Chancery Lane.* **Binnenplaats open** *9.00-17.00 uur ma-vr.* 📷 🚻

Hier werd vroeger de wol gewogen en geschat. De voorgevel kijkt uit over Holborn en is het enige bewaard gebleven voorbeeld van een elizabethaanse vakwerkgevel in het centrum van Londen. Het gebouw is geheel gerestaureerd en zou voor iemand uit 1586, toen het werd gebouwd, nog steeds herkenbaar zijn. De winkels op straatniveau doen erg 19de-eeuws aan en er staat een aantal 18de-eeuwse gebouwen op de binnenplaats.

London Silver Vaults ⓴

53–64 Chancery Lane WC2.
Kaart 14 D1. 🚇 *Chancery Lane.* Zie **Winkelen** blz. 322-323.

De London Silver Vaults vinden hun oorsprong in de Chancery Lane Safe

Staple Inn uit 1586

Deposit Company, gesticht in 1885. Nadat u de trap bent afgedaald, passeert u een paar enorme kluisdeuren en komt u bij een aantal winkeltjes met fonkelend antiek en modern zilverwerk. De Londense zilversmeden zijn al eeuwenlang beroemd en produceerden hun beste werk in de 18de eeuw. De mooiste voorwerpen kosten duizenden ponden, maar de meeste winkels hebben ook wel iets goedkopers.

Koffiepot (1716): Silver Vaults

Gray's Inn ㉑

Gray's Inn Rd WC1. **Kaart** 6 D5.
📞 *0171-405 8164.* 🚇 *Chancery Lane, Holborn.* **Open** *10.00-17.00 uur ma-vr.* **Terrein altijd toegankelijk.** 📷 ♿

Dit oude juridische centrum annex rechtenfaculteit dateert uit de 14de eeuw. Net als vele andere gebouwen in dit gebied werd het zwaar beschadigd in de Tweede Wereldoorlog, maar vervolgens in de oude glorie hersteld. Minstens één van Shakespeare's toneelstukken (*Comedy of errors*) werd in 1954 voor het eerst opgevoerd in Gray's Inn Hall. Het 16de-eeuwse binnenscherm in de hal is bewaard gebleven. Van 1827-1828 werkt de jonge Charles Dickens hier als klerk. De statige tuin is een deel van het jaar geopend voor wandelaars en is karakteristiek voor de afgezonderde rust van de vier Inns of Court. U kunt de gebouwen alleen op afspraak bezichtigen.

De City

Het financiële district van Londen is gebouwd op de plaats van de oorspronkelijke Romeinse nederzetting. De volledige naam is de City of London, maar de wijk wordt meestal de City genoemd. De oude City werd grotendeels verwoest tijdens de Grote Brand van 1666 en de Tweede Wereldoorlog *(blz. 22-23 en 29)*. Het contrast tus-

Traditioneel uithangbord van bank in Lombard Street

sen de strenge victoriaanse gebouwen en de glimmende nieuwe kantoren is karakteristiek voor de City. Tijdens kantooruren gonst het van bedrijvigheid, maar er wonen sinds de 19de eeuw weinig mensen. Ooit was het een van de belangrijkste woonwijken van Londen. Nu herinneren alleen de kerken – waarvan vele van Wren *(blz. 47)* – daar nog aan.

BEZIENSWAARDIGHEDEN IN HET KORT

Historische straten en gebouwen
Mansion House ❶
Royal Exchange ❸
Old Bailey ❼
Apothecaries' Hall ❽
Fishmongers' Hall ❾
Tower of London blz. 154-157 ⓰
Tower Bridge ⓱
Lloyd's of London ㉒
Stock Exchange ㉔
Guildhall ㉕

Musea
Bank of England Museum ❹
Tower Hill Pageant ⓳

Historische markten
Billingsgate ⓬
Leadenhall Market ㉓

Monumenten
Monument ⓫

Kerken en kathedralen
St Stephen Walbrook ❷
St Mary-le-Bow ❺
St Paul's blz. 148-151 ❻
St Magnus the Martyr ❿
St Mary-at-Hill ⓭
St Margaret Pattens ⓮
All Hallows by the Tower ⓯
St Helen's Bishopsgate ⓴
St Katharine Cree ㉑

Havens
St Katharine's Dock ⓲

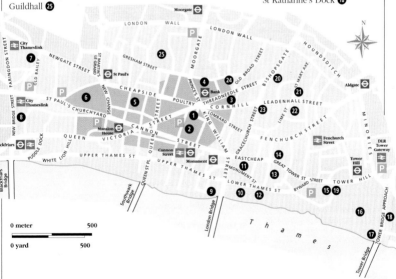

BEREIKBAARHEID
De City is bereikbaar met metrolijnen Circle, Central, District, Northern en Metropolitan. Bussen: 6, 8, 9, 11, 15, 15B, 22B, 25, 133 en 501. Er zijn veel treinstations.

SYMBOLEN
	Stratenkaart
🚇	Metrostation
🚆	Treinstation
P	Parkeerplaats

ZIE OOK
- *Plattegrond,* kaarten 14, 15, 16
- *Accommodatie* blz. 276-277
- *Restaurants* blz. 292-294

St Paul's Cathedral met links de NatWest Tower (1980)

Onder de loep: de City

Dit is het zakencentrum van Londen; hier bevinden zich de grote financiële instellingen zoals de Stock Exchange (de Beurs) en de Bank of England. Tijdens een wandeling door de City kunt u het contrast zien tussen deze 19de- en 20ste-eeuwse bouwwerken en oudere gebouwen, waarvan vele werden ontworpen door Christopher Wren, de beroemdste en waarschijnlijk produktiefste architect van Engeland. Na de Grote Brand van 1666 zag hij toe op de bouw van 52 kerken in dit stadsdeel.

St Mary-le-Bow
Iedereen die binnen gehoorsafstand van de klokken van deze kerk is geboren, mag zich een echte Londenaar of Cockney noemen **5**

De Temple of Mithras is een belangrijke Romeinse tempel waarvan de fundamenten in de Tweede Wereldoorlog door een bom werden blootgelegd.

★ **St Paul's**
Dit meesterwerk van Wren domineert de skyline van de City **6**

Metro St Paul's

N E W   C H A N G E

W A T L I N G   S T R E E T

B R E A D   S T R E E T

ST PAUL'S CHURCHYARD

C A N N O N   S T R E E T

F R I D A Y   S T

Metro Mansion House

Q U E E N   V I C T O R I

COLLEGE · OF · ARMS

Het College of Arms ontving in 1884 het koninklijk privilege van Richard III. Het instituut bepaalt wie rechtmatig aanspraak kan maken op een Brits familiewapen.

St Nicholas Cole was de eerste kerk van Wren in de City (1677). Net als vele andere moest hij na de Tweede Wereldoorlog worden gerestaureerd.

St James Garlickhythe met een elegante toren van Wren uit 1717 bezit ongewone zwaardhouders en kapstokken.

STERATTRACTIES

★ **St Paul's**

★ **St Stephen Walbrook**

★ **Bank of England Museum**

SYMBOLEN

— — —   Aanbevolen route

0 meter   100

0 yard   100

Skinners' Hall is het in Italiaanse stijl gebouwde 18de-eeuwse gildehuis van de leerhandelaars.

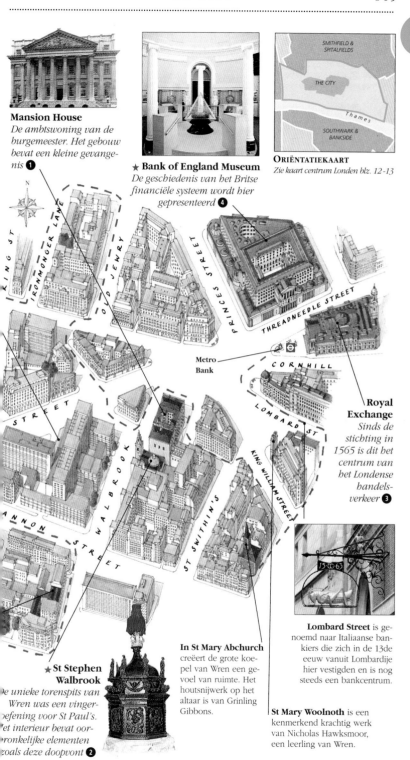

Mansion House
De ambtswoning van de burgemeester. Het gebouw bevat een kleine gevangenis ❶

★ **Bank of England Museum**
De geschiedenis van het Britse financiële systeem wordt hier gepresenteerd ❹

ORIËNTATIEKAART
Zie kaart centrum Londen blz. 12-13

SMITHFIELD & SPITALFIELDS

THE CITY

Thames

SOUTHWARK & BANKSIDE

KING ST

IRONMONGER LANE

OLD JEWRY

PRINCES STREET

THREADNEEDLE STREET

Metro Bank

CORNHILL

LOMBARD ST

STREET

WALBROOK

ST SWITHIN'S

KING WILLIAM STREET

CANNON STREET

Royal Exchange
Sinds de stichting in 1565 is dit het centrum van het Londense handelsverkeer ❸

15·CO·65

Lombard Street is genoemd naar Italiaanse bankiers die zich in de 13de eeuw vanuit Lombardije hier vestigden en is nog steeds een bankcentrum.

In St Mary Abchurch creëert de grote koepel van Wren een gevoel van ruimte. Het houtsnijwerk op het altaar is van Grinling Gibbons.

★ **St Stephen Walbrook**
De unieke torenspits van Wren was een vingeroefening voor St Paul's. Het interieur bevat oorspronkelijke elementen zoals deze doopvont ❷

St Mary Woolnoth is een kenmerkend krachtig werk van Nicholas Hawksmoor, een leerling van Wren.

Mansion House ❶

Walbrook EC4. **Kaart** 15 B2. *0171-626 2500*. Bank, Mansion House.
Niet toegankelijk voor het publiek.

Deze ambtswoning van de Lord Mayor werd in 1753 voltooid naar een ontwerp van George Dance de Oudere, wiens ontwerpen kunnen worden bezichtigd in het John Soane Museum *(blz. 136-137)*. De voorgevel in palladiaanse stijl met zijn zes grote Corinthische zuilen is een van de bekendste oriën-tatiepunten in de City. De mooiste zaal is wel de 27 m lange Egyptian Hall.
Uit het zicht bevinden zich elf cellen (tien voor mannen en één, 'the birdcage', voor vrouwen), een herinnering aan de andere functie van het gebouw als rechtbank: de Lord Mayor is de rechtbankpresident van de City tijdens zijn één jaar durende ambtsperiode. Emmeline Pankhurst, die aan het begin van de 20ste eeuw campagne voerde voor het vrouwenkiesrecht, heeft hier opgesloten gezeten.

Egyptian Hall in Mansion House

St Stephen Walbrook ❷

39 Walbrook EC4. **Kaart** 15 B2. *0171-283 4444*. Bank, Cannon St. **Open** 10.00-16.00 uur ma-vr. 12.45 uur do, gezongen mis. **Orgelconcerten** vr.

De parochiekerk van de Lord Mayor werd door Christopher Wren in 1672-1679 gebouwd. Kenners beschouwen deze kerk als zijn beste werk in de City *(blz. 47)*. De hoge koepel met cassetten en sierlijk pleisterwerk was een voorloper van St Paul's. Het ruime interieur met de vele zuilen komt als een verrassing na de onopvallende buitenkant. De preek-stoel en het deksel van de doopvont zijn versierd met prachtig houtsnijwerk dat een sterk contrast vormt met de eenvoud van Henry Moore's altaar van witte steen (1987). Het ontroerendste monument is echter een telefoon in een glazen kist. Dit is een eerbetoon aan de predikant Chad Varah, die in 1953 de Samaritans oprichtte, een door vrijwilligers bemande telefonische hulplijn voor mensen in emotionele nood.
Aan de noordmuur hangt *The martyrdom of St Stephen*, een doek van de Amerikaanse schilder Benjamin West.

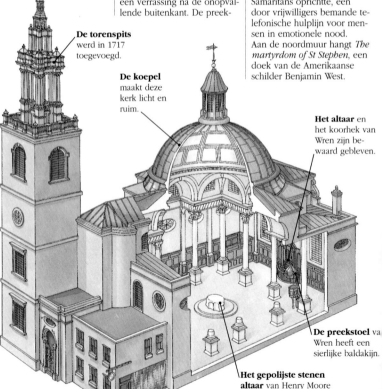

De torenspits werd in 1717 toegevoegd.

De koepel maakt deze kerk licht en ruim.

Het altaar en het koorhek van Wren zijn bewaard gebleven.

De preekstoel va Wren heeft een sierlijke baldakijn.

Het gepolijste stenen altaar van Henry Moore werd in 1987 geplaatst.

Royal Exchange ❸

EC3. **Kaart** 15 C2. 📞 *0171-623 0444.*
🚇 *Bank.* **Niet toegankelijk** *voor het publiek.*

De elizabethaanse koopman en hoveling sir Thomas Gresham stichtte in 1565 de Royal Exchange als een centrum voor het handelsverkeer. Het oorspronkelijke gebouw stond midden op een groot plein waar handelaren en kooplieden zaken deden. Koningin Elizabeth I verleende het bouwwerk het koninklijke predikaat, en het is nog steeds een van de plaatsen vanwaar nieuwe koningen en koninginnen worden bekendgemaakt. Dit gebouw uit 1844 is al het derde op deze lokatie sinds dat van Gresham. Het eerste openbare toilet (heren) van Engeland verscheen in 1855 op het plein.

De voorgevel van de Royal Exchange van William Tite's (1844)

Bank of England Museum ❹

Bartholomew Lane EC2. **Kaart** 15 B1.
📞 *0171-601 5545.* 📠 *0171-601 5792.* 🚇 *Bank.* **Open** *10.00-17.00 uur ma-vr.* **Gesloten** *feestdagen, 1 okt.-Pasen.* 🚫 ♿ *(lussysteem).* 🎥 **Filmvoorstellingen, lezingen.**

De hertog van Wellington (1884) tegenover de Bank of England

De Bank of England werd opgericht in 1694 om geld bijeen te brengen voor de buitenlandse oorlogen. Het werd de centrale bank van Groot-Brittannië, die ook bankbiljetten uitgeeft.
Sir John Soane *(blz. 136-137)* was de architect van het gebouw dat op deze plaats in 1788 werd gebouwd, maar slechts de buitenmuur van zijn ontwerp is bewaard gebleven.

De rest werd gesloopt in de jaren twintig en dertig toen de bank werd vergroot. Het effectenkantoor van Soane uit 1793 is gereconstrueerd. Tijdens de verbouwing werden onder meer goudstaven, zilveren siervoorwerpen en een Romeinse mozaïekvloer gevonden, die nu te zien zijn in het museum. Het museum toont het werk van de bank en het financiële systeem.

St Mary-le-Bow ❺

(Bow Church) Cheapside EC2.
Kaart 15 A2. 📞 *0171-248 5139.*
🚇 *Mansion House.* **Open** *6.15-18.00 uur ma, wo 6.30-19.00 uur do, 6.30-16.00 uur vr.* 🔔 *17.45 uur do.* 🎵

De naam van de kerk is afkomstig van de bogen (bows) in de Normandische crypte. Toen Wren tussen 1670 en 1680 de kerk herbouwde na de Grote Brand *(blz. 22-23)*, zette hij dit architectonische patroon voort in de sierlijke bogen van de torenspits. De windvaan uit 1674 is een enorme draak. De kerk werd in 1941 door bommen verwoest, waarbij slechts de toren en twee buitenmuren bleven staan. De restauratie duurde van 1956 tot 1962. De klokken zijn belangrijk voor de Londenaren: volgens traditie mogen alleen zij die binnen gehoorsafstand zijn geboren zich echte Cockneys noemen.

St Paul's ❻

Zie blz. 148-151.

Old Bailey ❼

EC4. **Kaart** 14 F1. 📞 *0171-248 3277.*
🚇 *St Paul's.* **Open** *10.30-13.00 uur, 14.00-16.30 uur ma-vr (openingstijden variëren echter per rechtbank).* **Gesloten** *Kerst, Nieuwjaar, Pasen, feestdagen.* 🚫

Vrouwe Justitia op de Old Bailey

Deze korte straat wordt al heel lang geassocieerd met misdaad en straf. De nieuwe Central Criminal Courts werden in 1907 in gebruik genomen, op de plaats van de beruchte en onwelriekende Newgate-gevangenis (op bepaalde dagen in het juridische jaar nemen de rechters nog steeds kleine ruikertjes mee naar het hof als een herinnering aan vervlogen tijden). Aan de overkant serveerde de Magpie and Stump een 'executie-ontbijt' tot 1868, toen de openbare ophangingen voor de gevangenis werden stopgezet.

St Paul's ❻

Na de Grote Brand in 1666 was de middeleeuwse St Paul's totaal verwoest. De autoriteiten wendden zich tot Christopher Wren om de kathedraal te herbouwen, maar zijn ideeën stuitten op verzet van de conservatieve en krenterige clerus. Het ontwerp van Wren uit 1672, dat in de crypte is te bezichtigen, werd afgewezen; uiteindelijk begon men in 1675 met de bouw van een aangepast ontwerp. De vastberadenheid van Wren leidde echter wel tot resultaat, zoals u kunt zien in de huidige majestueuze kathedraal.

Beeldhouwwerk buiten zuidelijk dwarsschip

★ **De binnenste en buitenste koepel**
Met 110 m is dit, na de Sint-Pieter in Rome, de op één na hoogste koepel ter wereld, van binnen net zo spectaculair als van buiten.

De balustrade langs de dakrand werd in 1718 tegen de wensen van Wren toegevoegd.

Het reliëf op het timpaan dateert uit 1706 en toont de bekering van Paulus.

★ **Westelijke voorgevel en torens**
De torens maakten geen deel uit van het oorspronkelijk ontwerp. Wren voegde ze op 75-jarige leeftijd in 1707 toe. In beide moest een klok worden geplaatst.

Luchtbogen ondersteunen de koepel en de muren van het middenschip.

De westelijke zuilengang bestaat uit dubbele zuilen in plaats van de enkele die Wren had gewild.

STERATTRACTIES

★ **Westelijke voorgevel en torens**

★ **Binnen- en buitenkoepel**

★ **Whispering Gallery**

De westelijke portiek is de hoofdingang van St Paul's.

Standbeeld koningin Anne
Een kopie uit 1886 van het Francis Birds origineel uit 1712 staat op het voorhof.

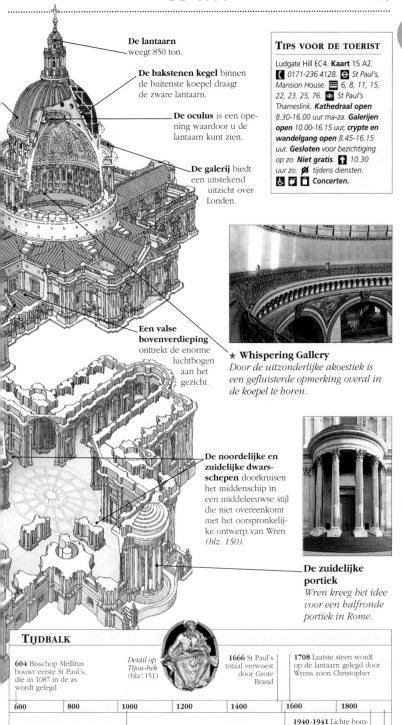

De lantaarn weegt 850 ton.

De bakstenen kegel binnen de buitenste koepel draagt de zware lantaarn.

De oculus is een opening waardoor u de lantaarn kunt zien.

De galerij biedt een uitstekend uitzicht over Londen.

Een valse bovenverdieping onttrekt de enorme luchtbogen aan het gezicht.

TIPS VOOR DE TOERIST

Ludgate Hill EC4. **Kaart** 15 A2.
📞 *0171-236 4128.* 🚇 *St Paul's, Mansion House.* 🚌 *6, 8, 11, 15, 22, 23, 25, 76.* 🚆 *St Paul's Thameslink.* **Kathedraal open** *8.30-16.00 uur ma-za.* **Galerijen open** *10.00-16.15 uur,* **crypte en wandelgang open** *8.45-16.15 uur.* **Gesloten** *voor bezichtiging op zo.* **Niet gratis.** 🕐 *10.30 uur zo.* ⌀ *tijdens diensten.* ♿ 📷 🎵 **Concerten.**

★ **Whispering Gallery**
Door de uitzonderlijke akoestiek is een gefluisterde opmerking overal in de koepel te horen.

De noordelijke en zuidelijke dwarsschepen doorkruisen het middenschip in een middeleeuwse stijl die niet overeenkomt met het oorspronkelijke ontwerp van Wren *(blz. 150).*

De zuidelijke portiek
Wren kreeg het idee voor een halfronde portiek in Rome.

TIJDBALK

604 Bisschop Mellitus bouwt eerste St Paul's, die in 1087 in de as wordt gelegd

Detail op Tijou-hek (blz. 151)

1666 St Paul's totaal verwoest door Grote Brand

1708 Laatste steen wordt op de lantaarn gelegd door Wrens zoon Christopher

600	800	1000	1200	1400	1600	1800

1087 Bisschop Mauritius bouwt oude St Paul's: een Normandische kathedraal van steen

1675 Eerste steen gelegd van het ontwerp van Wren

1940-1941 Lichte bomschade aan de kathedraal

1981 Prins Charles trouwt met lady Diana Spencer

Een rondleiding door St Paul's

De bezoeker aan St Paul's wordt onmiddellijk geïmponeerd door het koele, prachtig geordende en zeer ruime interieur. In overeenstemming met de eisen van de clerus zijn middenschip, dwarsschip en koor gerangschikt in de vorm van een kruis, net als in een middeleeuwse kathedraal. Toch is de classicistische visie van Wren duidelijk zichtbaar. Met assistentie van enkele van de beste vaklieden uit zijn tijd creëerde hij een luisterrijk barok interieur, een waardige achtergrond voor de vele belangrijke plechtigheden die hier hebben plaatsgevonden, waaronder de begrafenis van Winston Churchill in 1965 en het huwelijk van prins Charles en lady Diana Spencer in 1981.

De mozaïeken op het plafond van het koor zijn van William Richmond (1890).

① Middenschip
Geniet van de reusachtige bogen en de opeenvolging van koepels die uitmonden in de enorme ruimte onder de hoofdkoepel.

② Noordelijk zijschip
Als u hierdoorheen loopt, kijk dan eens naar boven: de zijschepen hebben kleine koepeltjes, net als in het middenschip.

⑨ Zuidelijk zijschip
Hier kunnen de doorzetters de 259 treden oplopen naar de Whispering Gallery en de akoestiek testen.

Ingang naar de Whispering Gallery

⑧ The Great Model
Deze maquette van het oorspronkelijke ontwerp van Wren dateert uit 1672. Het ontwerp werd te revolutionair gevonden.

Hoofdingangen

De Geometrical Staircase, een wenteltrap met 92 treden, geeft toegang tot de bibliotheek van de kathedraal.

⑦ De tombe van Wren
Wrens graftombe wordt aangeduid met een gedenkplaat: 'Lezer, als u zijn monument zoekt, kijk dan om u heen.'

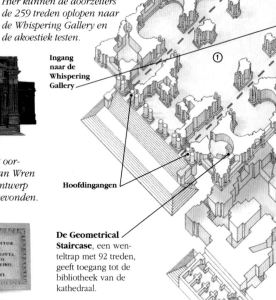

SYMBOOL

– – – Route rondleiding

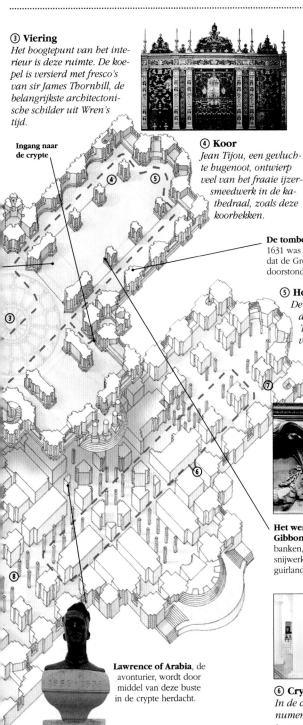

③ **Viering**
Het hoogtepunt van het interieur is deze ruimte. De koepel is versierd met fresco's van sir James Thornhill, de belangrijkste architectonische schilder uit Wren's tijd.

Ingang naar de crypte

④ **Koor**
Jean Tijou, een gevluchte hugenoot, ontwierp veel van het fraaie ijzersmeedwerk in de kathedraal, zoals deze koorhekken.

De tombe van John Donne uit 1631 was het enige monument dat de Grote Brand van 1666 doorstond.

⑤ **Hoogaltaar**
De baldakijn boven het altaar werd na de Tweede Wereldoorlog vervangen, en is gebaseerd op de oorspronkelijke tekeningen van Wren.

Het werk van Grinling Gibbons is te zien in de koorbanken, met ingewikkeld houtsnijwerk van engeltjes, fruit en guirlandes.

Lawrence of Arabia, de avonturier, wordt door middel van deze buste in de crypte herdacht.

⑥ **Crypte**
In de crypte vindt u grafmonumenten voor beroemde personen en volkshelden zoals lord Nelson.

Apothecaries' Hall ❽

Blackfriars Lane EC4. **Kaart** 14 F2.
☎ *0171-236 1189.* ⊖ *Blackfriars.*
Binnenplaats open *9.30-17.30 uur ma-vr.* **Gesloten** *feestdagen.* **Bel de Hall** *voor afspraak bezoek.* ♿

Apothecaries' Hall, herbouwd in 1670

A l sinds de Middeleeuwen kent Londen livreigilden om bepaalde ambachten te beschermen en te reguleren. De Apothecaries' Society werd in 1617 gesticht voor hen die medicijnen bereidden, voorschreven of verkochten. Tot de leden behoorden Oliver Cromwell en de dichter John Keats. Tegenwoordig zijn bijna alle leden artsen of chirurgen.

Fishmongers' Hall ❾

London Bridge EC4. **Kaart** 15 B3.
☎ *0171-626 3531.* ⊖ *Monument.*
Niet toegankelijk *voor het publiek.*

D it livreigilde uit 1272 is een van de oudste in de stad. Lord Mayor Walworth, een lid van de Fishmongers' Company, doodde in 1381 Wat Tyler, de leider van de Boerenopstand *(blz. 162).* Alle vis die in de City wordt verkocht, moet nog steeds worden geïnspecteerd door functionarissen van de Company.

St Magnus the Martyr ❿

Lower Thames St EC3. **Kaart** 15 C3.
☎ *0171-626 4481.* ⊖ *Monument.*
Open *10.00-16.30 uur di-vr, 14.00-17.00 uur za, 10.00-12.30 uur zo.* 📷
🕆 *11.00 uur zo.*

E r staat hier al meer dan duizend jaar een kerk. De

patroonheilige, Magnus, was een Noorse graaf van de Orkney-eilanden. Deze zeer gerespecteerde christelijke leider werd in 1110 gedood. Christopher Wren bouwde deze kerk tussen 1671 en 1676 aan de voet van de oude London Bridge, tot 1738 de enige brug over de Thames in Londen. Een poort van Wren overspande de weg naar de brug, zodat iedereen die ten zuiden van de stad moest zijn hieronderdoor moest. Hoogtepunten in de kerk zijn de uitgesneden muziekinstrumenten op de orgelopstand. De preekstoel, met een slanke steunpilaar is ook van Wren en werd in 1924 gerestaureerd.

Monument ⓫

Monument St EC3. **Kaart** 15 C2.
☎ *0171-626 2717.* ⊖ *Monument.*
Open *april-sept.: 9.00-17.40 uur ma-vr, 14.00-17.40 uur za-zo; okt.-maart: 9.00-15.40 uur ma-za.* **Niet gratis.** 📷

D eze zuil is ontworpen door Christopher Wren ter nagedachtenis aan de Grote Brand in 1666 die de oorspronkelijke ommuurde stad verwoestte en is de langste op zichzelf staande stenen zuil ter wereld. Hij is 62 m hoog en staat naar men zegt 62 m ten westen van de plaats waar de brand begon. De zuil stond langs de weg naar de oude London Bridge, die een paar meter stroomafwaarts van de huidige brug lag. Reliëfs in de voet van de

Het altaar van St Magnus the Martyr

zuil tonen Karel II die de stad restaureert. De 311 treden naar de top komen uit op een platform waarvandaan u een uitstekend uitzicht over de stad hebt.

Billingsgate ⓬

Lower Thames St EC3. **Kaart** 15 C3.
⊖ *Monument.* **Niet toegankelijk** *voor het publiek.*

Vis als windvaan bij Billingsgate

L angs een van de eerste kaden in de stad was 900 jaar lang de belangrijkste vismarkt van Londen gesitueerd. In de 19de en het begin van de 20ste eeuw werd hier elke dag 400 ton vis verhandeld, die veelal per boot werd aangevoerd. Het was de luidruchtigste markt van Londen en berucht om het vele gevloek. In 1982 verhuisde de markt van dit gebouw naar het Isle of Dogs.

St Mary-at-Hill ⓭

Lovat Lane EC3. **Kaart** 15 C2. ☎ *0171-626 4184.* ⊖ *Monument.* **Concerten. Open** *10.00-15.00 uur ma-vr.*

H et interieur en de oostzijde van St Mary-at-Hill waren de eerste ontwerpen voor kerken van Wren (1670-1676). Het delicate pleisterwerk en de fraaie inrichting, die zowel de victoriaanse manie voor verbouwingen als de bommen in de Tweede Wereldoorlog hadden overleefd, werden verwoest door een brand in 1988. Het bouwwerk werd in de oorspronkelijke staat gerestaureerd, maar werd in 1992 wederom beschadigd door een bom van de IRA.

St Margaret Pattens ⑭

Rood Lane and Eastcheap EC3.
Kaart 15 C2. 📞 0171-623 6630.
🚇 Monument. **Open** 8.00-16.00 uur ma-vr. **Gesloten** Kerstweek, 2 weken in aug. ✝ 13.00 uur wo.

Deze kerk van Wren uit 1684-1787 werd genoemd naar een soort overschoen die hier werd gemaakt. De muren van portlandsteen vormen een fraai contrast met het 18de-eeuwse stucwerk van de winkelpui op de voorhof.

All Hallows by the Tower ⑮

Byward St EC3. **Kaart** 16 D3.
📞 0171-481 2928. 🚇 Tower Hill.
Open 9.00-17.30 ma-vr, 10.00-17.00 uur zo. **Gesloten** 26-27 dec., 1 jan.
🚻 ✝ 11.00 uur zo. 📷

De eerste kerk die op deze lokatie werd gebouwd, was Saksisch. De boog in de zuidoosthoek bevat Romeinse tegels en dateert uit die periode, evenals enkele kruisen in de crypte. Het grootste deel van het interieur is door restauraties gewijzigd, maar het lindehouten deksel van de doopvont, houtsnijwerk van Grinling Gibbons uit 1682, is nog authentiek.
William Penn (de stichter van Pennsylvania) werd hier in

Romeinse tegen uit All Hallows

1644 gedoopt, en John Quincy Adams trad hier in het huwelijk voordat hij president van de VS werd. Samuel Pepys sloeg de Grote Brand indertijd gade vanuit de kerktoren.

Tower of London ⑯

Zie blz. 154-157.

Tower Bridge ⑰

SE1. **Kaart** 16 D3. 📞 0171-378 1928. 🚇 Tower Hill. **Open** april-okt.: 10.00-18.30 uur dagelijks; nov.-maart: 9.30-18.00 uur dagelijks (toegang tot 45 minuten voor sluitingstijd). **Gesloten** 24-26 dec., 1 jan.
Niet gratis 📷 ♿ ✝ Video.

Dit flamboyante voorbeeld van victoriaanse constructiebouw werd voltooid in 1894 en werd al snel een symbool voor Londen. De torens met pinakels en een loopbrug ertussen bevatten het hijsmechanisme voor het optillen van het brugdek als een groot schip moet passeren of voor speciale gelegenheden zoals de terugkeer van de Gipsy Moth (blz. 237). Dit is altijd een indrukwekkend schouwspel.
In de brug is nu een museum over de eigen geschiedenis ondergebracht met de stoommachine die tot 1976 het hijsmechanisme aandreef.

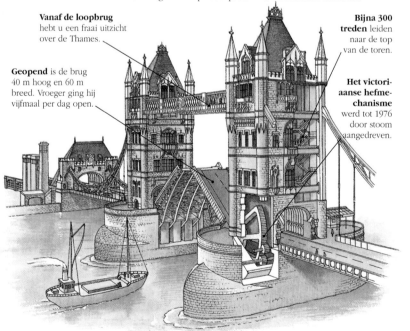

Vanaf de loopbrug hebt u een fraai uitzicht over de Thames.

Geopend is de brug 40 m hoog en 60 m breed. Vroeger ging hij vijfmaal per dag open.

Bijna 300 treden leiden naar de top van de toren.

Het victoriaanse hefmechanisme werd tot 1976 door stoom aangedreven.

Tower of London ⓰

Het grootste deel van zijn 900-jarig bestaan was de Tower een gevreesd bouwwerk. Zij die de vorst hadden ontstemd, werden opgesloten tussen bedompte muren. De meesten leefden onder mensonterende omstandigheden. Velen overleefden het niet en werden gemarteld voordat ze aan een gewelddadig einde kwamen op Tower Hill.

★ De White Tower
Toen de toren in 1097 werd voltooid, was hij met 30 m het hoogste gebouw in Londen.

★ In het Jewel House
liggen de schitterende Engelse kroonjuwelen *(blz. 156).*

'Beefeaters'
40 'Yeoman Warders' bewaken de Tower en wonen er.

Beauchamp Tower
Hier zaten vele belangrijke gevangenen achter slot en grendel, vaak met hun eigen bedienden.

Tower Green is de plaats waar de meest bevoorrechte gevangenen werden terechtgesteld, ver van de weerzinwekkende menigte op Tower Hill. Slechts zeven personen kwamen hier aan hun einde, onder wie twee vrouwen van Hendrik VIII.

Hoofdingang

STERATTRACTIES

★ **White Tower**

★ **Jewel House**

★ **Chapel of St John**

★ **Traitors' Gate**

DE RAVEN

De populairste bewoners van de Tower zijn negen raven. Het is niet bekend wanneer zij zich hier vestigden, maar volgens de legende zal het koninkrijk ten onder gaan als zij verdwijnen. In werkelijkheid zijn de vogels aan een kant gekortwiekt, zodat ze niet meer kunnen vliegen. De Ravenmaster, een van de Yeoman Warders, zorgt voor de vogels. Een mo-

nument in de gracht herdenkt enkele van de raven die hier sinds 1950 zijn gestorven.

Queen's House
Hier resideert de gouverneur van de Tower.

Wakefield Tower
ziet er na een
restauratie net zo
uit als in de
13de eeuw.

★ **Chapel of St John**
*De bouwsteen voor deze
mooie, sobere romaanse
kapel is afkomstig
uit Frankrijk.*

TIPS VOOR DE TOERIST

Tower Hill EC3. **Kaart** 16 D3.
☎ 0171-709 0765.
⊖ Tower Hill. 🚌 15, X15, 25,
42, 78, 100.
🚆 Fenchurch Street.
Docklands Light Railway
Tower Gateway. **Open** maart-
okt.: 9.00-18.00 uur ma-za,
10.00-18.00 uur zo; nov.-febr.:
9.00-17.00 uur ma-za; 10.00-
17.00 uur zo. **Tower gesloten**
24-26 dec., 1 jan. **Niet gratis.**
♿ 🚻 Ceremony of the Keys
9.30 uur dagelijks (van tevoren bespreken). Zie blz. 53-55. 📷 🏛

De Bloody Tower is
genoemd naar de
gebeurtenissen rond
twee jonge prinsen
die hier in 1483
verdwenen
(blz. 157).

Middeleeuws kasteel
*In 1220 gebouwd door
Hendrik III en uitge-
breid door zijn zoon,
Edward I, die Traitors'
Gate toevoegde.*

★ **Traitors' Gate**
*Vele ter dood ver-
oordeelde gevangenen
kwamen door deze
poort de Tower binnen.*

TIJDBALK

1078 Bouw White Tower	**1536** Anna Boleyn terechtgesteld		**1810-1815** De Munt vertrekt uit Tower en er worden hier geen wapens meer gemaakt	
	1483 Prinsen vermoord in de Tower	**1554** Lady Jane Grey terechtgesteld		

1050	1250	1450	1650	1850	1950
1066 Willem I bouwt een tijde- lijk kasteel	**ca. 1530** Kasteel is niet langer koninklijk paleis		**1671** Kroon- juwelen gesto- len door 'ko- lonel' Blood	**1834** Menagerie verdwijnt uit Tower	
	1534-1535 Thomas More ge- vangen gezet en terechtgesteld	**1603-1616** Walter Raleigh gevangen in Tower		**1941** Rudolf Hess is de laatste gevangene in Queen's House	

Binnen in de Tower

De Tower is al een attractie sinds Karel II koning was (1660-1685), toen de kroonjuwelen en de wapenrustingen voor het eerst aan het publiek werden getoond. Nog steeds geven ze een goede indruk van koninklijke rijkdom en macht.

The orb symboliseert de macht en het koninkrijk van Christus de Verlosser

DE KROONJUWELEN

De kroonjuwelen bestaan uit de kronen, scepters en zwaarden die bij kroningen en andere staatsaangelegenheden werden gebruikt. Ze zijn van onschatbare waarde, maar dit is onbelangrijk vergeleken met hun enorme betekenis in het historische en religieuze leven van het koninkrijk. De meest kroonjuwelen dateren uit 1661, toen er nieuwe werden gemaakt voor de kroning van Karel II. Het parlement had de oude kronen en scepters na de executie van Karel I in 1649 vernietigd. Slechts een paar fragmenten die door de clerus van Westminster Abbey waren verborgen tot de Restauratie bleven bewaard.

De kroningsceremonie

Veel elementen uit deze plechtige en mystieke ceremonie dateren uit de dagen van Edward de Belijder. De koning of koningin begaf zich naar Westminster Abbey met enkele regalia, waaronder het 'State Sword', dat staat voor het eigen zwaard van de monarch. Hij of zij wordt dan gezalfd met heilige olie, ten teken van de goddelijke instemming, gekleed in koninklijke mantels en omhuld met

sieraden. Het hoogtepunt komt als St Edward's Crown op het hoofd van de soeverein wordt geplaatst. Iemand roept 'God Save the King' (of Queen), de trompetten schallen en de kanonnen op de Tower worden afgevuurd. De laatste kroning was die van Elizabeth II in 1953.

De Imperial State Crown bevat 2800 diamanten, 273 parels en vele andere juwelen

De kronen

Er zijn 12 kronen te bezichtigen in de Tower, waarvan vele al jaren niet meer worden gedragen. De Imperial State Crown wordt nog wel gebruikt: de koningin draagt hem bij staatsaangelegenheden, zoals de opening van het parlementaire zittingsjaar *(blz. 73)*. De kroon werd in 1937 gemaakt voor George VI en is gelijk aan die van koningin Victoria. De meest recente kroon bevindt zich echter niet in de Tower. Hij werd gemaakt voor de inhuldiging van prins Charles als prins van Wales en wordt bewaard in Caernavon Castle in Noord-Wales, waar de ceremonie in 1969 plaatsvond. De kroon van de koningin-moeder werd gemaakt

voor de kroning van haar man George VI in 1937 en is gemaakt van platina.

Andere regalia

Naast de kronen zijn er nog andere kroonjuwelen die essentieel zijn bij een kroningsplechtigheid, zoals de drie Swords of Justice, symbolen voor genade, en geestelijke en wereldlijke rechtvaardigheid. De rijksappel ('the Orb') is een holle gouden met edelstenen bezette bol van 1,3 kg. De Scepter with the Cross bevat de grootste geslepen diamant ter wereld, de First Star of Africa van 530 karaat.

De collectie vaatwerk

In het Jewel House bevindt zich ook een uitgebreide collectie zilveren en gouden

De Sovereign's Ring wordt ook wel 'de trouwring van Engeland' genoemd

vaatwerk. De Maundy Dish wordt nog steeds gebruikt op Witte Donderdag, als de vorstin geld uitdeelt aan uitverkoren ouderen. De Exeter Salt (een zeer fraaie zoutstrooier uit de tijd dat zout nog een waardevol artikel was) werd door de burgers van Exeter aan Karel II gegeven. Tijdens de burgeroorlog in de jaren veertig van de 17de eeuw was Exeter een bolwerk van de royalisten.

Het gevest en de puur gouden schede van het Jewelled State Sword, een van de kostbaarste zwaarden ter wereld

De Sceptre with the Cross (1660) werd in 1910 voorzien van de First Star of Africa-diamant, een geschenk voor Edward VII

De Royal Armouries

Dit is de grootste en belangrijkste collectie van wapens en wapenrustingen in Groot-Brittannië. De collectie bestaat uit zo'n 40.000 voorwerpen, waaronder zowel wapens voor de sport als voor de oorlog. De collectie werd opgezet door Hendrik VIII, kort nadat hij in 1509 aan de macht was gekomen en opdracht had gegeven om het wapenarsenaal in de Tower te moderniseren. In de daaropvolgende eeuwen werden overtollige wapens en oorlogsbuit van de Britse veroveringen aan de collectie toegevoegd.

Flintlock pistolen (1695)

De oudste wapens
De collectie is verspreid over alle vier verdiepingen van de White Tower. Op de eerste verdieping vindt u de wapenrustingen voor sport en toernooien, zoals kruisbogen, jachtsperen en zwaarden. Vanaf de 15de eeuw waren toernooien hoofdzakelijk sociale gebeurtenissen, waar ridders schijngevechten hielden en de dames het hof maakten tegen een achtergrond van feest en muziek. De wapenrusting die bij toernooien werd gedragen, was vaak uitgebreid versierd maar nog wel

functioneel. De tweede verdieping is gewijd aan de middeleeuwse en renaissancistische wapenrustingen. Opvallend zijn het geëtste en vergulde harnas dat in 1598 voor de graaf van Southampton werd gemaakt en het prachtige 15de-eeuwse strijdros met berijder. De middeleeuwse Engelse 'shaffron', hoofdbeschermer, is een van de oudste voorbeelden van een wapenrusting voor paarden ter wereld. Hij dateert uit rond 1400.

Wapens sinds de Tudors
Wapenrustingen van de Tudors en de Stuarts vindt u op de derde verdieping. Hoogtepunten zijn onder meer de twee harnassen die in 1520 en 1540 voor Hendrik VIII werden gemaakt (merk op hoeveel de koning in die twintig jaar is aangekomen). Een licht jongensharnas werd waarschijnlijk gemaakt voor Edward VI, de zoon van Hendrik. Er staat zelfs een nog kleiner harnas, van minder dan 1 m lengte. Verder vindt u nog rijk versierde zwaarden en pistolen. In de kelder zijn zwaarden, harnassen en kanonnen ondergebracht. Hier vindt u ook de door Karel II ingestelde Line of Kings, een verzameling modellen van Engelse koningen in 16de-eeuwse harnassen. Een aantal paarden is gemaakt door de beroemde houtsnijder Grinling Gibbons.

16de-eeuwse scheenplaat en voetplaat

De New Armouries
In de New Armouries, in de 17de eeuw gebouwd als warenhuis, is de collectie 18de- en 19de-eeuwse wapens ondergebracht. U vindt er een aantal oude machinegeweren (waaronder een Gatling en een Maxim) en een fraai paar duelleerpistolen uit 1834. Hier bevinden zich ook de miniatuurkanonnen, zwaarden voor kinderen en het kleinste automatische pistool dat ooit werd gemaakt (in Duitsland in 1913-1914).

De Martin Tower
Gruwelijke voorwerpen zijn te zien in de Martin Tower, waar de martelwerktuigen zijn ondergebracht waarmee de gevangenen tot een bekentenis werden gedwongen. Veel van de slachtoffers van de pijnbank (voor het uittrekken van het lichaam) en de 'scavenger's daughter' (voor het samenpersen van het lichaam) moesten boeten voor hun afwijkende religieuze of politieke overtuiging.

Harnas van Hendrik VIII (1540)

De prinsen in de Tower
Een van de mysteries van de Tower betreft twee jonge prinsen, de zonen en erfgenamen van Edward IV. Ze werden door hun oom Richard van Gloucester in de Tower gezet toen hun vader in 1483 stierf en werden nooit meer teruggezien. Richard werd datzelfde jaar nog tot koning gekroond.

De jachthaven van het gerestaureerde St Katharine's Dock

St Katharine's Dock ⓲

E1. **Kaart** 16 E3. [0171-488 0555.
🚇 Tower Hill. 🚻 🍴 🖥 🚻

Deze haven in het hartje van Londen werd ontworpen door Thomas Telford en in 1828 geopend op de lokatie van het St Katharine-ziekenhuis. Hier werden zeer uiteenlopende waren uitgeladen, zoals thee, marmer en levende schildpadden (schildpadsoep was in de victoriaanse tijd een delicatesse).
In de 19de en het begin van de 20ste eeuw ging het de haven voor de wind, maar tegen het midden van de 20ste eeuw werden de goederen in enorme containers aangevoerd en bleken de oude havens te klein, zodat stroomafwaarts nieuwe moesten worden aangelegd. St Katharine's sloot in 1968 en de rest volgde binnen 15 jaar. St Katharine's is nu een van de succesvolste bouwprojecten, met winkels, woningen,

uitgaansgelegenheden, een hotel en een jachthaven.
Aan de noordzijde zit de London FOX (de termijn- en optiemarkt), waar wordt gehandeld in artikelen als koffie, suiker en olie. Er is geen openbare galerij, maar als u het aan de portier vraagt, mag u misschien vanuit de portiersloge een blik werpen op de tumultueuze handelsvloer. Het is de moeite waard om door dit havengebied te wandelen nadat u een bezoek hebt gebracht aan de Tower of de Tower Bridge (blz. 154-157 en blz. 153).

Tower Hill Pageant ⓳

Tower Hill Terrace EC3. **Kaart** 16 D2. [0171-709 0081. 🚇 Tower Hill. **Open** april-okt.: 9.30-17.30 uur dagelijks; nov.-maart: 9.30-16.30 uur dagelijks. **Niet gratis.** 🚻 🖥 🚻 **Filmvoorstellingen.**

Tijdens deze ondergrondse rit wordt in vogelvlucht de geschiedenis van Londen aan u gepresenteerd, met de nadruk op zijn rol als havenstad. Het verhaal wordt verteld met behulp van levensgrote tableaus, visuele effecten en geluidseffecten. Na de rit brengt het voertuig u naar een boeiende kleine tentoonstelling die is opgezet door het Museum of London. U vindt er voorwerpen die uit de rivier zijn opgegraven (waaronder jaren geleden gezonken boten) en komt te weten hoe archeologen hieruit conclusies kunnen trekken over hoe men eertijds leefde. De tentoonstelling is interessanter dan de rit zelf (in ieder geval voor volwassenen).

St Helen's Bishopsgate

St Helen's Bishopsgate ⓴

Great St Helen's EC3. **Kaart** 15 C1.
[0171-283 2810. 🚇 Liverpool St.

Deze eigenaardige 13de-eeuwse kerk is in twee delen gesplitst. Het ene deel was ooit een parochiekerk, het andere een kapel van een al lang verdwenen nonnenklooster. (De middeleeuwse nonnen van St Helen's stonden bekend om het grote aantal 'wereldlijke kussen' waaraan zij zich bezondigden.)
In de kerk bevindt zich de graftombe van sir Thomas Gresham, de oprichter van de Royal Exchange (blz. 147).

St Katharine Cree ㉑

86 Leadenhall St EC3. **Kaart** 16 D1
[0171-283 5733. 🚇 Aldgate,
Tower Hill. **Open** 9.00-17.30 uur ma-vr. **Gesloten** Kerst, Pasen. 🚫 tijdens diensten. 🔔 13.05 uur do.

Het orgel van St Katharine Cree

Dit is een zeldzame 17de-eeuwse kerk met een middeleeuwse toren van voor de tijd van Wren. Het was een van de acht kerken in de City die gespaard bleven tijdens de brand van 1666. Een gedeelte van het pleisterwerk op en onder het hoge gewelf van het middenschip toont de wapenschilden van de gilden, waarmee deze kerk een speciale band heeft. Het 17de-eeuwse orgel werd bespeeld door Händel en Purcell.

Lloyd's of London 22

1 Lime St EC3. **Kaart** 15 C2.
📞 0171-327 6210. ⊖ Bank,
Monument, Liverpool St, Aldgate.
Niet toegankelijk voor het publiek.

L loyd's werd tegen het
einde van de 17de eeuw
opgericht en ontleent zijn
naam aan het café waar ver-
zekeraars en reders plachten
te vergaderen over het verze-
keren van schepen en ladin-
gen. Lloyd's werd al spoedig
de belangrijkste verzekerings-
maatschappij ter wereld, die
alles verzekerde.
Het gebouw van Richard
Rogers dateert uit 1986 en is
een van de interessantste moderne bouwwerken in
Londen. De roestvrijstalen
buisconstructies aan de buitenkant doen denken aan het
Centre Pompidou in Parijs
(ook van Rogers). Lloyd's is
sierlijker en komt vooral
's avonds in de schijnwerpers
goed tot zijn recht.

Leadenhall Market 23

Whittington Ave EC3. **Kaart** 15 C2.
⊖ Bank, Monument. **Open** 7.00-
16.00 uur ma-vr. Zie **Winkelen** blz.
322-323.

H ier, op de plaats van het
Romeinse forum, bevindt
zich al sinds de Middeleeuwen een voedselmarkt. De
naam is afkomstig van een
woning met een loden dak
die hier in de 14de eeuw
stond. Het sierlijke victoriaanse winkelcentrum dat hier tegenwoordig staat, werd in
1881 ontworpen door sir
Horace Jones, de architect van
de Billingsgate-vismarkt (blz.
152). Het winkelcentrum is
op z'n mooist met Kerst, als
alle winkels versierd zijn.

Stock Exchange 24

Old Broad St EC4. **Kaart** 15 B1.
⊖ Bank. **Niet toegankelijk** voor het
publiek.

D e eerste beurs werd in
1773 opgericht in Thread-
needle Street. Voor die tijd, in

Leadenhall Market in 1881

de 17de en de 18de eeuw,
handelden de effectenmake-
laars in koffiehuizen in de
City. Tot 1914 was de
Londense effectenbeurs de
grootste ter wereld; nu is het
de op twee na grootste, na
Tokyo en New York. In het
gebouw uit 1969 was tot 1986
de drukke beursvloer gevestigd, maar sindsdien wordt er
via computers gehandeld. De
publieksgalerij bleef nog een
tijdje open, maar werd na een
terroristische bomaanslag gesloten.

Guildhall 25

Gresham St EC2. **Kaart** 15 B1.
📞 0171-606 3030. ⊖ St Paul's.
Niet toegankelijk voor het publiek.
Clock Museum Aldermanbury St EC2.
Open 9.30-16.45 uur ma-vr. ♿

D it is al ten minste 800 jaar
lang het bestuurlijke centrum van de City. De crypte
en de grote hal van het huidige gebouw dateren uit de
15de eeuw. De hal werd eeuwenlang gebruikt voor rechts-
zaken en velen werden hier
ter dood veroordeeld, onder
wie Henry Garnet, een van de
samenzweerders van het Bus-
kruitverraad (blz. 22). Tegenwoordig heeft de hal een minder bloedige functie. In november, een paar dagen na de
Lord Mayor's Parade (blz. 55),
spreekt de premier hier een
vergadering toe. In de aangrenzende openbare bibliotheek is de collectie van de
Clockmakers' Company on-
dergebracht: zo'n 600 horloges en 30 klokken daterend
uit de 16de tot de 19de eeuw.
Hier ligt ook het schedelvor-
mige horloge van Maria Stuart.

Het verlichte kantoor van Lloyd's Richard Rogers

SMITHFIELD EN SPITALFIELDS

In de wijken ten noorden van de City vestigden zich in het verleden personen en instellingen die niet onder de jurisdictie van de City wilden vallen: religieuze orden, andersdenkenden, de eerste theaters, in de 17de eeuw Franse hugenoten en in de 19de en 20ste eeuw Europese immigranten en later Bengalen. Ze begonnen werkplaatsen en kleine fabriekjes en brachten hun eigen restaurants en gebedsruimten mee. De naam Spitalfields is afkomstig van de middeleeuwse priorij St Mary Spital. Middlesex Street, een zijstraat van Aldgate, staat sinds de 16de eeuw bekend als Petticoat Lane, toen er

Tower: Smithfield Market

een kledingmarkt werd gevestigd. De straat is nog steeds het centrum van een populaire en drukke markt op zondagochtend, die in oostelijke richting tot aan Brick Lane loopt, tegenwoordig met geurig ruikende Bengaalse winkeltjes. De groothandelmarkt voor groente en fruit in Spitalfields verhuisde in 1991 naar de oostelijke voorsteden. De vleesmarkt in Smithfield is er echter nog wel degelijk. Het gebied rond Smithfield dat grenst aan de City wordt gedomineerd door het Barbican, een modern wooncomplex met een centrum voor conferenties en culturele activiteiten.

De bloemen- en plantenmarkt op Columbia Road

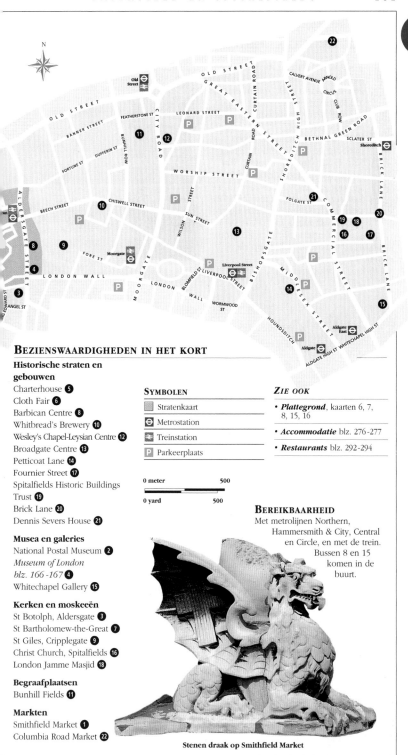

BEZIENSWAARDIGHEDEN IN HET KORT

Historische straten en gebouwen
Charterhouse **5**
Cloth Fair **6**
Barbican Centre **8**
Whitbread's Brewery **10**
Wesley's Chapel-Leysian Centre **12**
Broadgate Centre **13**
Petticoat Lane **14**
Fournier Street **17**
Spitalfields Historic Buildings Trust **19**
Brick Lane **20**
Dennis Severs House **21**

Musea en galeries
National Postal Museum **2**
Museum of London blz. 166-167 **4**
Whitechapel Gallery **15**

Kerken en moskeeën
St Botolph, Aldersgate **3**
St Bartholomew-the-Great **7**
St Giles, Cripplegate **9**
Christ Church, Spitalfields **16**
London Jamme Masjid **18**

Begraafplaatsen
Bunhill Fields **11**

Markten
Smithfield Market **1**
Columbia Road Market **22**

SYMBOLEN
Stratenkaart
⊖ Metrostation
⊕ Treinstation
P Parkeerplaats

0 meter	500
0 yard	500

ZIE OOK
- *Plattegrond*, kaarten 6, 7, 8, 15, 16
- *Accommodatie* blz. 276-277
- *Restaurants* blz. 292-294

BEREIKBAARHEID
Met metrolijnen Northern, Hammersmith & City, Central en Circle, en met de trein. Bussen 8 en 15 komen in de buurt.

Stenen draak op Smithfield Market

Onder de loep: Smithfield

Dit is een van de meest historische buurten van Londen, met een zeer oude kerk, restanten van de Romeinse muur en de enige overgebleven groothandelsmarkt in het centrum.

De lange geschiedenis is ook bloedig. In 1381 werd de leider van de opstandige boeren, Wat Tyler, hier gedood door een bondgenoot van Richard III toen hij de koning eisen voor lagere belastingen overhandigde. Tijdens de regering van Maria I (1553-1558) werden talloze protestantse martelaren hier op de brandstapel ter dood gebracht.

The Fat Boy herinnert aan de Grote Brand van 1666

The pub Fox and Anchor is al om 7 uur 's ochtends geopend voor een stevig ontbijt met bier voor de marktkooplui van Smithfield.

★ **Smithfield Market**
Het statige gebouw voor de vleesmarkt van Horace Jones na de voltooiing in 1867 ❶

SITE OF THE SARACEN'S HEAD INN DEMOLISHED 1868

Fat Boy

The Saracen's Head is een historische herberg die op deze locatie stond tot 1868, toen hij plaats moest maken voor het Holborn Viaduct *(blz. 140)*.

St Bartholomew-the-Less heeft een 15de-eeuwse toren en sacristie. De relatie van de kerk met het ziekenhuis is zichtbaar op dit gebrandschilderde raam, een geschenk van de Worshipful Company of Glaziers.

St Bartholomew's Hospital staat hier al sinds 1123. Een aantal van de gebouwen dateert uit 1759.

SYMBOLEN

--- --- --- Aanbevolen route

0 meter   100

0 yard   100

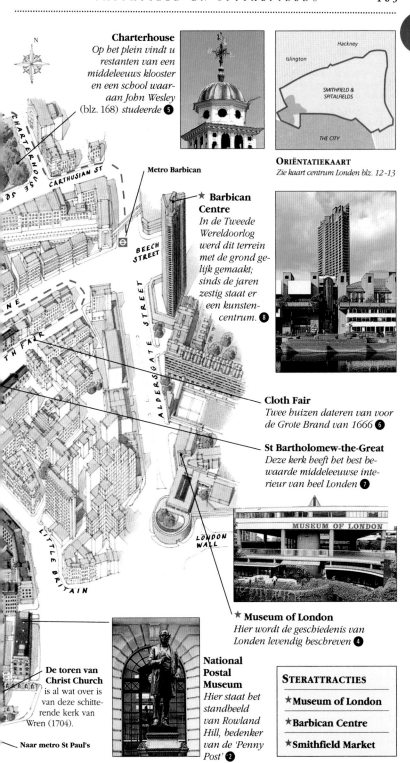

Charterhouse
Op het plein vindt u restanten van een middeleeuws klooster en een school waaraan John Wesley (blz. 168) studeerde ❺

ORIËNTATIEKAART
Zie kaart centrum Londen blz. 12-13

Metro Barbican

★ **Barbican Centre**
In de Tweede Wereldoorlog werd dit terrein met de grond gelijk gemaakt; sinds de jaren zestig staat er een kunstencentrum. ❽

Cloth Fair
Twee huizen dateren van voor de Grote Brand van 1666 ❻

St Bartholomew-the-Great
Deze kerk heeft het best bewaarde middeleeuwse interieur van heel Londen ❼

MUSEUM OF LONDON

★ **Museum of London**
Hier wordt de geschiedenis van Londen levendig beschreven ❹

De toren van Christ Church is al wat over is van deze schitterende kerk van Wren (1704).

Naar metro St Paul's

National Postal Museum
Hier staat het standbeeld van Rowland Hill, bedenker van de 'Penny Post' ❷

STERATTRACTIES

★ **Museum of London**

★ **Barbican Centre**

★ **Smithfield Market**

Smithfield Market ❶

Charterhouse St EC1. **Kaart** 6 F5.
🚇 *Farringdon, Barbican.* **Open** *5.00-9.00 uur ma-vr.*

Halverwege de 19de eeuw werd hier vee verkocht. De naam is vermoedelijk afgeleid van het egale veld ('smooth field') dat hier toen lag. Smithfield is nog steeds de belangrijkste vleesmarkt van Londen. De oude gebouwen zijn ontworpen door sir Horace Jones, de victoriaanse architect die zich in markten specialiseerde. U vindt er echter ook 20ste-eeuwse toevoegingen. Sommige pubs in deze buurt zijn geopend tijdens markturen, zodat marktkooplui en de vroeg opgestane kantoorbeambten hier een stevig ontbijt met bier kunnen wegspoelen.

Middelste toren Smithfield Market

National Postal Museum ❷

King Edward Bldg, King Edward St EC1. **Kaart** 15 A1. 📞 *0171-239 5420.* 🚇 *Barbican, St Paul's.* **Open** *9.00-16.30 uur ma-vr.* **Gesloten** *feestdagen.* 📷

Het hoofdkantoor van de posterijen staat hier op de lokatie van de oude Bull and Mouth Inn, achter St Paul's, waar in de 18de eeuw de eer-

ste postkoetsen vertrokken naar steden in het hele land. Het museum bezit een uitgebreide collectie postzegels uit verschillende landen, waaronder een aantal zeer zeldzame exemplaren. U vindt er ook voorwerpen uit postkantoren, zoals oude brievenbussen en frankeermachines.

St Botolph, Aldersgate ❸

Aldersgate St EC1. **Kaart** 15 A1. 📞 *0171-606 0684.* 🚇 *St Paul's.* **Open** *11.00-15.30 uur ma-vr.* 🕇 *13.10 do.* ♿

Een bescheiden buitenkant in laat-georgian stijl (1791) verbergt een flamboyant, in uitstekende staat verkerend interieur met delicaat pleisterwerk op het plafond, een fraaie houten orgelopstand en galerijen, en een eiken preekstoel gedragen door een palmboom. De oorspronkelijke gesloten kerkbanken staan nog wel in de galerijen, maar niet in de schepen. Een aantal gedenktekens is afkomstig uit de 14de-eeuwse kerk die op deze plaats stond. Het voormalige kerkhof aan de zijkant werd in 1880 veranderd in een aangenaam grasveld, dat Postman's Park wordt genoemd omdat het werd gebruikt door de beambten van het nabijgelegen hoofdpostkantoor. Tegen het einde van de 19de eeuw hing G.F. Watts aan een van de muren een verzameling gedenkplaten op ter nagedachtenis aan de heldhaftige daden en zelfopoffering van gewone mensen; er hangen er nog steeds een paar.

Postzegel voor de kroning in 1953; National Postal Museum

Museum of London ❹

Zie blz. 166-167.

Charterhouse ❺

Charterhouse Sq EC1. **Kaart** 6 F5. 📞 *0171-253 9503.* 🚇 *Barbican.* **Open** *april-juli: 14.15 uur wo.* **Niet gratis.** 📷 📹

De 14de-eeuwse poort aan de noordzijde van het plein leidt naar de plaats waar vroeger een kartuizer klooster stond, dat onder Hendrik VIII werd gesloten. In 1611 werd het omgebouwd tot een ziekenhuis voor arme bejaarden en een armenschool – Charterhouse genaamd – met bekende leerlingen als John Wesley *(blz. 168)*, de schrijver William Thackeray en Robert Baden Powell, de oprichter van de padvindersbeweging. Later vestigde zich hier de medische faculteit van het St Bartholomew's Hospital. Een aantal van de oudere gebouwen bleef bewaard, waaronder de kapel en een deel van de kloostergang.

Charterhouse: beeldhouwwerk

Cloth Fair ❻

EC1. **Kaart** 6 F5. 🚇 *Barbican.*

Deze charmante straat is genoemd naar de beruchte, ruige Bartholomew Fair, de belangrijkste stoffenmarkt in het middeleeuwse en elizabethaanse Engeland, die tot 1855 elk jaar in Smithfield werd gehouden. Nrs. 41 en 42 zijn fraaie 17de-eeuwse huizen met opvallende erkers; de benedenverdieping is wel gemoderniseerd. De voormalige hofdichter John Betjeman, die in 1984 overleed, woonde het grootste deel van zijn leven op nr. 43, waar nu een wijnlokaal zit dat naar hem is genoemd.

17de-eeuwse huizen: Cloth Fair

St Bartholomew-the-Great ❼

West Smithfield EC1. **Kaart** 6 F5. 📞 *0171-606 5171.* 🚇 *Barbican.* **Open** *8.30-17.00 uur (16.00 uur in de winter) ma-vr; 10.30-13.30 uur za; 14.00-18.00 uur zo.* ✝ *11.00 uur zo.* 📷 ♿ ⧉ 🎵 *Concerten.*

Deze kerk werd in 1123 gesticht door de monnik Rahere. Hij was hofnar aan het hof van Hendrik I, totdat hij een droom had waarin de H. Bartholomeus hem beschermde tegen een gevleugeld monster.
Eerst vormde de 13de-eeuwse poort de toegang tot de kerk, totdat het schip van het oudere gebouw werd afgebroken toen Hendrik VIII de priorij ophief. De poort leidt tegenwoordig van Little Britain naar de kleine begraafplaats; het poortgebouw erboven is uit een latere periode. De viering en het koor van de oorspronkelijke kerk zijn bewaard gebleven. U vindt er mooie monumenten in tudor-stijl. De schilder William Hogarth *(blz. 257)* werd hier gedoopt.
Van tijd tot tijd werden delen van de kerk voor seculiere doeleinden gebruikt. Zo waren er onder meer een smederij en een opslagplaats voor hop gevestigd. In 1725 werkte de Amerikaanse staatsman Benjamin Franklin voor een drukker in de Lady Chapel.

Barbican Centre ❽

Silk St EC2. **Kaart** 7 A5. 📞 *071-638 8891.* 📠 *0171-628 9760.* 🚇 *Barbican, Moorgate.* **Open** *9.00-20.00 uur ma-za, 12.00-23.00 uur zo, feestdagen.* ♿ *ringleiding.* 📷 ⧉ 🍴 ⧉ *Filmvoorstellingen, concerten, exposities. Zie* **Amusement** *blz. 324-337.*

De bouw van dit grote, ambitieuze woon-, handels- en kunstcomplex is een voorbeeld van stadsplanning uit de jaren zestig. De bouw begon in 1962 op een lokatie die in de Tweede Wereldoorlog door bommen werd verwoest en werd pas na bijna 20 jaar voltooid. Er staan hoge woonflats rondom een cultuurcentrum, met daarin onder andere een vijver, fonteinen en grasvelden. De oude stadsmuur maakte hier een bocht en grote delen zijn nog steeds goed zichtbaar (vooral vanuit het Museum of London – *blz. 166-167*). Het woord 'barbican' betekent

Poortgebouw van St Bartholomew

'vestingtoren boven een poort' en de bewoners zijn zeker goed verschanst tegen de boze buitenwereld. Verscholen ingangen en verhoogde paden maken dat voetgangers geen last hebben van het jachtige stadsleven, maar ondanks wegwijzers en gele lijnen op het trottoir kunt u gemakkelijk verdwalen.
Naast twee theaters en een concertzaal heeft het Barbican onder meer bioscopen, een van de grootste galeries in Londen voor reizende tentoonstellingen, een vergader- en tentoonstellingshal, een bibliotheek en een muziekschool (de Guildhall School of Music). Er bevindt zich tevens een plantenkas boven het cultuurcentrum.

De fraaie plantenkas in het Barbican Centre

Museum of London ❹

Dit museum aan de rand van het Barbican werd in 1976 geopend en biedt een fascinerend overzicht van de Londense geschiedenis. Nagebouwde interieurs en straattaferelen worden afgewisseld met oude huishoudelijke voorwerpen en vondsten uit door het museum gedane opgravingen. U vindt er ook een schaalmodel van de Grote Brand van 1666, begeleid door gesproken teksten uit het ooggetuigeverslag door Samuel Pepys.

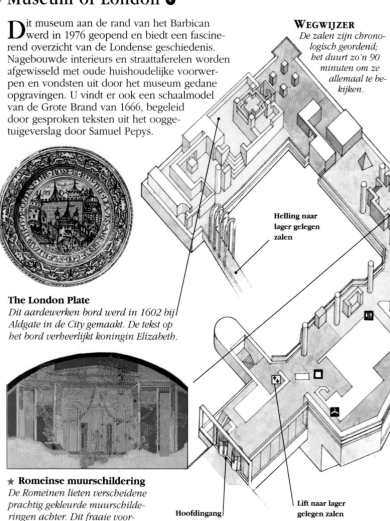

WEGWIJZER
De zalen zijn chronologisch geordend; het duurt zo'n 90 minuten om ze allemaal te bekijken.

Helling naar lager gelegen zalen

The London Plate
Dit aardewerken bord werd in 1602 bij Aldgate in de City gemaakt. De tekst op het bord verheerlijkt koningin Elizabeth.

Lift naar lager gelegen zalen

Hoofdingang

★ Romeinse muurschildering
De Romeinen lieten verscheidene prachtig gekleurde muurschilderingen achter. Dit fraaie voorbeeld uit de 2de eeuw is afkomstig uit een badhuis in Southwark.

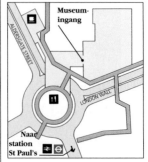

ORIËNTATIE
Het museum is gehuisvest op de plaats waar Aldersgate Street samenkomt met de London Wall. Trappen en hellingen leiden naar de ingangen.

Museum-ingang

ALDERSGATE STREET

LONDON WALL

Naar station St Paul's

STERATTRACTIES

★ **Romeinse muur-schildering**

★ **Laat-Stuart interieur**

★ **Victoriaanse winkel-puien**

SYMBOLEN

☐ Museumgebouwen

■ Verhoogde wandelpaden

☐ Wegen

TIPS VOOR DE TOERIST

London Wall EC2. **Kaart** 15 A1.
📞 *0171-600 3699.* 🚇 *Barbican,
St Paul's, Moorgate.* 🚌 *4, 6, 8,
9, 11, 15, 22, 25, 141, 279A,
501, 502, 513.* 🚆 *City
Thameslink.* **Open** *10.00-17.50
uur di-za, feestdagen ma, 12.00-
17.50 uur zo.* **Gesloten** *24-26
dec., Goede Vr.* **Niet gratis**.
📷 ♿ *inductielussen.* 🍴 💻
🎤 *Lezingen, filmvoor-
stellingen.*

**Het 20ste-eeuwse
Londen** wordt getoond
aan de hand van histori-
sche gebeurtenissen uit
deze eeuw: vrouwen-
kiesrecht, de Tweede
Wereldoorlog, de bio-
scoop en Swinging
London.

★ **Victoriaanse puien**
*De sfeer van het 19de-eeuw-
se Londen word tot leven gewekt door verscheidene
authentieke interieurs.*

Tuin

18de-eeuwse jurk
*Bewerkte zijde uit
Spitalfields werd ge-
bruikt voor het
maken van deze
jurk uit 1753, die
werd gedragen over
lichte rieten hoepels.*

**Lift naar
hoger
gelegen zalen**

SYMBOLEN

☐ Prehistorisch Londen	
☐ Romeins Londen	
☐ Vroege Middeleeuwen	☐ Victoriaans Londen
☐ Middeleeuws Londen	☐ Londen 20ste eeuw
☐ Londen 1485-1660	☐ Koets van Lord Mayor
☐ Londen 1660-1714	☐ Tijdelijke tentoonstellingen
☐ Londen 18de eeuw	☐ Geen tentoonstellingen

★ **Laat-Stuart interieur**
*Voor deze kamer wer-
den voorwerpen uit ver-
schillende laat-17de-
eeuwse woningen ge-
bruikt.*

St Giles, Cripplegate ❾

Fore St EC2. **Kaart** 7 A5. 📞 *0171-606 3630*. 🚇 *Barbican, Moorgate.* **Open** *9.30-17.30 uur ma-vr. 10.00 uur zo (3de zo. van de maand 11.30 uur familiedienst).* ♿ 📷

D eze kerk werd voltooid in 1550, overleefde de verwoestingen van de Grote Brand in 1666, maar werd in de Tweede Wereldoorlog zwaar beschadigd door een bom; alleen de toren stond nog overeind. St Giles werd in de jaren vijftig herbouwd als parochiekerk van het Barbican-complex en vormt nu een schril contrast met de moderne bouwwerken van het Barbican.

Oliver Cromwell trouwde hier in 1620 met Elizabeth Bourchier en John Milton werd hier in 1674 begraven. Ten zuiden van de kerk zijn de in goede staat verkerende Romeinse en middeleeuwse muren te bezichtigen.

Whitbread's Brewery ❿

Chiswell St EC1. **Kaart** 7 B5. 🚇 *Barbican, Moorgate.* **Niet toegankelijk** *voor het publiek.*

I n 1736 werd Samuel Whitbread op 16-jarige leeftijd leerlingbrouwer in Bedford. Toen hij in 1796 overleed, werd in zijn brouwerij in Chiswell Street (die hij in 1750 had gekocht) 909.200 liter per jaar gebrouwen. Het gebouw wordt al sinds 1976 niet meer als brouwerij gebruikt. Na een ver-

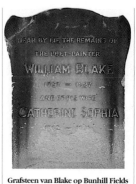

Grafsteen van Blake op Bunhill Fields

bouwing werden de kamers voor privé-doeleinden verhuurd en ze zijn derhalve niet voor het publiek toegankelijk. De Porter Tun-zaal heeft het grootste houten dak van Europa, met een breedte van 18 m. Hier vindt u het Overlord Embroidery, een borduurwerk ter nagedachtenis aan een slag in de Tweede Wereldoorlog. In zijn soort is dit het grootste ter wereld. De fraaie 18de-eeuwse gebouwen aan weerskanten van de straat verkeren in goede staat. Een gedenkplaat op de gevel van een ervan vermeldt het bezoek aan de brouwerij door George III en koningin Charlotte in 1787.

Bunhill Fields ⓫

City Rd EC1. **Kaart** 7 B4. 📞 *0181-472 3584.* 🚇 *Old St.* **Open** *april-sept.: 7.30-19.00 uur ma-vr; 9.30-16.00 uur za & zo; okt.-maart: 7.30-16.00 uur ma-vr, 9.30-16.00 uur za & zo.* **Gesloten** *25-26 dec., 1 jan.* 📷 ♿

N a de pestepidemie van 1665 *(blz. 23)* diende Bunhill Fields als begraafplaats en werd er een muur omheen gebouwd. Twintig jaar later werd het terrein toegewezen aan religieuze nonconformisten die niet meer op

een kerkhof mochten worden begraven omdat ze tijdens hun kerkdiensten weigerden gebruik te maken van het gebedenboek van de Anglicaanse Kerk.

Bezoekers aan deze aangename schaduwrijke plek met grote platanen aan de rand van de jachtige City treffen monumenten aan voor beroemde schrijvers als Daniel Defoe, John Bunyan en William Blake en tevens voor een aantal familieleden van Oliver Cromwell. John Milton schreef zijn beroemde epische gedicht *Paradise lost* toen hij, in de jaren voor zijn dood in 1674, in Bunhill Row woonde, aan de westkant van de begraafplaats.

Wesley's Chapel Leysian Centre ⓬

49 City Rd EC1. **Kaart** 7 B4. 📞 *0171-253 2262.* 🚇 *Old St.* **Huis open** *10.00-16.00 uur ma-za, 12.00-14.00 uur zo.* **Niet gratis.** 📷 ♿ 🚻 *11.00 uur zo.* 🎬 🏛 **Films, exposities.**

Wesley's Chapel

J ohn Wesley, de stichter van het Methodisme, legde de eerste steen van de kapel in 1777. Hij preekte hier tot aan zijn dood in 1791 en ligt begraven achter de kapel. Naast de kapel staat het huis waarin hij woonde. Een deel van zijn meubels, boeken en andere bezittingen is hier te bezichtigen. De kapel is spaarzaam versierd, in overeenstemming met de strenge religieuze principes van Wesley, en heeft zuilen gemaakt van scheepsmasten. Onder de kapel zit een klein museum dat een overzicht geeft van de geschiedenis van het Methodisme. Margaret Thatcher, de eerste vrouwelijke Britse premier (van 1979 tot 1990), is in deze kapel getrouwd.

St Giles, Cripplegate

Broadgate Centre ⓭

Exchange Sq EC2. **Kaart** 7 C5.
📞 *0171-588 6565.* 🚇 *Liverpool St.*
♿ 🍴 🖥 🔲

De schaatsbaan van Broadgate Centre

D it winkel- en kantoren-complex boven en rond-om station Liverpool Street (voor treinen in oostelijke richting) is een van de succesvolste recente (1985-1991) nieuwbouwprojecten in de stad. Elk plein heeft een eigen karakter. Broadgate Arena steekt het Rockefeller Center in New York naar de kroon. In de winter is dit een ijsbaan; in de zomer kunt u er terecht voor vermaak en verfrissingen. Onder de vele sculpturen in het complex bevinden zich *Rush hour group* van George Segal en *Leaping hare on Crescent and Bell* van Barry Flanagan. Vanaf Exchange Square hebt u een verrassend mooi uitzicht op het station.

Petticoat Lane ⓮

Middlesex St E1. **Kaart** 16 D1.
🚇 *Aldgate East, Aldgate, Liverpool St.* **Open** *9.00-14.00 uur zo. Zie* **Winkelen** *blz. 322-323.*

T ijdens de regering van de preutse koningin Victoria werd de naam van deze straat met zijn beroemde markt veranderd in het saaie Middlesex Street. Dit is nog steeds de officiële naam, maar de oude, afkomstig van de kledingmarkt die hier vele jaren werd gehouden, is blijven hangen en wordt nu gebruikt voor de

markt die hier en in de omringende straten elke zondagochtend wordt gehouden. Talloze pogingen om de markt te verbieden hadden geen succes. Er wordt een enorm assortiment aan goederen verkocht, maar de nadruk ligt nog steeds op kleding. Er hangt een luidruchtige en vrolijke sfeer en de marktkooplui brengen hun waren onbeschaamd aan de man. Er zijn talloze snackbars, waarvan vele traditioneel joods eten verkopen, zoals sandwiches met gezouten rundvlees en *bagels* met gerookte zalm.

Whitechapel Art Gallery ⓯

Whitechapel High St E1. **Kaart** 16 E1.
📞 *0171-522 7878.* 🚇 *Aldgate East, Aldgate.* **Open** *11.00-17.00 uur di-zo, 11.00-20.00 uur wo.* **Gesloten** *25-26 dec., 1 jan., tijdens opzetten tentoonstelling.* **Soms entreeprijs.**
♿ 📷 🍴 🖥 🔲 *Films, lezingen.*

D eze galerie uit 1901 heeft een opvallende façade van C. Harrison Townsend. Het doel van de galerie is om

Ingang naar Whitechapel Gallery

de kunst dichter bij de inwoners van Oost-Londen te brengen. Tegenwoordig geniet deze onafhankelijke galerie een uitstekende internationale reputatie voor kwalitatief hoogstaande exposities van belangrijke hedendaagse kunstenaars. Deze worden afgewisseld met tentoonstellingen die de rijke culturele historie van de bewoners in de buurt weerspiegelen. In de jaren vijftig en zestig waren hier werken te zien van Jackson Pollock, Robert Rauschenberg, Anthony Caro, John Hoyland en anderen. De galerie beschikt ook over een uitstekende boekwinkel en een café waar u in een ontspannen omgeving kunt genieten van smakelijke en gezonde kost.

De bedrijvige Petticoat Lane Market

De 18de-eeuwse Fournier Street

Christ Church, Spitalfields ⓰

Commercial St E1. **Kaart** 8 E5.
☏ *0171-247 7202.* ⊖ *Aldgate East, Liverpool St.* **Open** *ma-vr 12.00-14.45 uur, 13.00-16.00 uur op de 4de zo van de maand.* ✝ *10.30 uur zo.* ♿ **Concerten** *in juni.*

De bouw van de mooiste van de zes kerken van Nicholas Hawksmoor begon in 1714 en werd voltooid in 1729. In de victoriaanse tijd werden er enige onesthetische wijzigingen aangebracht. Christ Church domineert nog steeds de omringende straten. Het beste uitzicht op portaal en toren hebt u vanaf de westkant van Brushfield Street: vier Toscaanse zuilen die het gebogen dak van het portaal ondersteunen.
De opdracht tot de bouw werd in 1711 door het parlement gegeven in de Fifty New Churches Act. De bedoeling van deze wet was de verspreiding van het protestantse nonconformisme (in tegenstelling tot de gevestigde Engelse staatskerk) tegen te gaan. En in dit gebied, dat snel een bolwerk van hugenoten aan het worden was, moest een kerk een duidelijk signaal zijn. De protestantse hugenoten waren de religieuze vervolgingen in het katholiek Frankrijk ontvlucht en kwamen naar Spitalfields om te werken in de zijdeweverijen.
De krachtige indruk die de kerk maakt, wordt binnenin versterkt door het hoge gewelf, de robuuste houten bal-

dakijn boven de westelijke toegang, en de galerij. In de 19de eeuw gingen de weverijen in de buurt over op machinematige produktie en werd Spitalfields te arm om de kerk te onderhouden. Aan het begin van de 20ste eeuw was de kerk al enigszins vervallen en in 1958 moest hij worden gesloten wegens instortingsgevaar. De restauratie begon in 1964 en de kerk opende in 1987 weer haar deuren. Sinds 1965 dient de crypte als opvangcentrum voor ex-alcoholisten.

Fournier Street ⓱

E1. **Kaart** 8 E5. ⊖ *Aldgate East, Liverpool Street.*

De 18de-eeuwse huizen aan de noordkant van deze straat hebben zolderkamers met brede ramen, die bedoeld waren om zoveel mogelijk licht binnen te laten voor de weverijen van de Franse hugenoten die hier woonden. Zelfs nu bloeit hier en in de omliggende straten nog de textielhandel. Nu zijn het Bengalezen die achter de naaimachines zwoegen in werkruimten die even krap zijn als ten tijde van de hugenoten. De arbeidsomstandigheden gaan echter wel vooruit, en veel van de 'sweatshops' zijn verbouwd tot showrooms voor bedrijven die nu moderne fabrieken buiten het centrum hebben.

Christ Church, Spitalfields

Bengaalse lekkernijen: Brick Lane

London Jamme Masjid ⓲

Brick Lane E1. **Kaart** 8 E5.
⊖ *Liverpool St, Aldgate East.*

De plaatselijke moslims maken gebruik van dit gebouw, waarvan de geschiedenis de immigratie in dit stadsdeel weerspiegelt. Het werd in 1743 gebouwd als een kapel voor de hugenoten, werd een synagoge, diende als kapel voor de methodisten en is nu een moskee. Op de zonnewijzer boven de ingang staat de inscriptie *Umbra sumus,* 'wij zijn schaduw'.

Spitalfields Historic Buildings Trust ⓳

19 Princelet St E1. **Kaart** 8 E5.
☏ *0171-247 0971.* ⊖ *Aldgate East, Liverpool St.* **Open** *10.00-17.00 (niet vast; bel eerst).* **Exposities, theatervoorstellingen.**

Dit huis dateert uit 1719 en bezit nog steeds een zijdeweverij op zolder. In de tuin staat een synagoge uit 1870, die tot in de jaren zestig werd gebruikt. Op de balkons staan Hebreeuwse teksten en namen van weldoeners.

Brick Lane ⓴

E1. **Kaart** 8 E5. ⊖ *Liverpool St, Aldgate East, Old St.* **Markt open** *zonsopgang-12.00 zo. Zie* **Winkelen** *blz. 322-323.*

Deze laan liep vroeger tussen de steenbakkerijen door. Nu is dit het drukke centrum van de Bengaalse

De slaapkamer van Dennis Severs House

wijk in Londen. In de winkels en huizen, sommige uit de 18de eeuw, hebben talloze immigranten van verschillende nationaliteiten gewoond en gewerkt. De meeste winkels verkopen nu levensmiddelen, kruiden, zijde en sari's. De eerste Bengalen die hier woonden, waren 19de-eeuwse zeelui. In die tijd was dit hoofdzakelijk een joodse wijk en u vindt er nog steeds enkele joodse winkels, waaronder een populaire broodjeswinkel op nr. 159, die dag en nacht is geopend. 's Zondags wordt hier en in de omringende straten een grote markt gehouden in aanvulling op Petticoat Lane *(blz. 169)*. Aan de noordkant van Brick Lane staat de voormalige brouwerij Black Eagle die nu is voorzien van een prettig aandoende nieuwe vleugel.

Dennis Severs House ㉑

18 Folgate St E1. **Kaart** 8 D5.
📞 *0171-247 4013.* 🚇 *Liverpool St.*
Open *eerste zo van de maand 14.00-17.00 uur.* **Niet gratis. Avondvoorstellingen.**

Dit huis dateert uit 1724. Hier heeft de ontwerper en acteur Dennis Severs een historisch interieur nagebouwd, dat u meeneemt op een reis van de 17de tot de 19de eeuw. Het biedt volgens Severs 'een avontuur van de verbeelding, ... een bezoek aan een tijdperk in plaats van een louter een bezoek aan een huis.' De kamers zijn in feite een serie *tableaux vivants*, alsof de bewoners net even de kamer uit zijn. Er ligt gebroken brood op de borden, fruit op de

18de-eeuws portret: Dennis Severs House

schalen, er zit wijn in de glazen, de kaarsen flikkeren en u hoort het gekletter van paardehoeven op de straatstenen. Op sommige dagen kunt u hier 's avonds een uitgebreider, drie uur durend bezoek brengen, met 18de-eeuwse muziek, drankjes en hapjes. Maximaal acht mensen kunnen deze toneelavonden bijwonen. Ze zijn niet geschikt voor kinderen onder 12 jaar en moeten minstens drie weken van tevoren worden geboekt.
Om de hoek in Elder Street vindt u twee van de oudste bewaard gebleven huizenblokken in Londen (1720).

Columbia Road Market ㉒

Columbia Rd E2. **Kaart** 8 D3.
🚇 *Liverpool St, Old St, Bethnal Green.* **Open** *8.30-13.00 uur zo. Zie* **Winkelen** *blz. 322-323.*

Een bezoek aan deze bloemen- en plantenmarkt is een van de aangenaamste dingen die u op een zondagochtend kunt doen, of u hier nu wel of niet goedkope exotische specerijen wilt kopen. Deze markt te midden van kleine victoriaanse winkeltjes is een levendige, zoet geurende en kleurrijke gebeurtenis. Naast de kraampjes zijn er talloze winkeltjes, die onder meer zelfgemaakt brood, boerenkazen, interessante voorwerpen en antiek verkopen. Er is ook een Spaanse delicatessenwinkel en een uitstekende snackbar die broodjes verkoopt en op kille winterochtenden een welkome mok warme chocolademelk.

Bloemenmarkt op Columbia Road

SOUTHWARK EN BANKSIDE

Southwark bood vroeger een ontsnappingsmogelijkheid voor het leven in de City, waar veel vormen van amusement waren verboden. Borough High Street zat vol met pubs en de nog steeds zichtbare middeleeuwse binnenplaatsen geven aan waar ze stonden. Langs de rivier zaten talloze bordelen, en tegen het eind van de 16de eeuw werden overal theaters en bierhuizen gevestigd. Het gezelschap

Shakespeare-raam in Southwark Cathedral

van Shakespeare speelde in het Globe Theatre en tevens in het nabijgelegen Rose Theatre. Het paleis van de bisschop van Winchester – waarvan een prachtig roosvenster bewaard is gebleven – was berucht vanwege de Clink-gevangenis. De havens zijn tegenwoordig gesloten en langs de rivier loopt nu een aangename promenade, waarvan u een mooi uitzicht hebt over de rivier en de City.

BEZIENSWAARDIGHEDEN IN HET KORT

Historische straten en gebouwen
Hop Exchange **2**
The Old Operating Theatre **5**
Hay's Galleria **6**
St Olave's House **7**
Cardinal's Wharf **11**

Musea
Clink Exhibition **8**
Shakespeare's Globe Museum **10**

Bankside Gallery **12**
London Dungeon **14**
Design Museum **15**

Kathedralen
Southwark Cathedral **1**

Pubs
George Inn **4**
The Anchor **9**

Markten
Borough Market **3**
Bermondsey Antiques Market **13**

Historische schepen
HMS Belfast **16**

```
0 meter        500
0 yard         500
```

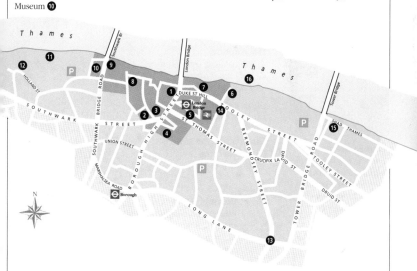

BEREIKBAARHEID
Deze buurt is bereikbaar met de metrolijn Northern. Bijna elke trein van Charing Cross of Cannon Street stopt bij London Bridge. Met de bus is het ingewikkeld, omdat u moet overstappen.

ZIE OOK
• *Plattegrond*, kaart 14, 15, 16
• *Accommodatie* bla. 276-277
• *Restaurants* blz. 292-294

SYMBOLEN
Stratenkaart
Metrostation
Treinstation
Parkeerplaats

Uitzicht vanaf de promenade langs de Thames

Onder de loep: Southwark

V an de Middeleeuwen tot de 18de eeuw was Southwark een populaire wijk voor ongeoorloofd vermaak, waaronder het elizabethaanse theater. Het lag net ten zuiden van de Thames en bevond zich buiten de jurisdictie van de City. De 18de en de 19de eeuw brachten de havens, pakhuizen en fabrieken; bovendien kwamen er spoorlijnen. Tegenwoordig staan er veel kantoorgebouwen.

Southwark Bridge
(1912) verving een brug
uit 1819.

★ **Shakespeare's Globe Museum**
Dit museum staat vlak bij de voormalige lokatie van het Globe Theatre (prent uit 1612) ❿

Hop Exchange
Dit was het belangrijkste handelscentrum voor hop. Het dient nu als kantoorgebouw ❷

The Anchor
Al eeuwenlang een bekende pub; mooi uitzicht over de Thames ❾

Clink Exhibition
Dit museum op de lokatie van een oude gevangenis blikt terug op het kleurrijke verleden van Southwark ❽

Borough Market
Hier wordt al sinds 1276 een markt gehouden. Tegenwoordig wordt er groente en fruit verkocht ❸

Het War Memorial
herdenkt de gevallenen uit de Eerste Wereldoorlog. Het gedenkteken werd in 1924 in Borough Street opgericht.

★ **George Inn**
Dit is de enige overgebleven herberg met lerijen in Londen* ❹

Gezicht op Southwark vanaf de Thames

London Bridge was, in verschillende gedaanten, de enige brug over de Thames van de Romeinse tijd tot 1750. De huidige brug uit 1972 verving die uit 1831, die nu in het Amerikaanse Arizona ligt.

★ **Southwark Cathedral**
Ondanks vele verbouwingen zijn delen van de kathedraal nog middeleeuws ❶

St Olave's House
Deze art deco-kantoren voor Hay's Wharf werden in 1932 gebouwd ❼

Metro London Bridge

Old St Thomas's Operating Theatre
De bloederige tijden van chirurgie zonder verdoving komen hier opnieuw tot leven ❺

ORIËNTATIEKAART
Zie kaart centrum Londen blz. 12-13

SYMBOOL

‒ ‒ ‒ Aanbevolen route

0 meter	100
0 yard	100

STER ATTRACTIES

★ **Southwark Cathedral**

★ **George Inn**

★ **Shakespeare's Globes Museum**

Southwark Cathedral ❶

Montague Close SE1. **Kaart** 15 B3.
📞 *0171-407 2939.* 🚇 *London Bridge.*
Open *7.30-18.00 uur ma-vr,*
8.30-18.00 uur za en zo.
✝ *11.00 uur zo.* 🎵 **Concerten.**

Deze kerk werd pas een kathedraal in 1905. Sommige delen dateren wel al uit de 12de eeuw, toen de kerk aan een priorij vastzat. Vooral de grafmonumenten zijn belangwekkend. De beeltenis van een ridder dateert uit de 13de eeuw. Een ander glansstuk is de graftombe uit 1408 van de dichter John Gower, een tijdgenoot van Geoffrey Chaucer *(blz. 39)*. Het gedenkteken voor William Shakespeare dateert uit 1912 en staat voor een reliëf van het 17de-eeuwse Southwark. Edmund Shakespeare, de broer van William, ligt hier begraven, evenals Philip Henslowe, die in de tijd van Shakespeare de leiding had van het Rose Theatre. John Harvard, de stichter van de Amerikaanse Harvard University, werd hier in 1607 gedoopt; er is tevens een kapel naar hem genoemd.

Shakespeare-raam in de kathedraal

Hop Exchange ❷

Southwark St SE1. **Kaart** 15 B4. 🚇 *London Bridge.* **Niet toegankelijk** *voor het publiek.*

Southwark lag vlak bij Kent, waar hop werd verbouwd, en was derhalve een uitstekende plaats om hop te verhandelen. Dit uit 1866 stammende gebouw was het cen-

De George Inn is eigendom van de National Trust

trum van deze handel en bezit nog steeds timpanen met gebeeldhouwde taferelen van de hopoogst en ijzeren poorten met een hopmotief.

Borough Market ❸

Stoney St SE1. **Kaart** 15 B4.
🚇 *London Bridge.* **Open** *24.00-10.00 uur ma-za.*

Deze kleine groothandelsmarkt voor groente en fruit strekt zich in een L-vorm uit onder de spoorlijnen. Het is de opvolger van een middeleeuwse markt op London Bridge, die in 1276 naar Borough High Street werd verplaatst om opstoppingen te voorkomen. Om dezelfde reden werd de markt in 1756 wederom verplaatst naar de huidige lokatie. De toekomst van de markt is onzeker.

George Inn ❹

77 Borough High St SE1. **Kaart** 15 B4.
📞 *0171-407 2056.*
🚇 *London Bridge, Borough.*
Open *11.00-23.00 uur ma-za,*
12.00-23.00 uur zo. 🍴 *bel eerst.*
🍴 *Zie* **Restaurants en pubs** *blz. 308-309.*

Dit 17de-eeuwse bouwwerk is het enige overgebleven voorbeeld van een traditionele herberg met galerijen voorzien van een galerijen voorziene herberg voor postkoetsen in Londen. Het werd na een brand in 1676 herbouwd

in middeleeuwse stijl. Oorspronkelijk waren er drie vleugels rond een binnenhof waar in de 17de eeuw toneelstukken werden opgevoerd. In 1889 werden de noordelijke en oostelijke vleugels gesloopt om plaats te maken voor een spoorweg; slechts één vleugel bleef gespaard. De herberg is nu eigendom van de National Trust. Op de binnenplaats worden in de zomer soms toneelstukken en volksdansen opgevoerd.

The Old Operating Theatre ❺

9a St Thomas St SE1. **Kaart** 15 B4.
📞 *0171-955 4791.* 🚇 *London Bridge.* **Open** *10.00-16.00 uur dag.*
Gesloten *Kerstweek-Nieuwjaar, feestdagen.* **Niet gratis.**

Vanaf de stichting in de 12de eeuw tot aan de verhuizing in 1862 stond hier het St Thomas's Hospital, een van de oudste ziekenhuizen in Groot-Brittannië. Het grootste gedeelte van de gebouwen werd toen gesloopt om plaats te maken voor de spoorweg.

Chirurgie in de 19de eeuw

De operatiezaal voor vrouwen (The Old Operating Museum and Herb Garret) bleef gespaard. Deze zaal bevond zich niet in de hoofdgebouwen, maar in een zolderkamer boven de kerk van het ziekenhuis (tegenwoordig de kapittelzaal van Southwark Cathedral). In de jaren vijftig werd de zaal opnieuw ingericht zoals hij er in de 19de eeuw moet hebben uitgezien. U kunt zien hoe patiënten werden geblinddoekt, een prop in de mond kregen en aan de operatietafel werden vastgebonden. Een doos zaagsel werd gebruikt om het bloed op te vangen.

Hay's Galleria ❻

Tooley St SE1. **Kaart** 15 C3.
🚇 London Bridge.

Het atrium van de Galleria

In wat vroeger Hay's Wharf was, vindt u nu een fraai ontworpen complex met exclusieve winkels, restaurants, kantoren en woningen. De kade werd in 1857 door Thomas Cubitt gebouwd en gebruikt voor het uitladen van thee en allerlei andere handelsartikelen. Hay's Wharf was een van de eerste plaatsen waar koelhuizen werden gebruikt voor de vanaf 1867 geïmporteerde Nieuwzeelandse kaas en boter. De voormalige warenhuizen worden nu overdekt door een glazen dak op hoge ijzeren zuilen en u vindt er een grote verscheidenheid

St Olave's House, Hay's Wharf: een prachtig art deco-gebouw

aan eet- en drinkgelegenheden, kantoren en een aantal winkels. Er zijn ook marktkraampjes, straatartiesten en in het midden staat *The Navigators*, de intrigerend bewegende sculptuur van David Kemp.
Hay's Galleria is nu het middelpunt van London Bridge City, het omringende gebied met nieuwe kantoorgebouwen.

St Olave's House ❼

Tooley St SE1. **Kaart** 15 C3.
🚇 London Bridge.

Dit vernieuwende kantoorgebouw van H.S. Goodhart-Rendel was na de voltooiing in 1932 nogal omstreden. Tegenwoordig beschouwt men dit nauwgezet gerestaureerde art deco-gebouw als een van de fraaiste in Londen. Het was het hoofdkantoor van Hay's Wharf, waarvan de naam in dikke gouden letters op de voorgevel staat. Hieronder symboliseren drie sculpturen van Frank Dobson kapitaal, arbeid en handel. Ze worden omringd door kleinere reliëfs.

Clink Exhibition ❽

1 Clink St SE1. **Kaart** 15 B3.
📞 0171-403 6515. 🚇 London Bridge. **Open** 10.00-18.00 uur dagelijks, soms tot 21.00 uur (bel eerst). **Gesloten** 25 dec. **Niet gratis.**
📷 📹 bel eerst.

The Clink was in de volksmond de benaming voor de gevangenis naast Winchester House, een groot

paleis waarin van de 12de eeuw tot 1626 de bisschoppen van Winchester woonden. In de 16de eeuw werden hier ketterse protestanten en katholieken gevangen gezet. Het omringende gebied viel onder de jurisdictie van de bisschop in plaats van onder de City of London en werd 'The Liberty of the Clink' genoemd. Het was de rosse buurt van Londen.
Dit was één van de vijf gevangenissen in Southwark en de eerste waarin regelmatig vrouwen werden opgesloten. Ongetwijfeld waren dit vaak prostituées die de regels en hun beroep hadden overtreden. Naast een overzicht van de geschiedenis van de prostitutie is er een tentoonstelling over de Clink. Hier stond ook de laatste wapensmederij van Groot-Brittannië waar nog wapens en wapenrustingen werden gemaakt en gerepareerd.
In de 'liberty' bevond zich ook het Globe Theatre *(blz. 178)*, waar veel van Shakespeare's stukken werden opgevoerd. Dit was een rond, houten theater waarvan de naam afkomstig was van het uithangbord met daarop Hercules die de wereld op zijn schouders draagt. Shakespeare was hier aandeelhouder en acteur. Van hem zijn hier onder meer opgevoerd *Romeo en Julia*, *Koning Lear*, *Othello* en *Macbeth*. Het theater, dat nabij de oorspronkelijke plek is gereconstrueerd, is in juni 1997 heropend.
Van Winchester House is alleen een roosvenster overgebleven. Het werd ontdekt toen in 1814 een brand uitbrak.

Replica van 17de-eeuwse helm, gemaakt in de Clink

The Anchor ❾

34 Park St SE1. **Kaart** 15 A3.
📞 0171-407 1577.
🚇 London Bridge.
Open dag. 11.30-23.00 uur.

Uithangbord van The Anchor

Dit is een van de beroemdste aan het water gelegen pubs van Londen. Hij dateert van na de brand van 1676, die, net als de Grote Brand aan de andere kant van de rivier 10 jaar eerder (blz. 22-23), dit gebied in vlammen deed opgaan. De herberg stond vroeger in verbinding met een brouwerij aan de andere kant van de straat die eigendom was van Henry Thrale, een goede vriend van dr Samuel Johnson (blz. 140). Dr Johnson bezocht de openbare verkoop van de brouwerij en moedigde de bieders aan met een in het Engeland bekend geworden uitspraak: 'De mogelijkheid om nog rijker te worden dan in je hebzuchtigste dromen.'
Vanaf een terras aan de Thames hebben bezoekers van de pub een fraai uitzicht over de rivier terwijl ze op een mooie zomeravond genieten van hun drankje.

Shakespeare's Globe Museum ❿

New Globe Walk SE1. **Kaart** 15 A3.
📞 0171-620 0202. 🚇 London Bridge. **Open** 10.00-17.00 uur dag. **Gesloten** Kerstweek, feestdagen. **Niet gratis.** 📷 📹 🚻 **Concerten, voorstellingen**.

Het museum is ondergebracht in een pakhuis op de plaats van het Davies Amphitheatre, waar in de 17de eeuw beren tegen honden moesten vechten. Het museum heeft een tentoonstelling over deze gewelddadige vormen van tijdverdrijf en tevens over de theaters die hier overal in de buurt stonden.
In het Globe Theatre traden de spelers op voor wie William Shakespeare zijn toneelstukken schreef. Het is iets ten oosten van de oorspronkelijke lokatie nagebouwd. Het museum geeft een interessant overzicht van de geschiedenis van zowel het Globe Theatre als het Rose Theatre, waar Shakespeare ook optrad.
Af en toe worden er in het museum lunchvoorstellingen gegeven met onder meer poëzie, jazz en elizabethaanse muziek.

Davies Amphitheatre, op de lokatie van Shakespeare's Globe Museum

Cardinal's Wharf ⓫

SE1. **Kaart** 15 A3. 🚇 London Bridge.

Een kleine groep 17de-eeuwse huizen staat hier in de schaduw van een verlaten elektriciteitscentrale. Een gedenkplaat vermeldt dat Christopher Wren hier woonde tijdens de bouw van St Paul's Cathedral (blz. 148-151). Hij kon de vorderingen van het werk met eigen ogen zien.

Bankside Gallery ⓬

48 Hopton St SE1. **Kaart** 14 F3.
📞 0171-928 7521. 🚇 Blackfriars, Waterloo. **Open** 10.00-20.00 uur di, 10.00-17.00 wo-vr, 13.00-17.00 uur zo (ook za 's middags bij nieuwe tentoonstellingen). **Gesloten** Kerstweek-2 jan., Pasen. **Niet gratis.** ♿ 🚻 **Lezingen**.

Uitzicht vanaf de Founders' Arms

In deze moderne galerie aan het water zijn de Royal Watercolour Society en de Royal Society of Painter-Printmakers gevestigd. De permanente collectie is niet te bezichtigen, maar er zijn wisseltentoonstellingen van aquarellen en gravures. De uitstekende gespecialiseerde winkel verkoopt boeken en materialen.
U hebt een ongeëvenaard uitzicht op St Paul's Cathedral vanuit de Founders' Arms, die is gebouwd op de plaats van een gieterij waar de klokken van St Paul's werden gegoten. Ten zuiden hiervan vindt u in Hopton Street een paar hofjes uit 1752.

Bermondsey Antiques Market ⓭

(New Caledonian Market) Long Lane en Bermondsey St SE1. **Kaart** 15 C5. 🚇 *London Bridge, Borough.* **Open** *5.00-15.00 vr, sluiten begint rond middaguur.* Zie **Winkelen** *blz. 322-323.*

Bermondsey Market is een van de oudste antiekmarkten in Londen en werd gevestigd in de jaren zestig toen op de lokatie van de oude Caledonian Market in Islington nieuwbouw verscheen. Elke vrijdag bij het ochtendgloren verhandelen hier de serieuze antiquairs hun laatste aanwinsten. De kranten berichten af en toe dat hier een lang vermist meesterwerk voor een appel en een ei wordt verkocht. Verscheidene nabijgelegen antiekzaken zijn de hele week geopend. De interessantste zitten in een rij oude pakhuizen aan Tower Bridge Road, met hoog opgestapeld meubilair en snuisterijen van uiteenlopende ouderdom, conditie en prijs.

Antiekkraam op Bermondsey Market

London Dungeon ⓮

Tooley St SE1. **Kaart** 15 C3. 📞 *0171-403 7221.* 📠 *0171-403 0606.* 🚇 *London Bridge.* **Open** *april-sept.: 10.00-18.30 uur dagelijks (toegang tot 17.30 uur); okt.-maart: 10.00-17.30 uur dagelijks (toegang tot 16.30 uur).* **Gesloten** *24-26 dec.* **Niet gratis.** ♿ 🖥 🚻

Dit is in feite een uitgebreide versie van de martelkamer uit Madame Tussaud's *(blz. 220).* De kerker geeft een overzicht van de bloederigste gebeurtenissen uit de Britse geschiedenis. Het is uitsluitend de bedoeling om bezoekers zoveel mogelijk angst aan te jagen, en er wordt overvloedig geschreeuwd en gekreund als druïden een mensenoffer brengen bij Stonehenge, Anna Boleyn wordt onthoofd en een hele zaal met mensen onder ondraaglijke pijnen sterft tijdens de pestepidemie uit 1665. De ruimte tussen deze taferelen wordt opgevuld met martelingen, moorden en hekserij.

Sculptuur van Paolozzi bij het Design Museum

Design Museum ⓯

Butlers Wharf, Shad Thames SE1. **Kaart** 16 E4. 📞 *0171-378 6055.* 🚇 *Tower Hill, London Bridge.* **Open** *11.30-18.00 uur ma-vr, 12.00-18.00 uur za, zo.* **Gesloten** *24-26 dec., 1 jan.* **Niet gratis.** ♿ 🖥 🚻

Dit was het eerste museum ter wereld dat geheel gewijd was aan de vormgeving van alledaagse industrieel geproduceerde voorwerpen. De collectie biedt een blik op meubels, kantoormeubilair, auto's, radio's en tv's en huishoudelijke apparatuur uit het verleden. Tijdelijke tentoonstellingen van internationaal design in de Review- en de Collections-zaal geven een voorproefje van wat in de toekomst alledaags zal worden. Op de eerste verdieping van het museum vindt u het Blueprint Café, een restaurant vanwaaruit u een schitterend uitzicht hebt.

HMS Belfast ⓰

Morgan's Lane, Tooley St SE1. **Kaart** 16 D3. 📞 *0171-407 6434.* 🚇 *London Bridge, Tower Hill.* 🚢 *Tower Pier.* **Open** *1 maart-31 okt.: 10.00-18.00 uur dagelijks; 1 nov-1 maart: 10.00-17.00 uur dagelijks.* **Gesloten** *24-26 dec., 1 jan.* **Niet gratis.** ♿ *behalve café.* 📷 🎦 🖥 🚻

Sinds 1971 dient deze kruiser van de Royal Navy als drijvend marinemuseum. Een deel is ingericht zoals het schip was toen het in 1943 meehielp om de Duitse kruiser *Scharnhorst* tot zinken te brengen. U kunt zien hoe het leven aan boord was tijdens de Tweede Wereldoorlog; ook zijn er voorwerpen over de geschiedenis van de marine.

SOUTH BANK

In de nasleep van het Festival of Britain in 1951 rees rond de pasgebouwde Royal Festival Hall het South Bank-cultuurcentrum uit de grond. Er kwam kritiek op de architectuur van sommige gebouwen, maar de wijk functioneert goed en 's middags en 's avonds zijn de straten vaak vol met cultuurliefhebbers. De aangrenzende wijken Waterloo en Lambeth zijn beide nuchtere arbeidersbuurten. Lambeth wordt geroemd in het liedje *The Lambeth Walk* uit de musical *Me and my girl* (jaren dertig). Het poortgebouw van Lambeth Palace, aan de zuidelijk rand van de buurt, is een van de fraaiste tudor-bouwwerken in Londen.

Wegwijzer bij het South Bank Centre

BEZIENSWAARDIGHEDEN IN HET KORT

Historische straten en gebouwen
County Hall **6**
Lambeth Palace **9**
Waterloo Station **12**
Gabriel's Wharf **14**

Musea
Museum of the Moving Image **2**
Hayward Gallery **3**
Florence Nightingale Museum **7**
Museum of Garden History **8**
Imperial War Museum **10**

Kerken
St John's, Waterloo Road **13**

Tuinen
Jubilee Gardens **5**

Theaters en Concertzalen
National Theatre **1**
Royal Festival Hall **4**
Old Vic **11**

Pubs
Doggett's Coat and Badge **15**

BEREIKBAARHEID
De metrolijnen Northern en Bakerloo gaan via Waterloo Station, waar ook een groot treinstation is. Een paar bussen, zoals nrs. 12, 53 en 176, gaan via Oxford Circus en Trafalgar Square en stoppen ten zuiden van de rivier, niet ver van het South Bank Centre.

ZIE OOK
- **Plattegrond**, kaarten 13, 22
- **Accommodatie** blz. 276-277
- **Restaurants** blz. 292-294

SYMBOLEN
	Stratenkaart
Ø	Metrostation
≢	Treinstation
P	Parkeerplaats

Promenade langs de Thames bij het South Bank Centre

Onder de loep: South Bank Centre

Oorspronkelijk was dit een buurt met kaden en fabrieken, die in de Tweede Wereldoorlog zwaar werd beschadigd door bommen. In 1951 werd de buurt gekozen als lokatie voor het Festival of Britain *(blz. 30)*, 100 jaar na de Wereldtentoonstelling van 1851 *(blz. 26-27)*. De Royal Festival Hall is het enige bouwwerk uit 1951 dat nog bestaat, maar nu is dit het centrum van de Londense cultuur, met centra voor theater, muziek en film, en een museum.

Gedenkteken voor de Internationale Brigade uit de Spaanse Burgeroorlog

Naar de Strand

Het National Film Theatre werd opgericht in 1953 voor het vertonen van historische films *(blz. 328-329)*.

Festival Pier

In de Queen Elizabeth Hall worden intiemere concerten gegeven dan in de Festival Hall. De Purcell Room is bestemd voor kamermuziek *(blz. 330-331)*.

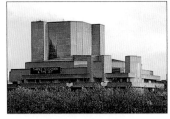

★ Royal National Theatre
In de drie zalen worden allerlei soorten toneelstukken opgevoerd, van klassiek tot zeer modern ❶

Hayward Gallery
Het betonnen interieur van dit belangrijke museum past goed bij de moderne kunst ❸

★ Royal Festival Hall
Het London Philharmonic is een van de vele orkesten die hier in het middelpunt van het South Bank Centre optreden ❹

Hungerford Bridge werd in 1864 gebouwd voor voetgangers en treinen naar Charing Cross.

STERATTRACTIES

★ Museum of the Moving Image

★ Royal National Theatre

★ Royal Festival Hall

SYMBOLEN

– – – Aanbevolen route

0 meter 100
0 yard 100

★ Museum of the Moving Image
Dit overzicht van de filmgeschiedenis is geschikt voor het hele gezin ❷

Waterloo Bridge werd in 1945 voltooid naar een ontwerp van sir Giles Gilbert Scott en verving een brug uit 1817.

The struggle is my life is een bronzen buste van Nelson Mandela. Het beeld werd gemaakt door Ian Walters en ont-huld in 1985.

'THE STRUGGLE IS MY LIFE'
NELSON MANDELA

ORIËNTATIEKAART
Zie kaart centrum Londen blz. 12-13

Het Shell Building, hoofdkan-toor van de Nederlands-Britse oliemaatschappij, werd voltooid in 1963. De meningen over dit bouwwerk zijn verdeeld.

Jubilee Gardens
Dit park werd aange-legd in 1977 ter ere van het zilveren regeringsju-bileum van koningin Elizabeth en zit vaak vol picknickers ❺

County Hall
Een leeuw uit 1837 (de datum staat op een poot) bewaakt dit verlaten ge-meentehuis ❻

Naar metro Westminster

De strakke betonnen façade van de Hayward Gallery

Royal National Theatre ❶

South Bank Centre SE1. **Kaart** 14 D3.
🕻 0171-928 2252. 🚇 Waterloo.
Open 10.00-23.00 uur ma-za. **Gesloten** 24-25 dec. 🚫 tijdens voorstellingen. ♿ 🍴 📷 🛍 **Concerten** 18.00
uur, **tentoonstellingen**. Zie **Amusement** blz. 326-327.

Zelfs als u geen toneelstuk wilt zien, is dit goed uitgeruste complex een bezoek-
je waard. Dit gebouw van sir
Denys Lasdun werd in 1976
geopend na 200 jaar redetwis-
ten of en waar een nieuw
theater moest worden ge-
bouwd. Het toneelgezelschap
werd in 1963 opgericht door
Laurence Olivier, de belangrijkste 20ste-eeuwse acteur
van Groot-Brittannië. Het
grootste van de drie theaters
is naar hem vernoemd.

Museum of the Moving Image ❷

South Bank Centre SE1. **Kaart** 14 D3.
🕻 0171-401 2636. 🚇 Waterloo. **Open**
10.00-18.00 uur dagelijks (toegang
tot 17.00 uur). **Gesloten** 24-26 dec.
Niet gratis. ♿ 🍴 📷 🛍 Optredens, lezingen, filmvoorstellingen.

Dit museum (MOMI) is boeiend voor zowel ouders als kinderen en een on-
misbare bron van informatie
voor televisie- en filmstuden-
ten. Het geeft een overzicht
van de filmgeschiedenis vanaf
de eerste experimenten met
toverlantaarns, lenzen en ca-

mera's. De tentoonstelling
komt tot leven met de intro-
ductie van de stomme film. Er
wordt aandacht besteed aan
Charlie Chaplin, die werd geboren in het nabijgelegen
Kennington (blz. 37), door
middel van filmfragmenten en
voorwerpen uit zijn tijd. Bezoekers kunnen kijken naar
historische scènes uit films in
verschillende genres, waaronder de Franse en de Russische
cinema, documentaires en
bioscoopjournaals. Acteurs,
vermomd als sterren, cowboy-

Een 'Dalek-robot' in het MOMI

helden en zaalwachters, pla-
gen de bezoekers en proberen hen te verlokken tot het
meespelen in filmscènes. U
kunt worden geïnterviewd in
een studio, uw eigen cartoons
tekenen, het nieuws lezen en
uzelf zien vliegen boven de
Thames. U moet minstens
twee uur uittrekken voor een
bezoek aan dit museum.

Hayward Gallery ❸

South Bank Centre SE1. **Kaart** 14 D3.
🕻 0171-928 3144. 🚇 Waterloo.
Open 10.00-20.00 uur di-wo,
10.00-19.00 uur do-ma.
Gesloten 24-26 dec., 1 jan., Goede
Vr, May Day, tussen exposities.
Niet gratis. 📷 ♿ 🛍 🍴 🛍

De Hayward Gallery is een van de belangrijkste lokaties voor grote exposities in
Londen. Het hoekige betonnen exterieur is modern en in
sommige ogen al sinds de
opening in oktober 1968
wordt erop aangedrongen om
het gebouw te slopen of
grondig te wijzigen.
Er wordt in het Hayward
zowel klassieke als eigentijdse kunst getoond, maar vooral het werk van Britse schilders is goed vertegenwoordigd. In de weekends moet u
misschien in de rij staan.

Royal Festival Hall ❹

South Bank Centre SE1. **Kaart** 14 D4.
🕻 0171-928 3191. 🚇 Waterloo. **Open**
10.00-22.00 uur dagelijks. **Gesloten**
25 dec. 🚫 tijdens voorstellingen.
♿ 🍴 📷 🛍 lezingen voor concerten, tentoonstellingen, gratis
concerten. Zie **Amusement** blz. 330.

Dit was het enige bouw-
werk van het Festival of
Britain (blz. 30) dat bedoeld
was om te blijven staan. Het
ontwerp van sir Robert
Matthew en sir Leslie Martin
was het eerste grote openbare gebouw in Londen na de
Tweede Wereldoorlog en de
uitstraling ervan was zo groot
dat veel van de grote kunst-
centra van de stad eromheen
zijn gaan zitten. Het interieur
is altijd al geprezen. De ko-
lossale trappen in de hal zijn

tegelijk majestueus en functioneel. Op het podium hebben grootheden gestaan als de celliste Jacqueline du Pré en de dirigent Georg Solti. Het orgel werd geplaatst in 1954. Op de benedenverdieping bevinden zich vele cafés, bars, en muziek- en boekwinkels. U kunt tevens letterlijk een kijkje achter de schermen nemen.

Poster van het Festival of Britain

Jubilee Gardens ❺

South Bank SE1. **Kaart** 14 D4.
🚇 Waterloo.

Dit aangename plekje aan de rivier werd in 1977 aangelegd om het zilveren regeringsjubileum van koningin Elizabeth te vieren. 's Zomers komen hier vaak ambtenaren hun sandwiches eten en worden er concerten en festivals gehouden. Er staat een monument voor de Internationale Brigade die in de Spaanse Burgeroorlog vocht (1936-1939).

County Hall ❻

York Rd SE1. **Kaart** 13 C4.
🚇 Waterloo, Westminster. **Niet toegankelijk** voor het publiek.

Dit grote, lege gebouw was vroeger het hoofdkantoor van de oude London City Council (LCC). De bouw begon in 1912, maar werd onderbroken door twee wereldoorlogen en pas voltooid in 1958. Vanaf de rivier hebt u het beste uitzicht op de halfronde zuilengalerij aan de voorzijde. De LCC werd in 1965 de Greater London Council, maar in 1986 werd deze opgeheven en werden zijn bevoegdheden opgesplitst. De toekomst van County Hall is nu onzeker.

Florence Nightingale Museum ❼

Lambeth Palace Rd 2 SE1. **Kaart** 14 D5.
📞 0171-620 0374. 🚇 Waterloo, Westminster. **Open** 10.00-16.00 uur di-za, feestdagen. **Gesloten** 24-26 dec., 1 jan, Goede Vr, Eerste Paasdag. **Niet gratis**. 🚫 ♿ 📷 **Video's.**

Deze vastberaden vrouw sprak tot de verbeelding van de natie als de 'Lady with the lamp', die de gewonde soldaten verpleegde tijdens de Krimoorlog (1853-1856). Zij stichtte in 1860 ook de eerste verpleegopleiding in Groot-Brittannië aan het oude St Thomas's Hospital. Het museum, enigszins verscholen nabij de ingang van het nieuwe St Thomas's

Florence Nightingale

Hospital, is zeker interessant. Het vertelt het fascinerende levensverhaal van Florence Nightingale en geeft een helder overzicht van haar leven en de verbeteringen die zij aanbracht in de gezondheidszorg tot aan haar dood op 90-jarige leeftijd in 1910.

Museum of Garden History ❽

Lambeth Palace Rd SE1. **Kaart** 21 C1.
📞 0171-261 1891. 🚇 Waterloo, Vauxhall, Lambeth North, Westminster.
Open 10.30-16.00 uur ma-vr, 10.30-17.00 uur zo.
Gesloten 2de zo dec.-1ste zo maart.
📷 klein bedrag. ♿ 🍴 🚻
Lezingen, filmvoorstellingen.

Dit museum is gehuisvest in en rond de 14de-eeuwse toren van St Mary's Church en werd in 1979 geopend. Op het kerkhof vindt u de tombe van vader en zoon John Tradescant. Beiden waren hoveniers voor de 17de-eeuwse vorsten en verrichtten pionierswerk door planten uit Noord- en Zuid-Amerika, Rusland en Europa te verzamelen. Hun collectie zeldzame planten lag ten grondslag aan het Ashmolean Museum in Oxford.
Het museum geeft een overzicht van de geschiedenis van tuinieren in Groot-Brittannië. Buiten in een siertuin staan planten uit de tijd van de familie Tradescant. Er is een winkel met tuinartikelen.

County Hall: op zoek naar een nieuwe bestemming

Poortgebouw Lambeth Palace

Lambeth Palace **9**

SE1. **Kaart** 21 C1. Lambeth North, Westminster, Waterloo, Vauxhall. **Niet toegankelijk** voor het publiek.

Dit was de Londense residentie van de aartsbisschop van Canterbury, al 800 jaar lang de hoogste geestelijke van de Church of England. Delen van de kapel en de crypte dateren uit de 13de eeuw, maar een groot deel van de rest van het gebouw is van recentere datum. Het is een aantal keren gerestaureerd, de laatste keer door Edward Blore in 1828-1834. Het poortgebouw dateert echter uit 1485 en is een van de mooiste bouwwerken aan de Thames.
Totdat de eerste Westminster Bridge werd gebouwd, was het paardenveer naar Millbank de meest gebruikte manier om de rivier over te steken. De opbrengst ging naar de aartsbisschop, die een schadeloosstelling kreeg toen in 1750 de brug werd geopend.

Imperial War Museum **10**

Lambeth Rd SE1. **Kaart** 22 E1.
0171-416 5000. 0171-820 1683. Lambeth North, Elephant & Castle. **Open** 10.00-18.00 uur dagelijks. **Gesloten** 24-26 dec. **Gratis** na 16.30 uur. **Filmvoorstellingen, lezingen.**

Ondanks de twee enorme kanonnen bij de hoofdingang is dit museum niet alleen maar krijgshaftig van aard. Er zijn inderdaad reusachtige tanks, artillerie, bommen en vliegtuigen te bezichtigen, maar de fascinerendste bezienswaardigheden in het museum hebben meer te maken met de sociale effecten van de twee wereldoorlogen en hun invloed op het leven van de burgerbevolking dan met de strijd zelf. Er zijn overzichten van voedselrantsoenering, voorzieningen tegen luchtaanvallen, censuur en het verbeteren van het moreel. De kunst is ook goed vertegenwoordigd met fragmenten uit in de oorlog gemaakte films, radioprogramma's en literatuur, en tevens vele honderden foto's en schilderijen van Graham Sutherland en Paul Nash en sculpturen van Jacob Epstein. Henry Moore maakte een paar fraaie tekeningen van het leven tijdens de Blitz van 1940, toen vele Londenaren in de metrostations sliepen om zich te beschermen tegen vliegtuigbommen. Het museum schenkt ook aandacht aan de recente mili-

taire verrichtingen van de Britse strijdkrachten, waaronder de Golfoorlog in 1991. Het is gehuisvest in een gedeelte van wat vroeger het Bethlehem Hospital for the Insane ('Bedlam', 1811) was. In de 19de eeuw kwamen bezoekers hier 's middags kijken naar de fratsen van de patiënten. Het ziekenhuis verhuisde in 1930 naar Surrey, zodat dit grote gebouw leeg kwam te staan. De twee grote vleugels werden gesloopt en het middengedeelte verbouwd voor het museum.

Old Vic **11**

Waterloo Rd SE1. **Kaart** 14 E5.
0171-928 7616. 0171-928 7618. Waterloo. **Alleen open** voor voorstellingen en rondleidingen. Zie **Amusement** blz. 326-327.

De façade van de Old Vic (1816)

Dit prachtige gebouw dateert uit 1816, toen het werd geopend als het Royal Coburg Theatre. In 1833 werd de naam veranderd in Royal Victoria ter ere van de toekomstige koningin. Niet lang hierna werd dit theater een centrum voor 'music hall', het immens populaire victoriaanse variété-theater waarin zangers, komieken en andere acts werden geïntroduceerd door een ceremoniemeester, die een bulderend stemgeluid nodig had om het onhandelbare publiek in toom te houden. In 1912 werd Lillian Baylis hier manager en in 1914 introduceerde ze werken van Shakespeare in de Old Vic. Tussen 1963 en 1976 zat hier het National Theatre (blz. 184). In 1983 werd het bouwwerk gerestaureerd; sindsdien is het een gewoon West End-theater.

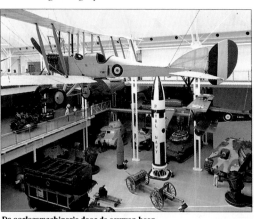

De oorlogsmachinerie door de eeuwen heen

Waterloo Station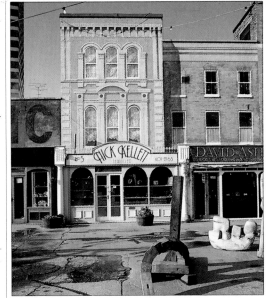

York Rd SE1. **Kaart 14 D4.**
[0171-928 5100 Waterloo. Zie
De reis naar Londen blz. 358-359.

Dit station voor treinen
naar Zuidwest-Engeland
wordt momenteel verbouwd
in verband met de kanaaltunnel. Het dateert uit 1848, maar
werd volledig herbouwd aan
het begin van de 20ste eeuw,
met een indrukwekkende ingang op de noordoosthoek.
De stationshal met de vele
winkeltjes maakt dit tot een
uiterst praktisch treinstation.

St John's, Waterloo Road ⑬

SE1. **Kaart 14 E4.** [0171-633 9819.
Waterloo. **Open** 11.00-13.00 uur
ma-vr, 10.00-12.00 uur za;
andere tijdstippen: bel eerst.
10.30 uur zo.

St John's is een van de vier
'Waterloo-kerken' die in
1818 na de napoleontische
oorlogen werden gebouwd.
Vaak wordt gedacht dat ze
werden gebouwd als dank
voor de Britse overwinning in
deze oorlogen, maar het is
waarschijnlijker dat ze dien-
den voor de snel groeiende
bevolking van Lambeth. Het
portaal van de kerk, met een
timpaan gedragen door zes
Dorische zuilen, is gebouwd
in de toen populaire neoklassieke stijl. De kerk werd in de
oorlog beschadigd, maar
werd op tijd gerestaureerd om
in 1951 te dienen als officiële
kerk van het Festival
of Britain
(blz. 30).

Optisch bedrog op de huizen van Gabriel's Wharf

Gabriel's Wharf ⑭

56 Upper Ground SE1. **Kaart 14 E3.**
Waterloo. Zie **Winkelen** blz. 322-
323.

Dit aangename stukje
Londen met boetieks, am-
bachtelijke winkeltjes en cafés
is het resultaat van een lang
en stormachtig debat over de
toekomst van wat eens een
industrieterrein aan het water
was. Bewoners van Waterloo
hadden grote bezwaren tegen
de geplande kantorencom-
plexen en slaagden er in 1984
in om deze lokatie aan te
kopen en er coöperatieve
woningen te bou-
wen. Naast de
markt vindt u een tuin en een
promenade langs de rivier. De
toren aan de oostkant werd in
1928 gebouwd en ontduikt op
een ingenieuze manier de beperkingen op reclame-uitin-
gen. De ramen vormen het
woord Oxo, de naam van een
bekend soort bouillon.

Doggett's Coat and Badge ⑮

1 Blackfriars Bridge SE1. **Kaart 14 F3.**
[0171-633 9081. Blackfriars.
Open normale openingstijden ma-za.
Gesloten 25 dec. Zie **Plechtigheden** blz. 55 en **Restaurants en
pubs** blz. 308-309.

Deze moderne pub naast
Blackfriars Bridge is ge-
noemd naar een historische
jaarlijkse roeiwedstrijd. De
wedstrijd voor veermannen
die passagiers over de rivier
roeiden, werd voor het eerst
gehouden in 1716 en had als
patroon Thomas Doggett, een
acteur die dankbaar was voor
de diensten van de veermannen; zij werden geminacht
vanwege hun vulgariteit en
ruwe taalgebruik. Nog steeds
wordt om deze trofee gestre-
den tijdens een wedstrijd van
London Bridge naar Chelsea.

Gedenkteken voor de gevallenen van de Eerste Wereldoorlog

CHELSEA

De in de 19de eeuw door de bohème van de Chelsea Set gevestigde reputatie van Chelsea als wijk waar men zich extreem gedraagt, is grotendeels verdwenen. Het voormalige dorpje aan de rivier werd

Koeiekop bij de Old Dairy aan Old Church Street

in de Tudor-periode zeer geliefd. Hendrik VIII bouwde er een klein paleis (al lang verdwenen), schilders als Turner, Whistler en Rossetti werden aangetrokken door het uitzicht op de rivier vanaf Cheyne Walk. De historicus Thomas Carlyle en de essayist Leigh Hunt kwamen er rond 1830 en vestigden een literaire traditie, die werd voortgezet door onder meer de dichter Swinburne. Toch heeft Chelsea ook altijd een losbandig element in zich gehad: in de 18de eeuw stonden de lusthoven bekend om hun prachtige courtisanes en de Chelsea Arts Club houdt al meer dan een eeuw geruchtmakende dansfeesten. Chelsea is nu te duur voor de meeste kunstenaars, maar de relatie met kunst wordt in stand gehouden door de vele galeries en antiekzaken.

BEZIENSWAARDIGHEDEN IN HET KORT

Historische straten en gebouwen
King's Road ❶
Carlyle's House ❷
Cheyne Walk ❺
Royal Hospital ❽
Sloane Square ❾

Musea
National Army Museum ❼

Kerken
Chelsea Old Church ❸

Tuinen
Roper's Garden ❹
Chelsea Physic Garden ❻

BEREIKBAARHEID
De metrolijnen District en Circle gaan naar Sloane Square. Piccadilly gaat door South Kensington, hier niet ver vandaan. De bussen 11, 19 en 22 stoppen op King's Road.

ZIE OOK

• *Plattegrond*, kaarten 19, 20

• *Accommodatie* blz. 276-277

• *Restaurants* blz. 292-294

• *Chelsea and Battersea Walk* blz. 266-267

56 Oakley Street. Hier woonde de poolreiziger R.F. Scott

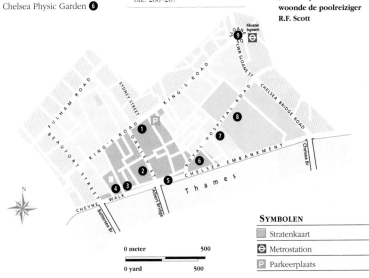

SYMBOLEN

◻ Stratenkaart

🅴 Metrostation

🅿 Parkeerplaats

Pittoreske woningen aan een doodlopende zijstraat van King's Road in Chelsea

Onder de loep: Chelsea

D it voormalige vredige dorpje aan de rivier is al sinds de Tudor-periode zeer in trek, toen sir Thomas More, de Lord Chancellor van Hendrik VIII, hier woonde. Schilders als Turner, Whistler en Rossetti werden aangetrokken door het uitzicht op de Thames vanaf Cheyne Walk. De relatie van Chelsea met de kunst wordt onderhouden door de galeries en antiekzaken, en de oude dorpssfeer weerklinkt in de enclaves met 18de-eeuwse huizen.

King's Road
In de jaren zestig en zeventig het modecentrum van Londen en nog steeds een grote winkelstraat ❶

De Old Dairy aan Old Church Street 46 werd gebouwd in 1796, toen de koeien nog graasden in de omringende weilanden. De tegels zijn oorspronkelijk.

Naar King's Road

Carlyle's House
De historicus en filosoof woonde hier van 1834 tot zijn dood in 1882 ❷

Chelsea Old Church
Hoewel de kerk ernstig werd beschadigd tijdens de Tweede Wereldoorlog bezit zij nog steeds een paar fraaie grafmonumenten ❸

Roper's Garden
Hier staat een sculptuur van Jacob Epstein, die hier ook een atelier had ❹

Thomas More, in 1969 vervaardigd door L. Cubitt Bevis, staart vroom over de rivier. Hij woonde hier niet ver vandaan.

STERATTRACTIE

★ **Chelsea Physic Garden**

SYMBOOL

– – – Aanbevolen route

0 meter   100

0 yard   100

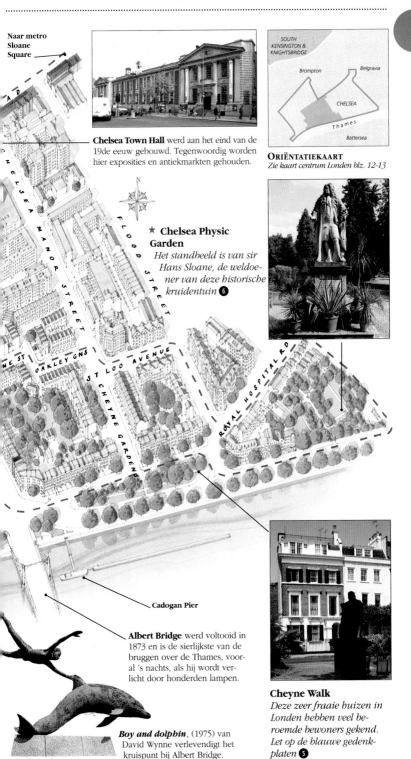

Naar metro Sloane Square →

Chelsea Town Hall werd aan het eind van de 19de eeuw gebouwd. Tegenwoordig worden hier exposities en antiekmarkten gehouden.

South Kensington & Knightsbridge
Brompton · Belgravia · CHELSEA · Thames · Battersea

ORIËNTATIEKAART
Zie kaart centrum Londen blz. 12-13

★ **Chelsea Physic Garden**
Het standbeeld is van sir Hans Sloane, de weldoener van deze historische kruidentuin ❻

Cadogan Pier

Albert Bridge werd voltooid in 1873 en is de sierlijkste van de bruggen over de Thames, vooral 's nachts, als hij wordt verlicht door honderden lampen.

Boy and dolphin, (1975) van David Wynne verlevendigt het kruispunt bij Albert Bridge.

Cheyne Walk
Deze zeer fraaie huizen in Londen hebben veel beroemde bewoners gekend. Let op de blauwe gedenkplaten ❺

De Pheasantry aan King's Road

King's Road ❶

SW3 and SW10. **Kaart** 19 B3.
⊖ *Sloane Square. Zie **Winkelen** blz. 310-323.*

Dit is de belangrijkste straat in Chelsea, met talloze kleine modezaken vol met jonge mensen op zoek naar avant-garde mode. Hier begon de minirok in de jaren zestig aan zijn opmars, evenals veel van de daaropvolgende trends, waarvan de bekendste wel de punk is. De Pheasantry op nr. 152 met zijn zuilen en beeldhouwwerken werd in 1881 als winkelpui van een meubelmaker gebouwd, maar herbergt nu een modern restaurant. Antiekliefhebbers kunnen hun hart ophalen op drie plaatsen: Antiquarius op nr. 137, de Chenil Galleries op nrs. 181-183 en de Chelsea Antiques Market op nr. 253.

Carlyle's House ❷

24 Cheyne Row SW3. **Kaart** 19 B4.
📞 0171-352 7087. ⊖ *Sloane Square, South Kensington.* **Open** *april-okt.: 11.00-17.00 uur wo-zo, feestdagen (toegang tot 16.30 uur).* **Gesloten** *Goede Vr.* **Niet gratis.** 🚫

Thomas Carlyle, de historicus en oprichter van de London Library (*St James's Square blz. 92*), verhuisde in 1834 naar dit bescheiden 18de-eeuwse huis en schreef daar veel van zijn bekendste boeken, waaronder *The French Revolution* en

Frederick the Great. Het huis werd een bedevaartsoord voor een aantal grote literaire figuren uit de 19de eeuw. De romanschrijvers Charles Dickens en William Thackeray, dichter Alfred Lord Tennyson, bioloog Charles Darwin en filosoof John Stuart Mill kwam hier allen regelmatig op bezoek. Het huis is gerestaureerd en ziet er net zo uit als in de tijd van Carlyle. Tegenwoordig is het een museum.

Chelsea Old Church ❸

Cheyne Walk SW3. **Kaart** 19 A4.
📞 0171-352 7978. ⊖ *Sloane Square, South Kensington.* **Open** *10.00-13.00 uur, 14.00-17.00 uur dagelijks (bel eerst).* 🚫 ♿ 📷 *vaak.* ✝ *11.00 uur zo.*

Chelsea Old Church in 1860

Deze kerk met vierkante toren werd na de Tweede Wereldoorlog herbouwd. Het is een replica van een middeleeuwse kerk, die in de Tweede Wereldoorlog door bommen werd verwoest. De kerk bezit enige zeer fraaie 16de-eeuwse grafmonumenten. Die van Sir Thomas More – die hier in 1528 een kapel bouwde – bevat een inscriptie door hemzelf geschreven waarin hij vraagt om naast zijn vrouw te worden begraven. Er staat een kapel voor Thomas Lawrence, een 16de-eeuwse koopman en een 17de-eeuws gedenkteken voor lady Jane Cheyne, naar wier man Cheyne Walk is genoemd. Voor de kerk bevindt zich een beeld van sir Thomas More, 'staatsman, geleerde en heilige', die vroom over de rivier uitkijkt.

Roper's Garden ❹

Cheyne Walk SW3. **Kaart** 19 A4.
⊖ *Sloane Square, South Kensington.*

Dit kleine park bij Chelsea Old Church is genoemd naar Margaret Roper, de dochter van sir Thomas More, en haar echtgenoot William, die een biografie over More schreef. De beeldhouwer Jacob Epstein werkte hier tussen 1909 en 1914 in een studio. Een sculptuur van hem herinnert hieraan. In het park vindt u ook een beeld van een naakte vrouw door Gilbert Carter.

Cheyne Walk ❺

SW3. **Kaart** 19 B4. ⊖ *Sloane Square, South Kensington.*

Voordat de Chelsea Embankment in 1874 werd aangelegd, was Cheyne Walk een aangename promenade langs de rivier. Nu ligt het langs een drukke weg die veel van de charme heeft weggenomen. Blauwe gedenkplaten vermelden welke beroemdheden waar hebben gewoond. De meesten waren schrijvers en schilders, onder wie J.M.W. Turner, die incognito op nr. 119 woonde, George Eliot, die overleed op nr. 4, en een aantal schrijvers (Henry James, T.S. Eliot en Ian Fleming) in Carlyle Mansions.

Thomas More aan Cheyne Walk

Chelsea Physic Garden ⑥

Swan Walk SW3. **Kaart** 19 C4.
☎ *0171-352 5646.* ⊖ *Sloane Square.* **Open** *april-okt.: 14.00-17.00 uur wo, zo.* **Niet gratis.** ♿ ▣ *15.15-16.45 uur.* 📷 **Jaarlijkse tentoonstelling** *tijdens Chelsea Flower Show, zie blz. 56.*

Deze tuin werd in 1673 aangelegd door de Society of Apothecaries om planten voor medicinaal gebruik te kunnen bestuderen en werd in 1722 voor sluiting behoed door een gift van sir Hans Sloane, wiens standbeeld in de tuin te zien is. Het aantal planten in de tuin is toegenomen, maar sommige zouden sir Hans zeker bekend voorkomen.

In de kassen zijn veel verschillende soorten planten gekweekt, waaronder katoen voor de plantages in het zuiden van de Verenigde Staten. Tegenwoordig vindt u hier ook bomen en een van de eerste rotstuinen in Groot-Brittannië.

Chelsea Physic Garden in de lente

National Army Museum ⑦

Royal Hospital Rd SW3. **Kaart** 19 C4.
☎ *0171-730 0717.* ⊖ *Sloane Square.* **Open** *10.00-17.00 uur dagelijks.* **Gesloten** *24-26 dec., 1 jan., Goede Vr, May Day* ♿ ▣ 📷

Hier vindt u een fascinerend en levendig overzicht van de geschiedenis van de Britse landstrijdkrachten vanaf 1485. Tableaus, maquettes en archieffilms lichten grote veldslagen toe en geven een idee van hoe het leven aan het front was. Er zijn fraaie schilderijen van veldslagen en portretten van soldaten. De aangrenzende museumwinkel verkoopt een grote variëteit aan militaire boeken en modelsoldaatjes.

Royal Hospital ⑧

Royal Hospital Rd SW3. **Kaart** 20 D3.
☎ *0171-730 0161.* ⊖ *Sloane Square.* **Open** *10.00-12.00 uur, 14.00-16.00 uur ma-za, 14.00-16.00 uur zo.*

De opdracht tot de bouw van dit elegante complex werd in 1682 door Karel II aan Christopher Wren gegeven en 10 jaar later was het voltooid. Het is een rusthuis voor oude of gewonde soldaten, die sindsdien Chelsea Pensioners worden genoemd, en biedt nog steeds onderdak aan zo'n 400 gepensioneerde soldaten. Ze zijn te herkennen aan hun rode jassen en driekantige hoeden, een opval-lend uniform dat dateert uit de 17de eeuw. Aan weerszijden van de noordelijke ingang staan twee bouwwerken van Wren: de kapel, opmerkelijk vanwege zijn prachtige eenvoud, en de gelambrizeerde Great Hall, die nog steeds als eetkamer wordt gebruikt. Op het terras buiten vindt u een standbeeld van Karel II door Grinling Gibbons, en u hebt een fraai uitzicht over de restanten van Battersea Power Station aan de overkant.

Sloane Square ⑨

SW1. **Kaart** 20 D2. ⊖ *Sloane Square.*

De fontein op Sloane Square

In het midden van dit charmante, kleine rechthoekige plein ziet u een bloemenstalletje en een fontein die Venus voorstelt. Het plein werd in de 18de eeuw aangelegd en genoemd naar sir Hans Sloane, de rijke arts en verzamelaar die het landgoed Chelsea in 1712 kocht. Tegenover Peter Jones, het warenhuis uit 1936 aan de westkant van het plein, staat het Royal Court Theatre, waar al een eeuw lang het moderne drama een kans krijgt.

Een Chelsea Pensioner in uniform

SOUTH KENSINGTON EN KNIGHTSBRIDGE

South Kensington en Knights-bridge, met hun vele ambassa-des en consulaten, behoren tot de meest gewilde woonwijken van Londen. Aan het nog steeds be-woonde Kensington Palace is te zien dat het gebied weinig is veranderd. Samen met Mayfair is het de duurste woonwijk van Londen. De welgestel-de inwoners doen hun boodschap-pen bij de luxe winkels van Knightsbridge, met name Harrod's. Met in het noorden Hyde Park en victoriaanse musea in het centrum is deze wijk een unieke combinatie van waardigheid en grandeur.

Voorgevel van het Victoria and Albert Museum

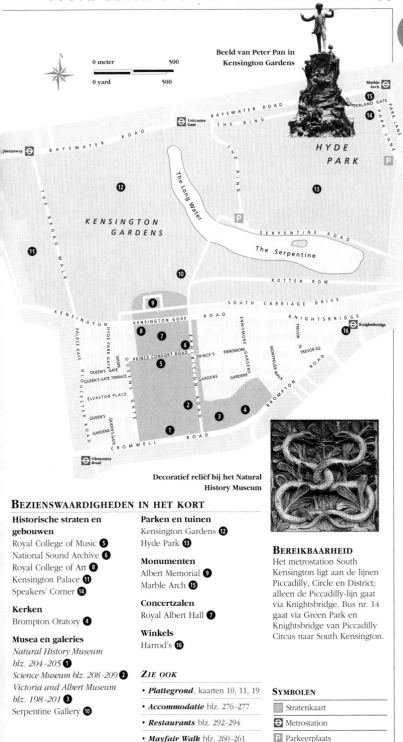

Beeld van Peter Pan in Kensington Gardens

N

| 0 meter | 500 |
| 0 yard | 500 |

BAYSWATER ROAD
THE RING
Lancaster Gate

Queensway
BAYSWATER ROAD

HYDE PARK

Marble Arch
CUMBERLAND GATE
PARK LANE

THE RING

THE BROAD WALK

The Long Water

KENSINGTON GARDENS

SERPENTINE ROAD

The Serpentine

ROTTEN ROW

SOUTH CARRIAGE DRIVE

KENSINGTON GORE ROAD
KNIGHTSBRIDGE
Knightsbridge

PALACE GATE
HYDE PARK GATE
QUEEN'S GATE
PRINCE CONSORT ROAD
EXHIBITION ROAD
PRINCE'S GARDENS
ENNISMORE GARDENS
TREVOR
TREVOR SQ
PL
MONTPELIER WALK
BROMPTON ROAD

QUEEN'S GATE
QUEEN'S GATE TERRACE
GLOUCESTER ROAD
ELVASTON PLACE
QUEEN'S GATE GARDENS
CROMWELL ROAD

Gloucester Road

Decoratief reliëf bij het Natural History Museum

BEZIENSWAARDIGHEDEN IN HET KORT

Historische straten en gebouwen
Royal College of Music ❺
National Sound Archive ❻
Royal College of Art ❽
Kensington Palace ⓫
Speakers' Corner ⓮

Kerken
Brompton Oratory ❹

Musea en galeries
Natural History Museum blz. 204-205 ❶
Science Museum blz. 208-209 ❷
Victoria and Albert Museum blz. 198-201 ❸
Serpentine Gallery ❿

Parken en tuinen
Kensington Gardens ⓬
Hyde Park ⓭

Monumenten
Albert Memorial ❾
Marble Arch ⓯

Concertzalen
Royal Albert Hall ❼

Winkels
Harrod's ⓰

ZIE OOK

• *Plattegrond*, kaarten 10, 11, 19
• *Accommodatie* blz. 276-277
• *Restaurants* blz. 292-294
• *Mayfair Walk* blz. 260-261

BEREIKBAARHEID

Het metrostation South Kensington ligt aan de lijnen Piccadilly, Circle en District; alleen de Piccadilly-lijn gaat via Knightsbridge. Bus nr. 14 gaat via Green Park en Knightsbridge van Piccadilly Circus naar South Kensington.

SYMBOLEN

▢ Stratenkaart
Ⓔ Metrostation
Ⓟ Parkeerplaats

Onder de loep: South Kensington

De vele musea en *colleges* verlenen dit gebied een voornaam karakter. De Wereldtentoonstelling van 1851 in Hyde Park was zo succesvol dat er in de daaropvolgende jaren kleinere tentoonstellingen werden gehouden. Tegen het eind van de 19de eeuw was zo een aantal permanente musea ontstaan, gehuisvest in gebouwen die victoriaanse zelfverzekerdheid uitstraalden.

Royal College of Art
Bekende schilders als David Hockney en Peter Blake zijn hier opgeleid ❽

Het Royal College of Organists werd in 1876 verfraaid door F.W. Moody.

★ **Royal Albert Hall**
Deze concertzaal werd geopend in 1870 en gedeeltelijk gefinancierd door zitplaatsen voor een periode van 999 jaar te verkopen ❼

Royal College of Music
Hier vindt u historische muziekinstrumenten als deze klavecimbel uit 1531 ❺

★ **Natural History Museum**
De dinosaurussen vormen de populairste attractie van dit museum ❶

★ **Science Museum**
Bezoekers kunnen hier experimenteren met interactieve opstellingen ❷

★ **Victoria and Albert Museum**
De geschiedenis van de Britse vormgeving en decoratie wordt hier getoond ❸

Albert Memorial
Dit gedenkteken werd gebouwd ter ere van de echtgenoot van koningin Victoria **9**

De Albert Hall Mansions werden in 1879 gebouwd door Norman Shaw. Rode bakstenen raakten vervolgens in de mode.

ORIËNTATIEKAART
Zie kaart centrum Londen blz. 12-13

SYMBOOL

--- --- Aanbevolen route

| 0 meter | 100 |
| 0 yard | 100 |

De Royal Geographical Society werd opgericht in 1830. Een van de leden was de Schotse missionaris en ontdekkingsreiziger David Livingstone (1813-1873).

National Sound Archive
Hier kunt u luisteren naar een opname van de stem van koningin Victoria **6**

Imperial College maakt deel uit van London University, een van de toonaangevende wetenschappelijke instellingen in het land.

Brompton Oratory
Dit oratorium werd gebouwd tijdens de katholieke opleving in de 19de eeuw **4**

Brompton Square, waarvan de bouw begon in 1821, maakte dit een chique woonwijk.

De Holy Trinity Church dateert uit de 19de eeuw en staat wat achteraf tussen kleine huisjes.

STERATTRACTIES

★ **Victoria and Albert Museum**

★ **Natural History Museum**

★ **Science Museum**

★ **Royal Albert Hall**

Naar metro Knightsbridge

Victoria and Albert Museum ❸

Het Victoria and Albert (V&A) bezit een van de mooiste collecties kunst en toegepaste kunst ter wereld. De tentoongestelde voorwerpen variëren van vroeg-christelijke religieuze objecten tot Doc Marten-boots, van schilderijen van Constable tot mystieke Zuidoost-

Hoofdingang

aziatische kunst. Het V&A heeft ook verzamelingen sculptuur, aquarellen, juwelen en muziekinstrumenten. Het gebouw werd geopend in 1857 na 25 jaar van ontwerpen en bouwen.

★ Twentieth-Century Gallery
In deze galerij vindt u moderne vormgeving zoals Radio in a bag *(1983) van Daniel Weil.*

Wegwijzer
Het V&A bestaat uit 11 km galerijen verdeeld over vier verdiepingen. De sleutel tot het begrijpen van dit doolhof ligt in de indeling van galerijen gewijd aan kunst en vormgeving en galerijen die de nadruk leggen op materialen en technieken. In de eerstgenoemde zalen vindt u veel verschillende soorten voorwerpen die een indruk geven van de kunst en vormgeving van een bepaalde periode of plaats, bijvoorbeeld Europa tussen 1600 en 1800. Deze galerijen vindt u op de benedenverdieping en op de eerste verdieping (Britse kunst). De tweede categorie zalen bevat collecties van bepaalde kunstvormen, zoals porselein en wandtapijten. De Henry Cole-vleugel bevindt zich aan de noordwestkant van het gebouw en bevat de collectie schilderijen, tekeningen, prenten en foto's van het museum. Hier is ook de nieuwe Frank Lloyd Wright Gallery ondergebracht.

European Ornament Gallery
Meer dan 550 jaar decoratieve kunst is in deze zaal te bezichtigen. Deze sculptuur werd gemaakt voor Marie Antoinette en toont de vijf zuilenorden van de klassieke bouwstijl.

Henry Cole-vleugel

Ingang aan Exhibition Road

Symbolen

☐	Lagere benedenverdieping
☐	Benedenverdieping
☐	Hogere benedenverdieping
☐	Eerste verdieping
☐	Hogere eerste verdieping
■	Tweede verdieping
☐	Henry Cole-vleugel

Constable-verzameling
John Constable (1776-1837) schilderde dit landschap in East Anglia. Het doek is getiteld A windmill among houses.

STERATTRACTIES

★ **Medieval Treasury**

★ **Nehru Gallery of Indian Art**

★ **Dress Collection**

★ **Morris and Gamble Rooms**

★ **Twentieth-Century Gallery**

TIPS VOOR DE TOERIST

Cromwell Rd SW7. **Kaart** 19 A1.
☎ 0171-938 8500. 🗐 0171-938 8441. ⊖ South Kensington.
🚌 14, 74, C1. **Open** 12.00-17.50 uur ma, 10.00-17.50 uur di-zo, 18.30-21.30 uur wo.
Gesloten 24-26 dec.
🛗 🖪 🚻 🖭 🖬
Lezingen, filmvertoning, presentaties, concerten, exposities, optredens.

★ **Morris and Gamble Rooms**
De victoriaanse decoraties zijn gebaseerd op vroegere stijlen en de materialen van het industriële tijdperk.

T T Tsui Gallery of Chinese Art
Dit voorvaderportret van water- verf op zijde dateert uit de Qing-dynastie (1644-1912).

★ **Medieval Treasury**
De Eltenberg Reliquary (ca. 1180) is een mees- terwerk van middeleeuws vakmanschap.

Pirelli Garden

★ **Nehru Gallery of Indian Art**
Een groot deel van deze collectie dateert uit de tijd dat Groot- Brittannië over India regeerde. Deze wijnkelk van jade werd in 1657 ge- maakt voor sjah Jehan.

Hoofdingang

★ **Dress Collection**
De kleding dateert van 1600 tot heden. Deze jurk is uit 1880-1890.

De collectie van het V&A

Het V&A werd in 1852 opgericht als het Museum of Manufactures ten behoeve van vormgevingstudenten. Het werd in 1899 door koningin Victoria hernoemd ter nagedachtenis aan prins Albert. Veel voorwerpen zijn uit de koloniën van het Britse rijk afkomstig. De National Library is in het museum ondergebracht. Deze bibliotheek bezit boeken over kunst en vormgeving en dagboeken en correspondentie van kunstenaars, en geeft een overzicht van de boekdrukkunst vanaf de Middeleeuwen.

German Castle Cup (15de eeuw)

BEELDHOUWWERKEN

Er zijn 26 zalen gewijd aan post-klassieke beeldhouwwerken, albasten, ivoren en bronzen voorwerpen en afgietsels. De renaissance-collectie bevat onder meer *De Hemelvaart*, een marmeren reliëf van Donatello. Bij de ingang aan Exhibition Road staan 17 door Auguste Rodin in 1914 aan het museum geschonken werken. Er zijn tevens beeldhouwwerken uit India, het Midden-Oosten en het Verre Oosten.

KERAMIEK EN GLAS

Voorbeelden van 2000 jaar vakmanschap in aardewerk, porselein en glas uit Europa en het Nabije en Verre Oosten zijn te bezichtigen in 21 galerijen, waaronder magnifiek porselein uit de grote Europese porseleinfabrieken, zoals Meissen, Sèvres, Royal Copenhagen en Royal Worcester, gebrandschilderd glas met een paar prachtige middeleeuwse 'labours of the month', zeldzaam aardewerk van onder meer William de Morgan, Picasso en Bernard Leach, schitterende Perzische en Turkse tegels en een grote verzameling Chinese kunstwerken.

MEUBELS EN VORMGEVING

Verdeeld over 37 zalen vindt u een enorme verzameling meubels en binnenhuisarchitectuur, met onder meer een zeer fraaie collectie 18de-eeuwse werken uit Frankrijk en Engeland. Compleet ingerichte interieurs met meubels, schilderijen, aardewerk en andere huishoudelijke voorwerpen geven u een waarheidsgetrouwe indruk van het alledaagse leven. Het V&A beschikt ook over een grote collectie muziekinstrumenten, waaronder virginalen, luiten, fluiten, baritons, muziekdozen, harpen en het Nederlandse girafklavier met zes pedalen, die trommelen, zoemen en rinkelen.

Russisch porselein (1862)

METAALWERK

Met zorg vervaardigde bekers en karaffen, medailles, snuifdozen, wapens en wapenrustingen, jachthoorns, horloges en klokken bevinden zich te midden van meer dan 35.000 voorwerpen uit Europa en het Nabije Oosten die te zien zijn in 22 zalen. Hoogtepunten zijn de 16de-eeuwse Burghley Nef (zaal 26), een grote zilveren zoutstrooier die diende om de positie van de gastheer aan de eettafel aan te geven; de 15de-eeuwse German Castle Cup (zaal 27), een buitenissige beker van verguld koper; en het Ashburnham Centrepiece, een 18de-eeuwse zilveren terrine in rococostijl.

THE GREAT BED OF WARE

Dit bed werd rond 1590 gemaakt van eikehout met inlegwerk en schilderingen. Het meet 3,60 bij 3,60 m, is 2,60 m hoog, en is het fraaiste meubelstuk uit het V&A. Met zijn vele houtsnijwerk en versieringen is het bed een schitterend voorbeeld van Engelse houtsnijkunst. De naam is afkomstig van het plaatsje Ware in Hertfordshire, ten noorden van Londen, waar het in een aantal herbergen heeft gestaan. De enorme afmetingen van het bed maakten het al snel een toeristenattractie en de belangstelling nam nog toe door de verwijzing naar het bed door Shakespeare in zijn *Driekoningenavond* uit 1601.

Over het bed werden gordijnen gehangen.

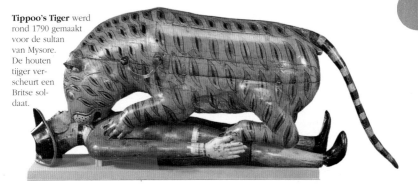

Tippoo's Tiger werd rond 1790 gemaakt voor de sultan van Mysore. De houten tijger verscheurt een Britse soldaat.

INDIASE KUNST

De Nehru Gallery of Indian Art vormt het middelpunt van de uitgebreide collectie Indiase kunst uit 1550-1900, een periode die zowel het tijdperk van de rijke mogols omvat als de Britse overheersing. Textiel, wapens, sieraden, metaalwerk, glas en schilderijen, zowel wereldlijk als religieus, zijn te bezichtigen. Hoogtepunten van de collectie zijn onder meer een mogoltent van hangend beschilderd katoen (1640), versierd met vogels, bomen en een tweekoppige adelaar (zaal 41), en een 11de-eeuws bronzen beeld van Shiva, de goddelijke danser (zaal 47B).

18de-eeuws Indiaas paneel van geverfd katoen

TEXTIEL EN KLEDING

De wereldberoemde Dress Collection in zaal 40 is gewijd aan modieuze kleding van 1600 tot heden. De figuren zijn volledig gekleed, compleet met toebehoren. In kleine vitrines vindt u verder nog zaken als knopen, schoenen, hoeden en parasols. De textielcollectie, verspreid over 18 zalen, is afkomstig uit alle delen van de wereld, te beginnen met het oude Egypte.

Vooral Engels textiel van de laatste drie eeuwen is goed vertegenwoordigd.
De vier prachtige middeleeuwse wandkleden met hun afbeeldingen van hoofs vermaak in zaal 94 zijn afkomstig uit de collectie van de hertog van Devonshire. De Syon Cope uit 1300-1320 is een goed voorbeeld van *opus anglicanum*, een vorm van Engels borduurwerk die in de Middeleeuwen populair was in Europa.

VERRE OOSTEN

Acht galerijen zijn gewijd aan kunst uit het Verre Oosten. Onder een boog van gepolijste stalen vinvormige voorwerpen die de ruggegraat van een Chinese draak vormen, toont de T.T. Tsui Gallery of Chinese Art hoe de tentoongestelde voorwerpen in het dagelijkse leven werden gebruikt. Hoogtepunten van de collectie zijn een reusachtig boeddhahoofd uit 700-900 n.C., een enorm hemelbed uit de Ming-dynastie en zeldzame jade en keramiek (zaal 44). Japanse kunst bevindt zich voornamelijk in de Toshiba Gallery, met daarin prachtig lakwerk, keramiek, textiel,

Mantel voor boeddhistische priester uit midden 19de eeuw

samoerai-wapenrustingen en houtsneden. Zeer fraai zijn ook de 17de-eeuwse houten schrijftafel die is ingelegd met gouden en zilveren lakwerk, en de Akita Armour uit 1714. Beide vindt u in zaal 38A.

SCHILDERIJEN, PRENTEN, TEKENINGEN EN FOTO'S

Deze collecties zijn ondergebracht in de Henry Cole-vleugel. Hoogtepunten zijn onder meer Britse schilderwerken van 1700 tot 1900, een aantal schitterende Engelse portretminiaturen, Europese schilderijen tussen 1500 en 1900 en de grootse collectie schilderijen en tekeningen van John Constable. De Print Room is een openbare studiezaal voor de verzameling van meer dan een half miljoen aquarellen, gravures, etsen en zelfs speelkaarten en behang.

A young man among roses (1588) van Nicholas Hilliard

Natural History Museum ❶

Zie blz. 204-205.

Reliëf op het Natural History Museum

Science Museum ❷

Zie blz. 208-209.

Victoria and Albert Museum ❸

Zie blz. 198-201.

Brompton Oratory ❹

Brompton Rd SW7. **Kaart** 19 A1.
📞 *0171-589 4811.* 🚇 *South Kensington.* **Open** *6.30-20.00 uur dagelijks.* ✝ *11.00 uur zo gezongen Latijnse mis.* ♿

Dit Italiaansachtige oratorium is een rijk (te rijk volgens sommigen) versierd voorbeeld van de stijl van de katholieke opleving uit het eind van de 19de eeuw. De kerk werd gesticht door John Henry Newman (de latere kardinaal). Pater Frederick William Faber (1814-1863) had bij Charing Cross een congregatie van priesters opgericht. Na de verhuizing naar Brompton werd dit hun oratorium. Newman en Faber (beiden anglicanen die waren bekeerd tot het katholicisme) volgden het voorbeeld van Filippo Neri, die een congregatie stichtte van seculiere priesters die geen gelofte hadden afgelegd en in de grote steden woonden. Het huidige gebouw werd in 1884 geopend. De voorgevel en koepel werden toegevoegd in 1890 en het interieur is sindsdien steeds meer verfraaid. De architect Herbert Gribble, ook al bekeerd tot het katholicisme, was 29 toen hij de wedstrijd won voor het ontwerp. De belangrijkste schatten in de kerk dateren van voor deze tijd. Vele werden gekocht van Italiaanse kerken. Giuseppe Mazzuoli maakte in de 17de eeuw de enorme marmeren apostelbeelden voor de kathedraal van Sienna. Het bewerkte Lady Altaar werd in 1693 gemaakt voor de dominicanenkerk in Brescia en het 18de-eeuwse altaar in St Wilfrid's Chapel is afkomstig uit Rochefort in België. Het oratorium staat bekend om zijn hoogstaande muzikale traditie.

Royal College of Music ❺

Prince Consort Rd SW7. **Kaart** 10 F5.
📞 *0171-589 3643.* 🚇 *High St Kensington, Knightsbridge, South Kensington.* **Museum of Musical Instruments open** *14.00-16.30 uur wo tijdens collegejaar.* **Niet gratis.**
🚫 🖥

Sir Arthur Blomfield ontwierp het gotische paleis met Beierse kenmerken waar dit voorname instituut al sinds 1894 is gehuisvest. Het werd in 1882 opgericht door George Grove, die ook de bekende *Dictionary of music* samenstelde. Beroemde leerlingen zijn onder meer Benjamin Britten en Ralph Vaughan Williams. Het Museum of Musical Instruments is slechts één middag per week geopend, maar als u erin slaagt om binnen te komen, vindt u er instrumenten uit allerlei perioden en werelddelen. Sommige werden bespeeld door beroemde musici als Händel en Haydn.

17de-eeuwse viola in het Royal College of Music

National Sound Archive ❻

29 Exhibition Rd SW7. **Kaart** 11 A5.
📞 *0171-412 7440.* 🚇 *South Kensington.* **Open** *10.00-17.00 uur wo, vr-zo, 10.00-21.00 uur do.* **Gesloten** *feestdagen.* 📷

Dit filiaal van de British Library heeft zo'n 900.000 platen, sommige uit de jaren negentig van de 19de eeuw. Onder de 80.000 uren tape en 6000 video's bevindt zich een opname van koningin Victoria van voor 1890. Het archief beschikt over een bibliotheek en als u een afspraak maakt, kunt u alles in de collectie beluisteren. Er is een kleine tentoonstelling van grammofoons, fonografen en een Duits apparaat voor kinderen dat chocoladeplaten afspeelde (1903).

Het weelderige interieur van Brompton Oratory

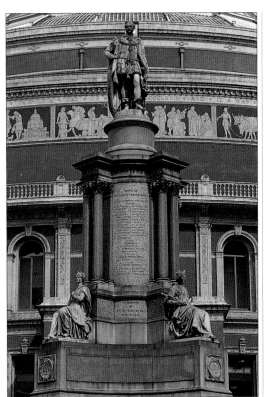

Standbeeld van prins Albert (1858) bij de Royal Albert Hall

Royal Albert Hall ❼

Kensington Gore SW7. **Kaart** 10 F5.
📞 0171-589 3203. 🚇 High St
Kensington, South Kensington
Knightsbridge. **Open** voor voorstellingen en rondleidingen 📞 0171-589
3203. 📵 ♿ 📺 Zie **Amusement**
blz. 330-331.

D eze enorme concertzaal
werd ontworpen door de
ingenieur Francis Fowke en
voltooid in 1871. De hal is gebouwd naar het voorbeeld
van de Romeinse amfitheaters
en biedt een minder drukke
aanblik dan de meeste victoriaanse bouwwerken. In de
ontwerpplannen werd het gebouw de Hall of Arts and
Science genoemd, maar ko-
ningin Victoria veranderde dit
in Royal Albert Hall, ter nagedachtenis aan haar echtgenoot, toen zij in 1868 de eerste steen legde.
De zaal wordt vaak gebruikt
voor klassieke concerten,
waarvan de bekendste de
'Last Night of the Proms' is,
maar er vinden ook allerlei
andere evenementen plaats,
van bokswedstrijden tot grote
zakenconferenties.

Royal College of Art ❽

Kensington Gore SW7. **Kaart** 10 F5.
📞 0171-584 5020. 🚇 High St
Kensington, South Kensington,
Knightsbridge. **Open** 10.00-18.00
uur ma-vr (bel eerst). 📺 📷
**Lezingen, activiteiten, filmvoor-
stellingen, Exposities.**

D it bouwwerk met zijn
voornamelijk glazen faça-
de (1973) werd ontworpen
door sir Hugh Casson. Het
'college' werd opgericht in
1837 als een school voor vormgeving en toegepaste kunst. In
de jaren vijftig en zestig was
het vermaard om de moderne
kunst van David Hockney,
Peter Blake en Eduardo Paolozzi, die hier studeerden.

Albert Memorial ❾

South Carriage Drive, Kensington
Gdns SW7. **Kaart** 10 F5. 🚇 High St
Kensington, Knightsbridge, South
Kensington.

D it grandioze maar waardige monument voor de ge-
liefde echtgenoot van koningin Victoria werd voltooid in
1876, 15 jaar na zijn dood.
Albert was een Duitse prins
en een neef van koningin
Victoria. Toen hij in 1861 aan
tyfus overleed, was hij 41. Zij
waren 21 jaar gelukkig getrouwd geweest en hadden
negen kinderen gekregen.
Het is toepasselijk dat het monument vlak bij de lokatie van
de Wereldtentoonstelling van
1851 staat (blz. 26-27), want
prins Albert werd nauw geï-
dentificeerd met de tentoonstelling. Het standbeeld van
John Foley toont hem met
een catalogus van de tentoonstelling op zijn knie.
Victoria liet sir Gilbert Scott
het 55 m hoge monument
ontwerpen. Het heeft iets weg
van een pompeus middel-
eeuws marktkruis, met zijn
zwart-gouden torenspits,
meerkleurige marmeren baldakijn, stenen, mozaïeken,
email, smeedijzer en bijna
200 gebeeldhouwde figuren.
De omlopende treden worden
bewaakt door allegorieën van
Europa, Afrika, Amerika en
Azië. Op de hoeken ziet u
beelden van Techniek, Landbouw, Handel en Nijverheid.

**Victoria en Albert bij de opening
van de Wereldtentoonstelling (1851)**

Natural History Museum ❶

De hoofdingang

In dit museum krijgt u een fascinerende uitleg over het leven op aarde en de aarde zelf. Met behulp van zowel tradtionele opstellingen als de modernste interactieve technieken stelt het museum een aantal fundamentele zaken aan de orde, zoals het kwetsbare milieu van onze planeet en de geleidelijke evolutie gedurende miljoenen jaren, het ontstaan van de soorten en hoe de mens zich heeft ontwikkeld.

Het grote museum is een meesterwerk uit 1881 van Alfred Waterhouse, die gebruik maakte van revolutionaire victoriaanse bouwtechnieken. Het geraamte van ijzer en staal is verborgen achter bogen en zuilen, die rijk versierd zijn met beelden van planten en dieren.

★ Creepy Crawlies
Acht van de tien diersoorten zijn geleedpotigen, zoals deze tarantula.

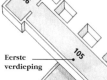

Eerste verdieping

Benedenverdieping

Dinosaur Exhibition
De gevaarlijke Deinonychus is een van de levensgrote modellen in deze tentoonstelling.

WEGWIJZER
*Het museum is verdeeld in de Life Galleries en de Earth Galleries. In de ingangshal torent een 26 m hoog skelet van een Diplodocus boven alles uit (**10**). Links vindt u Dinosaurs, Human Biology (**22**), Marine Invertebrates (**23**) en Discovering Mammals (**24**). Rechts bevinden zich Ecology (**32**) en Creepy Crawlies (**33**). Reptiles and Fish (**12**) treft u aan achter de grote zaal. In de kelder is het Discovery Centre voor kinderen ondergebracht.*
*Op de eerste verdieping vindt u Origin of Species (**105**) en het Mammal Balcony (**107**). British Natural History (**202**) is gehuisvest op de tweede verdieping. De Earth Galleries, die in 1996 na een renovatie zijn heropend, vindt u rechts van de ingangshal in een aparte vleugel.*

Hoofdingang

Ingang kelder

★ Ecology Gallery
Een door de maan verlicht regenwoud is het beginpunt van een verkenning van de complexe structuur van de natuur en de rol van de mens hierin.

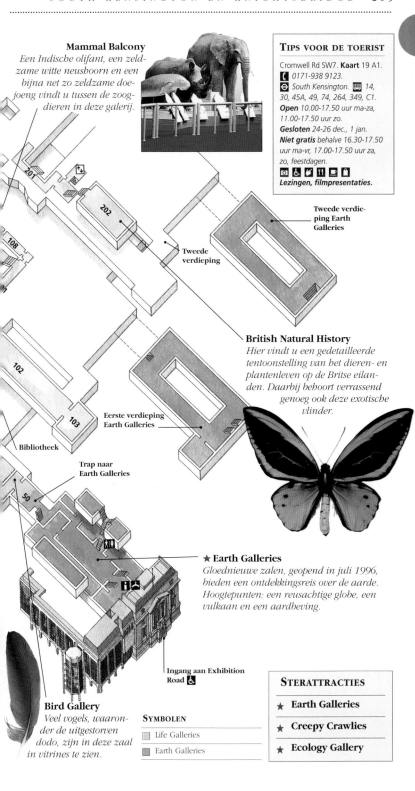

Mammal Balcony

Een Indische olifant, een zeld-
zame witte neushoorn en een
bijna net zo zeldzame doe-
joeng vindt u tussen de zoog-
dieren in deze galerij.

Tweede verdie-
ping Earth
Galleries

Tweede
verdieping

British Natural History

Hier vindt u een gedetailleerde
tentoonstelling van het dieren- en
plantenleven op de Britse eilan-
den. Daarbij behoort verrassend
genoeg ook deze exotische
vlinder.

Eerste verdieping
Earth Galleries

Bibliotheek

Trap naar
Earth Galleries

★ Earth Galleries

Gloednieuwe zalen, geopend in juli 1996,
bieden een ontdekkingsreis over de aarde.
Hoogtepunten: een reusachtige globe, een
vulkaan en een aardbeving.

Ingang aan Exhibition
Road ♿

Bird Gallery

Veel vogels, waaron-
der de uitgestorven
dodo, zijn in deze zaal
in vitrines te zien.

SYMBOLEN

☐ Life Galleries
☐ Earth Galleries

STERATTRACTIES

★ **Earth Galleries**

★ **Creepy Crawlies**

★ **Ecology Gallery**

Standbeeld van de jonge koningin Victoria door haar dochter prinses Louise, voor Kensington Palace

Serpentine Gallery ❿

Kensington Gdns W2. **Kaart** 10 F4.
☎ 0171-823 9727. ⊖ Lancaster Gate, South Kensington. **Open** 10.00-18.00 uur dagelijks. **Gesloten** tijdens opbouwen exposities, Kerstweek. ♿ 🅿 **Lezingen** over lopende tentoonstellingen 15.00 uur zo.

In de zuidoosthoek van Kensington Gardens staat de Serpentine Gallery, waar tijdelijke exposities van eigentijdse schilder- en beeldhouwkunst worden gehouden. De tentoonstellingen worden vaak in het park voortgezet. De kleine boekwinkel heeft een opmerkelijke voorraad kunstboeken.

Kensington Palace ⓫

Kensington Palace Gdns W8.
Kaart 10 D4. ☎ 0171-937 9561.
⊖ High St Kensington, Queensway.
Open 9.30-17.00 uur ma-za, 11.00-17.00 uur zo (toegang tot 16.15 uur).
Gesloten 22-26 dec., 1 jan., Goede Vrijdag. **Niet gratis.** 🅿 ♿ alleen benedenverdieping. 📷 🅿
Exposities, vakantieactiviteiten.

De helft van dit grote paleis wordt gebruikt door leden van de koninklijke familie, zoals prinses Margaret. De andere helft, met onder meer de 18de-eeuwse staatsiezalen, is toegankelijk voor het publiek. Toen Willem III en zijn vrouw in 1689 aan de

macht kwamen, kochten ze een landgoed uit 1605 en gaven Christopher Wren opdracht dit tot een koninklijk paleis te verbouwen. Hij ontwierp afzonderlijk suites voor koning en koningin; de bezoekers maken thans gebruik van de ingang van de koningin.
In het paleis hebben zich belangrijke gebeurtenissen afgespeeld. Koningin Anne overleed hier in 1714 aan een beroerte na een overdadige maaltijd en op 20 juni 1837 werd prinses Victoria van Kent om 5 uur 's morgens gewekt met de mededeling dat haar oom Willem IV was overleden en dat zij nu koningin was – het begin van haar 64-jarige regeringsperiode.
Hoogtepunten van het paleis zijn de fraai gedecoreerde staatsiezalen en op de benedenverdieping een tentoonstelling van hofkleding.

Detail van de Coalbrookdalepoort, Kensington Gardens

Arch **van Henry Moore (1979), Kensington Gardens**

Kensington Gardens ⓬

W8. **Kaart** 10 E4. ☎ 0171-262 5484.
⊖ Bayswater, High St Kensington, Queensway, Lancaster Gate. **Open** 5.00-24.00 uur dagelijks.

De voormalige domeinen van Kensington Palace werden in 1841 opengesteld en gaan nu onmerkbaar over in het oostelijker gelegen Hyde Park. In het feeërieke park staat sir George James Framptons standbeeld van de door J.M. Barrie verzonnen Peter Pan, de jongen die nooit volwassen werd, spelend op zijn fluit voor de bronzen elfjes en dieren op de zuil onder hem. Bij het beeld drommen ouders, kinderjuffrouwen en kinderen te zamen; het staat vlak bij de westoever van de Serpentine, niet ver van de plaats waar Harriet, de vrouw van Percy Bysshe Shelley, in 1816 verdronk.
Ten noorden hiervan staan de sierfonteinen en standbeelden, waaronder *Rima* van Jacob Epstein aan de kop van het meer. *Physical energy*, een beeld van een gespierd paard met berijder van George Frederick Watts, staat in het zuidelijke deel. Vlakbij staan een zomerhuis van William Kent uit 1735 en de Serpentine Gallery.

In de Round Pond, in 1728 ten oosten van het paleis aangelegd, varen vaak modelboten met afstandsbediening. In de winter kan er soms worden geschaatst. Bij Lancaster Gate ligt een hondenbegraafplaats, die in 1880 werd aangelegd door de hertog van Cambridge na de dood van een van zijn huisdieren.

Hyde Park ⑬

W2. **Kaart** 11 B3. 📞 0171-262 5484. 🚇 *Hyde Park Corner, Knightsbridge, Lancaster Gate, Marble Arch.* **Open** *5.00-24.00 uur dagelijks.* 🅿 **Sportfaciliteiten**. *Zie ook* **Vijf wandelingen** *blz. 260-261.*

Rotten Row, Hyde Park

Het oude landgoed Hyde maakte deel uit van de bij Westminster Abbey behorende percelen die door Hendrik VIII werden geconfisqueerd tijdens de onteigening van de kloosters in 1536. Sindsdien is dit een koninklijk park. Hendrik gebruikte het voor de jacht, maar Jacobus I opende het voor het publiek en het werd een van de geliefdste openbare ruimten in de stad. De Serpentine, een kunstmatig meer, werd aangelegd toen Caroline, de gemalin van George II, in 1730 een dam liet bouwen in de Westbourne River.

Het park werd vroeger gebruikt voor duels, paardenrennen, politieke demonstraties, muziek (de Rolling Stones en Luciano Pavarotti traden hier op) en parades. De Wereldtentoonstelling van 1851 werd hier gehouden in een glazen paleis *(blz. 26-27).*

Speakers' Corner ⑭

Hyde Park W2. **Kaart** 11 C2.

In 1872 maakte een wet het mogelijk dat iedereen publiekelijk zijn of haar mening mocht verkondigen en sindsdien is deze hoek van Hyde Park het trefpunt van redenaars in de dop en een flink aantal excentriekelingen. Sprekers van radicale groeperingen en eenmans politieke partijen onthullen hun plannen voor de verbetering van de mensheid terwijl ze door de verzamelde toehoorders genadeloos worden bestookt met vragen.

Marble Arch ⑮

Park Lane W1. **Kaart** 11 C2. 🚇 *Marble Arch.*

John Nash ontwierp deze triomfboog in 1827 als toegangspoort tot Buckingham Palace. De poort bleek echter te nauw voor de grootste koetsen en werd in 1851 hierheen verplaatst. Thans mogen slechts de oudere leden van de koninklijke familie onder de poort door gaan.

Vlakbij duidt een stenen plaat de plaats aan waar de Tyburngalg stond, waar tot 1783 de beruchtste misdadigers van de stad ten overstaan van een menigte bloeddorstige toeschouwers werden opgehangen.

Pessimist bij Speakers' Corner

Harrods ⑯

Knightsbridge SW1. **Kaart** 11 C5. 📞 0171-730 1234. 🚇 *Knightsbridge.* **Open** *10.00-18.00 uur ma, di, za, 10.00-19.00 uur wo-vr.* 🅿 ♿ 🍴 📷 *Zie* **Winkelen** *blz. 311.*

In 1849 opende Henry Charles Harrod een kleine kruidenierswinkel aan Brompton Road, het begin van het beroemdste warenhuis van Londen. Door de nadruk te leggen op goede kwaliteit en een onberispelijke bediening (in plaats van lage prijzen) werd de zaak al spoedig zo populair dat uitbreiding noodzakelijk was.

Vroeger zei men dat alles bij Harrods te koop was. Dit gaat vandaag de dag niet helemaal meer op, maar de verscheidenheid aan koopwaar is nog steeds indrukwekkend.

Harrods wordt 's avonds verlicht door 11.500 lampen

Science Museum ❷

De enorme collectie van het Science Museum is het resultaat van een eeuwenlange wetenschappelijke en technologische ontwikkeling. Tentoongesteld worden: stoommachines, de eerste en de modernste computers, ruimtevaartuigen en nog veel meer. Minstens zo belangwekkend zijn de sociale context van wetenschap en het ontdekkingsproces zelf. Dank zij de interactieve opstellingen kunnen de bezoekers zelf wetenschappelijk onderzoek doen.

Voorgevel van het Science Museum

★ Launch Pad

Een plasmabol is een van de vele voorwerpen die mogen worden aangeraakt in deze galerij.

★ Glimpses of Medical History

Een 17de-eeuwse Italiaanse vaas om slangegif in te bewaren maakt deel uit van deze fascinerende collectie.

Computing Then and Now toont de geschiedenis van telraam tot computer.

WEGWIJZER

Er zijn vijf verdiepingen. In de kelder is de Children's Gallery ondergebracht, met veel bewegende modellen. Ook is er een tentoonstelling van huishoudelijke apparaten door de eeuwen heen. Grote machines – stoommachines, locomotieven, auto's – overheersen de benedenverdieping. Op de eerste verdieping is er aandacht voor telecommunicatie, ijzer en staal, gas en voedsel. Op de tweede verdieping vindt u kernenergie, schepen, boekdrukkunst en computers. De in 1992 geopende Flight-galerij bevindt zich op de derde verdieping, waar tevens aandacht wordt geschonken aan fotografie, optica en elektriciteit. De kleinere vierde en vijfde verdieping huisvesten de medische zalen, met fascinerende reconstructies op ware schaal.

★ The Exploration of Space

In mei 1969 vlogen Amerikaanse astronauten met de Apollo 10 rond de maan. Nu is de capsule onderdeel van de tentoonstelling over mens en heelal.

Hoofdingang

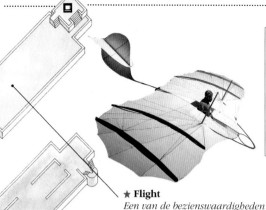

★ Flight
*Een van de bezienswaardigheden
in deze galerij is deze replica van
een zweefvliegtuig van Otto
Lilienthal (1895).*

Navigation and Surveying
*Tot de collectie meet- en
navigatie-instrumenten
behoort ook deze circum-
ferentor (1676) van de
architect Joannes Macarius.*

Food for Thought
*Een verkenning van de voe-
dingswetenschap met behulp
van modellen en historische reconstructies, zoals deze 18de-
eeuwse keuken.*

Meteorology
*Hier vindt u een gevarieerde col-
lectie meteorologische instrumenten en andere voorwerpen,
zoals deze 16de-eeuwse aquarel
van een komeet.*

★ Land Transport
*Oude auto's, motorfietsen,
een tram en dit prototype
van de Britse Deltic-locomo-
tief (1956) zijn hier te zien.*

SYMBOLEN

☐	Kelder
☐	Benedenverdieping
☐	Eerste verdieping
☐	Tweede verdieping
☐	Derde verdieping
☐	Vierde verdieping
☐	Vijfde verdieping

STERATTRACTIES

★ **Launch Pad**

★ **The Exploration
of Space**

★ **Land Transport**

★ **Flight**

★ **Glimpses of
Medical History**

KENSINGTON EN HOLLAND PARK

De west- en noord-rand van Kensington Gardens is een deftige buurt met veel ambassades. De winkels aan Kensington High Street zijn hier bijna net zo chic als die aan Knightsbridge, en in Kensington Church Street kunt u kwaliteitsantiek kopen. Rond Holland Park staat een aantal prachtige laat-victoriaanse huizen, waarvan twee voor het publiek toegankelijk zijn. Als u verder gaat naar Bayswater en Notting Hill, komt u in een bruisend, kosmopolitisch deel van Londen met veel redelijk geprijsde hotels en goedkope restaurants. Bayswater heeft altijd iets stiekems gehad. Victoriaanse mannen hielden er hier een maîtresse

Wapen van tegels, Holland House

op na; het Profumo-schandaal (1963), dat de regering ten val bracht, vond hier plaats en tegenwoordig vormt prostitutie hier een grote doch discrete bedrijfstak. In de hoofdstraat Queensway zitten talloze uitgaansgelegenheden en Portobello Road kent een populaire straatmarkt. Veel Westindiërs kwamen in de jaren vijftig in Notting Hill wonen en elke augustus vindt in de straten een wervelend Caribisch carnaval plaats *(blz. 57)*.

BEZIENSWAARDIGHEDEN IN HET KORT

Historische straten en gebouwen
Holland House ❷
Leighton House ❸
Commonwealth Institute ❹
Linley Sambourne House ❺
Kensington Square ❻
Kensington Palace Gardens ❼
Queensway ❽

Parken en tuinen
Holland Park ❶

Markten
Portobello Road ❾

Historische buurten
Notting Hill ❿

BEREIKBAARHEID
Met metrolijnen District, Circle en Central. Buslijnen 9, 10, 73, 27, 28, 49, 52, 70, C1, 31 stoppen op Kensington High Street; 12, 27, 28, 31, 52, 70, 94 gaan naar Notting Hill Gate; 70, 7, 15, 23, 27, 36, 12, 94 gaan door Bayswater.

SYMBOLEN		
▨ Stratenkaart		
Ⓔ Metrostation		

0 meter   500
0 yard   500

ZIE OOK
• *Plattegrond*, kaarten 9, 17
• *Accommodatie* blz. 276-277
• *Restaurants* blz. 292-294

Deur van een huis op Edwardes Square

Onder de loep: Kensington en Holland Park

Tegenwoordig maakt deze buurt deel uit van het centrum, maar tot 1930 was dit een plattelandsdorpje met groente-kwekerijen en landhuizen, waarvan Holland House het opvallendste was. Holland Park is een deel van het oude landgoed. De buurt groeide snel in het midden van de 19de eeuw en de meeste gebouwen dateren ook uit die tijd.

Holland House
De bouw van dit landhuis, hier op een afbeelding uit 1795, begon in 1605. In de jaren 1950-1960 werd het grotendeels gesloopt ❷

★ Holland Park
Een deel van de oude tuinen van Holland House is bewaard gebleven in dit charmante openbare park ❶

Delen van de oranjerie dateren uit de jaren dertig van de 17de eeuw. Het is nu een restaurant.

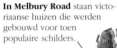

In Melbury Road staan victoriaanse huizen die werden gebouwd voor toen populaire schilders.

Commonwealth Institute
De tentoongestelde voorwerpen geven de exotische sfeer weer van de voormalige Britse koloniën ❹

De victoriaanse brievenbus aan Kensington High Street is een van de oudste in Londen.

★ Leighton House
Dit huis verkeert in dezelfde staat als toen lord Leighton hier nog woonde. Hij hield van tegels uit het Midden-Oosten ❸

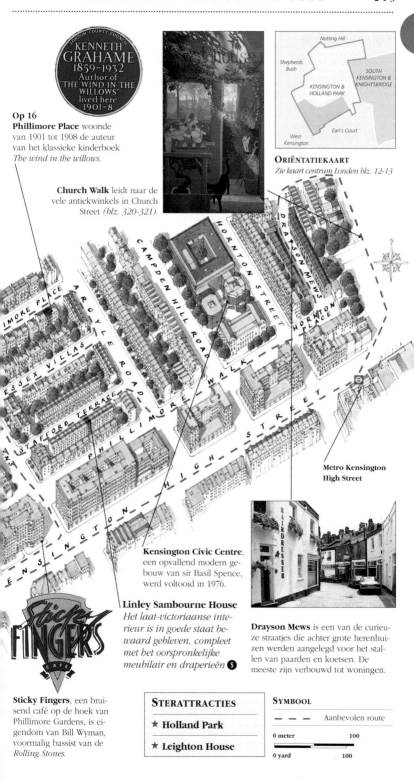

KENNETH GRAHAME 1859-1932 Author of "THE WIND IN THE WILLOWS" lived here 1901-8

Op 16
Phillimore Place woonde van 1901 tot 1908 de auteur van het klassieke kinderboek *The wind in the willows*.

Church Walk leidt naar de vele antiekwinkels in Church Street *(blz. 320-321)*.

ORIËNTATIEKAART
Zie kaart centrum Londen blz. 12-13

Notting Hill

Shepherds Bush

SOUTH KENSINGTON & KNIGHTSBRIDGE

KENSINGTON & HOLLAND PARK

West Kensington

Earl's Court

Metro Kensington High Street

Kensington Civic Centre, een opvallend modern gebouw van sir Basil Spence, werd voltooid in 1976.

Linley Sambourne House
Het laat-victoriaanse interieur is in goede staat bewaard gebleven, compleet met het oorspronkelijke meubilair en draperieën 5

Drayson Mews is een van de curieuze straatjes die achter grote herenhuizen werden aangelegd voor het stallen van paarden en koetsen. De meeste zijn verbouwd tot woningen.

Sticky Fingers, een bruisend café op de hoek van Phillimore Gardens, is eigendom van Bill Wyman, voormalig bassist van de *Rolling Stones*.

STERATTRACTIES
★ **Holland Park**
★ **Leighton House**

SYMBOOL

– – – Aanbevolen route

0 meter   100

0 yard   100

Holland Park ❶

Abbotsbury Rd W14. **Kaart** 9 B4.
📞 *0171-602 9487.* ❷ *Holland Park,
High St Kensington, Notting Hill Gate.*
Open *april-eind okt.: 7.30-22.00 uur
dagelijks (maar variabel); eind okt.-
maart: 7.45-16.30 uur (23.00 uur verlichting).* 🍴 🔲 **Openluchtopera,
-theater, -dans. Exposities** *april-okt.
Zie* **Amusement** *blz. 326-327.*

D it kleine, charmante park
heeft meer bomen en is
sfeervoller dan nabijgelegen
grote parken als Hyde Park
en Kensington Gardens *(blz.
206-207).* Het werd in 1952
geopend op wat was overgebleven van de terreinen van
Holland House. De rest was
tegen het einde van de 19de
eeuw verkocht voor de bouw
van huizen aan de noord- en
westkant. Een deel van de in
de 19de eeuw aangelegde geometrische tuinen is bewaard
gebleven. Er is tevens een
Japanse tuin, die werd aangelegd voor het London Festival
of Japan in 1991. In het park
leven talrijke dieren, waaronder pauwen.

Holland House ❷

Holland Park W8. **Kaart** 9 B5.
Jeugdherberg 📞 *0171-937 0748.*
❷ *Holland Park, High St Kensington.*
Zie **Accommodatie** *blz. 275.* ♿

Oorspronkelijke tegels in Holland House

I n de 19de eeuw was dit een
befaamd centrum van sociale en politieke intriges. Staatslieden als lord Palmerston
ontmoeten hier de dichter
Byron en zijn bentgenoten.
De restanten van het huis zijn
nu in gebruik als jeugdherberg.
De bijgebouwen worden voor
verschillende doeleinden gebruikt: in de oranjerie en het
ijshuisje (de voorloper van de
koelkast) worden exposities
gehouden en de oude Garden
Ballroom is nu een restaurant.

Terras in Holland Park

Leighton House ❸

12 Holland Park Rd W14. **Kaart** 17 B1.
📞 *0171-602 3316.* ❷ *High St
Kensington. 11.00-17.30 uur ma-za.*
Gesloten *feestdagen.*
🔲 🔲 **Concerten, exposities.**

D it huis werd in 1866 gebouwd voor de prerafaë-
litische schilder lord Leighton.
Het is met zijn nagenoeg on-
beschadigde weelderige decoratie een schitterend monument van de victoriaanse es-
thetische beweging. Het
hoogtepunt is de Arabische
zaal, door Leighton in 1879
toegevoegd om zijn fantastische collectie islamitische tegels in onder te brengen. De
mooiste schilderijen, onder
meer van Edward Burne-
Jones, John Millais en lord
Leighton zelf, zijn te zien in
de ontvangstkamers beneden.

Commonwealth Institute ❹

Kensington High St W8. **Kaart** 9 C5.
📞 *0171-603 4535.* ❷ *High St
Kensington.* **Open** *dag. 10.00-17.00
uur.* **Niet gratis.** *Exposities.*

I n 1962 verving het Com-
monwealth Institute het
oude Imperial Institute (opgericht in 1887). Het is gehuisvest in een op een tent lij-
kend gebouw uit 1962 en
brengt geschiedenis, industrie
en cultuur van de 50 leden
van het Gemenebest onder de
aandacht. Het instituut organiseert tijdelijke exposities en
optredens van muziekgezel-
schappen uit het Gemenebest.

Nadat het instituut een omvangrijke restauratie heeft ondergaan, zijn in 1997 de poorten weer heropend.

Linley Sambourne House ❺

18 Stafford Terrace W8. **Kaart** 9 C5.
📞 *0181-994 1019.* ❷ *High St Kensington.* **Open** *1 maart-31 okt.:
10.00-16.00 uur wo, 14.00-17.00 uur
zo.* **Gesloten** *1 nov.-28 feb.* **Niet
gratis.** 🚫 🔲

D it huis uit 1870 is nauwelijks veranderd sinds
Linley Sambourne het inricht-
te, met veel porselein en
zware fluwelen draperieën.
Sambourne was een cartoon-
ist voor het satirische tijdschrift Punch en aan de
muren hangen tekeningen uit
het blad, waarvan een aantal
van zijn hand. In sommige
kamers hangt behang van
William Morris *(blz. 245).*

**Logo voor
Punch
(1841-1992)**

Kensington Square ⑥

W8. **Kaart** 10 D5. 🚇 *High St Kensington.*

Dit plein uit rond 1680 is een van de oudste in Londen. Er staan nog een paar huizen uit het begin van de 18de eeuw (nrs. 11 en 12 zijn de oudste). De befaamde filosoof John Stuart Mill woonde op nr. 18 en de prerafaëlitische schilder en illustrator Edward Burne-Jones op nr. 41.

Gedenkplaat op Kensington Square

Kensington Palace Gardens ⑦

W8. **Kaart** 10 D3. 🚇 *High St Kensington, Notting Hill Gate, Queensway.*

Deze rustige straat met luxe huizen ligt op de plaats van de voormalige tuinen van de keuken van Kensington Palace *(blz. 206).* Halverwege in zuidelijke richting verandert de naam in Palace Green. Het is een voetgangersgebied waar auto's alleen in bepaalde gevallen mogen komen. In de meeste huizen zitten ambassades en hun personeel. Tegen cocktailtijd zijn de zwarte limousines te zien als zij onder de omhooggeheven slagbomen aan weerskanten van de straat doorzoeven.

Queensway ⑧

W2. **Kaart** 10 D2. 🚇 *Queensway, Bayswater.*

Queensway, een van de meest kosmopolitische straten van Londen, heeft na Soho de grootste concentratie eetgelegenheden. Bij kioskhouders ziet u vaak meer Arabische en Europese kranten dan Britse. Aan de noordkant vindt u het overkoepelde winkelcentrum Whiteley's. Dit werd door de in Yorkshire geboren William Whiteley in 1863 geopend en was waarschijnlijk het eerste warenhuis ter wereld. Het huidige gebouw dateert uit 1911. De straat is genoemd naar koningin Victoria, die hier paard reed toen zij nog prinses was.

Winkel in Queensway

Portobello Road ⑨

W11. **Kaart** 9 C3. 🚇 *Notting Hill Gate, Ladbroke Grove.* **Antiekmarkt open** *9.30-16.00 uur vr, 8.00-17.00 uur za. Zie* **Winkelen** *blz. 323.*

Er is hier al een markt sinds 1837. De zuidkant van de straat bestaat bijna geheel uit stalletjes die antiek, sieraden, souvenirs en vele ander bij toeristen populaire zaken verkopen. Tijdens de weekeinden in de zomer is het hier erg druk, maar de markt is zeker de moeite waard vanwege de levendige en vrolijke sfeer, zelfs als u niet van plan bent iets te kopen. Koopjes vindt u hier vermoedelijk echter niet, aangezien de verkopers goed weten wat hun goederen waard zijn.

Notting Hill ⑩

W11. **Kaart** 9 C3. 🚇 *Notting Hill Gate.*

Hier vindt tegenwoordig het grootste carnaval van Europa plaats. Tot de 19de eeuw was dit echter nog allemaal landbouwgrond. In de jaren vijftig en zestig werd Notting Hill het centrum van de Caribische gemeenschap. Het carnaval werd voor het eerst gehouden in 1966 en tijdens een weekend in augustus *(blz. 57)* is de hele buurt in de ban van dit feest als de gekostumeerde parades door de straten gaan.

Antiekzaak aan Portobello Road

REGENT'S PARK EN MARYLEBONE

De buurt ten zuiden van Regent's Park omsluit het middeleeuwse dorpje Marylebone en heeft de hoogste concentratie chique huizen in georgian stijl van Londen. Het gebied werd ontwikkeld door Robert Harley, graaf van Oxford, toen Londen zich in de 18de eeuw uitbreidde. Woningen van John Nash staan langs de zuidelijke rand van Regent's Park. Aan de noordwestkant ligt de kleine voorstad St John's Wood.

BEREIKBAARHEID
Regent's Park en Great Portland Street zijn de dichtstbijzijnde metrostations. Marylebone is bereikbaar met de metro en de trein. Bussen 13, 139 en 159 gaan van Trafalgar Square naar Baker Street, en talloze bussen gaan via Oxford Street.

BEZIENS-WAARDIGHEDEN IN HET KORT

Historische straten en gebouwen
Harley Street **4**
Portland Place **5**
Broadcasting House **6**
Cumberland Terrace **15**

Musea
Wallace Collection **10**
Sherlock Holmes Museum **11**

Kerken en moskeeën
St Marylebone Parish Church **3**
All Souls, Langham Place **7**
London Central Mosque **12**

Parken en tuinen
Regent's Park **2**

Amusement
Madame Tussauds en het Planetarium **1**
Wigmore Hall **9**
London Zoo **14**

Historische hotels
Langham Hilton Hotel **8**

Historische waterwegen
Regent's Canal **13**

0 meter 500
0 yard 500

SYMBOLEN
▢ Stratenkaart
🚇 Metrostation
🅿 Parkeerplaats

ZIE OOK
- *Plattegrond*, kaarten 3, 4, 12
- *Accommodatie* blz. 276-277
- *Restaurants* blz. 292-294
- *Regent's Canal Walk* blz. 262-263

St Andrew's Place, Regent's Park

Onder de loep: Marylebone

T en zuiden van Regent's Park ligt het middeleeuwse dorp Marylebone (oorspronkelijk Maryburne: de beek langs de Mariakerk), met de hoogste concentratie chique huizen in georgian stijl van Londen. Tot aan de 18de eeuw werd het omringd door weilanden, maar deze werden bebouwd toen Londen zich in westelijke richting uitbreidde. In de 19de eeuw maakten vooral artsen gebruik van de grote huizen om rijke patiënten te ontvangen. De relatie van deze deftige wijk met de medische stand is nog steeds aanwezig.

Tiananmen Square memorial: Portland Place

★ Regent's Park
Dit park werd in 1812 aangelegd door John Nash en was bedoeld voor villa's in neoklassieke stijl ❷

De Royal Academy of Music was in 1774 het eerste conservatorium van Engeland. Het huidige bakstenen gebouw met eigen concertzaal dateert uit 1911.

★ Madame Tussauds en het Planetarium
Het museum met zijn wassen beelden van historische en hedendaagse personen is een van de populairste attracties van Londen. Het nabijgelegen planetarium toont modellen van de sterrenhemel ❶

Naar Regent's Park

St Marylebone Parish Church
De dichters Robert Browning en Elizabeth Barrett huwden in deze kerk ❸

Symbool

– – – Aanbevolen route

0 meter	100
0 yard	100

Metro Baker Street

Park Crescent is het noordelijke eindpunt van de door Nash aangelegde ceremoniële route van St James naar Regent's Park via Regent Street en Portland Place. Hier ziet u ook de prachtige façades van Nash. Ze verkeren in oorspronkelijk staat. Het interieur is echter tot kantoorruimte verbouwd.

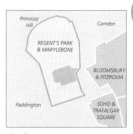

ORIËNTATIEKAART
Zie kaart centrum Londen blz. 12-13

De London Clinic is een van de bekendste privé-klinieken in deze medische buurt.

Metro Regent's Park

Portland Place
In het midden van de brede straat staat een standbeeld van veldmaarschalk sir George Stuart White, die in de Afghaanse Oorlog van 1879 met het Victoria Cross werd onderscheiden ⑤

Het Royal Institute of British Architects is gehuisvest in een omstreden art deco-gebouw uit 1934 van Grey Wornum.

Harley Street
Al meer dan een eeuw bevinden zich hier de spreekkamers van de bekende medische specialisten ④

STERATTRACTIES

★ **Madame Tussauds en het Planetarium**

★ **Regent's Park**

Mme Tussauds en het Planetarium ❶

Marylebone Rd NW1. **Kaart** 4 D5.
📞 0171-935 6861. ⊖ Baker St.
Open 10.00-17.30 uur ma-vr, 9.30-17.30 za, zo. **Gesloten** 25 dec. **Niet gratis.** 🚻 bel eerst. 🖼 🖥 🚹

Madame Tussaud begon haar loopbaan met het maken van wassen dodenmaskers van veel beroemde slachtoffers van de Franse Revolutie. In 1835 hield zij een expositie van haar werk in Baker Street, niet ver van de huidige lokatie. Tegenwoordig worden nog steeds de traditionele technieken gebruikt voor het vervaardigen van beeltenissen van politici, film- en televisiesterren, schrijvers, kunstenaars en sporthelden. De belangrijkste delen van de tentoonstelling zijn de 'Garden Party', waar bezoekers levensechte beelden van beroemdheden tegenkomen; 'Super Stars', met sterren uit de wereld van de showbusiness;

Het maken van een wassen beeld bij Mme Tussauds

en de 'Grand Hall'. In deze laatste zaal vindt u een verzameling beelden van leden van het koninklijk huis, staatslieden en wereldleiders. schrijvers en schilders. Waar anders vindt u Lenin, Martin Luther King, William Shakespeare en Pablo Picasso bij elkaar?
De Chamber of Horrors is het beroemdste deel van de collectie van Mme Tussaud. Naast een aantal van de oorspronkelijk Franse dodenmaskers vindt u hier ook modellen van enkele gruwelijke episoden uit de geschiedenis van de misdaad: de moordenaars dr Crippen en Ethel le Nève; Gary Gilmore voor het vuurpeloton; en de kille mistroostigheid van een victoriaanse straat in de tijd van Jack the Ripper.
In hetzelfde gebouw zit het London Planetarium, waar in een spectaculaire sterrenshow een aantal van de mysteries van de planeten en het zonnestelsel worden verkend.
De interactieve Space Trail-tentoonstelling bevat een groot aantal gedetailleerde modellen van planeten, satellieten en ruimtevaartuigen.

Wassen beeld van Elizabeth II

Bloeiende tulpen in Queen Mary's Gardens in Regent's Park

Regent's Park ❷

NW1. **Kaart** 3 C2. 📞 0171-486 7905.
⊖ Regent's Park, Baker St, Great Portland St. **Open** 5.00 uur-schemering dagelijks. 🚻 🖥 **Openluchttheater**.
Zie **Amusement** blz. 326-328.

Dit gebied werd in 1812 aangelegd naar een ontwerp van John Nash, die oorspronkelijk een tuinstad voor ogen had met 56 villa's in een veelheid aan klassieke stijlen, en een paleis voor de prins-

regent. Uiteindelijk werden er slechts acht villa's – maar geen paleis – in het park gebouwd (drie zijn bewaard gebleven aan de rand van de Inner Circle).
De vijver met zijn vele vogelsoorten is zeer romantisch, vooral wanneer er muziek klinkt vanuit de muziektent verderop. Queen Mary's Gardens ruiken heerlijk in de zomer, wanneer bezoekers kunnen genieten van Shakespeare-voorstellingen in het

nabijgelegen Open Air Theatre. Ten noorden van Park Square kunt u over Broad Walk een schilderachtige wandeling maken.
Ook Park Village East en West ten noordoosten van Regent's Park maken nog deel uit van het oorspronkelijke ontwerp van Nash. De gebouwen, soms versierd met medaillons in Wedgwood-stijl, werden voltooid in 1828.

St Marylebone Parish Church ❸

Marylebone Rd NW1. **Kaart** 4 D5.
📞 0171-935 7315. ⊖ Regent's Park.
Open 12.00-13.30 uur ma-vr, zo   - 's ochtends. 🚻 🖼 ✝ 11.00 zo. 🍴

In deze kerk traden in 1846 de dichter Robert Browning en de dichteres Elizabeth Barrett in het huwelijk, nadat zij haar ouderlijk huis aan het nabijgelegen Wimpole Street was ontvlucht. De grote, statige kerk met Thomas Hardwick werd ingezegend in 1817, toen de oude kerk (waar lord Byron in 1778 was gedoopt) te klein was geworden. Hardwick wilde niet dat dit met zijn nieuwe kerk zou gebeuren. Vandaar de grote afmetingen van het geheel.

**Herdenkingsraam in
St Marylebone Parish Church**

Harley Street ❹

W1. **Kaart** 4 E5. 🚇 *Regent's Park, Oxford Circus, Bond St, Great Portland St.*

De grote huizen aan deze laat-18de-eeuwse straat waren geliefd bij succesvolle artsen en specialisten in het midden van de 19de eeuw. De praktijken zijn er nog steeds en verlenen de straat een sfeer van kalme waardigheid die ongewoon is voor het centrum van Londen. William Gladstone woonde van 1876 tot 1882 op nr. 73. Thans zijn hier nog maar een paar privéwoningen en appartementen.

Portland Place ❺

W1. **Kaart** 4 E5. 🚇 *Regent's Park.*

De broers Robert en James Adam bouwden deze straat in 1773, maar slechts een paar van de oorspronkelijke huizen zijn bewaard gebleven, waarvan de mooiste de nrs. 27 tot 47 aan de westkant zijn. John Nash voegde deze straat toe aan zijn processieroute van Carlton House naar Regent's Park, en sloot de noordkant af met Park Crescent.
Het gebouw van het Royal Institute of British Architects op nr. 66 is versierd met symbolische beelden en reliëfs. Op de deuren staan afbeeldingen van Londense gebouwen en de Thames.

Broadcasting House ❻

Portland Place W1. **Kaart** 12 E1.
🚇 *Oxford Circus.* **Niet toegankelijk** *voor het publiek.*

Dit is het hoofdkantoor van de radioafdeling van de BBC; de televisie zit in White City in het westen van Londen. Het gebouw was in 1931 een toepasselijk modern art deco-kantoor voor dit nieuwe communicatiemiddel. De voorgevel buigt mee met de straat en wordt gedomineerd door het gestileerde reliëf *Prospero and Ariel* van Eric Gill. Hogerop bevinden zich nog meer werken van deze beeldhouwer. De hal is zoveel mogelijk in originele staat gerestaureerd.

All Souls, Langham Place ❼

Langham Place W1. **Kaart** 12 F1.
📞 *0171-580 3522.* 🚇 *Oxford Circus.* **Open** *9.30-18.00 uur ma-vr, 9.00-21.00 uur zo.* ♿
⛪ *11.00 uur zo.* 📷

John Nash ontwierp deze kerk in 1824. De eigenzinnige ronde voorgevel kunt u het beste bekijken vanaf Regent Street. Toen de kerk af was, werd de spot gedreven met de volgens velen te dunne en breekbare torenspits. Dit is de enige kerk van

Reliëf op het Royal Institute of British Architects aan Portland Place

Nash in Londen. De BBC aan de overkant gebruikt haar vaak als opnamestudio voor de dagelijks uitgezonden kerkdienst.

Langham Hilton Hotel ❽

Portland Place 1 W1. **Kaart** 12 E1.
📞 *0171-636 1000.* 🚇 *Oxford Circus. Zie* **Accommodatie** *blz. 284.*

Dit was na de opening in 1865 het meest luxueuze hotel van Londen. De schrijvers Oscar Wilde en Mark Twain en de componist Antonín Dvořák behoorden tot de voorname gasten. Het hotel werd een tijdje gebruikt door de BBC, maar is sindsdien gerestaureerd. De marmeren ontvangsthal leidt naar Palm Court, waar tegen theetijd pianomuziek wordt gespeeld. De koloniale sfeer herleeft in het restaurant Memories of the Empire en in de volledig aan polo gewijde Chukka bar.

All Souls, Langham Place (1824)

Wigmore Hall **9**

36 Wigmore St W1. **Kaart** 12 E1.
(0171-935 2141. **⊖** Bond St.
Zie **Amusement** blz. 331.

Deze concertzaal voor ka-
mermuziek werd in 1900
ontworpen door T.E. Collcutt,
de architect van het Savoy
Hotel (blz. 285). Het bouwwerk werd eerst Bechstein Hall
genoemd, naar de pianoshow-
room van de firma Bechstein:
deze buurt was vroeger het
centrum van de pianohandel
in Londen. Ertegenover staat
het art nouveau-warenhuis
van Debenham en Freebody
uit 1907, de voorloper van het
huidige Debenham's aan
Oxford Street.

Wallace Collection **10**

Hertford House, Manchester Square
W1. **Kaart** 12 D1. **(** 0171-935 0687.
⊖ Bond St. **Open** 10.00-17.00 uur
ma-za 14.00-17.00 uur zo. **Gesloten**
24-26 dec., 1 jan., Goede Vr. **∅** **&**
✓ **▯** **Lezingen**.

**16de-eeuws Italiaans bord uit de
Wallace Collection**

Dit is een van de mooiste
privé-kunstcollecties ter
wereld, verzameld door vier
generaties van de familie
Hertford. De collectie werd in
1897 aan de staat nagelaten
onder de voorwaarde dat ze
intact zou blijven en voor het
publiek toegankelijk zou zijn.
Wie belangstelling heeft voor
Europese 19de-eeuwse schilderkunst, moet hier beslist
een kijkje nemen.
De beste werken bevinden
zich vooral in zaal 22, met in
totaal zo'n 70 meesterwerken,
waaronder de Lachende
Cavalier van Frans Hals, Titus
van Rembrandt, Perseus en

De moskee aan de rand van Regent's Park

Andromeda van Titiaan en
Een dans op de muziek van
de tijd van Nicolas Poussin,
alsmede portretten van
Reynolds, Gainsborough en
Romney. De 25 zalen bevatten ook fraai Sèvres-porselein
en sculpturen van Houdon,
Roubiliac en Rysbrack. Er is
tevens een collectie wapenrustingen.

Sherlock Holmes Museum **11**

221b Baker St NW1. **Kaart** 3 C5.
(0171-935 8866. **⊖** Baker St.
Open 9.30-18.00 uur dagelijks.
Gesloten 25 dec. **Niet gratis**.
▣ **▯** **▯**

De door sir Arthur Conan
Doyle bedachte detective
woonde op Baker Street 221b.
Dit museum heeft wel het

Sherlock Holmes

goede nummer maar zit in
feite tussen nr. 237 en 239 in.
Bezoekers worden begroet
door de 'dienstbode' van
Holmes en meegenomen naar
zijn nagebouwde vertrekken
op de eerste verdieping. De
winkel verkoopt boeken en
jachtpetten.

London Central Mosque **12**

146 Park Rd NW8. **Kaart** 3 B3.
(0171-724 3363. **⊖** Marylebone,
St John's Wood, Baker St. **Open** zonsopgang-schemering dagelijks. **&** **▯**
Lezingen.

Deze grote moskee met
een goudkleurige koepel
werd ontworpen door sir
Frederick Gibberd en vol-
tooid in 1978. De door
bomen omringde moskee aan
de rand van Regent's Park
werd gebouwd voor het toenemende aantal islamitische
inwoners en bezoekers van
Londen. De grootste gebeds-
ruimte van de moskee is een
sobere, vierkante, overkoepelde ruimte waar 1800 mensen in kunnen. De koepel is
bedekt met traditionele islamitische patronen van voornamelijk blauwe, gebroken
vormen. Bezoekers moeten
hun schoenen uittrekken
voordat ze de moskee mogen
betreden en vrouwen moeten
niet vergeten hun hoofd te
bedekken.

Regent's Canal ⑬

NW1 & NW8. **Kaart** 3 C1. ☎ *0171-482 0523*. 🚇 *Camden Town, St John's Wood, Warwick Ave.* **Jaagpaden open** *zonsopgang-schemering dagelijks. Zie* **Vijf wandelingen** *blz. 262-263.*

Boottochtje over Regent's Canal

J ohn Nash was erg enthousiast over dit kanaal, dat in 1820 werd geopend om het Grand Junction Canal, dat eindigde bij Little Venice in het westelijk gelegen Paddington, te verbinden met de Londense havens bij Limehouse in het oosten. Hij zag het als een aanwinst voor zijn nieuwe Regent's Park en wilde oorspronkelijk het kanaal midden door het park laten lopen. Hij werd op andere gedachten gebracht door personen die van mening waren dat het gevloek van de schippers de keurige buurtbewoners zou choqueren. Misschien was dat maar goed ook, want de schuiten waren vies en soms gevaarlijk. In 1874 ontplofte een boot met buskruit vlak bij de London Zoo, waarbij de bemanning om het leven kwam, een brug werd vernield en bewoners en dieren zich wezenloos schrokken. Na een bloeiende beginperiode kreeg het kanaal te maken met toenemende concurrentie van de spoorwegen en begon een periode van verval. Tegenwoordig is het kanaal weer opgeknapt: over het jaagpad kunt u nu wandelen en u kunt boottochtjes maken van Little Venice naar Camden Lock, waar een bloeiende ambachtsmarkt zit. Bezoekers van de dierentuin kunnen gebruik maken van de ernaast gelegen steiger.

London Zoo ⑭

Regent's Park NW1. **Kaart** 4 D2. 🎦 *0171-722 3333*. 🚇 *Camden Town*. **Open** *10.00-16.00 uur dagelijks.* **Niet gratis**. 🚻 ▯ ▯ **Filmvoorstellingen** *'s zomers.*

D e dierentuin werd in 1828 geopend en is sindsdien een van de grootste toeristenattracties van Londen. Hij is tevens een belangrijk onderzoekscentrum. Spectaculaire natuurfilms op tv en twijfels over het opsluiten van dieren hebben ertoe geleid dat de bezoekersaantallen na het

Het vogelhuis van London Zoo, ontworpen door lord Snowdon (1964)

hoogtepunt van 3 miljoen in 1950 drastisch zijn afgenomen. Na een onzekere periode gaat het nu weer goed met de dierentuin.

Cumberland Terrace ⑮

NW1. **Kaart** 4 E2. 🚇 *Great Portland St, Regent's Park.*

H et gedetailleerde ontwerp van Cumberland Palace wordt toegeschreven aan James Thomson. Het zijn de langste en meest versierde terraswoningen van Nash rond Regent's Park. Het bouwwerk werd voltooid in 1828 en moest zichtbaar zijn vanuit het paleis dat Nash had toegedacht aan de prinsregent (later George IV). Het paleis werd nooit gebouwd omdat de prins het te druk had met zijn plannen voor Buckingham Palace *(blz. 94-95).*

Cumberland Terrace van Nash dateert uit 1828

HAMPSTEAD

Hampstead, boven op de hoge heuvelkam ten noorden van de metropool, heeft zich altijd afzijdig gehouden van Londen. Hampstead Heath, een uitgestrekte vlakte tussen Hampstead en Highgate, maakt het dorp nog aantrekkelijker en scheidt het van de jachtige stadscentrum. U kunt aangenaam door de charmante dorpsstraten slenteren en daarna over het open veld verder wandelen.

BEZIENSWAARDIGHEDEN IN HET KORT

Historische straten en gebouwen
Flask Walk en Well Walk ❶
Church Row ❺
Downshire Hill ❻
Vale of Health ⓭

Musea
Burgh House ❷
Fenton House ❹
Keats House ❼
Kenwood House ❿

Parken en tuinen
Hampstead Heath ❽
Parliament Hill ❾
The Hill ⓬

Pubs en restaurants
Jack Straw's Castle ❸
Spaniards Inn ⓫

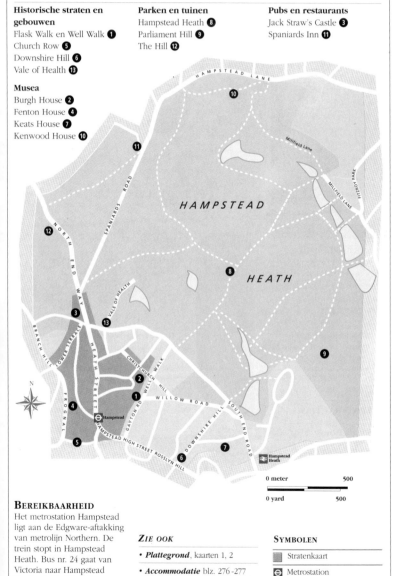

BEREIKBAARHEID
Het metrostation Hampstead ligt aan de Edgware-aftakking van metrolijn Northern. De trein stopt in Hampstead Heath. Bus nr. 24 gaat van Victoria naar Hampstead Heath via Trafalgar Square en Tottenham Court Road.

ZIE OOK

• *Plattegrond*, kaarten 1, 2

• *Accommodatie* blz. 276 -277

• *Restaurants* blz. 292 -294

SYMBOLEN

▨ Stratenkaart

⊖ Metrostation

⊒ Treinstation

Onder de loep: Hampstead

Hoog gelegen op een heuveltop, met aan de noordzijde de uitgestrekte 'Heath', heeft Hampstead zijn dorpse karakter goeddeels bewaard. Sinds de 18de eeuw oefent het aantrekkingskracht uit op kunstenaars en schrijvers; Hampstead werd een van de geliefdste woonwijken in Londen. De herenhuizen en villa's verkeren in perfecte staat en een wandeling door de nauwe straatjes is een ontspannen genoegen.

Jack Straw's Castle
Deze pub aan de rand van de Heath is genoemd naar een 14de-eeuwse rebel ❸

★ Hampstead Heath
De brede open plekken met zwemvijvers, weiden en meren zijn heel geschikt om aan het drukke stadsleven te ontsnappen ❽

Whitestone Pond heeft zijn naam te danken aan de nabijgelegen witte mijlsteen, die 4,5 mijl (7,2 km) van Holborn staat *(blz. 132-141).*

Grove Lodge was de laatste 15 jaar van zijn leven de woning van de schrijver John Galsworthy (1867-1933), auteur van de *Forsyte saga.*

Admiral's House dateert uit ongeveer 1700 en werd gebouwd voor een zeekapitein. De naam is afkomstig van de zeemotieven aan de buitenkant. Een admiraal heeft er nooit gewoond.

STERATTRACTIES

★ **Burgh House**

★ **Hampstead Heath**

★ **Fenton House**

★ **Church Row**

SYMBOOL

– – –   Aanbevolen route

0 meter   100

0 yard   100

★ Fenton House
's Zomers moet u beslist een kijkje gaan nemen bij dit laat-17de-eeuwse huis en zijn prachtige ommuurde tuin, goed verstopt in het doolhof van straten bij de Heath ❹

★ **Burgh House**
Dit huis werd gebouwd in 1702, maar is sinds-dien aanzienlijk veran-derd. Het bevat een intri-gerend museum over de lokale geschiedenis, en een café met uitzicht over de kleine tuin ②

ORIËNTATIEKAART
Zie kaart Greater London blz. 10-11

Het New End Theatre brengt onbekende maar belangrijke produkties. Het gebouw was vroeger een lijkenhuis.

Nr 40 Well Walk is waar de schilder John Constable woon-de en werkte aan zijn vele schilderijen van Hampstead.

Flask Walk en Well Walk
Een straatje met gezellige spe-ciaalzaken groeit even ver-derop uit tot een brede dorps-straat met woonhuizen ①

Metro Hampstead

★ **Church Row**
De hoge huizen in waarschijnlijk Londens fraaiste straat in georgian stijl bezitten veel authen-tieke details, zoals het magnifieke smeedwerk ⑤

De Everyman Cinema staat er al sinds 1933.

Jack Straw's Castle in de 19de eeuw

Flask Walk en Well Walk ❶

NW3. **Kaart** 1 B5. 🚇 *Hampstead.*

Flask Walk is genoemd naar de pub Flask. Hier werd in de 18de eeuw genezend bronwater uit Hampstead in flessen gedaan en verkocht aan bezoekers of vervoerd naar Londen. Het water was rijk aan ijzerzouten en kwam uit de nabijgelegen Well Walk, waar nu een niet meer werkende fontein staat op de plaats van de bron. De Wells Tavern, tegenover de bron, was vroeger een herberg die werd gebruikt door gasten die er overspel pleegden, een activiteit waar het kuuroord berucht om was.

Later kende Well Walk beroemde bewoners, zoals John Constable (nr. 40), de schrijvers D.H. Lawrence en J.B. Priestley en de dichter John Keats voordat hij verhuisde naar zijn woning in wat nu Keats Grove heet.

Flask Walk, aan het einde van High Street, is nauw en heeft veel oude winkeltjes. Voorbij de pub (let op de victoriaanse tegelpanelen aan de buitenzijde) verbreedt de straat zich. In een van de regency-huizen die hier staan, woonde de schrijver Kingsley Amis.

Burgh House ❷

New End Sq NW3. **Kaart** 1 B4. 📞 *0171-431 0144.* 🚇 *Hampstead.* **Open** *12.00-17.00 uur wo-zo, 14.00-17.00 uur feestdagen.* **Gesloten** *Kerstweek, Goede Vr.* 📷 🍴 📶 **Muziekrecitals.**

De laatste privé-huurder van Burgh House was de schoonzoon van de schrijver Rudyard Kipling, die hier tot 1936 af en toe op bezoek kwam in de laatste jaren van zijn leven. Het huis was een tijd lang eigendom van de Hampstead Borough Council en werd toen verhuurd aan de onafhankelijke Burgh House Trust. Sinds 1979 huisvest het het Hampstead Museum, dat aandacht schenkt aan de geschiedenis van het gebied en een paar bekende bewoners.

Een kamer is geheel gewijd aan het leven van John Constable, die een opmerkelijke serie studies maakte van de wolken boven Hampstead Heath. Het museum richt ook de schijnwerper op Lawrence, Keats, de schilder Stanley Spencer en anderen die in dit gebied woonden en werkten. Regelmatig vinden in Burgh House exposities plaats van werk van lokale kunstenaars. Het huis zelf werd in 1703 gebouwd en is genoemd naar

een 19de-eeuwse bewoner, dominee Allatson Burgh. Het is sindsdien van binnen aanzienlijk verbouwd. Het houtsnijwerk op de trap is een van de hoogtepunten van het interieur. Ook het bezoeken waard is de muziekkamer, die in 1920 werd verbouwd, maar 18de-eeuwse dennehouten lambrizeringen uit een ander huis bevat. In 1720-1730 woonde hier dr William Gibbons, de hoofdarts van het toen florerende kuuroord. In het souterrain zit een redelijk geprijsd café met een terras dat uitkijkt over de tuin.

Trap in Burgh House

Jack Straw's Castle ❸

12 North End Way NW3. **Kaart** 1 A3. 📞 *0171-435 8374* 🚇 *Hampstead.* **Open** *normale openingstijden (blz. 308).* ♿ 🍴

Deze pub is genoemd naar een van de luitenanten van Wat Tyler in de Boerenopstand van 1381 *(blz. 162).* Naar verluidt heeft Jack Straw hier een kampement opgeslagen, vanwaar hij naar Londen wilde optrekken. In plaats daarvan werd hij gevangen genomen en opgehangen. In ieder geval staat hier al vele jaren een pub maar het huidige gebouw, een nepkasteel, dateert uit 1962. Het is enorm groot en u hebt een mooi uitzicht over de Heath vanuit het restaurant en de Turret Bar op de tweede verdieping.

Plaats van de bron aan Well Walk

Fenton House ❹

20 Hampstead Grove NW3.
Kaart 1 A4. 📞 *0171-435 3471.*
🚇 *Hampstead.* **Open** *13.00-17.30
uur wo-vr, 11.00-17.30 uur za, zo,
feestdagen.* **Gesloten** *nov.-febr.* **Niet
gratis.** 🎵 **Zomerconcerten** *20.00
uur wo.*

Dit prachtige 'William and
Mary-huis' uit 1693 is de
oudste woning in Hampstead.
U vindt er twee gespecialiseerde tentoonstellingen die
in de zomer voor het publiek
toegankelijk zijn: de Benton-
Fletcher-collectie van oude
toetsinstrumenten, met onder
meer een klavecimbel uit
1612 waar Händel nog op zou
hebben gespeeld, en een
fraaie collectie porselein. De
instrumenten functioneren allemaal nog en worden hier
zelfs voor concerten gebruikt.
De porseleincollectie is
grotendeels bijeengebracht door lady
Binning, die in 1952
het huis en de hele
inboedel naliet aan
de National Trust.

Church Row ❺

NW3. **Kaart** 1 A5. 🚇 *Hampstead.*

De 'Row' is een van de
mooiste georgian straten
van Londen. Veel oorspronkelijke details zijn bewaard gebleven, met name het ijzerwerk.
Aan de westkant staat St
John's, de in 1745 gebouwde
parochiekerk van Hampstead.
De ijzeren hekken zijn ouder
en afkomstig uit Canons Park
in Edgware. In de kerk staat
een buste van John Keats, en
veel belangrijke personen uit
Hampstead liggen op de aangrenzende begraafplaats.

Downshire Hill ❻

NW3. **Kaart** 1 C5. 🚇 *Hampstead.*

De naam van deze prachtige straat met voornamelijk regency-huizen werd
overgenomen door een groep
kunstenaars die tussen de
beide wereldoorlogen bijeenkwamen op nr. 47. Hetzelfde

huis was vroeger de ontmoetingsplaats geweest van prerafaëlitische schilders als Dante
Gabriel Rossetti en Edward
Burne-Jones. Een recentere
bewoner, van nr. 5, was Jim
Henson, de bedenker van de
Muppets.
De kerk op de hoek werd in
1823 gebouwd voor de bewoners van 'the Hill'. De gesloten kerkbanken zijn authentiek.

Keats House ❼

Keats Grove NW3. **Kaart** 1 C5.
📞 *0171-435 2062.* 🚇 *Hampstead,
Belsize Park.* **Open** *april-okt.: 10.00-
13.00 uur, 14.00-18.00 uur ma-vr;
nov.-maart: 13.00-17.00 uur ma-vr;
hele jaar door: 10.00-13.00, 14.00-
17.00 uur za; 14.00-17.00 uur zo,
feestdagen.* **Gesloten** *24-26 dec.,
1 jan., Goede Vrijdag, May Day.* 🎤
Poëzievoordrachten, lezingen.

Haarlok van John Keats

Vroeger waren dit twee
huizen onder één kap
(1816). In 1818 werd Keats
door zijn vriend Charles
Armitage Brown overgehaald

St John's, Downshire Hill

om in het kleinste huis te
trekken. Keats bracht hier
twee produktieve jaren door:
Ode to a nightingale, misschien zijn beroemdste gedicht, werd in de tuin onder
een pruimeboom geschreven.
Een jaar later kwam de familie Brawne in het huis ernaast
wonen en Keats verloofde
zich met dochter Fanny. Het
huwelijk vond echter nooit
plaats, want twee jaar later
overleed Keats in Rome aan
tuberculose. Hij was pas 25.
Een liefdesbrief van Keats aan
Fanny, de verlovingsring die
hij haar gaf, een lok van haar
haar en andere voorwerpen
worden in het huis tentoongesteld. Bezoekers kunnen
tevens enkele authentieke
manuscripten en boeken van
Keats bezichtigen. De collectie waarvan ze deel uitmaken,
dient als eerbetoon aan zijn
leven en werk.

De 17de-eeuwse gevel van Fenton House

Uitzicht over Londen vanaf Hampstead Heath

Hampstead Heath ❽

NW3. **Kaart** 1 C2. 🆔 *0181-348 9945.*
🚇 *Belsize Park, Hampstead.* **Open**
elke dag onbeperkt. **Speciale wandelingen** *op zondagen.* **Concerten, poëzievoordrachten, activiteiten voor kinderen** *'s zomers.* **Sportfaciliteiten, zwemvijvers. Boekingen voor sporten** 📞 *0181-458 4544.*

De beste tijd om in dit 8 km² grote gebied te wandelen, is zondagmiddag, wanneer de lokale bewoners na de *roast beef* de inhoud van de zondagskranten bespreken. De Heath scheidt de twee op een heuvel gelegen dorpjes Hampstead en Highgate *(blz. 242)* en is samengesteld uit vroeger gescheiden landgoederen. Er is een veelheid aan landschapsoorten: bossen, weiden, heuvels, vijvers en meren. Hier vindt u niet de vele standbeelden en bouwwerken die de parken in het centrum van Londen sieren. Naarmate het gebied eromheen voller wordt, raken de Londenaren meer gesteld op de open ruimten. Er zijn vijvers om in te zwemmen en te vissen, en tijdens drie vakantieweekenden – Pasen, einde lente en einde zomer – wordt het zuidelijk deel van de Heath overgenomen door een populaire kermis *(blz. 56-59).*

Parliament Hill ❾

NW3. **Kaart** 2 E4. 📞 *0171-485 4491.*
🚇 *Belsize Park, Hampstead.* ♿ **Concerten, activiteiten voor kinderen** *'s zomers.* **Sportfaciliteiten.** 📺

Een onwaarschijnlijke maar romantische verklaring voor de naam van dit gebied is dat hier de medesamenzweerders van Guy Fawkes bijeenkwamen op 5 november 1605 in de ijdele hoop dat ze de Houses of Parliament de lucht in zouden zien vliegen nadat ze daar vaten buskruit hadden geplaatst *(blz. 22).* Het is waarschijnlijker dat dit een geschutsemplacement was van het parlementaire

Kenwood House ❿

Hampstead Lane NW3. **Kaart** 1 C1.
📞 *0181-348 1286.* 🚇 *Highgate, Archway.* **Open** *april-sept.: 10.00-18.00 uur dagelijks; okt.-maart: 10.00-16.00 uur dagelijks.*
Gesloten *24-25 dec.* ♿ 🚫 📷
Concerten *'s zomers bij het meer.*
Exposities, poëzievoordrachten, recitals. 🍽️ 🛍️
Zie **Amusement** *blz. 330-331.*

In dit landhuis, hooggelegen op de rand van Hampstead Heath, vindt u talloze schilderijen van oude meesters zoals Vermeer, Turner en Romney (die in Hampstead woonde). Er staat hier al een huis sinds 1616. Het huidige werd door Robert Adam in 1764 verbouwd voor de graaf van Mansfield, de Lord Chancellor. Adam richtte bestaande kamers opnieuw in en voegde een aantal aan het gebouw toe. De meeste van zijn interieurs zijn bewaard gebleven. Een zelfportret van Rembrandt is het klapstuk van de collectie. Er zijn ook werken van Van Dyck, Hals, Reynolds en anderen.

De oranjerie wordt nu gebruikt voor concerten en recitals.

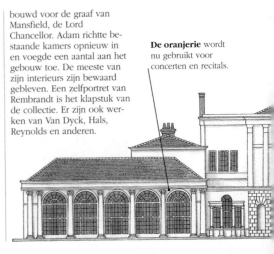

leger tijdens de Burgeroorlog 40 jaar later. De kanonniers moeten een fraai panorama over Londen hebben gehad. Zelfs nu, met alle hoge gebouwen, hebt u vanaf deze plaats nog een van de mooiste uitzichten over de stad. De koepel van St Paul's is goed te zien.

Spaniards Inn ⓫

Spaniards Rd NW3. **Kaart** 1 B1.
📞 *0181-455 3276.* 🚇 *Hampstead, Golders Green.* **Open** *11.00-23.00 uur ma-za, 12.00-15.00, 19.00-23.00 uur zo.* ♿ *Zie* **Restaurants en pubs** *blz. 308-309.*

De historische Spaniards Inn

De beruchte 18de-eeuwse struikrover Dick Turpin kwam naar verluidt regelmatig in deze pub. Als hij niet bezig was met het aanhouden van koetsen naar en van Londen, stalde hij zijn paard Black Bess in de nabijgelegen stallen. Het gebouw dateert zeker van zijn tijd en hoewel de bar beneden vaak is verbouwd, is de kleine Turpin Bar boven authentiek. Men beweert dat de pistolen boven de bar werden afgepakt van antikatholieke reloproepers die naar Hampstead waren gekomen om de woning van de Lord Chancellor in Kenwood in brand te steken tijdens de Gordon-rellen van 1780. De kastelein bood ze aldoor gratis bier aan, en ontwapende de mannen toen ze dronken waren. Beroemde bezoekers van de pub waren onder meer de dichters Shelley, Keats en Byron, de acteur David Garrick en de schilder sir Joshua Reynolds.

The Hill ⓬

North End Way NW3. **Kaart** 1 A2
📞 *0181-455 5183.* 🚇 *Hampstead, Golders Green.* **Open** *9.00 uur-scheming dagelijks.*

Deze charmante tuin werd aangelegd door de zeepfabrikant en mecenas lord Leverhulme. Oorspronkelijk was dit het terrein bij zijn huis – nu een ziekenhuis – maar nu maakt het deel uit van Hampstead Heath. Het mooist is de pergola, die u het beste 's zomers kunt bekijken omdat dan veel bloemen in bloei staan. De tuin heeft ook een siervijver.

De pergola bij The Hill

Vale of Health ⓭

NW3. **Kaart** 1 B4. 🚇 *Hampstead.*

Voordat dit gebied in 1770 werd drooggelegd, stond het bekend als een ongezond moeras dat Hatches Bottom werd genoemd. De nieuwe naam is mogelijk afkomstig van mensen die hierheen vluchtten voor de cholera-epidemie in Londen.
Doordat de dichter James Henry Leigh Hunt in 1815 hierheen verhuisde en gasten ontving als Coleridge, Byron, Shelley en Keats, werd Vale of Health ook in literaire kringen bekend. D.H. Lawrence woonde hier en Stanley Spencer schilderde een kamer boven het Vale of Health Hotel, dat in 1964 werd gesloopt.

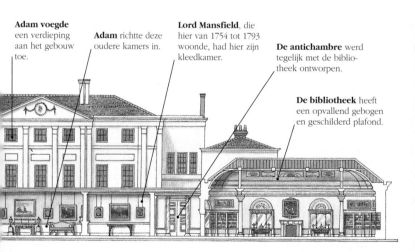

Adam voegde een verdieping aan het gebouw toe.

Adam richtte deze oudere kamers in.

Lord Mansfield, die hier van 1754 tot 1793 woonde, had hier zijn kleedkamer.

De antichambre werd tegelijk met de bibliotheek ontworpen.

De bibliotheek heeft een opvallend gebogen en geschilderd plafond.

GREENWICH EN BLACKHEATH

Greenwich is bekend als de plaats waar de nulmeridiaan doorheen loopt. De plaats markeert de oostelijke toegang tot Londen. Hier staan ook het National Maritime Museum en het schitterende Queen's House. De 19de-eeuwse industrialisatie ging aan Greenwich voorbij en tegenwoordig is dit een oase van boekwinkels, antiekzaken en markten. Blackheath ligt net ten zuiden van Greenwich.

BEZIENSWAARDIGHEDEN IN HET KORT

Historische straten en gebouwen
Queen's House ❷
Royal Naval College ❼
Old Royal Observatory ❾
Croom's Hill ⓬

Musea
National Maritime Museum ❶
Fan Museum ⓭

Kerken
St Alfege Church ❸

Parken en tuinen
Greenwich Park ❿
Blackheath ⓫

Wandelgang
Greenwich Foot Tunnel ❻

Pubs en restaurants
Trafalgar Tavern ❽

Schepen
Gipsy Moth IV ❹
Cutty Sark ❺

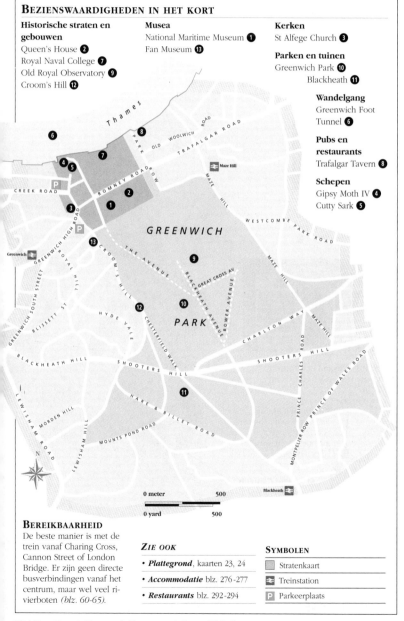

BEREIKBAARHEID
De beste manier is met de trein vanaf Charing Cross, Cannon Street of London Bridge. Er zijn geen directe busverbindingen vanaf het centrum, maar wel veel rivierboten (*blz. 60-65*).

ZIE OOK
• *Plattegrond*, kaarten 23, 24
• *Accommodatie* blz. 276-277
• *Restaurants* blz. 292-294

SYMBOLEN
▢ Stratenkaart
▧ Treinstation
Ⓟ Parkeerplaats

Uitzicht op Queen's House en de Thames vanuit Greenwich Park

Onder de loep: Greenwich

Deze stad markeert de historische oostelijke toegang tot Londen. De beste manier om er te komen, is met een rivierboot *(blz. 60-65)*. In de 16de eeuw stond hier een paleis van Hendrik VIII, vlak bij een uitstekend jachtgebied en de marinebasis. Hendrik en zijn dochters Elizabeth I en Mary werden hier geboren, maar het oude paleis is verdwenen. Wel staat hier het luisterrijke Queen's House. Musea, boek- en antiekzaken, markten, de architectuur van Wren en het mooie park maken Greenwich zeker een bezoekje waard.

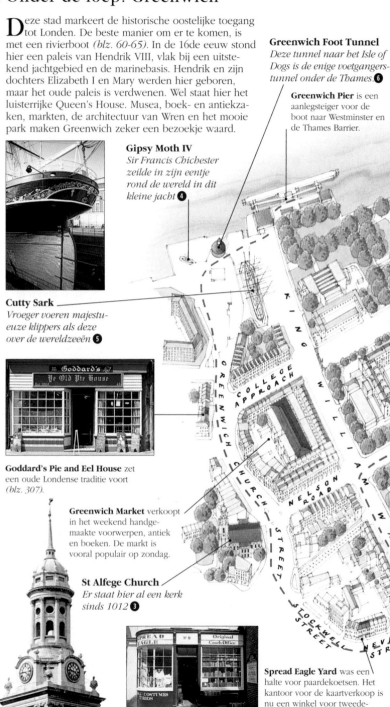

Greenwich Foot Tunnel
Deze tunnel naar het Isle of Dogs is de enige voetgangerstunnel onder de Thames. ❻

Greenwich Pier is een aanlegsteiger voor de boot naar Westminster en de Thames Barrier.

Gipsy Moth IV
Sir Francis Chichester zeilde in zijn eentje rond de wereld in dit kleine jacht ❹

Cutty Sark
Vroeger voeren majestueuze klippers als deze over de wereldzeeën ❺

Goddard's Pie and Eel House zet een oude Londense traditie voort *(blz. 307)*.

Greenwich Market verkoopt in het weekend handgemaakte voorwerpen, antiek en boeken. De markt is vooral populair op zondag.

St Alfege Church
Er staat hier al een kerk sinds 1012 ❸

Spread Eagle Yard was een halte voor paardekoetsen. Het kantoor voor de kaartverkoop is nu een winkel voor tweedehands boeken.

★ **Royal Naval College**
Dit gebouw van Wren werd in tweeën gesplitst, opdat Queen's House uitzicht op de Thames zou houden **7**

ORIËNTATIEKAART
Zie kaart Groot Londen blz. 10-11

Het standbeeld van George II
werd in 1735 vervaardigd door John Rysbrack en beeldt de koning af als Romeins keizer.

De Painted Hall bevat 18de-eeuwse muurschilderingen van sir James Thornhill, die het interieur van St Paul's Cathedral schilderde.

★ **Queen's House**
Nadat hij uit Italië was teruggekeerd, was dit het eerste gebouw van Inigo Jones in palladio-stijl **2**

National Maritime Museum
De geschiedenis van de zeevaart wordt toegelicht met behulp van echte boten en modellen, schilderijen en instrumenten als dit 18de-eeuwse kompas **1**

STERATTRACTIES

★ Royal Naval College

★ Queen's House

SYMBOOL

- - - Aanbevolen route

0 meter	100
0 yard	100

National Maritime Museum ❶

Romney Rd SE10.
Kaart 23 C2.
0181-858 4422.
Maze Hill.
Open 10.00-17.00 uur dagelijks
(toegang tot 30 minuten voor
sluitingstijd). **Gesloten** 24-26 dec.
Niet gratis. het grootste deel van
het museum.
Lezingen, exposities.

De zee heeft altijd een belangrijke rol gespeeld in de Britse geschiedenis en dit museum is dan ook gewijd aan het erfgoed van deze zeevarende natie. U vindt er onder meer holle kano's, gemaakt van hout en leer, modellen van elizabethaanse galjoenen en moderne vracht-, passagiers- en marineschepen. Er wordt aandacht geschonken aan handel en koloniën, ontdekkingsreizen van kapitein Cook en anderen en de napoleontische oorlogen. Een van de attracties is het uniform dat lord Nelson droeg toen hij in oktober 1805 werd neergeschoten tijdens de Zeeslag bij Trafalgar. Het kogelgat en de bloedvlekken zijn nog goed zichtbaar. Nog spectaculairder zijn de staatsiesloepen in de kelder, vooral degene die in 1732 werd gebouwd voor prins Frederick en uitgebreid versierd is met vergulde zeemeerminnen, schelpen, guirlandes en de veren van de prins van Wales. In het museum, dat in de 19de eeuw werd gebouwd als school voor zeemanskinderen, vindt u historische schilderijen en modellen van schepen.

De sloep van prins Frederick in het National Maritime Museum

Het altaar van St Alfege, met een altaarhek van Jean Tijou

Queen's House ❷

Romney Rd SE10. **Kaart** 23 C2.
0181-858 4422. Maze Hill,
Greenwich. **Open** april-sept.: 9.30-
18.00 uur ma-za, 12.00-18.00 uur zo;
okt.-maart: 10.00-17.00 uur ma-za,
12.00-17.00 uur zo. (toegang tot
30 minuten voor sluitingstijd.) **Niet
gratis.**
**Lezingen, concerten,
exposities.**

Het huis werd ontworpen door Inigo Jones toen hij uit Italië was teruggekeerd en voltooid in 1637. Het was oorspronkelijk bedoeld voor Anna van Denemarken, de vrouw van Jacobus I, maar zij overleed tijdens de bouw en dus werd het voltooid voor de koningin van Karel I, Henriette Maria. Ze was er erg op gesteld en noemde het haar 'huis van de vreugde'. Na de Burgeroorlog woonde Henrietta hier enige tijd, maar het huis werd verder niet vaak door de koninklijke familie gebruikt.

Het is onlangs in 17de-eeuwse stijl gerestaureerd en ingericht, met bonte wandkleden en weefsels. Het huis bestaat uit twee door een brug verbonden delen, aan weerskanten van de oude weg van Woolwich naar Deptford. De weg werd later verplaatst, maar kinderhoofdjes op de voorhof geven aan waar de oude weg heeft gelopen. De grote hal is een kubus met ribben van 12 m. Tevens bevindt zich hier de 'tulpentrap' die zonder centrale ondersteuning naar boven kronkelt.

St Alfege Church ❸

Greenwich Church St SE10.
Kaart 23 B2. 0181-853 0687.
Greenwich. **Open** 12.30-16.00
uur dagelijks. 9.30 uur zo.
Concerten, exposities.

Met zijn enorme zuilen en met urnen boven op de timpanen is dit een van de kenmerkende, krachtige ontwerpen van Nicholas Hawksmoor. De kerk werd voltooid in 1714 en staat op de plaats van een oudere kerk die de plaats aangaf waar St Alfege, de toenmalige aartsbisschop van Canterbury, in 1012 door Noormannen werd gedood.

Een deel van het houtsnijwerk binnenin is van Grinling Gibbons, maar een groot deel werd tijdens de Tweede Wereldoorlog beschadigd en is gerestaureerd.

Het smeedwerk van het altaar en de galerijen is authentiek en wordt toegeschreven aan Jean Tijou. U vindt er ook een reproduktie van de inschrijving in het doopregister van Henry VIII en een plaat die de tombe aangeeft van generaal Wolfe, die in 1759 stierf bij het bevechten van de Fransen in Quebec.

Gipsy Moth IV ❹

King William Walk SE10. **Kaart** 23 B2. ☎ *0181-858 3445*. ⌦ *Greenwich, Maze Hill*. ⛴ *Greenwich Pier*. **Openingstijden** *variëren met de bezetting, dus bel eerst*. **Gesloten** *nov.-maart*. **Niet gratis** 📷 ♿

Gipsy Moth IV

Sir Francis Chichester zeilde in zijn eentje met dit kleine jacht rond de wereld in 1966-1967. Het kostte hem 226 dagen om 48.000 km af te leggen in zijn 16 m lange boot. Hij werd door de koningin in de adelstand verheven met het zwaard dat Elizabeth I nog had gebruikt om die andere Engelse zeeman, sir Francis Drake, mee tot ridder te slaan.

Het overkoepelde gebouw van de Greenwich Foot Tunnel

Cutty Sark ❺

King William Walk SE10. **Kaart** 23 B2. ☎ *0181-858 3445*. 📠 *0181-853 3589*. ⌦ *Greenwich, Maze Hill*. ⛴ *Greenwich Pier*. **Open** *april-sept.: 10.00-18.00 uur ma-za, 12.00-18.00 uur zo; okt.-maart: 10.00-17.00 uur ma-za, 12.00-17.00 uur zo, feestdagen. (toegang tot 30 min voor sluitingstijd)*. **Gesloten** *24-26 dec*. **Niet gratis** 📷 ♿ *verboden*. 📷 📱 **Filmshows, videos**.

Dit majestueuze vaartuig is een van de gracieuze en snelle klippers die in de 19de eeuw de Atlantische en Indische Oceaan bevoeren. Deze theeklipper uit 1869 won in 1871 de jaarlijkse klipperwedstrijd van China naar Londen in 107 dagen. Zijn laatste reis was in 1938 en in 1957 werd hij hier tentoongesteld. Aan boord kunt u zien waar de zeelieden sliepen, aten en woonden. Er is een tentoonstelling over de geschiedenis van de zeilvaart en de handel met het Oosten.

Greenwich Foot Tunnel ❻

Van Greenwich Pier SE10 naar Isle of Dogs E14. **Kaart** 23 B1. ⌦ *Maze Hill, Greenwich*. **Docklands Light Railway** *Island Gardens*. ⛴ *Greenwich Pier*. **Geopend** *24 uur per dag*. **Liften open** *5.00-21.00 uur dagelijks*. 📷 ♿ *als lift is geopend*.

Deze 370 m lange tunnel werd in 1902 geopend, opdat arbeiders uit Zuid-Londen naar hun werk in Millwall Docks konden lopen. Aan de andere kant hebt u een prachtig uitzicht op het Royal Naval College van Wren en het Queen's House van Inigo Jones.

Aan weerskanten van de rivier markeren ronde gebouwtjes van rode baksteen de plaats waar u de lift kunt nemen. De tunnel is zo'n 2,5 m hoog en voorzien van 200.000 tegels. Het noordelijke uiteinde aan de zuidkant van het Isle of Dogs ligt vlak bij de vertrekhal van de Docklands Light Railway, die naar Canary Wharf *(blz. 245)*, Limehouse, Oost-Londen en de City rijdt. Hoewel er camera's hangen, kan de tunnel 's nachts een beetje eng zijn.

Een laat-19de-eeuws boegbeeld in de Cutty Sark

Royal Naval College ❼

Greenwich SE10. **Kaart** 23 C2.
🔲 *0181-858 2154.* 🚆 *Greenwich, Maze Hill.* **Open** *14.00-16.45 uur vr-wo.* 🚫

Deze ambitieuze bouwwerken van Christopher Wren staan op de plaats van een oud 15de-eeuws paleis, waar Hendrik VIII, Mary I en Elizabeth I woonden. De kapel en de hal zijn de enige delen van het opleidingsinstituut die geopend zijn voor het publiek. De westelijke façade werd voltooid door Vanbrugh.

De kapel van Wren werd in 1779 door brand verwoest. Het prachtige lichte en hoge rococo-interieur werd ontworpen door James Stuart en heeft sierlijk pleisterwerk op plafond en muren. Het altaarhek, de Avondmaalstafel en de kandelaber zijn verguld. De Painted Hall werd aan het begin van de 18de eeuw weelderig versierd door sir James Thornhill. De prachtige plafondschilderingen worden gedragen door zijn illusoire pilaren en friezen. Aan de voet van een van de schilderingen op de westmuur ziet u de schilder zelf, zijn hand ophoudend voor meer geld.

Koning Willem geschilderd door Thornhill in de hal van het Naval College

Trafalgar Tavern ❽

Park Row SE10. **Kaart** 23 C1.
🔲 *0181-858 2437.* **Zie Restaurants en pubs blz. 308-309.**

Deze gezellige pub werd in 1837 gebouwd. Al snel werden hier, net als in de andere taveernes aan het water, zogenaamde 'whitebait dinners' gehouden. Ministers en andere notabelen kwamen tijdens feestelijke gelegenheden per boot vanuit Westminster en Charing Cross om zich te goed te doen aan whitebait, zeeblik, die toen nog hier in de buurt kon worden gevangen. Zeeblik staat nog steeds op het menu van het restaurant, maar de Thames is zo erg vervuild dat de vis tegenwoordig van elders moet worden gehaald.

Charles Dickens kwam hier vaak iets drinken met de etser George Cruickshank.

Na 1915 heeft de pub diverse andere functies gehad. Eerst werd het een opvanghuis voor gepensioneerde zeelieden en vervolgens een sociëteit voor arbeiders. In 1965 is het gebouw gerestaureerd en tegenwoordig doet het weer dienst als pub.

Old Royal Observatory ❾

Greenwich Park SE10. **Kaart** 23 C3.
🔲 *0181-858 4422.* 🚆 *Maze Hill, Greenwich.* **Open** *april-sept.: 10.00-18.00 uur ma-za, 12.00-18.00 uur zo; okt.-maart: 10.00-17.00 uur ma-za, 14.00-17.00 uur zo.* **Niet gratis.** 📷 🏛

De nulmeridiaan, die de aarde in een Westelijk en een Oostelijk Halfrond verdeelt, loopt door dit gebouw. Miljoenen bezoekers hebben zich laten fotograferen met aan weerskanten een voet. In 1884 werd de Greenwich Mean Time de basis van de tijdrekening voor het overgrote deel van de wereld na een belangrijk internationaal akkoord. Het oorspronkelijke gebouw heet Flamsteed House en is een ontwerp van Wren. Het heeft een opvallende achthoekige zaal op de bovenverdieping, verborgen door rechte buitenmuren en gekroond met twee torentjes. Boven op één ervan staat een mast met een bal, die sinds 1833 elke dag om 13.00 uur naar beneden valt, zodat de zeelieden op schepen in de Thames hun navigatieklokken gelijk konden zetten.

Flamsteed was de eerste Astronomer Royal, en dit was het officiële observatorium van 1675 tot 1948, toen de lichtvervuiling van Londen te

Trafalgar Tavern gezien vanaf de Thames

erg werd en de astronomen moesten verhuizen naar het donkerder Sussex. De Astronomer Royal woont tegenwoordig in Cambridge; in het oude observatorium is een intrigerende collectie instrumenten, chronometers en klokken ondergebracht.

Een zeldzame 24-uursklok bij het Old Royal Observatory

Greenwich Park ⓾

SE10. **Kaart** 23 C3. 0181-858 2608. Greenwich, Blackheath, Maze Hill. **Open** 6.00 uur-schemering dagelijks, voetgangers. **Shows voor kinderen, muziek, sport. Ranger's House**, Chesterfield Walk, Greenwich Park SE10. **Kaart** 23 C4. 0181-853 0035. **Open** Goede Vr-30 sept.: 10.00-13.00, 14.00-18.00 uur dagelijks; 31 okt.-Witte Do: 10.00-13.00, 14.00-16.00 uur wo-zo. **Gesloten** 24-25 dec. alleen benedenverdieping.

Dit was vroeger het terrein van een koninklijk paleis. Het park is nog steeds in handen van de Kroon en werd in 1433 omheind. De bakstenen muur werd tijdens de regering van Jacobus I gebouwd. In de 17de eeuw werd de Franse koninklijke tuinarchitect André Le Nôtre – de ontwerper van de tuinen van Versailles – naar Greenwich gehaald. De brede, heuvelopwaarts lopende avenue maakte deel uit van zijn ontwerp. Vanaf de heuvel hebt u een prachtig uitzicht over de Thames en op een heldere dag kunt u heel Londen zien liggen. Aan de zuidoostrand van het park ligt Ranger's House (1688), de voormalige woning van de parkbeheerder.

Het Ranger's House in Greenwich Park

Blackheath ⓫

SE3. **Kaart** 24 D5. Blackheath.

Op dit open veld verzamelden zich vaak grote groepen die Londen vanuit het oosten wilden binnentrekken, zoals de rebellen onder leiding van Wat Tyler ten tijde van de Boerenopstand in 1381. Hier introduceerde Jacobus I het uit zijn geboorteland Schotland afkomstige spel golf aan de sceptische Engelsen.
Om het veld staan statige georgian huizen en terrassen. In Tranquil Vale, in het zuiden, vindt u winkels die boeken, prenten en antiek verkopen.

Croom's Hill ⓬

SE10. **Kaart** 23 C3. Greenwich.

Dit is een van de best bewaard gebleven 17de- tot 19de-eeuwse straten in Londen. De oudste gebouwen staan aan de kant van Blackheath: het Manor House uit 1695; nr. 68, uit ongeveer dezelfde tijd; en nr. 66, het oudste van allemaal. Beroemde bewoners van Croom's Hill waren onder meer generaal James Wolfe (begraven in St Alfege) en de acteur Daniel Day Lewis.

Fan Museum ⓭

12 Croom's Hill SE10. **Kaart** 23 B3. 0181-858 7879. Greenwich. **Open** 11.00-16.30 uur di-za, 12.00-16.30 uur zo. **Niet gratis**, reductie voor bejaarden en gehandicapten. **Lezingen, workshops waaiermaken**.

Dit is een van de eigenaardigste musea van Londen en het enige waaiermuseum ter wereld. Het werd geopend in 1989 en dankt zijn bestaan en charme aan Helene Alexander, wier privé-collectie waaiers vanaf de 17de eeuw is aangevuld met giften van anderen, waaronder verschillende waaiers die voor het toneel werden gemaakt. De tentoongestelde waaiers worden regelmatig afgewisseld om een goed beeld te geven van de benodigde vaardigheden, zoals ontwerpen, miniatuurschilderen, houtsnijden en borduren. Als mevrouw Alexander er is, zal ze u zelf rondleiden.

Waaier die werd gebruikt in operette van D'Oyly Carte

Buiten het centrum

Veel huizen die als buitenverblijven waren bedoeld voor welgestelde Londenaren, werden in de victoriaanse tijd overspoeld door de zich uitbreidende voorsteden. Enkele zijn bewaard gebleven als museum in een nu niet meer zo landelijke omgeving. De meeste liggen niet ver van het centrum. Richmond Park en Wimbledon Common zijn landelijk, en een tochtje naar Canary Wharf is een avontuur.

Bezienswaardigheden in het kort

Historische straten en gebouwen
Sutton House **11**
Charlton House **18**
Eltham Palace **19**
Ham House **28**
Orleans House **29**
Hampton Court blz. 250-253 **27**
Marble Hill House **30**
Syon House **32**
Osterley Park House **34**
Pitshanger Manor Museum **35**
Strand on the Green **38**
Chiswick House **39**
Fulham Palace **41**

Kerken
St Mary, Rotherhithe **13**
St Mary's, Battersea **23**
St Anne's, Limehouse **14**

Musea en galeries
Lord's Cricket Ground **1**
Saatchi Collection **2**
Freud Museum **3**
St John's Gate **7**
Crafts Council Gallery **8**
Geffrye Museum **10**
Bethnal Green Museum of Childhood **12**
William Morris Gallery **16**
Horniman Museum **20**
Dulwich Picture Gallery **21**
Wimbledon Lawn Tennis Museum **24**
Wimbledon Windmill Museum **25**
Musical Museum **33**
Kew Bridge Steam Museum **36**
Hogarth's House **40**
London Toy and Model Museum **43**

Parken en tuinen
Battersea Park **22**
Richmond Park **26**
Kew Gardens blz. 256-257 **37**

Begraafplaatsen
Highgate Cemetery **5**

Moderne architectuur
Canary Wharf **15**
Chelsea Harbour **42**

Historische buurten
Highgate **4**
Clerkenwell **6**
Islington **9**
Richmond **31**

Moderne technologie
Thames Barrier **17**

Alle bezienswaardigheden in dit gedeelte liggen binnen de snelweg M25 *(blz. 10-11)*

Symbolen
Bezienswaardigheden
Snelweg

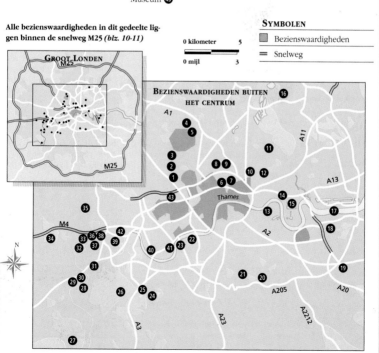

Victoriaanse graftomben op Highgate Cemetery in Noord-Londen

Ten noorden van het centrum

Lord's Cricket Ground ❶

NW8. **Kaart** 3 A3. 📞 *0171-289 1611.*
🚇 *St John's Wood.* **Open** *'s zomers
10.00-17.00 uur wedstrijddagen;
's winters alleen rondleidingen.*
Gesloten *25 dec.* **Niet gratis.** 📷 ♿
🎬 *12.00, 14.00 uur dagelijks (op
wedstrijddagen verplicht voor degenen zonder kaartje).* 🎧 *Zie* **Amusement** *blz. 336-337.*

Dit hoofdkwartier van de
belangrijkste Britse zo-
mersport bevat een museum,
met onder meer een opgezette mus die door een cricket-
bal werd gedood en de
'Ashes' (verbrand hout in een
urn), waar een hevige strijd
om wordt geleverd door de
nationale teams van Engeland
en Australië. Het museum
geeft een overzicht van
de geschiedenis van
cricket, en schilderijen
en aandenkens van
bekende spelers maken
het een pelgrimsoord
voor cricketfans.
De cricketpionier
Thomas Lord verplaatste
in 1814 zijn veld naar deze
lokatie. Er zijn rondlei-
dingen door Lord's,
ook als er geen wed-
strijd wordt ge-
speeld.

De 'Ashes' op Lord's

Saatchi Collection ❷

98a Boundary Rd 2NW8. 📞 *0171-
624 8299.* 🚇 *St John's Wood, Swiss
Cottage.* **Open** *12.00-18.00 uur do-zo.*
Niet gratis *(beh. do)* 🎧 **Lezingen.**

Charles Saatchi, hoofd van
een reclamebureau, en
zijn ex-vrouw vestigden deze
galerie met hedendaagse
kunst in een verbouwd pakhuis. (Er hangt buiten geen
bord, dus let op!). De collectie bestaat uit zo'n 600 werken van befaamde schilders
als Andy Warhol, Carl André
en Frank Stella, en selecties
van de aanwezige kunststuk-
ken zijn te zien op de regelmatig wisselende exposities.

De 'eroemde divan van Freud

Freud Museum ❸

20 Maresfield Gdns NW3.
📞 *0171-435 2002.* 🚇 *Finchley Rd.*
Open *12.00-17.00 uur wo-za.* **Niet
gratis.** 📷 ♿ 🎧 **Lezingen,
video's, avondcursus.**

In 1938 ontvluchtte Sigmund
Freud, de grondlegger van
de psychoanalyse, de nazi-
vervolging in Wenen en vestigde zich in dit huis in
Hampstead. Door ge-
bruik te maken van de
meegenomen huisraad
heeft zijn familie de
sfeer van zijn spreekka-
mer in Wenen opnieuw
tot leven gewekt. Na de
dood van Freud in 1939
hield zijn dochter Anna
het huis in de oude staat.
In 1986, vier jaar na de
dood van Anna, werd
het een aan Freud
gewijd museum.
Het beroemdste
voorwerp is de
divan waarop zijn
patiënten lagen. Een compi-
latie van films uit de jaren
dertig toont hem tijdens diverse privé-momenten. De boekwinkel in het museum heeft
een grote collectie van zijn
werk.

Highgate ❹

N6. 🚇 *Highgate.*

Er is hier al een nederzetting sinds het begin van de
Middeleeuwen, toen er een
belangrijke halte zat aan de
Great North Road vanuit
Londen, met een poort om
toezicht te houden op wie
Londen binnenkwam. Net als
Hampstead *(blz. 226-231)*
werd Highgate al snel populair vanwege de schone lucht

en lieten edellieden er een
landhuis bouwen. Het is nog
steeds een chique buurt. Op
Highgate Hill staat een beeld
van een zwarte kat op de
plaats waar naar men zegt
een ontmoedigde Richard
Whittington en zijn kat even
rust hielden. Hij stond op het
punt Londen te verlaten toen
het luiden van de Bow Bells
hem dwong terug te keren,
waarna hij driemaal Lord
Mayor werd *(blz. 18 & 39).*

Highgate Cemetery ❺

Swain's Lane N6. 📞 *0181-340 1834.*
🚇 *Archway.* **Oostelijke begraafplaats open** *april-okt.: 10.00-17.00
uur dagelijks; nov.-maart: 10.00-
16.00 uur dagelijks.* **Westelijke begraafplaats open** 🎧 *alleen april-
okt.: 12.00, 14.00, 16.00 uur ma-vr,
11.00-16.00 uur za, zo; nov.-maart:
11.00-15.00 uur za, zo.* **Gesloten** *25-
26 dec., tijdens begrafenissen.* **Niet
gratis.** ♿

Het westelijk deel van deze
victoriaanse begraafplaats
werd geopend in 1839. De
graven en tomben zijn een
goed voorbeeld van de victoriaanse stijl. Lange tijd werd
de begraafplaats verwaar-
loosd, totdat de zogenaamde
Friends of the Cemetery zich
ermee gingen bemoeien om
het voor verder verval te be-
hoeden. Zij restaureerden de
Egyptian Avenue en de Circle
of Lebanon. In het oostelijke
deel ligt Karl Marx onder een
enorme zwarte buste van
hemzelf. De schrijfster George
Eliot (pseudoniem van Mary
Ann Evans) ligt hier ook begraven.

**Grafmonument van George
Wombwell op Highgate Cemetery**

St John's Priory. Alleen het poortgebouw is bewaard gebleven

Clerkenwell ❻

EC1. **Kaart** 6 D4. 🚇 Farringdon. Zie **Amusement** blz. 332.

Poster van Sadler's Wells

De 'clerks' in de naam waren zogenaamde 'parish clerks', oftewel kosters, uit de City. Voordat Hendrik VIII in 1536 alle kloosters sloot, stond hier de St John's Priory. Het gebied werd een chique voorstad, maar raakte in verval na de pestepidemie van 1665 (blz. 23). De Franse hugenoten vestigden hier vervolgens hun zilver- en sieradenateliers. Later werd het een centrum voor klokkenmakers. In de victoriaanse tijd bezat Clerkenwell een paar vreselijke sloppenwijken, door Charles Dickens beschreven in Oliver Twist. Aan Rosebury Avenue staat Sadler's Wells Theatre, waar Thomas Sadler in 1683 een 'musick house' liet bouwen bij een bron met vermeende genezende eigenschappen. Het werd in 1927 herbouwd door Lilian Baylis, die ook de weldoener was van de Old Vic (blz. 186), en was tot 1990 het vaste theater van de Sadler's Wells Royal Ballet Company.

St John's Gate ❼

St John's Square EC1. **Kaart** 6 F4. 📞 0171-253 6644. 🚇 Farringdon. **Museum open** 10.00-17.00 uur ma-vr, 10.00-16.00 uur za. **Gesloten** 25 dec., Pasen, feestdagen. **Niet gratis**. 📷 📹 11.00, 14.30 uur di, vr, za. 🚻

Alleen het tudor-poortgebouw en delen van de 12de-eeuwse kerk zijn nog over van de priorij van de Knights of St John, die hier 400 jaar floreerde en de voorloper was van de St John Ambulance. De priorij is voor velerlei doeleinden gebruikt, onder meer als kantoor voor de Master of the Revels van Elizabeth I, als café van de vader van schilder William Hogarth, en als kantoor van het Gentlemen's Magazine (1731-1754) van Edward Cave. Het museum is dagelijks geopend; voor de rest van het gebouw moet u een rondleiding nemen.

Crafts Council Gallery ❽

44a Pentonville Rd N1. **Kaart** 6 D2. 📞 0171-278 7700. 🚇 Angel. **Open** 11.00-18.00 uur di-za, 14.00-18.00 uur zo. ♿ 💻 🚻 **Lezingen**.

Dit is de organisatie voor de bevordering van kunstnijverheid in Groot-Brittannië. Het heeft een collectie eigentijdse ambachtelijk gemaakte voorwerpen, waarvan enkele hier worden ten-

toongesteld, samen met speciale exposities. Er zijn ook een bibliotheek, een informatiedienst en een uitstekende boekwinkel, die tevens fraai handwerk verkoopt.

Islington ❾

N1. **Kaart** 6 E1. 🚇 Angel, Highbury & Islington.

Islington was vroeger een chic kuuroord, maar tegen het einde van de 18de eeuw vertrokken de rijken en ging de buurt snel achteruit. In de 20ste eeuw woonden hier schrijvers als Evelyn Waugh, George Orwell en Joe Orton. Tegenwoordig is de buurt weer erg in trek bij yuppies, die de oude huizen opkopen en opknappen.
Canonbury Tower is het restant van een middeleeuws landhuis dat in de 18de eeuw werd verbouwd tot een appartementencomplex. Schrijvers als Washington Irving en Oliver Goldsmith hebben hier gewoond en nu zit hier het Tower Theatre. Op Islington Green staat een standbeeld van Sir Hugh Myddleton, die in 1613 een kanaal aanlegde door Islington om water van Londen naar Hertfordshire te leiden. U kunt aangenaam wandelen langs de oevers tussen de spoorstations Essex Road en Canonbury (blz. 264-265). Vlak bij het metrostation Angel zijn twee markten (blz. 322-323): Chapel Road, waar vers voedsel en goedkope kleding worden verkocht, en het nabijgelegen Camden Passage, met prijzig antiek.

De Crafts Council Gallery

Ten oosten van het centrum

Victorian Room, Geffrye Museum

Geffrye Museum ⑩

Kingsland Rd E2. 📞 0171-739 9893. 🔵 Liverpool St, Old St. **Open** 10.00-17.00 uur di-za, 14.00-17.00 uur zo (ook 14.00-17.00 uur ma-feestdagen). **Gesloten** 24-26 dec., 1 jan., Goede Vr. ♿ 🅿 🖵 🚻 **Exposities, lezingen, activiteiten.**

Dit compacte museum is gehuisvest in een aantrekkelijke verzameling armenhuizen die in 1715 werden gebouwd op land dat werd nagelaten door sir Robert Geffrye, een 17de-eeuwse Lord Mayor van Londen die zijn fortuin had gemaakt met de handel, met inbegrip van slavenhandel. De kamers van de armenhuizen (voor ijzerwerkers en hun weduwen) zijn in verschillende stijlen ingericht en geven een indruk van de geschiedenis van het gezinsleven en de ontwikkeling van de binnenhuisarchitectuur, beginnend met de elizabethaanse periode en eindigend met Art Nouveau en de jaren vijftig. Elke kamer bevat meubelstukken uit een bepaalde periode, afkomstig uit het hele land. De kapel in het midden met de afgesloten kerkbanken verkeert nog bijna in de oorspronkelijke staat: het Credo, de Tien Geboden en het Onze Vader zijn gegraveerd in de alkoofmuur. Buiten het museum liggen tuinen, met onder meer een ommuurde kruidentuin.

Sutton House ⑪

2-4 Homerton High St E9. 📞 0181-986 2264. 🔵 Bethnal Green, overstappen op bus 253. **Open** feb.-nov.: 11.30-17.00 uur wo, zo. **Gesloten** dec., jan., Goede Vr. **Niet gratis.** 🅿 ♿ 🎥 🖵 🚻 **Concerten, lezingen, films.**

Dit is een van weinige tudor-koopmanshuizen die in ongeveer de oorspronkelijk staat bewaard zijn gebleven. Sutton House werd in 1535 gebouwd voor Ralph Sadleir, een hoveling van Hendrik VIII, en was het eigendom van verscheidene welgestelde families voordat het in de 17de eeuw een meisjesschool werd. In de 18de eeuw werd de voorgevel veranderd.

Bethnal Green Museum of Childhood ⑫

Cambridge Heath Rd E2. 📞 0181-983 5200. 🔵 Bethnal Green. **Open** 10.00-17.50 uur ma-do, za, 14.30-17.50 uur zo. **Gesloten** 24-26 dec., 1 jan., May Day. 📷 ♿ 🚻 **Workshops, activiteiten voor kinderen.**

Dit filiaal van het Victoria and Albert Museum *(blz. 198-201)* is eigenlijk een speelgoedmuseum, hoewel er plannen bestaan om ook aandacht te schenken aan de sociale geschiedenis van de kinderjaren. De verzameling poppen, poppenhuizen (soms geschonken door leden van het koninklijk huis), spelen,

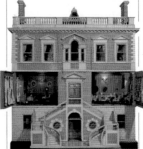

Poppenhuis uit 1760

modeltreinen, theaters, marionetten en groot speelmateriaal wordt verleidelijk tentoongesteld en goed beschreven. Het museum werd gebouwd op de plaats van het V&A, dat in 1872 werd uitgebreid; het museum werd afgebroken en hier opnieuw opgebouwd om East End educatief bij te staan. De speelgoedcollectie werd aan het begin van deze eeuw opgezet en in 1974 werd Bethnal Green een echt speelgoedmuseum.

St Mary, Rotherhithe ⑬

St Marychurch St SE16. 📞 0171-231 2465. 🔵 Rotherhithe. **Open** 8.00-18.00 uur dagelijks. 🕐 9.30, 18.00 uur zo. 🅿 ♿ beperkt. **Concerten, exposities.**

St Mary, Rotherhithe

Deze kerk werd in 1715 gebouwd op de plaats van een middeleeuwse kerk, waarvan restanten in de toren zijn terug te vinden. De kerk heeft een relatie met de zeevaart. U vindt er een grafmonument voor Christopher Jones, de kapitein van de *Mayflower*, waarop de eerste kolonisten naar Noord-Amerika voeren. De Avondmaalstafel is gemaakt van het hout van de *Temeraire*, een oorlogsschip waarvan de reis naar de sloper is weergegeven op een schilderij van Turner in de National Gallery *(blz. 104-107).*

Kleed van William Morris (1885)

St Anne's, Limehouse ⑭

Commercial Rd E14.
📞 *0171-987 1502.* **Docklands Light Railway** *Westferry.* **Open** *15.00-16.30 uur zo, op andere tijdstippen sleutel bij kosterij, Newell St 5 E14.* 🕐 *10.30 uur zo.* 🔲 🎵 **Concerten, lezingen.**

D it is een van de East End-kerken die werden ontworpen door Nicholas Hawksmoor. St Anne's werd voltooid in 1724. De 40 m hoge toren was een oriëntatiepunt voor schepen die gebruik maakten van de havens in East End. De kerk werd ernstig beschadigd door een brand in 1850; tijdens de restauratie voegde de architect Philip Hardwick victoriaanse elementen toe aan het interieur. In de Tweede Wereldoorlog werd de kerk gebombardeerd en restauratie is hoognodig.

Canary Wharf ⑮

E14. **Docklands Light Railway** *Canary Wharf.* 🚻 🚹 🔲 🎵 **Informatiecentrum, concerten, exposities.** Zie **Geschiedenis van Londen** *blz. 30-31.*

H et meest ambitieuze nieuwbouwproject van Londen werd geopend in 1991, toen de eerste huurders in de Canada Tower trokken, het vijftig verdiepingen hoge bouwwerk van de Amerikaanse architect Cesar Pelli. Het staat op wat vroeger het West India Dock was, dat net als alle Londense havens tussen de jaren zestig en tachtig werd gesloten toen de handel werd verplaatst naar de moderne containerhaven bij Tilbury. Als Canary Wharf is voltooid, zullen er 21 kantoorgebouwen staan, samen met winkels en horecagelegenheden. De toekomst van Canary Wharf is vanwege financiële onduidelijkheid echter onzeker.

William Morris Gallery ⑯

Forest Rd E17. 📞 *0181-527 3782.* 🚇 *Walthamstow Central.* **Open** *10.00-13.00, 14.00-17.00 uur di-za, 10.00-13.00, 14.00-17.00 uur eerste zo van de maand.* 🚻 🎵 **Lezingen.**

D e invloedrijkste ontwerper uit de victoriaanse tijd woonde in dit indrukwekkende 18de-eeuwse huis. Het is nu een leuk en aantrekkelijk museum, dat een overzicht geeft van het leven van William Morris, de schilder, ontwerper, schrijver, ambachtsman en vroege socialist. Het bezit fraaie voorbeelden van zijn werk en dat van verscheidene andere leden van de Arts and Crafts-beweging die hij inspireerde: meubels van A.H. Mackmurdo, boeken van Kelmscott Press, tegels van De Morgan, aardewerk van de gebroeders Martin en schilderijen van de prerafaëlieten.

Thames Barrier ⑰

Unity Way SE18. 📞 *0181-854 1373.* 🚉 *Charlton.* **Open** *10.00-17.00 uur ma-vr, 10.30-17.30 uur za, zo.* **Gesloten** *25 dec., 1 jan.* **Niet gratis.** 🔲 🚻 🔲 🎵 **Multi-mediashow, tentoonstelling.**

Thames Barrier

I n 1236 steeg het peil van de Thames zo hoog dat mensen in bootjes door Westminster Hall voeren. In 1663 en 1928 overstroomde Londen wederom, en in 1953 veroorzaakte een vloedgolf ernstige schade in het estuarium onder Londen. Er moest iets gebeuren en in 1965 werden er op verzoek van de Greater London Council *(County Hall blz. 183)* voorstellen ingediend – negen jaar later begon het werk aan de stormvloedkering. De Thames Barrier is 520 m breed en de tien op de bodem liggende sluisdeuren komen als ze omhoog worden gedraaid tot 1,6 m boven het waterpeil van 1953. U kunt het beste per boot een bezoekje brengen *(blz. 60-65).*

Canada Tower op Canary Wharf

Ten zuiden van het centrum

17de-eeuwse open haard in Charlton House

Charlton House ⑱

Charlton Rd SE7. ☎ 0181-856 3951.
🚊 Charlton. **Open** 9.00-21.00 uur
dagelijks (bel voor afspraak). **Gesloten** feestdagen. 📷 ✗ 🖳

Het huis werd voltooid in
1612 voor Adam Newton,
privé-leraar van prins Hendrik,
de oudste zoon van Jacobus
I. Het is het mooiste jacobean
herenhuis in Londen; vanaf
hier hebt u een fraai uitzicht
over de Thames. Het huis

**Jacob II de Gheyn van Rembrandt
in de Dulwich Picture Gallery**

dient nu als wijkcentrum.
Binnenin zijn veel van de oorspronkelijke plafonds en open
haarden bewaard gebleven,
evenals de bewerkte trap. Een
deel van de lambrizering is
ook authentiek. De plafonds
zijn gerestaureerd door de
oorspronkelijke mallen te gebruiken, die in de kelder
waren gevonden. In de tuin
staat een zomerhuis dat wellicht is ontworpen door Inigo
Jones, en een moerbeiboom
die in 1608 is geplant door
Jacobus I.

Eltham Palace ⑲

Court Yard SE9. ☎ 0181-294 2548.
🚊 Eltham, dan 15 min. lopen.
Open 10.00-16.00 uur do, zo.
📷 ♿ 🖳

In de 14de eeuw brachten
de koningen hier Kerstmis
door en de Tudors gebruikten
het paleis als ze op herten
joegen. In de Burgeroorlog
(1642-1660) verviel het paleis
tot een ruïne. In 1934 restau-

reerde Stephen Courtauld de
hal, die samen met de ophaal-
brug bewaard was gebleven.
Vlak bij de slotgracht staat het
15de-eeuwse huis van kardinaal Wolsey (blz. 253).

Horniman Museum ⑳

100 London Rd SE23. ☎ 0181-699
1872. 🚊 Forest Hill. **Tuinen open**
8.00 uur-schemering dagelijks.
Museum open 10.30-17.30 uur ma-
za, 14.00-17.30 uur zo. **Gesloten** 24-
26 dec. ♿ ✗ 🏠 🍴 🖳 🚻
Concerten, lezingen, activiteiten.

De theehandelaar Frederick
Horniman liet in 1901 dit
museum bouwen om de tij-
dens zijn reizen verzamelde
curiosa in onder te brengen.
Het museum doet heel victoriaans aan, van de geïnspireerde mozaïeken op de
voorgevel tot de te dik opge-
vulde walrus binnenin. Er is
natuurlijk ook een theeten-
toonstelling.

Dulwich Picture Gallery ㉑

College Rd SE21. ☎ 0181-693 8000.
🚊 West Dulwich, North Dulwich.
Open 10.00-17.00 uur di-vr, 11.00-
17.00 uur za, 14.00-17.00 uur zo
(toegang tot 16.45 uur). **Gesloten**
feestdagen. **Niet gratis** (behalve vr.).
✗ ♿ ✗ 15.00 uur za, zo. 🚻
Concerten, activiteiten.

Dit het oudste openbare
kunstmuseum van Enge-
land. Het werd geopend in
1817 en ontworpen door sir
John Soane (blz. 136-137).

**Acteursmasker
uit Java (19de
eeuw), Horniman Museum**

Het vindingrijke gebruik van de dakramen maakte het een voorbeeld voor veel andere musea. Binnen is de collectie van het nabijgelegen Dulwich College (een ontwerp van Charles Barry uit 1870) ondergebracht. Deze collectie bestaat onder meer uit werken van Rembrandt (wiens *Jacob II de Gheyn* hier vier keer is gestolen), Canaletto, Poussin, Watteau, Claude, Murillo en Raphaël. In het gebouw vindt u ook het door Soane ontworpen mausoleum voor Desenfans en Bourgeois.

Tennisracket en net uit 1888, Wimbledon Lawn Tennis Museum

Battersea Park ㉒

Albert Bridge Rd SW11. **Kaart** 19 C5.
📞 *0181-871 7530.* 🚇 *Sloane Square daarna bus 137.* 🚉 *Battersea Park.* **Open** *zonsopgang-zonsondergang dagelijks.* 📷 ♿ **Horticultural Therapy Garden** 📞 *0171-720 2212.* 🖥 **Activiteiten**. *Zie* **Vijf wandelingen** *blz. 266-267.*

Peace Pagoda, Battersea Park

Dit was het tweede openbare park dat werd aangelegd om de victoriaanse Londenaren te ontlasten van de toenemende stadsdrukte (het eerste was Victoria Park in East End). Het park werd geopend in 1858 op de voormalige Battersea Fields, een om zijn zedeloosheid bekend staand terrein rond de Old Red House, een louche kroeg. Het nieuwe park werd onmiddellijk populair, met zijn romantische rotspartijen, tuinen en watervallen. Het werd later ook veel gebruikt toen fietsen een rage werd.
In 1985 werd hier een 'vredespagode' gebouwd – één van de 70 verspreid over de hele wereld. Het kostte boeddhistische monniken en nonnen 11 maanden om dit 35 m hoge monument te voltooien.

St Mary's, Battersea ㉓

Battersea Church Rd SW11.
📞 *0171-228 9648.* 🚇 *Sloane Square daarna bus 19 of 219.* **Open** *12.00-15.00 uur di, wo, anders sleutel bij pastorie, 32 Vicarage Crescent SW11.* ✝ *11.00 uur zo.* 📷 **Concerten.**

Al in de 10de eeuw stond hier een kerk. Het huidige bouwwerk dateert uit 1775, maar het 17de-eeuwse gebrandschilderde glas ter ere van de Tudor-vorsten is afkomstig uit de oudere kerk. In 1782 trad de schilder-dichter William Blake in deze kerk in het huwelijk met de dochter van een groentekweker uit Battersea. Later schilderde Turner hier een aantal van zijn prachtige vergezichten over de Thames vanaf de kerktoren. Hier vlakbij ligt Old Battersea House (1699).

Wimbledon Lawn Tennis Museum ㉔

Church Rd SW19. 📞 *0181-946 6131.* 🚇 *Southfields.* **Open** *10.30-17.00 uur di-za, 14.00-17.00 uur zo.* **Niet gratis.** ♿ 🖥 📷 **Exposities.**

Zelfs personen met weinig belangstelling voor tennis zullen plezier beleven aan dit fascinerende museum op de plaats waar het bekende tennistoernooi wordt gehouden. Het geeft een overzicht van de ontwikkeling van tennis, van halverwege de 19de eeuw tot nu. Naast 19de-eeuwse tennisbenodigdheden worden er ook filmfragmenten getoond van grote spelers uit het verleden. U kunt recente wedstrijden bekijken in het videotheater.

Wimbledon Windmill Museum ㉕

Windmill Rd SW19. 📞 *0181-947 2825.* 🚇 *Wimbledon, daarna 30 min lopen.* **Open** *Pasen-31 okt: 14.00-17.00 uur za-zo.* **Gesloten** *1 nov.-Pasen (behalve voor groepen met afspraak).* **Niet gratis.** 📷 🅿

De molen op Wimbledon Common werd in 1817 gebouwd en in 1893 aangepast. Het gebouw aan de voet werd in 1864 verbouwd tot woonruimte. Lord Baden-Powell, de oprichter van de padvinders, woonde er; nu huisvest het een windmolenmuseum.

St Mary's, Battersea

Ten westen van het centrum

Ham House

Richmond Park 26

Kingston Vale SW15. 📞 *0181-948 3209.* ⊖ ⮂ *Richmond, daarna bus 65 of 71.* **Open** *okt.-maart: 7.00 uur-schemering dagelijks; april-sept.: 7.00 uur-schemering dagelijks.* **Viswater, golf.**

Herten in Richmond Park

In 1637, toen hij prins van Wales was, bouwde Karel I een 13 km lange muur om het park om het voor de jacht te kunnen gebruiken. Nog steeds grazen hier herten onder de kastanjebomen, berken en eikebomen. Er wordt niet meer op ze gejaagd, maar wel worden er geregeld enkele afgeschoten. Ze zijn gewend aan de vele duizenden bezoekers die hier tijdens mooie weekends komen. Tegen het eind van de lente staan de rododendrons van de Isabella Plantation spectaculair in bloei, en de nabijgelegen Pen Ponds zijn erg in trek bij hengelaars. (Adam's Pond is voor modelboten.) De rest van het park bestaat uit heide, varens en bomen. Richmond Gate in de noordwesthoek werd in 1798 ontworpen door Capability Brown. Vlakbij ligt Henry VIII Mound, waar de koning in

1536 wachtte op het teken dat zijn ex-vrouw Anna Boleyn was geëxecuteerd. De White Lodge werd door George II in 1729 gebouwd en huisvest de Royal Ballet School.

Hampton Court 27

Zie blz. 250-253.

Ham House 28

Ham St, Richmond. 📞 *0181-940 1950.* ⊖ ⮂ *Richmond, daarna bus 65 of 371.* **Open** *13.00-17.00 uur ma-wo, 12.00-17.00 uur za, zo.*

Dit schitterende huis aan de Thames werd in 1610 gebouwd. Later in die eeuw werd het de woning van de hertog van Lauderdale, vertrouweling van Karel II en minister van Schotse Zaken. Zijn vrouw, de gravin van Dysart, erfde het huis van haar vader,

Marble Hill House

die als kind de 'whipping boy' van Karel I was geweest, wat inhield dat hij werd gestraft voor de misdragingen van de toekomstige koning. Vanaf 1672 moderniseerden de hertog en de gravin het landgoed tot het een van de mooiste buitenverblijven in Groot-Brittannië was. De dagboekschrijver John Evelyn was vol bewondering voor de tuin, die thans in de 17de-eeuwse stijl is gerestaureerd. Op sommige zomerdagen brengt een veerboot passagiers vanaf hier naar Marble Hill en Orleans House in Twickenham.

Orleans House 29

Orleans Rd, Twickenham. 📞 *0181-892 0221.* ⊖ ⮂ *Richmond, daarna bus 33, 90, 290, R68 of R70.* **Open** *april-sept.: 13.30-17.30 uur di-za, 14.00-17.30 uur zo, feestdagen. Okt.-maart: 13.30-16.30 uur di-za, 14.00-16.30 uur zo, feestdagen.* **Gesloten** *24-26 dec., Goede Vr.* ♿ *Beperkt.* 🎭 **Concerten, lezingen.**

Alleen het in 1720 ontworpen achthoekige bouwwerk is over van het vroeg-18de-eeuwse huis. Het is genoemd naar Louis Philippe, de verbannen hertog van Orleans, die hier tussen 1800 en 1817 woonde voordat hij in 1830 koning van Frankrijk werd. Het pleisterwerk in het interieur is intact gebleven. In de aangrenzende galerie schenken tijdelijke exposities aandacht aan de geschiedenis van dit gebied.

Marble Hill House 30

Richmond Rd, Twickenham. 📞 *0181-892 5115.* ⊖ ⮂ *Richmond, daarna bus 33, 90, 290, R68 of R70.* **Open** *april-sept.: 10.00-13-00, 14.00-18.00 uur dag.; okt.-maart: 10.00-13.00, 14.00-16.00 uur dag.* **Gesloten** *24-25 dec.* ♿ *beperkt.* 🎭 🎆 🎭 **Concerten, vuurwerk** *op zomerweekends. Zie* **Amusement** *blz. 331.*

Dit huis werd in 1729 gebouwd voor de maîtresse van George II en is sinds 1903 voor het publiek toegankelijk. Het is gerestaureerd, maar nog niet volledig gemeubileerd. Er hangen doeken van William Hogarth en een gezicht op rivier en huis uit 1762 door Richard Wilson, die wordt beschouwd als de grondlegger van de Engelse landschapschilderkunst.

Richmond ③

SW15. 🔁 🚆 *Richmond.*

Straatje in Richmond

Dit aantrekkelijke Londense dorp dankt zijn naam aan het paleis dat Hendrik VII hier in 1500 bouwde. Vlak bij de rivier en bij Richmond Hill staan veel vroeg-18de-eeuwse huizen, zoals Maids of Honour Row uit 1724. Het klassieke uitzicht over de rivier vanaf de top van de heuvel is door vele schilders uitgebeeld; het is nog steeds zeer fraai.

Syon House ③

London Rd, Brentford. 🔗 *0181-560 0881.* 🔁 *Gunnersbury, daarna bus 237 of 267.* **Huis open** *april-sept.: 11.00-17.00 uur wo-zo, feestdagen en op afspraak. Okt.-half dec.: zo 11.00-17.00 uur.* **Huis gesloten** *half dec.-maart.* **Tuinen open** *10.00 uur-schemering dag.* **Niet gratis.** 🚫 ♿ *alleen in de tuinen.* 🎫 📷 🍴 🔲 📷

De graven en hertogen van Northumberland wonen hier al 400 jaar – het is het laatste landgoed in de omgeving van Londen dat nog door de oorspronkelijke familie wordt bewoond. De bijgebouwen huisvesten een museum met 120 oude auto's, een vlinderhuis, een kunstcentrum, een tuincentrum, een souvenirwinkel van de National Trust en twee restaurants. Het huis zelf is echter de grootste attractie, met weelderige interieurs van Robert Adam. Een aantal kamers heeft Spitalfields-zijde aan de muur hangen. Buiten vindt u een rozentuin en een opvallende serre uit 1830.

Musical Museum ③

368 High St, Brentford. 🔗 *0181-560 8108.* 🔁 *Gunnersbury, South Ealing, daarna bus 65, 237 of 267.* **Open** *april-juni, sept.-okt.: 14.00-17.00 uur za, zo; juli, aug.: 14.00-16.00 uur wo-vr, 14.00-17.00 uur za, zo.* **Gesloten** *nov.-maart.* **Niet gratis.** 📷 ♿ 🎫 📷

De collectie omvat onder meer pianola's en orgels, miniatuur- en bioscooppiano's en vermoedelijk het enige zelf-spelende Wurlitzer-orgel in Europa.

Salon in Osterley Park House

Osterley Park House ③

Isleworth. 🔗 *0181-560 3918.* 🔁 *Osterley.* **Open** *13.00-17.00 uur wo-zo.* **Gesloten** *1 nov.-31 maart, Goede Vr.* 🔲 📷

Osterley wordt beschouwd als een van de mooiste werken van Robert Adam en een blik op zijn zuilenportaal en het plafond in de bibliotheek toont dat zonder meer aan. Veel meubels werden ontworpen door Adam. De tuin en de tempel zijn van de hand van William Chambers, architect van Somerset House *(blz. 117).*

De rode salon van Robert Adam in Syon House

Hampton Court ⓐ

Kardinaal Wolsey, de machtige aartsbisschop van York onder Hendrik VIII, begon in 1514 met de bouw van Hampton Court. In een poging om bij de koning in de gunst te blijven, bood Wolsey het paleis in 1525 aan Hendrik aan. Hampton Court werd hierna tweemaal verbouwd en vergroot, eerst door Hendrik zelf en aan het eind van de 17de eeuw door Willem en Mary, die Christopher Wren als architect aanstelden. De klassieke koninklijke vertrekken van Wren vormen een opvallend contrast met de torentjes, gevels en schoorstenen in tudorstijl. De inrichting van de tuinen dateert grotendeels uit de tijd van Willem en Mary, voor wie Wren een uitgestrekte barokke siertuin ontwierp, met uitwaaierende lanen van majestueuze linden en veel exotische planten.

Plafondversiering uit de Queen's drawing room

★ **The Maze**
Raak de weg kwijt in dit doolhof in tudor-stijl.

Koninklijke tennisbaan

Hoofd-ingang

★ **The Great Vine**
Deze wijnrank werd in 1768 geplant en produceerde in de 19de eeuw 910 kg zwarte druiven.

Thames

Privétuin

Aanlegsteiger rivierboot

The Pond Garden
Deze verzonken watertuin maakte deel uit van het ontwerp van Hendrik VIII.

★ **The Mantegna Gallery**
Hier hangen de negen doeken van Andrea Mantegna die De triomf van Julius Caesar (ca. 1490) afbeelden.

Broad Walk
Een oude prent toont de oostelijke gevel en Broad Walk tijdens de regering van George II (1714-1727).

Long Water
Een kunstmatig meer loopt parallel met de Thames vanaf de Fountain Garden door het Home Park.

Fountain Garden
Enkele van de gesnoeide taxusbomen werden geplant tijdens de regering van Willem en Mary.

De oostelijke gevel
De ramen van de door Wren ontworpen Queen's Drawing Room kijken uit over de middelste laan van de Fountain Garden.

STERATTRACTIES

★ **The Great Vine**

★ **The Mantegna Gallery**

★ **The Maze (doolhof)**

Een kijkje in Hampton Court

Houtsnijwerk in het dak van de Great Hall

In dit historische paleis hebben alle koningen en koninginnen van Engeland hun sporen nagelaten, van Hendrik VIII tot nu. Aan de buitenkant is het paleis een harmonische mix van tudor-architectuur en Engelse Barok. Binnenin vindt u de door Hendrik VIII gebouwde Great Hall en de staatsievertrekken van de Tudors. Veel van de staatsievertrekken, zoals die van Wren boven Fountain Court, zijn versierd met meubels, wandkleden en oude meesters uit de koninklijke collectie.

Queen's Drawing Room
Willem III kocht dit karmozijnrode bed van zijn Lord Chamberlain.

Queen's Presence Chamber

Queen's Guard Chamber

★ **Chapel Royal**
De tudor-kapel werd opnieuw ingericht door Wren, behalve het vergulde plafondgewelf.

Haunted Gallery

★ **Great Hall**
De ramen in deze tudor-hall tonen Hendrik VIII met de familiewapens van zijn zes vrouwen.

STERATTRACTIES

★ **Great Hall**

★ **Fountain Court**

★ **Clock Court**

★ **Chapel Royal**

★ **Clock Court**
Anne Boleyn's Gateway vormt de toegang tot Clock Court. Hier bevindt zich ook de in 1540 voor Hendrik VIII gemaakte Astronomical Clock.

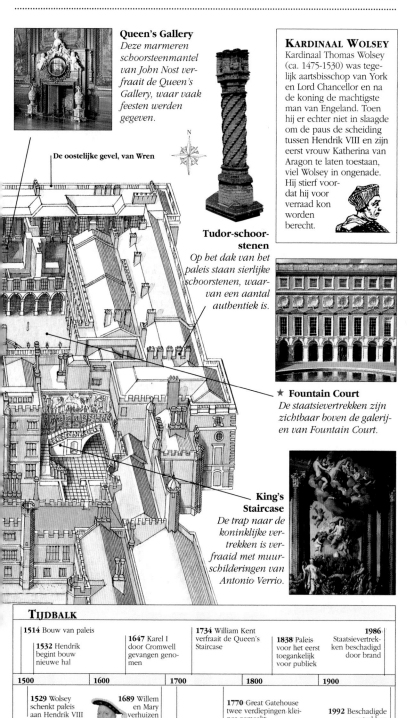

Queen's Gallery
Deze marmeren schoorsteenmantel van John Nost verfraait de Queen's Gallery, waar vaak feesten werden gegeven.

De oostelijke gevel, van Wren

KARDINAAL WOLSEY
Kardinaal Thomas Wolsey (ca. 1475-1530) was tegelijk aartsbisschop van York en Lord Chancellor en na de koning de machtigste man van Engeland. Toen hij er echter niet in slaagde om de paus de scheiding tussen Hendrik VIII en zijn eerst vrouw Katherina van Aragon te laten toestaan, viel Wolsey in ongenade. Hij stierf voordat hij voor verraad kon worden berecht.

Tudor-schoorstenen
Op het dak van het paleis staan sierlijke schoorstenen, waarvan een aantal authentiek is.

★ **Fountain Court**
De staatsievertrekken zijn zichtbaar boven de galerijen van Fountain Court.

King's Staircase
De trap naar de koninklijke vertrekken is verfraaid met muurschilderingen van Antonio Verrio.

TIJDBALK

1500	1600	1700	1800	1900

1514 Bouw van paleis

1532 Hendrik begint bouw nieuwe hal

1647 Karel I door Cromwell gevangen genomen

1734 William Kent verfraait de Queen's Staircase

1838 Paleis voor het eerst toegankelijk voor publiek

1986 Staatsievertrekken beschadigd door brand

1529 Wolsey schenkt paleis aan Hendrik VIII

Hendrik VIII door Hans Holbein

1689 Willem en Mary verhuizen naar Hampton Court

1716-1718 Vertrekken van koningin zijn eindelijk voltooid

1770 Great Gatehouse twee verdiepingen kleiner gemaakt

1992 Beschadigde vertrekken heropend

Pitshanger Manor Museum ㉟

Mattock Lane W5. ☎ 0181-567 1227. ⊖ Ealing Broadway. **Open** 10.00-17.00 uur di-za. **Gesloten** feestdagen. ◻ ♿
Exposities, concerten, lezingen.

Sir John Soane, de architect van de Bank of England (*blz. 147*), ontwierp dit huis op de lokatie van een eerdere woning. Het was voltooid in 1803 en werd Soane's eigen buitenverblijf. Het bouwwerk doet sterk denken aan zijn huis in Lincoln's Inn Fields (*blz. 136-137*), vooral in de bibliotheek, met zijn vindingrijke gebruik van spiegels, in de donker geschilderde ontbijtkamer daartegenover, en in de 'monk's dining room' in het souterrain.

Soane behield de salon en de eetzaal, die in 1768 werden ontworpen door George Dance de jongere, met wie Soane had gewerkt voordat hij zijn eigen reputatie vestigde. De eetzaal is vergroot en wordt gebruikt voor concerten en poëzievoordrachten.

U vindt in het huis tevens een kleine tentoonstelling van 'Martinware', uitbundig versierd geglazuurd aardewerk dat tussen 1877 en 1915 in het nabijgelegen Southall werd gemaakt en in de laatvictoriaanse tijd in de mode kwam. De tuinen van Pitshanger Manor zijn nu een

Martinware-vogel in Pitshanger Manor

aangenaam openbaar park en vormen een prettig contrast met het drukke winkelcentrum van het nabijgelegen Ealing.

Kew Bridge Steam Museum ㊱

Green Dragon Lane, Brentford. ☎ 0181-568 4757. ⊖ Kew Bridge, Gunnersbury, daarna bus 237 of 267. **Open** 10.30-17.00 uur dagelijks. **Gesloten** week voor Kerst, Goede Vr. **Niet gratis**. ◻ ♿ 🏠 🖥 🚻

Dit 19de-eeuwse watergemaal bij de noordkant van Kew Bridge is tegenwoordig een stoommuseum. De belangrijkste bezienswaardigheden zijn vijf enorme machines die het water hier uit de rivier pompten zodat het naar Londen kon worden geleid. De oudste machines dateren uit 1820 en werden gebruikt om water uit de tin- en kopermijnen in Cornwall te pompen. Er is een tentoonstelling over de watervoorziening.

Kew Gardens ㊲

Zie blz. 256-257.

City Barge, Strand on the Green

Strand on the Green ㊳

W4. ⊖ Gunnersbury, daarna bus 237 of 267.

Aan deze plezierige promenade langs de Thames staan enkele 18de-eeuwse huizen en tevens eenvoudige rijtjeshuizen, waarin vroeger de vissers woonden. De oudste van de drie pubs is de City Barge (*blz. 308-309*), waarvan delen dateren uit de 15de eeuw. De naam is ouder en afgeleid van de boot van de Lord Mayor, die hier werd afgemeerd.

Chiswick House ㊴

Burlington Lane W4. ☎ 0181-995 0508. ⊖ Chiswick. **Open** april-sept.: 10.00-18.00 uur dagelijks; okt.-maart: 10.00-16.00 uur wo-zo. **Gesloten** 13.00-14.00 uur op sommige dagen. **Niet gratis**. Ø 🖥 🚻

Dit ontwerp van de derde graaf van Burlington is een goed voorbeeld van een palladiaanse villa. Burlington bewonderde zowel Palladio

Chiswick House

als diens leerling Inigo Jones, wier standbeelden buiten staan. Het huis is gebouwd rond een centrale achthoekige kamer met veel verwijzingen naar het oude Rome en palladiaanse kenmerken zoals kamers in de vorm van een volmaakte kubus.

Chiswick was het buitenverblijf van Burlington en werd gebouwd als bijgebouw van een groter, ouder huis, dat later werd gesloopt. Het was bedoeld voor ontspanning en vermaak, maar lord Hervey, de vijand van Burlington, noemde het 'te klein om in te wonen en te groot om aan een horlogeketting te hangen'. Een aantal van de plafondschilderingen is van William Kent, die ook de tuinen aanlegde.

Van 1892 tot 1928 was het huis een tehuis voor geestelijk gehandicapten, waarna een langdurige restauratie begon. De restaurateurs zoeken nog steeds naar delen van het oorspronkelijke meubilair. De tuin, nu een openbaar park, is in de oude staat teruggebracht.

Hogarth's House ❹

Hogarth Lane, W4. ☎ 0181-994 6757.
🚇 Turnham Green. **Open** april-sept.:
11.00-18.00 uur wo-ma, 14.00-18.00
uur zo; okt.-maart: 11.00-16.00 uur
wo-ma, 14.00-16.00 uur zo. **Gesloten**
eerste 2 weken sept., laatste 3 weken
dec. 🎫 📷 ♿ alleen benedenverdieping. 🚻

De schilder William Hogarth woonde hier van 1749 tot

Tudor-ingang van Fulham Palace

zijn dood in 1764. Hij was verhuisd van Leicester Square (blz. 103). Vanachter zijn ramen schilderde hij het landschap. Tegenwoordig raast er veel verkeer over de Great West Road naar en van de luchthaven Heathrow; vooral rond het spitsuur is het hier zeer druk. Gezien de ongunstige omgeving, de jaren van verwaarlozing en de bombardementen in de Tweede Wereldoorlog verkeert het huis nu in redelijke staat. Het is nu een museum en galerie met hoofdzakelijk een verzameling moralistische, cartoonachtige gravures waarmee Hogarth zo bekend werd, zoals illustraties voor *The rake's progress* (in Sir John Soane's Museum, blz. 136-137), *Marriage à la mode* en *An election entertainment*.

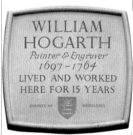
Gedenkplaat op Hogarth's House

Fulham Palace ❹

Bishops Ave SW6. ☎ 0171-736 3233.
🚇 Putney Bridge. **Open** wo-zo, feestdagen ma, maart-okt.: 14.00-16.00
uur; nov-maart: 13.00-16.00 uur dozo. **Gesloten** 25-26 dec. **Park open**
overdag. **Niet gratis.** ♿ 🎫 📷 🚻
Concerten, lezingen, activiteiten.

Van de 8ste eeuw tot 1973 was dit de residentie van de bisschop van Londen. De rest van het gebouw is door opeenvolgende bisschoppen verfraaid met een veelheid aan stijlen. Het paleis wordt door zijn eigen tuinen omringd in Bishop's Park ten noorden en westen van Putney Bridge, waar de jaarlijkse roeiwedstrijd tussen Oxford en Cambridge begint (blz. 56).

Opwindfiets uit 1940 in het London Toy and Model Museum

Chelsea Harbour ❹

SW10. 🚇 Fulham Broadway. ♿
Exposities. 📺 🚻

Dit is een indrukwekkend nieuwbouwproject van moderne appartementen, winkels, kantoren, restaurants, een hotel en een jachthaven. Het ligt bij de Cremorne Pleasure Gardens, die in 1877 werden gesloten na meer dan 40 jaar een lokatie te zijn geweest voor circussen en dansfeesten. Het belangrijkste bouwwerk is de Belvedere, een woontoren van 20 verdiepingen met een buitenlift en een piramidedak.

London Toy And Model Museum ❹

Craven Hill 21-23 W2. **Kaart** 10 E2.
☎ 0171-402 5222. 🚇 Paddington.
Open 10.00-17.30 uur ma-za, 11.00-
17.30 uur zo, feestdagen (toegang tot
16.30 uur). **Niet gratis.** 📷 ♿ 📺
🚻 **Jaarlijkse exposities.**

Dit huis bij metrostation Paddington is volgestouwd met een reusachtig aantal speelgoedmodellen en poppen, die dateren van de 18de eeuw tot heden. Er is een kamer met modeltreinen en eentje met auto's. Er zijn ook veel teddyberen en poppenhuizen, waarvan de grootste 2,40 m lang is en 16 kamers heeft. In de tuin staan een carrousel en twee modelspoorlijnen. Het museum is erg leuk voor kinderen en roept bij ouderen nostalgische gevoelens op.

Kew Gardens ㊲

De koninklijke botanische tuinen bij Kew zijn de best voorziene openbare tuinen ter wereld. Hun reputatie werd gevestigd door de Britse bioloog sir Joseph Banks, die hier tegen het einde van de 18de eeuw werkte. In 1841 werden de tuinen eigendom van het Rijk en tegenwoordig vindt u hier 40.000 verschillende soorten planten. Kew is ook een centrum voor plant- en tuinbouwkundig onderzoek. Tuinliefhebbers hebben minstens een dag nodig om alles te bekijken.

Princess Augusta
De moeder van George III legde hier in 1759 de eerste tuin aan op een 3,6 ha groot perceel.

Queen's Cottage

★ **Temperate House**
Deze kas dateert uit 1899. Hier zijn houtachtige planten gerangschikt volgens hun geografische oorsprong.

★ **Pagoda**
De fascinatie van de Britten voor de Oriënt beïnvloedde deze pagode uit 1762 van William Chambers.

HOOGTEPUNTEN

Lente
Bloeiende kersebomen ①
'Krokustapijt' ②

Zomer
Rotstuin ③
Rozentuin ④

Herfst
Herfstbladeren ⑤

Winter
Alpine House ⑥
Toverhazelaars ⑦

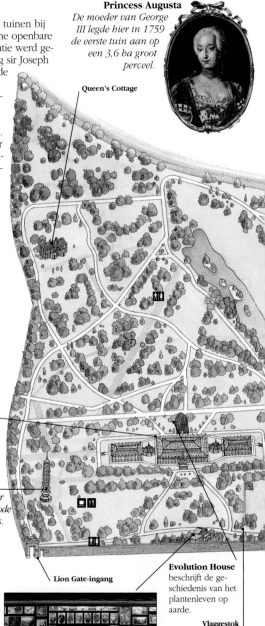

Lion Gate-ingang

Evolution House beschrijft de geschiedenis van het plantenleven op aarde.

Vlaggestok

Marianne North Gallery
De victoriaanse bloemeschilderes Marianne North gaf haar werk aa Kew en bekostigde deze galerie uit 1882.

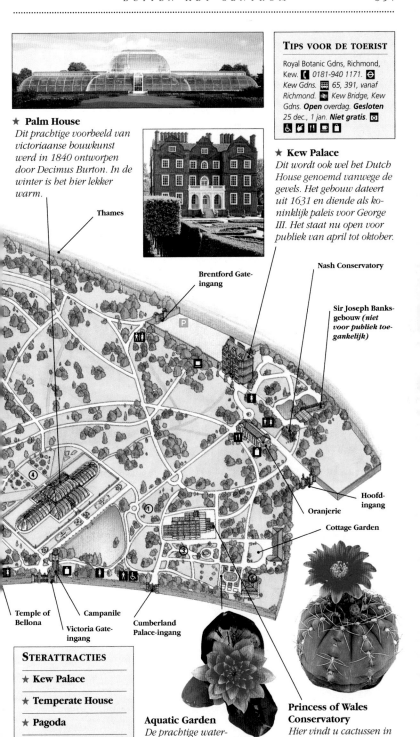

★ Palm House
Dit prachtige voorbeeld van victoriaanse bouwkunst werd in 1840 ontworpen door Decimus Burton. In de winter is het hier lekker warm.

Thames

TIPS VOOR DE TOERIST

Royal Botanic Gdns, Richmond, Kew. **(** 0181-940 1171. **⊖** *Kew Gdns.* 🚌 *65, 391, vanaf Richmond.* 🚆 *Kew Bridge, Kew Gdns.* **Open** *overdag.* **Gesloten** *25 dec., 1 jan.* **Niet gratis.** 📷

★ Kew Palace
Dit wordt ook wel het Dutch House genoemd vanwege de gevels. Het gebouw dateert uit 1631 en diende als koninklijk paleis voor George III. Het staat nu open voor publiek van april tot oktober.

Nash Conservatory

Brentford Gate-ingang

Sir Joseph Banks-gebouw (niet voor publiek toegankelijk)

Hoofd-ingang

Oranjerie

Cottage Garden

Temple of Bellona

Campanile

Victoria Gate-ingang

Cumberland Palace-ingang

STERATTRACTIES

★ **Kew Palace**

★ **Temperate House**

★ **Pagoda**

★ **Palm House**

Aquatic Garden
De prachtige waterlelies bloeien tussen juli en september.

Princess of Wales Conservatory
Hier vindt u cactussen in tien verschillende ruimten, met hun eigen microklimaat.

VIJF WANDELINGEN

Londen is zeer geschikt voor wandelaars. Hoewel de stad uitgestrekter is dan de meeste Europese hoofdsteden, zijn veel van de belangrijkste toeristenattracties redelijk dicht bijelkaar te vinden *(blz. 12-13)*. In het centrum zijn veel parken en tuinen *(blz. 48-51)* en verschillende organisaties hebben wandelroutes uitgezet, zoals wandelingen langs de kanalen en de Thames, en de Silver Jubilee Walk. Deze laatste, 19 km lange wandeling werd uitgezet ter gelegenheid van het zilveren regeringsjubileum van de koningin en loopt van Lambeth Bridge in het westen naar Tower Bridge in het oosten. De London Tourist Board *(blz. 345)* heeft kaarten van deze route, die wordt gemarkeerd door zilveren plaquettes in het trottoir. Bij

Beeld van jongen en dolfijn in Regent's Park

alle 16 stadsdelen die worden beschreven in *Van buurt tot buurt* wordt een korte wandeling aangegeven op de *Stratenkaart*. Deze wandelingen voeren u langs de interessantste bezienswaardigheden. Op de volgende tien bladzijden vindt u wandelroutes door gebieden van Londen die nog niet diepgaand zijn behandeld, van de drukke straten van Mayfair *(blz. 260-261)* tot de brede open ruimten van Richmond en Kew aan de rivier *(blz. 268-269)*. Een aantal organisaties biedt rondleidingen aan *(zie hieronder)*. De meeste hebben een thema, zoals 'geesten' of 'het Londen van Shakespeare'. Kijk in de uitkranten *(blz. 324)* voor meer details.

Nuttige nummers The Original London Walks
📞 *0171-624 3978*. City Walks 📞 *0171-700 6931*.

EEN WANDELING UITKIEZEN

De vijf wandelingen
Op deze kaart ziet u de vijf wandelingen gelokaliseerd in Londen.

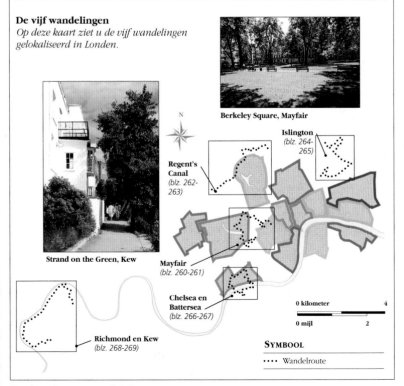

Berkeley Square, Mayfair

Strand on the Green, Kew

Islington
(blz. 264-265)

Regent's Canal
(blz. 262-263)

Mayfair
(blz. 260-261)

Chelsea en Battersea
(blz. 266-267)

Richmond en Kew
(blz. 268-269)

0 kilometer 4
0 mijl 2

SYMBOOL

···· Wandelroute

Woonboten in Regent's Canal, Little Venice

Een wandeling door Mayfair

Deze wandeling gaat door het hart van Mayfair en Knightsbridge, de twee elegantste georgian woonwijken van Londen. U komt onder meer door Hyde Park en als u wilt kunt u met een bootje over het grauwe water van de Serpentine roeien.

L'Artiste Musclé, Shepherd Market ⑦

Van Green Park naar Berkeley Square

Verlaat het metrostation Green Park ① bij de borden voor Piccadilly North Side. Sla voor Green Park linksaf. U komt nu langs Devonshire House ②, een kantoorcomplex uit de jaren twintig dat in de plaats kwam van het 18de-eeuwse herenhuis van William Kent voor de hertogen van Devonshire. Slechts de poorten van Kent zijn bewaard gebleven bij de ingang naar het park aan de andere kant van Piccadilly. Sla linksaf

Nymph op Berkeley Square ③

Berkeley Street in richting Berkeley Square ③. Ten zuiden hiervan is Robert Adams Lansdowne House vervangen door het hoofdkantoor van een reclamebureau ④. Aan de westkant staan nog steeds een paar prachtige 18de-eeuwse huizen, waaronder nr. 45 ⑤, waar Robert Clive, gouverneur van India, woonde.

Mayfair

Blijf aan de zuidkant van het plein en sla Charles Street in. Nrs. 40 en 41 hebben fraaie lamphouders ⑥. Sla linksaf Queen Street in en steek Curzon Street over naar Shepherd Market ⑦ *(blz. 97)* via het straatje Curzonfield House. Als u rechtsaf het voetgangersgebied inslaat, komt u bij Tiddy Dolls Eating House ⑧. Sla rechtsaf Hertford Street in voorbij de Curzon Cinema ⑨ op de hoek van Curzon Street. Hier staat u bijna recht tegenover Crewe House ⑩, gebouwd in 1730 door Edward Shepherd, die ook de markt aanlegde. Sla linksaf Curzon Street in en daarna rechts Chesterfield Street. Als u in Charles Street linksaf slaat, komt u bij Red Lion Yard ⑪, waar een pub staat tegenover een gepotdekseld gebouw. Sla bij Hay's Mews rechtsaf en links bij Chesterfield Hill. Steek Hill Street over en ga een klein stukje links tot u bij het straat-

South Audley Street

Huizen aan Berkeley Square ③

Gedenkplaat op Grosvenor Square ⑭

je komt dat leidt naar het vredige Mount Street Gardens ⑫. Aan de andere kant staat de Church of the Immaculate Conception ⑬. Steek de tuin over en sla linksaf Mount Street in en vervolgens rechtsaf South Audley Street in en weer linksaf bij Grosvenor Square ⑭ in Upper Grosvenor Street. Aan uw linkerhand ziet u de Amerikaanse ambassade (1961). Ga rechts Park Lane in en loop voorbij de restanten van de huizen ⑮ in wat eens de chicste woonstraat van Londen was.

Hyde Park
Loop de voetgangerstunnel ⑯ in bij uitgang nr. 6 en volg de borden naar Park Lane West Side, uitgang nr. 5. U komt dan uit bij Speakers' Corner ⑰ *(blz. 207)*. Steek Hyde Park in zuidwestelijke richting over naar het botenhuis ⑱ aan de Serpentine, een kunstmatig meer dat in 1730 door koningin Caroline werd aangelegd. U kunt hier een boot huren of linksaf slaan en het pad volgen naar Dell Café ⑲. Daarvandaan loopt u over een stenen brug ⑳ en passeert u Rotten Row ㉑, waar rijkelui paardrijden. Verlaat het park bij Edinburgh Gate ㉒, waar de weg dwars door Bowater House heen gaat.

Speakers' Corner ⑰

Pantechnicon, een eigenaardig bouwwerk uit 1830 met enorme Dorische zuilen. Het pad ernaast leidt naar Halkin Arcade ㉕, dat wordt verfraaid door een fontein van Geoffrey Wickham uit 1971.

Belgravia
Sla linksaf Kinnerton Street in, waar een van de kleinste pubs van Londen staat: de Nag's Head ㉖. Aan de noordkant zijn een paar aantrekkelijke zijstraatjes, met name Ann's Close en Kinnerton Place North. Schuin tegenover het laatste maakt de straat een scherpe bocht naar rechts en komt uit op Wilton Place, tegenover St Paul's Church (1843). Sla hier rechtsaf en volg links Wilton Crescent, waarna u linksaf Wilton Row inslaat. Hier staat nog zo'n kleine pub, de Grenadier ㉗. Vroeger was dit de officiersmess van de Guards-barakken en naar verluidt kwam de hertog van Wellington hier vaak eten. Rechts, aan Old Barracks Yard, staan enkele oude officierswoningen en een versleten steen die door de hertog zou zijn gebruikt om zijn paard te bestijgen. Het straatje leidt naar een T-kruising. Sla rechtsaf Grosvenor Crescent Mews in en vervolgens linksaf bij Grosvenor Crescent, die leidt naar het metrostation Hyde Park Corner.

Bond Street 🚇

Serpentine Lake ⑱

Knightsbridge
Probeer de verleiding van de twee grote warenhuizen – Harvey Nichols ㉓ links en Harrod's ㉔ *(blz. 207)* rechts – te weerstaan, steek Knightsbridge over en sla in Sloane Street linksaf Harriet Street in. Sla rechtsaf op Lowndes Square en loop links Motcomb Street in. Aan uw linkerhand ziet u het

SYMBOLEN

— Wandelroute

🌿 Mooi uitzicht

🚇 Metrostation

Grenadier Pub ㉗

Een wandeling langs Regent's Canal

De architect John Nash wilde Regent's Canal door Regent's Park laten lopen, maar het loopt aan de noordkant om het park heen. Het werd geopend in 1820; al geruime tijd wordt het echter alleen nog voor pleziertochtjes gebruikt. De wandeling begint bij Little Venice en eindigt bij Camden Lock Market. Zie blz. 216-223 voor meer details over de bezienswaardigheden bij Regent's Canal.

Woonboot in het kanaal ③

Van Little Venice naar Lisson Grove

Neem de linkeruitgang bij metrostation Warwick Avenue ① en loop naar de verkeerslichten bij de brug aan Blomfield Road. Sla rechtsaf en loop naar het kanaal beneden door een ijzeren hek ② tegenover nr. 42, waarop de naam 'Lady Rose of Regent' staat. Het aantrekkelijke bassin met smalle boten heet Little Venice ③. Aan de voet van de trap slaat u linksaf en loopt onder de blauwe ijzeren brug ④ door. Al snel moet u weer terug naar straatniveau omdat dit gedeelte van het jaagpad is gereserveerd voor

The Warwick Castle, bij Warwick Avenue

bewoners van de boten. Steek Edgware Road over en loop verder over Aberdeen Place. Als de weg bij de pub Crockers ⑤ naar links buigt, volg dan de bordjes naar Canal Way aan de rechterkant van de moderne flats. Een klein stukje van het jaagpad is gesloten wegens restauratie. Loop langs de weg totdat u bij een bushalte weer naar het kanaal kunt afdalen. De omgeving wordt pas interessant als u bij Regent's Park ⑥ komt.

Woonboten afgemeerd in Little Venice ③

TIPS VOOR WANDELAARS

Beginpunt: Metrostation Warwick Avenue.
Lengte: 5 km
Bereikbaarheid: De metrostations Warwick Avenue en Camden Town liggen aan begin- en eindpunt van de wandeling. Bussen 16, 16A en 98 gaan naar Warwick Avenue; 24, 29 en 31 naar Camden Town.
Pauzeren: Crockers, Queens en The Princess of Wales (hoek Fitzroy Road en Chalcot Road) zijn goede pubs. Op de kruising Edgware Road/Aberdeen Place staat Café La Ville. Camden Town heeft veel cafés, restaurants en broodjeszaken.

SYMBOLEN

— Wandelroute
☼ Mooi uitzicht
Ⓜ Metrostation
🚇 Treinstation

WELLINGTON RO
GROVE END RD
Lord's Cricket Ground
ST JOHN'S WOOD ROAD
LODGE
HAMILTON TERRACE
LISSON GROVE
MAIDA VALE
LANARK ROAD
⑤
ORCHARDSON STREET
RANDOLPH AVENUE
CLIFTON RD
FRAMPTON STREET
CLIFTON GDNS
EDGWARE RD
Warwick Avenue Ⓜ①
BLOMFIELD ROAD
MAIDA AVENUE
②☼
④
③

0 meter   500
0 yard   500

Regent's Park

Al snel ziet u vier grote huizen ⑦. Avenue Road loopt naar het park over een brug op enorme pilaren met het opschrift 'Coalbrookdale' ⑧. Steek bij London Zoo ⑨ de brug over en loop links een helling op. Een paar stappen verder slaat u rechtsaf en steekt vervolgens Prince Albert Road over. Sla rechtsaf en loop links door de toegangspoort ⑩ naar Primrose Hill

Landhuis aan de rivier ⑦

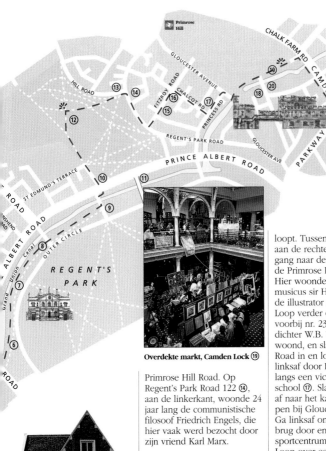

Primrose Hill

Overdekte markt, Camden Lock ⑲

Primrose Hill Road. Op
Regent's Park Road 122 ⑭,
aan de linkerkant, woonde 24
jaar lang de communistische
filosoof Friedrich Engels, die
hier vaak werd bezocht door
zijn vriend Karl Marx.

Richting Camden

Schuin tegenover het huis van
Engels staat de victoriaanse
pub Queens ⑬. Sla hier
rechtsaf en loop 135 m
Regent's Park Road in, waarna u links Fitzroy Road in-

loopt. Tussen nrs. 41 en 39
aan de rechterkant zit de ingang naar de in 1882 gebouwde Primrose Hill Studios ⑮.
Hier woonden onder meer de
musicus sir Henry Wood en
de illustrator Arthur Rackham.
Loop verder over Fitzroy Road
voorbij nr. 23 ⑯, waar de
dichter W.B. Yeats heeft gewoond, en sla rechtsaf Chalcot
Road in en loop vervolgens
linksaf door Princess Road
langs een victoriaanse kost-
school ⑰. Sla rechtsaf en daal
af naar het kanaal via de trappen bij Gloucester Avenue.
Ga linksaf onder de spoorbrug door en langs het water-
sportcentrum Pirate Castle ⑱.
Loop over een bruggetje naar
Camden Lock Market ⑲ *(blz.
322)* door een poort aan uw
linkerhand. Kijk rond en
neem dan de watertram ⑳
naar Little Venice of sla rechts
Chalk Farm Road in naar metrostation Camden Town.

Primrose Lodge, Primrose Hill ⑩

Primrose Hill

Van hier kunt u het vogelhuis
⑪ van de dierentuin zien. De
kooi werd ontworpen door
lord Snowdon en in 1965 geopend. Houd in het park links
aan en volg het pad naar de
top van de heuvel. Sla op de
splitsing rechtsaf naar de top,
vanwaar u een mooi uitzicht
hebt over de stad. Een bord
⑫ helpt u bij het identificeren
van de gebouwen, maar de in
1990 gebouwde wolkenkrab-
ber van Canary Wharf staat er
niet op. Daal de heuvel aan
de linkerkant af en loop naar
de uitgang aan het kruispunt
van Regent's Park Road en

Voetgangersbrug over het kanaal bij Camden Lock ⑲

Een wandeling door Islington

Deze afwisselende wandeling begint in de stille straten van Canonbury, met hun literaire associaties. U volgt de route van een 17de-eeuwse aangelegde rivier, bezoekt een pub aan het kanaal en eindigt in de buurt met de meeste antiekzaken van Londen.

Huizen in Canonbury Grove

Canonbury Square
Sla rechtsaf na het verlaten van het metrostation Highbury and Islington ① en loop in zuidoostelijke richting over Canonbury Road. De weg loopt al snel over Canonbury Square ② uit 1800. Ga naar links en u kunt door de tuin lopen om de bloembedden en het standbeeld te bewonderen. De schrijver Evelyn Waugh woonde op nr. 17a ③ en op 27a ④ woonde George Orwell in 1945.

Canonbury
U verlaat het plein in de noordoosthoek en komt bij het laat-18de-eeuwse Canonbury House ⑤. Nog meer charmante huizen uit deze periode vindt u in het doodlopende straatje rechts. Hiernaast staat de historische Canonbury Tower ⑥, die grotendeels 16de-eeuws is, hoewel sommige delen dateren uit de 13de eeuw, toen het geslacht De Berner hier

Standbeeld op Canonbury Square

een buitenverblijf liet bouwen. Later stonden hier de kanonnen van St Bartholomew, vandaar de naam Canonbury. In de 18de eeuw woonden de schrijvers Oliver Goldsmith en Washington Irving in de toren; nu is er een theatergezelschap gevestigd. Ga voorbij de toren rechts Canonbury Park North ⑦ in. Op de kruising met St Paul's Road, tegenover de New Crown Pub ⑧, gaat u rechtsaf en meteen weer rechts langs een geplaveide laan met aan weerskanten bomen. Na 25 m gaat u rechtsaf en komt bij de New River Walk ⑨.

New River Walk
Toen de New River in de 17de eeuw werd aangelegd, was dit een geweldige technische prestatie. De juwelier sir Hugh Myddleton groef een 65 km lang kanaal om water van Hertfordshire hierheen te leiden. Tegenwoordig is er een park langs een deel van de rivier. Houd het pad aan tot u een stenen brug ⑩ passeert en bij Willow Bridge Road uitkomt. Steek de weg over, sla linksaf en loop terug naar de rivier via een poort ⑪ aan Canonbury Grove. U komt langs een rond bakstenen huisje ⑫ en dan weer op Canonbury

Het jaagpad langs het Grand Union Canal ⑮

New River Walk in Canonbury Grove ⑨-⑫

Grove. Het laatste deel van het pad ⑬ ligt in een park aan de andere kant van Canonbury Road. Volg Canonbury Road in zuidoostelijke richting naar New North Road en sla na 450 m linksaf Shepperton Road ⑭ in. Op het kruispunt met Baring Street leidt een trap naar het jaagpad langs het Grand Union Canal ⑮.

Langs het Grand Union Canal

Aan de voet van de trap gaat u rechtdoor, met het kanaal aan uw linkerhand. Hier is de omgeving heel anders dan bij de landelijke New River. Aan weerszijden van het kanaal staan zowel oude industriële bouwwerken als nieuwbouw. In de weekends zitten hier vaak

Pub The Narrow Boat ⑱

THE NARROWBOAT

Canonbury 🚆

⑧

UL'S ROAD

GRANGE GROVE

CANONBURY PARK NORTH

⑦

CANONBURY PARK SOUTH

⑨

NBURY ACE

ALWYNE ROAD

⑩

⑪

CANONBURY G

⑫

CANONBURY ST

ROAD

ESSEX ROAD

Essex Road 🚆

ROTHERFIELD STREET

NEW NORTH ROAD

⑭

SHEPPERTON ROAD

SOUTHGATE ROAD

ROAD

PREBEND STREET

ST PAUL STREET

LINTON STREET

BARING ST

⑮

POOLE ST

ARLINGTON AVENUE

PACKINGTON STREET

EAGLE WHARF RD

TREET

⑯

⑱ ⑰

⑲

WHARF ROAD

AM STREET

SYMBOLEN

—	Wandelroute
☀	Mooi uitzicht
Ⓔ	Metrostation
🚆	Treinstation

TIPS VOOR WANDELAARS

Beginpunt: Metrostation Highbury and Islington.
Lengte: 5 km
Bereikbaarheid: Met metro naar Highbury and Islington of per trein naar Canonbury. Bussen 4, 30 en 43 gaan naar Highbury; 19 en 73 naar Angel.
Pauzeren: Aan de kant van Highbury vindt u broodjeszaken en pubs. De pub The Narrow Boat staat aan het kanaal en er zit een aantal pubs, coffeeshops en restaurants rond metrostation Angel.

0 meter   250

0 yard   250

mensen te vissen, hoewel ze niet veel lijken te vangen. Al snel ziet u Sturt's Lock ⑯ en even verder een aantal woonboten bij de ingang naar Wenlock Basin ⑰. De Narrow Boat Pub ⑱ is uitstekend geschikt voor een verfrissing. Voorbij de City Road Lock and Basin ⑲ moet u oversteken naar de rechteroever omdat het links dood loopt. Verlaat het jaagpad bij Danbury Street, steek de brug ⑳ over en daal af aan de andere kant. U verlaat ten slotte het kanaal bij de ingang naar de 730 m lange Islington Tunnel ㉑ en loopt via een trap omhoog naar Colebrooke Row.

Antiekzaak in Camden Passage

Islington

Ga hier rechtsaf langs een aantal fraaie woningen in georgian stijl ㉒ en sla vervolgens linksaf St Peter Street in en nog eens links bij Islington Green ㉓, dat in de victoriaanse tijd bekend was om de levendige Collin's Music Hall. Voorbij het pompstation links kunt u Camden Passage binnengaan, het hart van een netwerk van antiekzaken, overdekte markten en uitstekende restaurants. Nadat u de pub Camden Head ㉔ bent gepasseerd, ziet u aan de zuidkant van de groenstrook een standbeeld van sir Hugh Myddleton ㉕, wiens rivier u eerder hebt verkend. Als u Islington High Street in zuidelijke richting volgt, ziet u aan de linkerkant, vlak voor de kruising met City Road, metrostation Angel, genoemd naar de herberg voor postkoetsen die hier niet ver vandaan stond.

Sir Hugh Myddleton ㉕

Een wandeling door Chelsea en Battersea

Royal Hospital ③

Deze zeer genoeglijke rondwandeling leidt u over het terrein van het Royal Hospital en langs de Thames naar het romantische, victoriaanse Battersea Park. Daarna keert u terug naar de nauwe straten van Chelsea en de stijlvolle winkels aan King's Road. Zie blz. 188-193 voor meer details over bezienswaardigheden in Chelsea.

Van Sloane Square naar Battersea Park

Ga na het station ① linksaf en loop over Holbein Place. Loop langs de antiekzaken ② en sla rechtsaf Royal Hospital Road in. Loop het terrein op en door Christopher Wren ontworpen Royal Hospital ③ en ga dan linksaf naar de Ranelagh Gardens ④.

Galjoen op Chelsea Bridge

In een klein paviljoen van John Soane ⑤ wordt een overzicht gegeven van de geschiedenis van de tuinen als 18de-eeuwse lusthof. Verlaat de tuinen en u hebt een mooi uitzicht op het ziekenhuis en het bronzen beeld van Karel II ⑥ van de hand van Grinling Gibbons. De granieten obelisk ⑦ staat hier ter nagedachtenis aan de Slag bij Chilianwalla in 1849, in het huidige Pakistan, en is het middelpunt van de grote tent tijdens de Chelsea Flower Show *(blz. 56)*.

Karel II bij het Royal Hospital ⑥

Battersea Park

Als u de Chelsea Bridge ⑧ uit 1937 oversteekt, kijk dan eens naar de vier galjoenen boven op de pilaren aan beide zijden. Loop Battersea Park ⑨ *(blz. 247)*, een van de levendigste parken van Londen, binnen en volg het hoofdpad langs de rivier, vanwaar u een fraai uitzicht hebt op Chelsea. Sla bij de boeddhistisch vredespagode ⑩ linksaf, naar het centrum van het park. Langs de velden waar bowling wordt gespeeld, ziet u *Three standing figures* ⑪, een werk van Henry Moore uit 1948, en tevens het bij watervogels populaire meer. (U kunt hier een boot huren.) Ga vlak na de sculptuur verder in noordwestelijke richting en houd na het oversteken van de centrale laan rechts aan in de richting van de houten toegangspoort tot de rustieke Old English Garden ⑫. Verlaat de tuin door het metalen hek en keer terug naar Chelsea via de victoriaanse Albert Bridge ⑬.

Three standing figures van Henry Moore ⑪

Symbolen

— Wandelroute

☘ Mooi uitzicht

Ⓔ Metrostation

Tips voor wandelaars

Beginpunt: *Sloane Square.*
Lengte: *6,5 km*
Bereikbaarheid: *Het dichtstbijzijnde metrostation is Sloane Square. Bussen 11, 19, 22 en 349 gaan naar Sloane Square via King's Road.*
Royal Hospital Grounds alleen open *10.00-18.00 uur ma-za, 14.00-18.00 uur zo (in mei gesloten).*
Pauzeren: *Bij het meer in Battersea Park staat een koffiehuis. The King's Head and Eight Bells is een bekende lokale pub. Langs King's Road vindt u verscheidene andere pubs, restaurants en broodjeszaken. Er is een aantal cafés bij de Chelsea Farmers' Market in Sydney Street.*

Old English Garden in Battersea Park ⑫

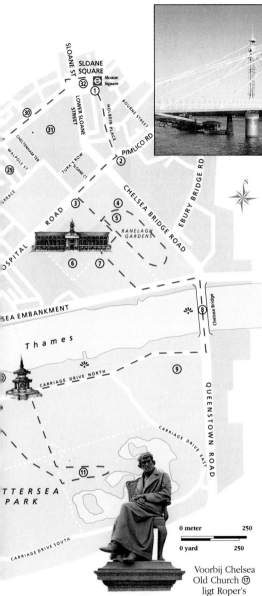

Albert Bridge ⑬

oorspronkelijke karakter behouden. Op het kruispunt van Glebe Place en King's Road staan drie 18de-eeuwse huizen ㉓. Steek het tegenoverliggende Dovehouse Green over naar Chelsea Farmer's Market ㉔, een verzameling cafés en ambachtswinkels.

King's Road

Verlaat de markt op Sydney Street en loop de tuin van St Luke's Church ㉕ in, waar Charles Dickens in het huwelijk trad. U loopt vervolgens door aantrekkelijke achterafstraatjes en komt daarna weer uit op King's Road ㉖ *(blz. 192)*, vooral in de jaren zestig een modieuze straat. Aan de linkerkant ziet u The Pheasantry ㉗. Zoek in de zijstraatjes naar de pleinen en huizen: Wellington Square ㉘, vervolgens Royal Avenue ㉙ en Blacklands Terrace ㉚, waar bibliofielen een bezoek moeten brengen aan de winkel van John Sandoe. Het Territorial Headquarters ㉛ (1803) van de hertog van Wellington staat aan de rand van Sloane Square ㉜ en niet ver van het Royal Court Theatre *(Sloane Square blz. 193)*.

De achterafstraten van Chelsea

Aan de andere kant van de brug staat de sculptuur van een jongen en een dolfijn ⑭ van David Wynn uit 1975. Loop voorbij de gewilde woonhuizen aan Cheyne Walk en de standbeelden van Thomas Carlyle ⑮ en Thomas More ⑯. Het gebied was bekend vanwege de samenkomsten van intellectuelen.

Beeld van Thomas Carlyle ⑮

Voorbij Chelsea Old Church ⑰ ligt Roper's Gardens ⑱, met daarin een sculptuur van Jacob Epstein. Iets verder staat de middeleeuwse Crosby Hall ⑲. Aan Justice Walk ⑳ staan twee huizen in georgian stijl: Duke's House en Monmouth House. Sla linksaf en loop voorbij de voormalige porseleinfabriek ㉑, die in de 18de eeuw zeer modieus aardewerk maakte. Glebe Place ㉒ heeft veel van zijn

Royal Court Theatre ㉜

Een wandeling rond Richmond en Kew

Deze wandeling begint in het historische Richmond bij de restanten van het paleis van Hendrik VII, en eindigt bij Kew, de belangrijkste botanische tuin van Groot-Brittannië. Zie blz. 254-257 voor meer details over bezienswaardigheden in Richmond en Kew.

Eb in de Thames

Richmond Green

Van het metrostation Richmond ① loopt u naar Oriel House ② hier schuin tegenover. Neem het straatje hiernaast en sla linksaf naar het Richmond Theatre ③ van rode baksteen en terracotta uit 1899. De opmerkelijke Edmund Kean, wiens korte maar hevige carrière een blijvende invloed op het Engelse toneelspel had, wordt nauw geassocieerd met het theater dat hier vroeger stond. Hiertegenover ligt Richmond Green ④. Steek dit diagonaal over en ga door de toegangspoort ⑤ van het oude Tudor-paleis, dat versierd is met de wapens van Hendrik VII.

Reliëf boven ingang oude paleis ⑤

Richmond Theatre ③

Richmond

Richmond heeft veel van zijn faam te danken aan Hendrik, de overwinnaar van de War of the Roses en de eerste koning van de Tudor-dynastie. Toen hij in 1485 koning werd, besteedde hij veel tijd aan een ouder paleis op deze lokatie, Sheen Palace, dat dateerde uit de 12de eeuw. Het ging in 1499 in vlammen op en Hendrik liet een nieuw paleis bouwen, dat hij Richmond noemde, naar de stad in Yorkshire waar hij een graafschap bezat. In 1603 overleed hier Hendriks dochter Elizabeth I. De huizen in de galerij links bevatten restanten van 16de-eeuwse gebouwen.

Verlaat Old Palace Yard in de rechterhoek ⑥, volg het bord 'To the River' en sla linksaf langs de pub The White Swan ⑦. Ga bij de river rechtsaf over het jaagpad onder de ijzeren spoorbrug en vervolgens onder de betonnen Twickenham Bridge uit 1933 ⑧ door. U komt uit bij Richmond Lock ⑨, waar een gietijzeren voetgangersbrug uit 1894 staat. Het getij in de Thames is nog waarneembaar in Teddington, zo'n 5 km stroomopwaarts, en de sluis dient om de river continu bevaarbaar te houden.

Langs de rivier

Steek de brug niet over, maar ga verder over het beboste pad langs de rivier naar Isleworth Ait ⑩, een groot eiland waar de reigers vaak waakzaam aan de oever van de rivier staan. Verderop, op de ander oever, staat All Saints' Church ⑪, met een 15de-eeuwse toren die verschillende verbouwingen heeft overleefd, de laatste in 1960. Een stukje verder in de inham ligt de woonwijk Isleworth ⑫. Hier kunt u kijken naar het verkeer op de rivier: schuiten, jachten en in de zomer de passagiersboten die af en aan naar Hampton Court varen *(blz. 60-61)*. Bijna het hele jaar door oefenen er roeiers voor hun regatta's. De belangrijkste wedstrijden zijn de Henley Regatta in juli en de roeiwedstrijd tussen Oxford en Cambridge van Putney naar Mortlake *(blz. 56)*.

Reigers vangen vis in de rivier

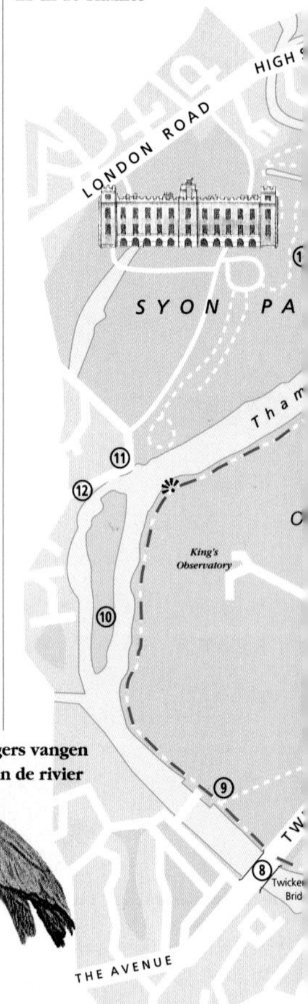

SYMBOLEN

- Wandelroute
- Mooi uitzicht
- Metrostation
- Treinstation

Kew

Na korte tijd ziet u rechts de ijzeren balustrades die aangeven waar Old Deer Park ⑬ overgaat in Kew Gardens ⑭ (of beter gezegd de Royal Botanic Gardens – *blz. 256-257*). Vroeger was hier een ingang voor bezoekers die te voet of per boot arriveerden, maar de ingang ⑮ is nu

Kew Palace in Kew Gardens ⑲

ligt de door Capability Brown in de 18de eeuw aangelegde tuin. Iets verder staan langs de rivier moderne appartementen in Brentford ⑰. U kunt de hoge schoorstenen zien van het vroegere waterleidingbedrijf ⑱ dat nu een stoommuseum is. Rechts, achter het parkeerterrein van Kew Gardens, ziet u Kew Palace ⑲, een somber bouwwerk in rode baksteen uit 1631.

Voorbij het parkeerterrein verlaat u de rivier over Ferry Lane en loopt naar Kew Bridge ⑳. De rest van de dag kunt u in Kew Gardens blijven of u kunt Kew Bridge oversteken en rechtsaf Strand on the Green ㉑ inslaan, een fraaie wandelgang langs de rivier met sfeervolle pubs, waarvan City Barge ㉒ de oudste is *(blz. 256)*. Als u terug wilt gaan, loop dan in zuidelijke richting over Kew Road. Sla vervolgens linksaf Kew Gardens Road in en loop naar station Kew Gardens.

Steam Museum ⑱

0 meter	500
0 yard	500

TIPS VOOR WANDELAARS

Beginpunt: Metro- en treinstation Richmond.
Lengte: 5 km
Bereikbaarheid: Met trein of metro naar station Richmond. Bus 415 komt uit Victoria; 391 en R68 uit Kew.
Pauzeren: Er zijn veel coffeeshops, pubs en tearooms in Richmond. De befaamde tearoom Maids of Honour vindt u in Kew, evenals Jasper's Bun in the Oven, een goed restaurant.

gesloten en de dichtstbijzijnde ingang is ten noorden hiervan bij de parkeerplaats. U hebt een prachtig uitzicht op Syon House ⑯ aan de andere kant van de rivier, waar al sinds 1594 de hertogen van Northumberland wonen. Een deel van het huis dateert uit de 16de eeuw, maar het grootste deel werd rond 1760 opnieuw ontworpen door Robert Adams. Voor het huis

De Thames tussen Richmond en Kew

TIPS VOOR DE REIZIGER

ACCOMMODATIE

Londense hotels hadden vroeger een slechte naam, maar hierin begint verandering te komen. Bovenaan de ranglijst staan de betrouwbare, maar dure, internationale ketens en de gerenommeerde hotels zoals het Savoy en Ritz, waar Londen zo beroemd om is. In veel hotels uit de middenklasse krijgt u meer waar voor uw geld dan in hotels uit de luxeklasse, maar ze bevinden zich wel vaak iets verder buiten het centrum. De zogenaamde budgethotels zijn echter vaak verslonsd en uitgewoond. We hebben meer dan 200 hotels onder de loep genomen en er 84 uitgekozen die veel waar voor hun geld bieden. Bij het kiezen van een hotel kunt u het beste eerst de tabel op blz. 276-277 raadplegen. Voor meer gegevens over de hotels verwijzen we naar het overzicht op blz. 278-285.

Naast hotels passeren ook andere vormen van accommodatie de revue: appartementen en kamers bij particulieren (blz. 274-275) zijn voor uiteenlopende prijzen te huur. Verder kunnen reizigers die weinig te besteden hebben natuurlijk overnachten op campings, in jeugdherbergen, studentenhuizen en sleep-ins (blz. 275).

Portier van het Hilton

WAAR MOET U ZOEKEN

De duurste hotels staan hoofdzakelijk in de chique wijken in West End, zoals Mayfair en Belgravia. Dit zijn vaak grote, erg weelderige gelegenheden met geüniformeerde knipmessen. Kleinere luxehotels vindt u in South Kensington en Holland Park. In de straten nabij Earl's Court Road staat een groot aantal goedkope hotels. In de buurt van sommige stations vindt u ook veel kleine hotels, zoals in Ebury street dicht bij Victoria Station of Sussex Gardens vlak bij Paddington Station. Rond Euston vindt u richting Bloomsbury (mijd de ongezonde wijk achter King's Cross) verscheidene moderne hotels tegen redelijke prijzen. Goedkope hotels vindt u in de voorsteden, zoals Ealing, Hendson, Wembley en Harrow. U kunt hier uw auto achterlaten en met het openbaar vervoer naar de stad reizen, hoewel dit wel een uur kan kosten. Als u op een luchthaven komt vast te zitten of 's morgens vroeg een vliegtuig moet halen, raadpleeg dan het overzicht op blz. 356-357. Neem voor nadere inlichtingen en gegevens over diensten die hotels voor u boeken, contact op met de **London Tourist Board**, die handige folders uitgeeft over alle soorten accommodatie in alle delen van Londen.

KORTINGEN

Hotelprijzen zijn normaal het jaar hoog, maar soms is er sprake van aanbiedingen. Veel hotels verlagen hun tarieven in het weekeinde of bieden andere speciale voordelen (blz. 274). Andere werken meer op een ad hoc-basis, afhankelijk van de drukte. Zit een hotel niet vol, probeer dan altijd of u korting kunt krijgen. Hotels in de laagste prijsklasse bieden vaak kamers aan zonder douche of badkamer. Deze kosten ongeveer 20% minder dan het normale tarief.

BIJKOMENDE KOSTEN

De prijzen zijn vaak exclusief btw (17,5%, blz. 310), zodat de rekening soms onverwacht hoog kan zijn. Lees de kleine lettertjes daarom zorgvuldig. De prijs wordt meestal per kamer berekend en niet per persoon, maar kijk dit altijd goed na. Controleer ook of de prijs inclusief bediening is. Dit is meestal het geval, maar soms komt de bediening er nog bij. Kijk uit voor bijkomende kosten zoals

De tearoom van het Waldorf Hotel *(blz. 284)*

Het Hampshire Hotel *(blz. 283)*

voor de telefoon e.d.
Bij duurdere hotels is het ontbijt meestal niet bij de kamerprijs inbegrepen, maar bij goedkopere hotels wel. Een *continental breakfast* bestaat gewoonlijk uit koffie, vruchtesap en een broodje, toost of croissants. Een Engels ontbijt is veel uitgebreider en bestaat op zijn minst uit cornflakes en vruchtesap, gevolgd door spek, eieren en toost *(blz. 288)*.
In duurdere hotels verwacht men dat u fooien geeft, maar in het algemeen hoeft u alleen degene die uw koffers naar uw kamer brengt een fooi te geven en de portier als deze bijvoorbeeld plaatsen voor het theater bespreekt.
Aan personen die alleen reizen wordt vaak een 'toeslag' berekend, wat erop neerkomt dat deze zo'n 80% van de prijs van een tweepersoonskamer betalen, zelfs als ze in een eenpersoonskamer verblijven.

De fraaie hal van het Gore Hotel in Kensington *(blz. 279)*

FACILITEITEN

Zowel goedkope als dure kamers kunnen klein zijn (zie de tabel op blz. 276-277 voor hotels met grotere kamers dan gemiddeld), maar alle kamers, op de eenvoudigste na, beschikken over een telefoon en een televisie. In iedere prijsklasse bieden recent gemoderniseerde hotels de meeste faciliteiten, hoewel u in sommige zeer chique hotels meer voor de ambiance betaalt dan voor minibars en elektronische snufjes.
Bij alle hotels moet u op de dag van uw vertrek uw kamer om 12.00 uur hebben verlaten en soms zelfs nog vroeger.

HOE MOET U BOEKEN

Het is raadzaam om kamers lang van tevoren te boeken, omdat er in hotels niet altijd plaats is. Dit kunt u doen via een reisbureau in Nederland of België, maar u kunt ook schriftelijk, telefonisch of per fax, rechtstreeks bij het hotel boeken. Meestal moet u een garantie bieden in de vorm van het nummer van een creditcard, zodat men annuleringskosten in rekening kan brengen, of een aanbetaling ter waarde van één overnachting.
De **London Tourist Board** boekt kamers zonder extra kosten te berekenen indien u minstens zes weken van tevoren naar de Accommodation Service's Advance Booking Office schrijft, waarbij u aangeeft hoeveel u wilt betalen. Als u minder dan zes weken van tevoren schrijft, wordt er een klein extra bedrag berekend plus een aanbetaling voor uw verblijf die van de uiteindelijke rekening wordt afgetrokken. U kunt bij de LTB telefonisch met een creditcard boeken, maar u kunt ook naar een LTB Tourist Information Centre gaan in Victoria of Liverpool Street Station of op Heathrow. De LTB heeft ook kantoren in Harrods, Selfridges en de Tower of London.
Bij het **British Travel Centre** in Regent Street kunt u ook boeken. Daarnaast vindt u in

Een typisch Londens hotel

de grote stations bureaus voor het boeken van niet-LTB accommodatie. Laat u niet in met onbekenden die in spoorweg- en busstations rondhangen en goedkope overnachtingen aanbieden.

RESERVEREN: NUTTIGE ADRESSEN

British Hotel Reservation Centre
10 Buckingham Palace Rd,
SW1 0QP.
📞 *0171-828 2425.*

British Travel Centre
4-12 Lower Regent St,
SW1Y 4PQ.
📞 *0171-930 0572.*

Concordia Hotel Tourist Bookings Europoint
5-11 Lavington St, SE1 0NZ.
📞 *0171-945 6000.*

Holyday Care Service
2 Old Bank Chambers, Dstion Rd,
Horley, Surrey.
📞 *01293-774535.*
Accomodatie-service voor gehandicapte reizigers (zie ook blz. 274).

London Accommodation Centre
22 Wardour St, W1V 3HH.
📞 *0171-287 6315.*

London Tourist Board (LTB)
Accommodation Service's Advance Booking Office (alleen creditcards).
26 Grosvenor Gdns, SW1W 0DU.
📞 *0171-824 8844.*

SPECIALE VOORDELEN

Bij veel reisbureaus vindt u brochures van de grote hotelketens met een overzicht van speciale aanbiedingen, gewoonlijk op basis van minimaal twee overnachtingen. Bij sommige aanbiedingen krijgt u, in vergelijking met het normale tarief, bijzonder veel waarvoor uw geld. Er zijn ook brochures van speciale organisatoren van aanbiedingen voor Londense hotels die niet aan één keten zijn verbonden. Veel particuliere hotels maken hun eigen brochures met speciale aanbiedingen. Veerboot- en luchtvaartmaatschappijen hebben soms aanbiedingen inclusief voordelige hotelaccommodatie. Soms wordt hetzelfde hotel in verscheidene brochures met verschillende aanbiedingen vermeld tegen sterk uiteenlopende prijzen.

Affiche Savoy Hotel

GEHANDICAPTE REIZIGERS

Onze informatie over hotels met voorzieningen voor invaliden in rolstoelen hebben we verzameld door middel van een vragenlijst en deze is dus gebaseerd op de mening van de hotels zelf. De **LTB** heeft twee handige folders: *Accessible Accommodation in London* en *London for All*. Het boekje *Access in London* is verkrijgbaar bij RADAR, City Forum, 250 City Road EC1V 8AF (0171) 250 3222.

REIZEN MET KINDEREN

Londense hotels hadden tot voor kort geen speciale voorzieningen voor kinderen, maar daar komt nu verandering in. Bij sommige hotels gelden speciale tarieven voor kinderen of kunnen kinderen gratis op de kamer van de ouders worden ondergebracht. Zie de keuzetabel op blz. 276-277 voor hotels met faciliteiten voor kinderen.

APPARTEMENTEN

Appartementen met kookgelegenheid worden door veel bureaus verhuurd, doorgaans voor een verblijf van minimaal een week. De prijs hangt af van de grootte en ligging van het appartement. Het goedkoopste appartement in Londen kost rond de £300 per week.
De **Landmark Trust** verhuurt appartementen in historische en bijzondere gebouwen. Tegen een kleine vergoeding is een gids met deze bijzondere locaties van de Landmark Trust verkrijgbaar.

APPARTEMENTEN RESERVEREN

Ashburn Gardens Apartments
3 Ashburn Gdns, SW7 4DG.
[0171-370 2663.

Astons Budget Studios/ Luxury Apartments
39 Rosary Gdns, SW7 4NQ.
[0171-370 0737.

Ealing Tourist Flats
94 Gordon Rd, W13 8PT.
[0181-566 8187.

The Landmark Trust
Shottesbrooke, Maidenhead, Berkshire, SL6 3SW.
[01628-825925.

Service Suites
42 Lower Sloane St, SW1W 8BP.
[0171-730 5766.

VERBLIJF BIJ PARTICULIEREN

Sommige bemiddelingsbureaus regelen een verblijf bij particulieren, waarvan er verscheidene bij de **LTB** staan ingeschreven. De prijzen variëren van £15 tot £60 per persoon per nacht. Soms verblijft u bij een gezin in huis, maar dit hoeft niet het geval te zijn, dus maak bij het boeken uw voorkeur kenbaar. De regelingen over aanbetalingen en annuleringen kunnen dezelfde zijn als bij hotelboekingen. U kunt telefonisch op uw creditcard boeken bij de LTB *(blz. 273)* of bij een van de informatiecentra die bij de appartementen (met kookgelegenheid) staan vermeld. Verscheidene bureaus boeken op basis van een verblijf van minimaal een paar dagen of zelfs een week.
Wolsey Lodges, een vereniging van particulieren, biedt interessante accommodatie en vaak een goed avondmaal.

KAMERS RESERVEREN BIJ PARTICULIEREN

Alma Tourist Services
21 Griffiths Rd, SW19 1SP.
[en FAX 0181-540 2733.

Anglo World Travel
123 Shaftesbury Ave, WC2H 8AD.
[0171-379 7477.

At Home in London
70 Black Lion Lane, W6 9BE.
[0181-748-1943.

Host and Guest Service
Harwood House, 27 Effie Rd, SW6 1EN.
[0171-731 5340.

Klassieke weelde in het Claridge's Hotel *(blz. 282)*

London Home to Home
19 Mount Park Crescent, W5 2RN.
📞 en 🖷 0181-567 2998.

Wolsey Lodges
17 Chapel Street, Bildeston,
Suffolk, IP7 7EP.
📞 01449 741297.

ZEER VOORDELIGE ACCOMMODATIE

E r is in Londen behalve de uiterst prijzige luxehotels en de wat betaalbaardere, maar nog steeds niet echt goedkope bed-and-breakfasts ook zeer voordelige accommodatie verkrijgbaar en niet alleen voor jongeren.

Overnachtingsplaatsen en jeugdherbergen
Deze kunt u boeken via het informatiecentrum van de LTB in Victoria *(blz. 273)* tegen een kleine vergoeding. Vlak bij Earl's Court vindt u particuliere *hostels* waar logies met ontbijt slechts £10 per nacht kost. Iets meer luxe biedt de **Central Club**, een gebouw in het hartje van West End dat door de YWCA wordt beheerd, maar waar iedereen terecht kan en niet alleen vrouwen, wat u misschien zou denken. Eenpersoonskamers kosten wat ongeveer £30. Als u uw kamer deelt, betaalt u veel minder.
Londen telt zeven **Youth Hostel Associations**. Ondanks de naam geldt er geen maximumleeftijd. Een van de interessantste jeugdherbergen is Holland House, een herenhuis uit de tijd van Jacobus I in Holland Park *(blz. 214)*. Boek ruim van tevoren, want het is bijzonder populair.

ADRESSEN VAN HOSTELS

Central Club
16-22 Great Russell St, WC1B 3LR.
📞 0171-636 7512.

London Hostel Association
54 Eccleston Sq, SW1V 1PG.
📞 0171-834 1545.

Youth Hostels Association
Trevelyan House, 8 St Stephen's Hill, St Albans, Herts, AL1 2DY.
📞 017278 55215.

Jeugdherberg in Londen

Campings
Tent City in East Action (open: juni-september) ligt vlak bij de metro en beschikt over eenvoudige faciliteiten en een tentenkamp met 400 bedden. De campings in Hackney, Edmonton, Leyton, Chingford, Abbey Wood en Chrystal Palace liggen verder van de metro, maar bieden ook plaats voor caravans.

CAMPINGS

Tent City
Old Oak Common Lane, W3 7DP.
📞 0181-749 9074.

Studentenhuizen
Studentenkamers zijn van juli tot september beschikbaar tegen heel redelijke prijzen. Sommige bevinden zich in het centrum. U kunt het beste van tevoren boeken, maar **King's College** en **Imperial College** hebben soms plaats op korte termijn.

KAMERS IN STUDENTENHUIZEN RESERVEREN

City University Accommodation and Conference Service
Northampton Sq, EC1V 0HB.
📞 0171-477 8037.

Imperial College Summer Accommodation Centre
Watts Way, Princes Gdns, SW7 1LU.
📞 0171-594 9507.

King's Campus Vacation Bureau
King's College London, 552 King's Rd, SW10 0UA.
📞 0171-351 6011.

SYMBOLEN
De hotels op blz. 278-285 zijn gerangschikt naar wijk en naar prijs. De symbolen geven de faciliteiten van het hotel aan.

🛏 alle kamers hebben bad en/of douche tenzij anders aangegeven

[1] kamers beschikbaar waarbij de prijs per persoon wordt berekend

📶 ook kamers voor meer dan twee personen of er kan een bed worden bijgeplaatst

24 dag en nacht roomservice

TV tv op alle kamers

🍸 minibar op alle kamers

🚭 ook kamers voor nietrokers

🌊 kamers met mooi uitzicht

🎛 airconditioning

🏋 fitnessruimte

🏊 zwembad in het hotel

🗄 zakelijke faciliteiten: aannemen van boodschappen, fax voor gasten, bureau en telefoon op alle kamers en vergaderruimte in het hotel

🚸 faciliteiten voor kinderen *(blz. 277)*

♿ toegankelijk voor rolstoelen

🛗 lift

🐾 huisdieren toegestaan op de kamer (opgeven bij het hotel). De meeste hotels accepteren geleidehonden. NB: In het Verenigd Koninkrijk ingevoerde dieren moeten zes maanden in quarantaine.

P parkeren bij het hotel

🌳 tuin of terras open voor gasten

🍸 bar

🍴 restaurant

ℹ informatiebalie voor toeristen

💳 geaccepteerde creditcards:
AE American Express
DC Diners Club
MC Mastercard/Access
V Visa
JCB Japanese Credit Bureau
Prijsklassen voor een standaard tweepersoonskamer per nacht inclusief ontbijt, belasting en bediening:
Ⓔ minder dan £70
ⓔⓔ £70-£100
ⓔⓔⓔ £100-£140
ⓔⓔⓔⓔ £140-£190
ⓔⓔⓔⓔⓔ meer dan £190

Een hotel kiezen

Alle hotels op deze bladzijden zijn onderzocht en beoordeeld. De tabel geeft een aantal factoren die van invloed kunnen zijn op uw keuze. Meer informatie over deze hotels vindt u in het overzicht op blz. 278-285. De hotels zijn gerangschikt naar wijk en naar prijsklasse.

Hotel	Prijs	AANTAL KAMERS	RUIME KAMERS	ZAKELIJKE FACILITEITEN	FACILITEITEN VOOR KINDEREN	AANBEVOLEN RESTAURANT	DICHT BIJ WINKELS EN RESTAURANTS	RUSTIGE LIGGING	24-UURS ROOM SERVICE
BAYSWATER, PADDINGTON *(blz. 278)*									
Byron	££	42	■		●		■		●
Delmere	££	39							
Mornington	£££	68			●		■		
Whites	£££££	54	●	■	●				●
KENSINGTON, HOLLAND PARK, NOTTING HILL *(blz. 278)*									
Abbey House	£	16					●	■	
Abbey Court	£££	22		■			■		●
Copthorne Tara	£££	825		■			●	■	●
Portobello	£££	22							
Pembridge Court	£££	20			●		■		●
Halcyon	£££££	45		■	●	■		■	●
SOUTH KENSINGTON, GLOUCESTER ROAD *(blz. 278-279)*									
Swiss House	££	16		■					
Aster House	£££	14			●			■	
Cranley	£££	37						■	●
Five Sumner Place	£££	13						■	●
Harrington Hall	£££	200	●	■	●		●		●
Gore	££££	54		■	●	■		■	
Number Sixteen	££££	36			●			■	
Pelham	££££	41		■	●				●
Rembrandt	££££	195	●	■	●				●
Blakes	£££££	51	●	■		■		■	●
Sydney House	£££££	21					●		●
KNIGHTSBRIDGE, BROMPTON, BELGRAVIA *(blz. 279-281)*									
Executive	££	27					●		
Knightsbridge Green	£££	25			●		●		
Basil Street	££££	93		■	●		●		●
Draycott	££££	27		■	●		●		●
Eleven Cadogan Gardens	££££	60			●		●	■	●
Beaufort	££££	28		■	●		●		●
Berkeley	£££££	160	●	■			●		●
Capital	£££££	48			●	■		■	●
Egerton House	£££££	28		■			●		●
Halkin	£££££	41	●	■		■	●		●
Hyatt Carlton Tower	£££££	220	●	■	●		●		●
The London Outpost	£££££	13		■	●		●		●
Lowndes	£££££	78		■			●	■	●
WESTMINSTER, VICTORIA *(blz. 281)*									
Collin House	£	13							
Elizabeth	£	40			●			■	
Woodville House	£	12							
Windermere	££	23							●
Tophams Belgravia	£££	42		■					●
Goring	££££	76	●					■	●
Holiday Inn	££££	212	●		●				●
Stakis London St Ermins	££££	290		■	●			■	●
Royal Horseguards	£££££	300		■				■	●

Prijsklassen voor een standaard tweepersoonskamer per nacht inclusief ontbijt, belasting en bediening:
£ minder dan £70
££ £70-£100
£££ £100-£140
££££ £140-£190
£££££ meer dan £190

Dicht bij winkels en restaurants Binnen vijf minuten loopafstand van veel winkels en restaurants.

Faciliteiten voor kinderen Kamers voor gezinnen en/of een extra bed in een tweepersoonskamer, wiegen, kinderoppas, kindermenu's en kinderstoelen in de eetzaal.

Zakelijke faciliteiten Dienst voor het aannemen van boodschappen, fax voor gasten, telefoon op alle kamers en vergaderzaal in het hotel.

Hotel	Prijs	Aantal kamers	Ruime kamers	Zakelijke faciliteiten	Faciliteiten voor kinderen	Aanbevolen restaurant	Dicht bij winkels en restaurants	Rustige ligging	24-uurs room service
PICCADILLY, MAYFAIR *(blz. 281-282)*									
Athenaeum	£££££	123	●	■	●			●		●
Brown's	£££££	118	●	■				●		●
Claridge's	£££££	190	●	■	●			●		●
Connaught	£££££	89	●				■	●		●
Dorchester	£££££	251	●	■	●	■		●		●
Dukes	£££££	64	●					●	■	●
Forty-Seven Park Street	£££££	53	●				■	●		●
The Four Seasons	£££££	227	●	■	●			●		●
Grosvenor House	£££££	454	●	■	●	■		●		●
Ritz	£££££	127	●	■	●			●		●
Twenty-Two Jermyn St	£££££	18	●	■	●			●	■	●
SOHO, LEICESTER SQUARE, OXFORD STREET *(blz. 283)*									
Edward Lear	£	30					●		●	
Bryanston Court	££	54		■				●		●
Concorde	££	26			●			●		●
Parkwood	££	18						●	■	●
Durrants	£££	96		■					■	●
Hazlitt's	£££	23						●		
Hampshire	£££££	125	●	■	●			●		●
Marble Arch Marriott	£££££	240	●	■	●					●
REGENT'S PARK, MARYLEBONE *(blz. 283-284)*									
Blandford	££	33							■	
Hotel La Place	££	24		■	●				■	●
Dorset Square	£££	37	●		●				■	●
White House	£££££	583	●	■	●				■	●
Langham Hilton	£££££	388	●	■	●		●			●
BLOOMSBURY, FITZROVIA, COVENT GARDEN, STRAND *(blz. 284-285)*									
Mabledon Court	£	30								●
Fielding	££	24		■			●	■	●	
Academy	£££	40			●					●
Bonnington	£££	215			●					●
Hotel Russell	£££	329	●	■	●					●
Mountbatten	£££££	127	●	■	●		●			●
Covent Garden Hotel	£££££	50	●		●			●		●
Howard	£££££	137	●	■	●					●
Savoy	£££££	203	●	■	●	■	●			●
Waldorf	£££££	292		■	●					●
DE CITY *(blz. 285)*									
Tower Thistle	££££	806		■					■	●
BUITEN HET CENTRUM *(blz. 285)*									
Chase Lodge	££	11			●				■	
La Reserve	££	41		■						
Swiss Cottage	££	80		■	●				■	
Cannizaro House	£££	44	●	■					■	
Kingston Lodge	£££	62		■	●					
Sheraton Skyline	££££	354	●	■	●					●

BAYSWATER
PADDINGTON

Byron

36-38 Queensborough Terrace,
W2 3SH. **Kaart** 10 E2. 0171-243 0987. **FAX** 0171-792 1957. **TX** 263431 BYRON G. **Kamers:** 42.

AE, DC, MC, V.

Dit hotel heeft een aangenaam interieur. De kleine, gezellige lounge is ingericht in de stijl van een traditioneel landhuis. De kamers zijn eenvoudig. Het jonge personeel gedraagt zich informeel. De omgeving is rustig. Dit is een vriendelijk hotel zonder pretenties.

Delmere

130 Sussex Gdns, W2 1UB.
Kaart 11 A2. 0171-706 3344. **FAX** 0171-262 1863. **TX** 8953857. **Kamers:** 39.

DC, MC, V, JCB.

Dit goed onderhouden hotel steekt gunstig af bij de grauwe bouwwerken die er omheen staan. Het meubilair is enigszins pretentieus en sommige kamers zijn eigenlijk wel wat al te krap. Het hotel wordt echter goed beheerd en is beschaaft. In de gerieflijke lounge beneden vindt u de dagbladen en een kolenvuur dat op gas brandt.

Mornington

12 Lancaster Gate, W2 3LG.
Kaart 10 F2. 0171-262 7361. **FAX** 0171-706 1028. **TX** 24281. **Kamers:** 68.

AE, DC, MC, V.

Dit rustige hotel wordt efficiënt beheerd. De gezellige intimiteit van de bibliotheek annex lounge contrasteert sterk met de bijna koude Scandinavische soberheid van de kamers. De sauna en het smörgåsbord-ontbijtbuffet benadrukken de Zweedse achtergrond van het hotel.

Whites

90 Lancaster Gate, W2 3NR.
Kaart 10 F2. 0171-262 2711. **FAX** 0171-262 2147. **TX** 24771. **Kamers:** 54.

AE, DC, MC, V.

Dit grote 19de-eeuwse hotel kijkt uit over Kensington Gardens. Het exterieur doet aan een hotel in een badplaats denken. Binnen geven de kroonluchters iets feestelijks aan de conversatie- en eetzalen. Zelfs in de kamers komt u

kristal tegen. De inrichting van de kamers is een mengeling van stijlen: oosters, Louis XV en Belle Epoque. Het historische interieur van de kamers wordt niet verstoord door de aanwezigheid van een televisietoestel. Deze komt pas met een druk op een knop tevoorschijn uit een stijlvolle kast.

KENSINGTON
HOLLAND PARK
NOTTING HILL

Abbey House

11 Vicarage Gate, W8 4AG.
Kaart 10 D4. 0171-727 2594. **Kamers:** 16.

Dit aantrekkelijk gelegen victoriaanse woonhuis heeft een fraai exterieur. De grootte van het trappenhuis met de vele planten duidt op een verfijnde levensstijl. Het hotel biedt echter logies en ontbijt zonder franje. De kamers zijn ruim, doch zeer eenvoudig ingericht en beschikken niet over een badkamer. De enige gemeenschappelijke ruimte is de vrolijke ontbijtzaal in de kelder.

Abbey Court

20 Pembridge Gdns, W2 4DU.
Kaart 9 C3. 0171-221 7518. **FAX** 0171-727 8166. **TX** 262167 ABBYCT. **Kamers:** 22.

AE, DC, MC, V.

Dit overdadig gedecoreerde en goed onderhouden herenhuis is een succesvol, luxueuze bed & breakfast-gelegenheid. Het is voorzien van een stijlvolle lounge en een ontbijtzaal in de serre. De kamers verschillen, maar zijn wel allemaal voorzien van mooie badkamers met sanitair en antiek in victoriaanse stijl. U treft hier een ongebruikelijk hoog aantal eenpersoonskamers. Voorzieningen voor kinderen boven de twaalf.

Copthorne Tara

Scarsdale Pl, Wright's Lane, W8 5SR.
Kaart 8 D1. 0171-937 7211. **FAX** 0171-937 7100. **TX** 918834 TARAHL G. **Kamers:** 825.

AE, DC, MC, V, JCB.

De bijzonder prettige ligging in een rustige zijstraat van Kensington High Street is een pluspunt van dit hotel. Binnen zijn de stijl en de faciliteiten van dit moderne hotel, dat onderdeel is van een keten, zoals zou mogen worden verwacht gerieflijk en er is een aantal bars met ieder een eigen thema.

Portobello

22 Stanley Gdns, W11 2NG.
Kaart 9 B2. 0171-727 2777. **FAX** 0171-792 9641. **Kamers:** 22.

AE, DC, MC, V.

Het donkere, verfijnde interieur van dit excentrieke hotel nabij Portobello Road is een mengeling van victoriaanse gotiek en edwardiaanse stijl. De kleinste eenpersoonskamers hebben een soort bedstee en een kleine Spartaanse badkamer. Wie van groot en exotisch houdt, kan de Round Room (met een rond bed onder draperieën) nemen. Beneden is een informeel, chic restaurant.

Pembridge Court

34 Pembridge Gdns, W2 4DX.
Kaart 9 C3. 0171-229 9977. **FAX** 0171-727 4982. **TX** 298363. **Kamers:** 20.

AE, DC, MC, V, JCB.

Dit fraaie particuliere hotel in een herenhuis ligt in een mooie, rustige straat vlak bij Notting Hill Gate. Het hotel is gerieflijk en keurig ingericht, maar wel interessant door de accessoires op iedere kamer: handschoenen, waaiers, portemonnees. Caps Restaurant is een winebar die 's avonds open is.

Halcyon

81 Holland Park, W11 3RZ.
Kaart 9 A4. 0171-727 7288. **FAX** 0171-229 8516. **TX** 266721. **Kamers:** 45.

AE, DC, MC, V.

Dit luxehotel staat in het hart van Holland Park. Het schitterende Belle Epoque-interieur en de prachtige zalen zijn feitelijk nog onaangetast gebleven. De kamers zijn hedonistische fantasieën met canapés, guirlandes en draperieën. De badkamers hebben een whirlpool en bidet. Ofschoon nogal duur, geeft dit hotel wel een gevoel van rijkdom en overdaad.

SOUTH KENSINGTON
GLOUCESTER ROAD

Swiss House

171 Old Brompton Rd, SW5 0AN.
Kaart 18 E3. 0171-373 2769. **FAX** 0171-373 4983. **Kamers:** 16.

11. AE, DC, MC, V.

Dit grote pension ziet er vanaf het eerste moment uitnodigend uit met zijn klimplanten bij de ingang. Binnen wordt deze indruk versterkt door de vrolijke ontbijtzaal met zijn vurehouten ladenkast, porselein en droogbloemen, en de keurige kamers. Sommige zijn verbazend ruim.

Aster House

3 Sumner Pl, SW7 3EE. **Kaart** 19 A2.
[*0171-581 5888.* FAX *0171-584 4925.* **Kamers:** 14. 🛏 1 TV 🍷 🏋 🎱 🚫 🍽 *MC, V.* €€€

Er staan verscheidene dure hotels op dit plein in South Kensington, maar er zijn er maar weinig die zo redelijk geprijsd zijn. L'Orangerie, het stijlvolle restaurant van dit hotel, serveert een gezond ontbijt. De kamers, waar niet mag worden gerookt, zijn allemaal verschillend ingericht, de een nog luxueuzer dan de ander. Voorzieningen voor kinderen boven de 12 jaar.

Cranley

10-12 Bina Gdns, SW5 0LA.
Kaart 18 E2. [*0171-373 0123.* FAX *0171-373 9497.* TX *991503.* **Kamers:** 37. 🛏 1 🛁 24 TV 🍷 🍽 *AE, DC, MC, V, JCB.* €€€

Dit hotel is gevestigd in een voornaam herenhuis. De eigenaar is een Amerikaan. De kamers zijn alle ingericht met antiek en stoffering van bekende ontwerpers, maar niet allemaal even ruim. Ze zijn wel praktisch met discreet aan het oog onttrokken keukentjes en magnetrons. De lounge is buitengewoon fraai.

Five Sumner Place

5 Sumner Pl, SW7 3EE. **Kaart** 19 A2.
[*0171-584 7586.* FAX *0171-823 9962.* **Kamers:** 13. 🛏 1 🛁 24 TV 🍷 🚫 *AE, MC, V.* €€€

Dit victoriaanse herenhuis is zo elegant en stijlvol dat het in 1991 van de British Tourist Association de *Best Bed and Breakfast Award* heeft ontvangen. In de opvallende serre, die uitkijkt op de prachtige patio, staan tafels met blauwe tafelkleden en verse bloemen. In de rustige, beschaafde kamers, die alle verschillend zijn ingericht, kunt u bijkomen van de drukte en het lawaai van Londen.

Harrington Hall

5-25 Harrington Gdns, SW7.
Kaart 18 E2. [*0171-936 9696.* FAX *0171-396 9090.* **Kamers:** 200. 🛏 1 🛁 24 TV 🍷 🍽 🏋 🎱 🚫 *AE, DC, MC, V.* €€€

In dit grote hotel is ingehouden elegantie schering en inslag, verborgen achter de gevel van dit zorgvuldig gerestaureerde 19de-eeuwse herenhuis. Alle moderne

gemakken zijn aanwezig, van airconditioning in de kamers tot volwaardige fitness- en zakenruimtes voor de gasten. De ruime kamers zijn ingericht met een aangenaam mengsel van victoriaanse motieven en mooi imitatiemeubilair.

Gore

189 Queen's Gate, SW7 5EX.
Kaart 10 F5. [*0171-584 6601.* FAX *0171-589 8127.* TX *296244.* **Kamers:** 54. 🛏 1 🛁 TV 🍷 🏋 🎱 🚫 🍽 *AE, DC, MC, V, JCB.* €€€€

Dit eigenzinnige victoriaanse hotel is een zusterhotel van Hazlitt's *(blz. 283).* De modieuze bewoners van Kensington vechten om de tafels in de chique Bistro 190 in dit hotel. Chef-kok Antony Worrall-Thompson zwaait de scepter over Restaurant 190. De kamers variëren van kleine eenpersoonskamers met houten wastafels tot luxueuze kamers in Tudor-stijl. Veel badkamers zijn ingericht met meubilair in victoriaanse en edwardiaanse stijl. De bediening is ontspannen, maar altijd aardig en de tarieven zijn niet al te hoog.

Number Sixteen

16 Sumner Pl, SW7 3EG. **Kaart** 19 A2.
[*0171-589 5232.* FAX *0171-584 8615.* TX *266638.* **Kamers:** 36. 🛏 34. 1 🛁 TV 🍷 🏋 🎱 🎱 🚫 *AE, DC, MC, V.* €€€€

De onopvallende ingang is kenmerkend voor de deftige kleine hotels aan deze keurige, wit-geschilderde, victoriaanse straat. De ambiance binnen is luxueus maar niet overdreven. Number Sixteen steekt af bij de andere hotels in de straat door de betere kwaliteit en de grotere ruimten voor de gasten. De serre komt uit op een alleraardigste tuin met spuitende fonteinen. De kamers zijn verbazend ruim en fantasierijk ingericht. De badkamers worden gerenoveerd. Voor kinderen boven de 12 jaar zijn er voorzieningen

Pelham

15 Cromwell Pl, SW7 2LA. **Kaart** 19 A1.
[*0171-589 8288.* FAX *0171-584 8444.* TX *881 4714 TUDOR G.* **Kamers:** 41. 🛏 1 🛁 24 TV 🍷 🍽 🏋 🎱 🚫 🍽 *AE, MC, V.* €€€€

Het Pelham ligt vijf minuten van het metrostation South Kensington en lijkt zó uit een chic tijdschrift te komen. Alles in het hotel ziet er verzorgd en fraai (zo niet weelderig) uit, van de 18de-eeuwse lambrizering in de lounge tot en met de bloemen in de kamers. Het restaurant (dat ook als lounge en bar dienst doet) is bijzonder gerieflijk.

Rembrandt

11 Thurloe Pl, SW7 2RS. **Kaart** 19 A1.
[*0171-589 8100.* FAX *0171-225 3363.* TX *295828.* **Kamers:** 195. 🛏 1 🛁 24 TV 🍷 🍽 🏋 🎱 🚫 🍽 *AE, DC, MC, V, JCB.* €€€€

De huisstijl van dit grote hotel tegenover het Victoria and Albert Museum doet geen afbreuk aan de rustgevende sfeer die het opgeknapte interieur uitstraalt. Beneden vindt u een zwembad.

Blakes

33 Roland Gdns, SW7 3PF.
Kaart 18 F3. [*0171-370 6701.* FAX *0171-373 0442.* TX *8813500.* **Kamers:** 51. 🛏 1 🛁 24 TV 🍷 🏋 🎱 🎱 🍽 🍽 *AE, DC, MC, V, JCB.* €€€€€

Dit opvallende hotel van de ontwerpster Anouska Hempel is vermaard in Londen. Eén blik op het exotische interieur is voldoende om te beseffen dat dit geen doorsnee hotel is. Elke extravagante kamer is uniek met zijn diepe kleuren, schitterende zijde en weelderige meubilair als hemelbedden en antieke gelakte kasten.

Sydney House

9-11 Sydney St, SW3 6PU.
Kaart 19 A1. [*0171-376 7711.* FAX *0171-376 4233.* **Kamers:** 21. 🛏 24 TV 🍷 🏋 🎱 🍽 *AE, DC, MC, V, JCB.* €€€€€

Het meubilair van Bugatti en de kroonluchters van Baccarat in de foyer scheppen een bijzondere sfeer. Iedere kamer is een wereldje op zichzelf: hier vindt u Biedermeier en daar Parijse bekleding. De eetzaal is een en al zonneschijn en marineblauw vlechtwerk.

KNIGHTSBRIDGE
BROMPTON
BELGRAVIA

Executive

57 Pont St, SW1X 0BD. **Kaart** 19 C1.
[*0171-581 2424.* FAX *0171-589 9456.* TX *9413498 EXECUT G.* **Kamers:** 27. 🛏 1 🛁 TV 🎱 🚫 *AE, DC, MC, V.* €€

Van dit onopvallende herenhuis is het een korte wandeling naar een paar van de exclusiefste winkels van Londen. De entree is verfijnd en de moderne kamers zijn prettig gemeubileerd, hoewel enigszins onpersoonlijk. Het ontbijt wordt beneden geserveerd in een zaal in een roze Chinese Chippendale-stijl.

Verklaring van de symbolen *blz. 275*

Knightsbridge Green

159 Knightsbridge, SW1X 7PD.
Kaart 11 C5. **☎** 0171-584 6274.
FAX 0171-225 1635. **Gesloten** 24-26
dec. **Kamers:** 25. 🛏 1 🎱 TV ⚡
📶 🅿 AE, MC, V. ⓔⓔⓔ

Deze *bed and breakfast* uit de
duurdere prijsklasse is vooral
geliefd bij vrouwen omdat het
dicht bij Harrods staat. De sfeer is
er plezierig. In de Club Room is
de hele dag thee en koffie verkrijgbaar en er staat een grote
leestafel met tijdschriften. De
meeste kamers hebben bijbehorende zitkamers waar het ontbijt
wordt geserveerd. De inrichting is
rustgevend en aan praktische details, zoals verlichting, geluiddicht-
heid en bergruimte, is veel aandacht besteed.

Basil Street

Basil St, SW3 1AH. **Kaart** 11 C5.
☎ 0171-581 3311. **FAX** 0171-581
3693. **TX** 28379. **Kamers:** 93. 🛏 76.
1 🎱 24 TV ⚡ 📶 📶 🎱 🅿
🎱 🅿 AE, DC, MC, V. ⓔⓔⓔⓔ

Het beschaafde, niet overheersende karakter van dit ouderwetse
hotel met zijn eenvoudige, edwardiaanse sfeer verklaart zijn populariteit. In de comfortabele lounge-
bar kunt u zich prima ontspannen.
De wijnbar is uitstekend en de
unieke Parrot Club voor vrouwen
(die mannen alleen als introducé
kunnen bezoeken) is een interessant antwoord op de mannenclubs
die u in andere Londense hotels
aantreft. Veel vaste 'Basilites' zijn
vrouwen.

Draycott

24-26 Cadogan Gdns, SW3 2RP.
Kaart 19 C2. **☎** 0171-730 6466.
FAX 0171-730 0236. **Kamers:** 27. 🛏
1 🎱 24 TV ⚡ 📶 📶 🎱 🅿
📶 🅿 AE, DC, MC, V. ⓔⓔⓔⓔⓔ

Dit onopvallende herenhuis in
Knightsbridge lijkt meer op een
club dan op een hotel. Beneden
bij de ingang vindt u een kleine
'rookkamer' met lambrizering,
waar 's winters de open haard
brandt en waar het hele jaar de
dagbladen ter lezing liggen als in
een beschaafd landhuis. In de uit-
eenlopend ingerichte kamers vindt
u planten, antiek, prenten aan de
muur en marmeren badkamers.
Veel kamers kijken uit op de tuin.

Eleven Cadogan Gardens

11 Cadogan Gdns, SW3 2RJ.
Kaart 19 C2. **☎** 0171-730 3426.
FAX 0171-730 5217. **TX** 8813318.
Kamers: 60. 🛏 1 🎱 24 TV ⚡
📶 🅿 AE, MC, V. ⓔⓔⓔⓔ

Aan het exterieur van dit herenhuis in rode baksteen is niet te
zien dat het een hotel is. Dit verklaart misschien waarom zoveel
beroemdheden hier hun rust en
privacy zoeken als ze genoeg hebben van het opdringerige publiek.
De kalme sfeer en de onopvallende service passen goed bij de lambrizering en de kraakheldere la-
kens op de bedden. De inrichting
is ingetogen waardig en stijlvol.
De alledaagse opsmuk van veel
hotels ontbreekt in deze gelegenheid grotendeels.

Beaufort

33 Beaufort Gdns, SW3 1PP.
Kaart 19 B1. **☎** 0171-584 5252.
FAX 0171-589 2834. **TX** 929200.
Kamers: 28. 🛏 1 TV 📶 📶 ⚡
📶 🅿 AE, DC, MC, V, JCB.
ⓔⓔⓔⓔ

De hoge prijzen worden gedeeltelijk gerechtvaardigd door de elegantie van dit deftige, kleine hotel,
verscholen in een lommerrijk
straatje nabij Harrods. In de prettige kamers vindt u verse bloemen,
stijlvolle bekleding en aquarellen
van bloemen. Beneden kan een
van de luxe sofa's in beslag zijn
genomen door Harry, de genot-
zuchtige huiskat. Persoonlijke service en verwennerij zijn bij de
prijs inbegrepen en het zal u er
niet aan ontbreken. Voorzieningen
voor kinderen boven de twaalf.

Berkeley

Wilton Pl, SW1X 7RL. **Kaart** 12 D5.
☎ 0171-235 6000. **FAX** 0171-235
4330. **TX** 919252. **Kamers:** 160. 🛏
1 24 TV 📶 📶 📶 📶 🎱 🅿
📶 🅿 AE, DC, MC, V, JCB.
ⓔⓔⓔⓔ

De discrete hoofdingang van dit
majestueuze hotel van de Savoy
Group komt uit op een statige
marmeren hal met lambrizering
van de architect Lutyens. De
Buttery en Bar beneden zijn iets
minder formeel, terwijl de kamers
een opvallend eigen karakter bezitten.

Capital

22-24 Basil St, SW3 1AT. **Kaart** 11
C5. **☎** 0171-589 5171. **FAX** 0171-
225 0011. **Kamers:** 48. 🛏 1 24 TV
📶 📶 📶 📶 📶 🅿 📶 📶
AE, DC, MC, V. ⓔⓔⓔⓔ

Het Capital is een klein, opvallend
luxehotel met een befaamd restaurant. Het hotel is fantasievol
gedecoreerd in een Franse *fin de
siècle*-stijl. In het even stijlvolle
L'Hôtel op nummer 28 (071-589
6286) zijn de kamers minder duur
maar de voorzieningen zijn daar
minder, zonder geen roomservice.

Egerton House

17-19 Egerton Terrace, SW3 2BX.
Kaart 19 B1. **☎** 0171-589 2412.
FAX 0171-584 6540. **Kamers:** 28.
🛏 1 🎱 24 TV 📶 📶 📶 🎱 🅿
📶 🅿 AE, DC, MC, V. ⓔⓔⓔⓔⓔ

In dit chique, nog niet zo lang geleden als hotel ingerichte herenhuis is zowel de service als het
comfort van uitstekende kwaliteit.
Het hotel heeft een hoffelijke, professionele stijl. Hoewel een deel
van het meubilair er niet oud uit-
ziet, combineert het toch uitstekend met de meubels die wel
echt antiek zijn.

Halkin

5 Halkin St, SW1X 7DJ. **Kaart** 12 D5.
☎ 0171-333 1000. **FAX** 0171-333
1100. **Kamers:** 41. 🛏 🎱 24 TV
📶 📶 📶 📶 🎱 🅿 AE, DC,
MC, V, JCB. ⓔⓔⓔⓔⓔ

Voor mensen die zijn uitgekeken
op historische charme zal het mi-
nimalisme van het Halkin een ver-
ademing zijn. Het ingetogen gebruik van blauw en grijs, zwart en
wit, geeft het hotel een koel, ge-
raffineerd en zeer hedendaags
aanzien. De luxe kamers zijn ingericht in geelbruin marmer met dito
nachtkastjes en bijpassend koper-
kleurig gefineerd meubilair.

Hyatt Carlton Tower

Cadogan Pl, SW1X 9PY. **Kaart** 19 C1.
☎ 0171-235 1234. **FAX** 0171-245
6570. **TX** 21944. **Kamers:** 220.
🛏 🎱 24 TV 📶 📶 📶 📶 📶
📶 📶 📶 🅿 📶 📶 AE,
DC, MC, V, JCB. ⓔⓔⓔⓔⓔ

Dit hotel maakt deel uit van een
hotelketen, maar het heeft de gebruikelijke onpersoonlijkheid weten te omzeilen. Het personeel is
vakbekwaam en vriendelijk. Op
sommige plekken is de inrichting
wat te voorspelbaar, maar de
Chinoiserie Lounge, waar een har-
pist zit te spelen, is een heerlijke
plek om vermoeide voeten tot rust
te laten komen na een tocht langs
winkels of musea.

The London Outpost

69 Cadogan Gdns, SW3 2RB.
Kaart 19 C2. **☎** 0171-589 7333.
FAX 0171-581 4958. **Kamers:** 13.
🛏 1 🎱 24 TV 📶 📶 📶 ⚡
🅿 AE, DC, MC, V. ⓔⓔⓔⓔ

Deze rustige, grote *bed and breakfast* staat verscholen tussen de
victoriaanse herenhuizen. Het
heeft veel weg van een woonhuis.
Het is verfraaid met tal van schilderijen, antieke busten en fijn porselein. U vindt er nog veel oor-
spronkelijks als open haarden,
kroonlijsten en grote ramen. Het

ontbijt wordt op de rustige, comfortabele kamers geserveerd. Ook kunt u lichte maaltijden bestellen.

Lowndes

Lowndes St, SW1X 9ES. **Kaart 20 D1.**
📞 *0171-823 1234.* FAX *0171-235 1154.* TX *919065.* **Kamers:** *78.* 🛏
1️⃣ 🏫 24 TV 📺 🔧 🍴 🔌 ⛓
🍴 📞 📶 *AE, DC, MC, V, JCB.*
€€€€€

Het kleine zusje van de Hyatt Carlton Tower om de hoek roept een aangename sfeer van kleinschaligheid op en gasten kunnen gratis gebruik maken van de uitstekende voorzieningen van het grotere hotel. In de lounge kunt u heerlijk de krant lezen met een kopje koffie. De kamers zijn van alle gemakken voorzien en modern ingericht.

WESTMINSTER
VICTORIA

Collin House

104 Ebury St, SW1W 9QD.
Kaart 20 E2. 📞 *& FAX 0171-730 8031.* **Gesloten** *2 weken rond Kerstmis.* **Kamers:** *13.* 🛏 *8.* 1️⃣ 🏫 €

Dit kleine pension onderscheidt zich van veel soortgelijke hotels in de buurt door de prettige ontvangst. Hoewel de inrichting nauwelijks modern kan worden genoemd, zijn de kamers fris en netjes. Beneden vindt u een kleine onbijtzaal die is opgevrolijkt met foto's van landschappen.

Elizabeth

37 Eccleston Sq, SW1V 1PB.
Kaart 20 F2. 📞 *0171-828 6812.* FAX *0171-828 6814.* **Kamers:** *40.* 🛏 *36.* 1️⃣ 🏫 🔧 🔌 € €

Dank zij een uitgebreide opknapbeurt is dit hotel meer dan ooit zijn prijs waard, en voor deze lokatie was de prijs altijd al verbazingwekkend laag. Als extra hebben de gasten toegang tot de heerlijke groene tuin en de tennisbanen van Eccleston Square.

Woodville House

107 Ebury St, SW1W 9QU.
Kaart 20 E2. 📞 *0171-730 1048.* FAX *0171-730 2574.* **Kamers:** *12.* 1️⃣ 🏫 TV 🔌 €

Dit pension is gevestigd in een georgiaans huis. Hoewel niet ruim en luxueus, is het beschaafd en persoonlijk. Er komen veel prijsbewuste mensen. De ontbijtzaal is opgedeeld in intieme hoekjes. De kamers hebben kleine leunstoelen en andere aardige details.

Windermere

142–144 Warwick Way, SW1V 4JE.
Kaart 20 E2. 📞 *0171-834 5163.* FAX *0171-630 8831.* TX *94017182* WIRE G. **Kamers:** *23.* 🛏 *19.* 1️⃣ 🏫 24 TV 📶 🔌 *AE, MC, V, JCB.* €€€

De goed onderhouden, victoriaanse gevel van dit vriendelijke, voordelige hotel valt op in deze sombere, drukke straat.
Ook het interieur is bijzonder netjes. U vindt hier een prettige ontbijtzaal die ook dienst doet als koffieshop. Beneden kunt u de hele dag snacks en drankjes krijgen. In de lichte kamers hangen gordijnen van zwaar glanzende chintz en er staan moderne, praktische meubels.

Tophams Belgravia

28 Ebury St, SW1W 0LU. **Kaart 20 E1.** 📞 *0171-730 8147.* FAX *0171-823 5966.* **Kamers:** *42.* 🛏 *21.* 1️⃣ 🏫 24 TV 🔧 🔌 🍴 📶 🌿 *AE, DC, MC, V.* €€€

Dit statige, particuliere hotel beslaat verscheidene herenhuizen. De gezellige conversatie- en eetzalen zijn verfraaid met familiestukken en familiefoto's. De via een doolhof van gangen en trappen te bereiken voordelig geprijsde kamers zijn veelal klein en eenvoudig.

Goring

Beeston Pl, Grosvenor Gdns, SW1W 0JW. **Kaart 20 E1.** 📞 *0171-396 9000.* FAX *0171-834 4393.* TX *919166.* **Kamers:** *76.* 🛏 1️⃣ 24 TV 📺 🔧 🔌 🍴 📶 🌿 *AE, DC, MC, V.* €€€€€

Dit imposante, edwardiaanse hotel is een zeldzaamheid: het is een familiebedrijf dat gesitueerd is in het centrum van Londen. De derde generatie Gorings ziet er streng op toe dat het hotel zijn onberispelijke niveau handhaaft. Het ademt een sfeer van stijlvolle ingetogenheid. Zeer bijzonder zijn de barlounge en de fraaie geometrische tuin, waarnaar u, helaas, alleen maar mag kijken.

Holiday Inn

2 Bridge Pl, SW1V 1QA. **Kaart 20 F2.** 📞 *0171-834 8123.* FAX *0171-828 1099.* TX *914973.* **Kamers:** *212.* 🛏 1️⃣ 🏫 24 TV 📺 🔧 🍴 📶 🌿 🔧 🔌 🍴 📶 *AE, DC, MC, V, JCB.* €€€€

Dit moderne hotel, dat een Zweedse eigenaar heeft, kijkt uit op de rangeerterreinen van het Victoria Station. De koffieshop van het hotel is met zijn chroom, glas en kunststof enigszins streng van inrichting, maar dit wordt

meer dan goedgemaakt door de vriendelijke, efficiënte ontvangst en de stijlvolle, goed uitgeruste kamers. Het hotel beschikt over tal van voorzieningen waarmee de gasten hun conditie op peil kunnen houden.

Stakis London St Ermin's

Caxton St, SW1H 0QW. **Kaart 13 A5.** 📞 *0171-222 7888.* FAX *0171-222 6914.* TX *917731.* **Kamers:** *290.* 🛏 1️⃣ 🏫 24 TV 🔧 🔌 🍴 📶 🌿 *AE, DC, MC, V, JCB.* €€€€

Dit laat-victoriaanse gebouw, vlak bij Westminster, is ooit door een tunnel verbonden geweest met het House of Commons. Zeer opvallend is de voorname barokke trap met ronde balustraden die van de lounge met zijn glinsterende kroonluchters en de met pleisterwerk versierde plafonds naar boven leidt. De kamers zijn gerieflijk ingericht, in een minder dominerende stijl dan de rest van het hotel.

Royal Horseguards

2 Whitehall Court, SW1A 2EJ.
Kaart 13 C4. 📞 *0171-839 3400.* FAX *0171-925 2263.* TX *917096.* **Kamers:** *300.* 🛏 1️⃣ 24 TV 📺 🌿 🍴 🔧 🔌 🍴 📶 *AE, DC, MC, V, JCB.* €€€€€

Dit niet ver van de Houses of Parlament gelegen voorname 19de-eeuwse hotel kijkt uit op de Thames. De lobby is verfraaid met palmen, kroonluchters en rijk gedecoreerd pleisterwerk. Ook vindt u hier het keurige en formele Granby's Restaurant met zijn groen leren meubilair, waar u soms bekende politici kunt aantreffen. De stijl van de verzorgde kamers varieert van klassiek tot modern.

PICCADILLY
MAYFAIR

Athenaeum

116 Piccadilly, W1V 0BJ. **Kaart 12 E4.** 📞 *0171-499 3464.* FAX *0171-493 1860.* TX *261589.* **Kamers:** *123.* 🛏 1️⃣ 🏫 24 TV 📺 🔧 🌿 🍴 🔧 🔌 🍴 📶 📶 *AE, DC, MC, V, JCB.* €€€€€

Niettegenstaande de pretentieuze ligging van dit chique hotel, is de ontvangst vriendelijk en persoonlijk. De thee en koffie in de rustgevende Windsor-lounge zijn bijzonder goed, evenals de uitgebreide verzameling whiskysoorten in de gezellige cocktailbar. Hoewel sommige kamers een enigszins niets-zeggende indruk maken, zijn ze alle uiterst gerieflijk ingericht.

Verklaring van de symbolen *blz. 275*

Brown's

Albemarle and Dover Sts, W1A 4SW.
Kaart 12 F3. [0171-493 6020.
FAX 0171-493 9381. TX 28686.
Kamers: 118. ⬛ 1 ♨ 24 TV ➳
Y ➳ ⬛ ⬛ ❄ Y ¶¶ ⬛ *AE,
DC, MC, V, JCB.* €€€€€ *Zie
Restaurants en pubs blz. 306-307.*

Dit is een van de oudste en traditioneelste hotels van Londen. De hoffelijkheid en charme van de vroegere heer Brown, die het prototype van de butler geweest moet zijn, is nog steeds merkbaar. De befaamde *afternoon teas* worden geserveerd in de opzichtige lounge. De meeste kamers zijn groot met een prettige, ietwat ouderwetse inrichting.

Claridge's

Brook St, W1A 2JQ. **Kaart** 12 E2.
[0171-629 8860. FAX 0171-499 2210. TX 218762 CLRDGS G.
Kamers: 190. ⬛ 1 ♨ 24 TV ➳
⬛ ⬛ ⬛ ❄ Y ¶¶ ⬛ *AE, DC, MC, V, JCB.* €€€€€

Dit hotel maakt zozeer deel uit van het establishment dat het praktisch als bijgebouw van Buckingham Palace fungeert. Het hotel houdt vast aan de traditie en toch is de sfeer verbazend informeel.
De art deco-stijl combineert goed met de klassieke grandeur van de marmeren mozaïeken, de kroonluchters en de trap die zo breed is dat dames in omvangrijke baljurken elkaar ongehinderd kunnen passeren. In de foyer spelen Hongaarse muzikanten en met een druk op de knop ontbiedt u obers, lakeien en kamermeisjes naar uw enorme kamer.

Connaught

16 Carlos Pl, W1Y 6AL. **Kaart** 12 E3.
[0171-499 7070. FAX 0171-495 3262. *Kamers:* 89. ⬛ 1 24 TV
❄ ❄ Y ¶¶ ⬛ *MC, V.*
€€€€€

Dit beroemde hotel heeft zoveel zelfvertrouwen dat het noch een brochure, noch een lijst met tarieven heeft. (De prijzen – niet de hoogste in Mayfair – zijn 'op aanvraag' verkrijgbaar). Het hotel is niet groot en de inrichting onopvallend. Uiterste discretie is het parool. De privacy van de gasten wordt nauwlettend bewaakt en iedere gril wordt onthouden voor de toekomstige dienstverlening. Zij die geen deel uitmaken van de incrowd kunnen het gevoel krijgen dat ze niet welkom zijn in het Connaught. Velen wordt vriendelijk meegedeeld dat het hotel vol zit... Als u wilt reserveren, bel dan niet op en nog maar niet langs te komen! Schrijf een beleefde brief, lang van tevoren.

Dorchester

53 Park Lane, W1A 2HJ. **Kaart** 12 D3.
[0171-629 8888. FAX 0171-495 7342. TX 887704 DORCH G. *Kamers:*
251. ⬛ 1 ♨ 24 TV Y ➳ ➳
⬛ ❄ ❄ ❄ ❄ P Y ¶¶ ⬛
AE, DC, MC, V, JCB. €€€€€

Marmeren pilaren met een zachte gouden glans en enorme bloemstukken verfraaien de Promenade, waar thee wordt geserveerd. Dit prachtige hotel ziet er zeer opmerkelijk uit. U kunt hier eten in de beroemde Grill Room, op het rustiger terras en in het exotisch getinte oosterse restaurant. De suites en kamers, die een driedubbele beglazing hebben aan de kant van Park Lane, zijn vanzelfsprekend weelderig ingericht.

Dukes

35 St James's Pl, SW1A 1NY. **Kaart** 12 F4. [0171-491 4840. FAX 0171-493 1264. TX 28283. *Kamers:* 64.
⬛ 1 ♨ 24 TV ➳ ❄ ❄
¶¶ ⬛ *AE, DC, MC, V.* €€€€€

Bij dit fraaie edwardiaanse gebouw ligt een kleine rustige binnentuin waar de gaslampen nog met de hand worden aangestoken. Hoewel het Dukes duur en exclusief is, heerst er een opmerkelijk vriendelijke en opgewekte sfeer. In de stoere bar worden zeer prijzige cognacsoorten verkocht onder de strenge blik van de portretten van drie hertogen (Wellington, Marlborough, Norfolk).

Forty-Seven Park Street

47 Park St, W1Y 4EB. **Kaart** 12 D2.
[0171-491 7282. FAX 0171-491 7281. TX 22116 LUXURY. *Kamers:*
53. ⬛ 1 ♨ 24 TV Y ➳ ⬛
❄ P Y ¶¶ ⬛ *AE, DC, MC, V, JCB.* €€€€€

Velen kennen het beroemde restaurant Le Gavroche van de gebroeders Roux. Minder mensen weten dat ze, mits ze rijk genoeg zijn, in het hotel ernaast kunnen bijkomen van de gastronomische overdaad. In de 52 uiterst comfortabele suites vindt u open haarden, fraaie klokken in Franse stijl, verfijnd meubilair, en donzen dekbedden. Gerechten uit Le Gavroche kunnen ook op uw kamer worden geserveerd.

The Four Seasons

Hamilton Pl, Park Lane, W1A 1AZ.
Kaart 12 D4. [0171-499 0888.
FAX 0171-493 6629. TX 227711.
Kamers: 227. ⬛ 1 ♨ 24 TV Y
➳ ⬛ ❄ ❄ ❄ P ➳
Y ¶¶ ⬛ ⬛ *AE, DC, MC, V, JCB.*
€€€€€

De niet overdreven luxueuze The Four Seasons biedt persoonlijke service. Het hotel komt traditioneel over. In de fraai gemeubileerde kamers worden de oosterse vogels en het zware chintz geleidelijk aan vervangen door rustiger stijlen. De foyer en lounge zijn verfraaid met Venetiaans kristal. Als u de voorname trap opgaat, is daar het stijlvolle Four Seasons Restaurant en het minder formele Lanes-buffet waar u heerlijk kunt eten.

Grosvenor House

86-90 Park Lane, W1A 3AA. **Kaart** 12 D3. [0171-499 6363. FAX 0171-493 3341. TX 24871. *Kamers:* 454.
⬛ 1 ♨ 24 TV Y ➳ ⬛ ⬛
❄ ❄ ❄ P Y ¶¶ ⬛ ⬛
AE, DC, MC, V, JCB. €€€€€

Dit hotel is waarschijnlijk het beroemdst vanwege de evenementen die er plaatsvinden. De Great Room is met 2000 zitplaatsen de grootste eetzaal van Europa. Achter de door Lutyens ontworpen voorgevel, die uitkijkt op Hyde Park, is de sfeer formeel. Het is luxueus ingericht en zeer comfortabel. U vindt hier een aantal zeer verschillende restaurants zoals het stijlvolle Nico op nummer 90 (*blz. 296*).

Ritz

Piccadilly, W1V 9DG. **Kaart** 12 F3.
[0171-493 8181. FAX 0171-493 2687. TX 267200. *Kamers:* 127. ⬛
⬛ 1 ♨ 24 TV Y ➳ ⬛ ⬛
❄ Y ¶¶ ⬛ *AE, DC, MC, V.*
€€€€€ *Zie blz. 91.*

Het vlaggeschip van Cunard trekt nog altijd veel mensen, vooral de *afternoon teas* in het Palm Court. De gemarmerde, verfranste kamers zijn zeer voornaam. Dit geldt evenzeer voor het restaurant, waar vergulde kroonluchters aan een fresco van wolken hangen. U hebt hier een mooi uitzicht over de prachtige Italian Garden, met op de achtergrond Green Park met zijn vele bomen.

Twenty-Two Jermyn Street

22 Jermyn St, St James's, SW1Y 6HL.
Kaart 12 F3. [0171-734 2353.
FAX 0171-734 0750. *Kamers:* 18. ⬛ 1
♨ 24 TV Y ➳ ❄ ❄ ⬛ ⬛
AE, DC, MC, V, JCB. €€€€€

Een onopvallende ingang leidt naar een aantal luxe suites en studio's, gericht op zakenlieden, maar ook zeer geschikt voor toeristen. De kamers zijn overdadig ingericht en goed onderhouden. Het nabijgelegen fitnesscentrum, 24 uur per dag room-service en zeer aandacht voor veiligheid en privacy rechtvaardigen de hoge prijzen.

SOHO
LEICESTER SQUARE
OXFORD STREET

Edward Lear

28-30 Seymour St, W1H 5WD.
Kaart 11 C2. 0171-402 5401.
FAX 0171-706 3766. **Kamers:** 30.
4. 1 TV MC, V.

Deze nette *bed and breakfast*, niet ver van Oxford Street, was ooit het huis van de humorist Edward Lear. Hier wordt logies en ontbijt aan echtparen, mensen die alleen reizen en gezinnen geboden. U vindt hier twee kleine lounges (één vol met boeken en limericks van Edward Lear) en een kleine ontbijtzaal. Op de kamers achter hebt u geen last van het verkeerslawaai.

Bryanston Court

56-60 Great Cumberland Pl, W1H 7FD.
Kaart 11 C1. 0171-262 3141.
FAX 0171-262 7248. **Kamers:** 54.
AE, DC, MC, V.

De blauwe markiezen verlenen dit goed onderhouden hotel een zekere Europese elegantie. Binnen wordt het zachte licht weerspiegeld door schilderijen en bruin leer. De sfeer is beschaafd en ouderwets, maar wel persoonlijk, tegenwoordig een zeldzaamheid in West End-hotels. De kamers zijn eenvoudig, klein en functioneel.

Concorde

50 Great Cumberland Pl, W1H 7FD.
Kaart 11 C1. 0171-402 6169.
FAX 0171-724 1184. TX 262076.
Kamers: 26. 1 TV
AE, DC, MC, V.

Dit hotel deelt de prettige ouderwetse ambiance van het grotere Bryanston Court dat ernaast ligt. De voorzieningen zijn echter eenvoudiger en de prijzen lager. Het biedt veel kwaliteit voor een hotel zo dicht bij Oxford Street.

Parkwood

4 Stanhope Pl, W2 2HB. **Kaart** 11 B2.
0171-402 2241. FAX 0171-402
1574. **Kamers:** 18. 12. 1
TV MC, V.

Deze vriendelijke *bed and breakfast* voor gezinnen is gevestigd in een keurig huis met een klassiek portiek en zwarte leuningen, vlak bij Marble Arch. De lounge annex receptie ademt een vriendelijke sfeer. De van luxe gespeende kamers zijn enigszins sleets. Beneden is een kleine vrolijke ontbijtzaal met eenvoudige thonetstoelen.

Durrants

George St, W1H 6BJ. **Kaart** 11 B1.
0171-935 8131. FAX 0171-57487
3510. **Kamers:** 96. 86 1
24 TV
AE, MC, V.

Dit populaire hotel in georgiaanse stijl ademt nog steeds de sfeer van de oude herberg die het ooit was. In het restaurant vindt u kraakhelder tafellinnen en zilveren terrines. Bars en salons vol leer en eikenhouten lambrizeringen versterken de ouderwetse, stoere sfeer. De kamers zijn onopgesmukt en aan de achterzijde klein.

Hazlitt's

6 Frith St, W1V 5TZ. **Kaart** 13 A2.
0171-434 1771. FAX 0171-439
1524. **Gesloten** 24-26 dec. **Kamers:** 23.
1 TV AE, DC, MC, V.

Dit is een van de fraaiste hotels van Londen. Het is gevestigd in drie 18de-eeuwse huizen. In een van de drie heeft de essayist William Hazlitt (1778-1830) gewoond. Dit niet luxeueze hotel is onmiskenbaar beschaafd. Aan alle muren hangen schilderijen; de kamers zijn verder rustgevend eenvoudig gehouden met groene en crèmekleurige tinten en stevig antiek. De badkamers met hun victoriaanse badkuipen op poten zijn verfraaid met palmen, varens, hier en daar een klassieke buste. Achter de receptie vindt u een kleine lounge met een open haard.

Hampshire

Leicester Sq, WC2H 7LH. **Kaart** 13 B3.
0171-839 9399. FAX 0171-930
8122. TX 814848 HAMPS G.
Kamers: 125. 1 24 TV
AE, DC, MC, V, JCB.

Niet veel mensen vermoeden dat er in het voormalige Dental Hospital aan een van de meest vervallen Londense pleinen zo'n luxe verscholen gaat. Dit imposante hotel biedt genoeg luxe om de meest veeleisende zakenlieden tevreden te stellen. Het hotel maakt deel uit van de Edwardian hotelketen en is op stijlvolle wijze onberispelijk. Er heerst een licht koloniale sfeer tussen de plafondventilatoren uit Hampshire en de grote Chinese vazen.

Marble Arch Marriott

134 George St, W1H 6DN. **Kaart** 11
B1. 0171-723 1277. FAX 0171-
402 0666. TX 27983. **Kamers:** 240.
1 24 TV
P
AE, DC, MC, V, JCB.

Deze moderne blokkendoos vlak bij Edgware Road beschikt over opvallend goede voorzieningen. De sfeer is verzorgd en ontspannen. De kamers hebben een of twee geriefelijke grote bedden in Amerikaanse stijl. U vindt hier ook een fitnesscentrum met een zwembad. U kunt hier gratis parkeren, wat ongebruikelijk is voor het centrum.

REGENT'S PARK
MARYLEBONE

Blandford

80 Chiltern Street, W1M 1PS.
Kaart 4 D5. 0171-486 3103.
FAX 0171-487 2786. TX 262594
BLANFD G. **Kamers** 33. 1
TV AE, DC, MC, V.

Deze gastvrije, voordelige *bed and breakfast* heeft talrijke prijzen gewonnen. Het Blandford is een familiebedrijf dat eenvoudige accommodatie en een uitgebreid ontbijt biedt. Het ligt in een rustige zijstraat vlak bij het station in Baker Street.

Hotel La Place

17 Nottingham Pl, W1M 3FB.
Kaart 4 D5. 0171-486 2323.
FAX 0171-486 4335. **Kamers:** 24.
1 24 TV
DC, MC, V.

La Place ligt op een steenworp afstand van Madame Tussaud. Dit is een prettige, betaalbare *bed and breakfast* met een restaurant waar u eenvoudige maaltijden kunt gebruiken. De bar met rotan meubilair staat zo vol planten dat hij wel een tuin lijkt. De kamers beschikken over voorzieningen die men bij deze prijzen niet zou verwachten. Door de zorg die aan de beveiliging is besteed, is dit een aantrekkelijk hotel voor vrouwen die alleen reizen.

Dorset Square

39-40 Dorset Sq, NW1 6QN.
Kaart 3 C5. 0171-723 7874.
FAX 0171-724 3328. TX 263964.
Kamers: 37. 1 24 TV
AE,
MC, V.

Dit prachtig gerestaureerde Regency-huis is bijzonder zwierig ingericht. Antiek, opvallende stoffering, *objects d'art* en interessante schilderijen gaan goed samen. Iedere kamer is anders. Beneden vindt u een restaurant en een bar waar backgammon kan worden gespeeld. U vindt hier ook een paar zonder omwegen ingerichte lounges.

Verklaring van de symbolen *blz.* 275

White House

Albany St, NW1 3UP. **Kaart** 4 E4.
[0171-387 1200. FAX 0171-388
0091. TX 24111. **Kamers:** 583.
🛏 🎚 24 TV 📶 👤 ⚙ 🍴
🔌 📱 P 📶 🍴 🍴 AE, DC, MC,
V, JCB. €€€€

Dit hotel, een groot complex van
suites en appartementen, was ooit
het middelpunt van de Profumo-
affaire (een politiek schandaal uit
de jaren zestig). Het White House
biedt accommodatie van zeer
hoge kwaliteit. Naast een chic
klassiek restaurant vindt u in het
hotel het ruime Garden Café, een
comfortabele cocktaillounge en in
de kelder een populaire wijnbar
met balken en koperen snuisterij-
en. Het hotel ligt vlak bij het
Euston Station (blz. 358-359).

Langham Hilton

1 Portland Pl, W1N 3AA. **Kaart** 4 E5.
[0171-636 1000. FAX 0171-323
2340. **Kamers:** 388. 🛏 1 🎚 24
TV 📶 👤 ⚙ 🔌 📱 🍴 🍴
⚙ 📶 🍴 AE, DC, MC, V, JCB.
€€€€€ Zie blz. 221.

Het Langham werd in 1991 als
hotel heropend. Daarvoor gebruikte de BBC het gebouw jarenlang voor radiouitzendingen. Het
hotel is een luxueuze herschep-
ping van zijn vroegere victoriaanse
pracht in Hilton-stijl. Het biedt al
het denkbare moderne comfort.
De lounges weerspiegelen het verlangen naar de dagen van het
19de-eeuwse Britse Rijk. De ruime
kamers zijn weelderig ingericht,
net als de beroemde balzaal, die
verfraaid is met Italiaanse kroonluchters en pompeus versierd
pleisterwerk.

BLOOMSBURY

FITZROVIA

COVENT GARDEN

DE STRAND

Mabledon Court

10-11 Mabledon Pl, WC1H 9AZ.
Kaart 5 B3. [0171-388 3866.
FAX 0171-387 5686. **Kamers:** 30.
🛏 1 TV 🔌 ⚙ MC, V. €

Dit vrij eenvoudige huis is weinig
elegant, wat ook geldt voor de
omgeving en de tarieven hebben
ook geen pretenties. Het hotel is
handig gelegen in de buurt van de
stations King's Cross en St Pancras.
De kleine kamers zijn schoon en
netjes. U vindt hier een kleine
lounge en in de kelder een stijlvolle, moderne ontbijtzaal.

Fielding

4 Broad Court, Bow St, WC2B 5QZ.
Kaart 13 C2. [0171-836 8305.
FAX 0171-497 0064. **Kamers:** 24.
🛏 1 🎚 24 TV 📶 🍴 🍴
⚙ AE, DC, MC, V. €€

Deze goedkope, onovertroffen bed
and breakfast met zijn persoonlijke sfeer staat in een fascinerend
deel van Londen. In de kleine bar
met roze pluche is Smoky de pa-
pegaai waarschijnlijk de eerste die
u begroet. Boven vindt u een ratje-
toe aan vreemd gevormde kamers,
waarvan sommige zelfs split-level.
De niet-luxe kamers zijn klein. In
sommige staat een handig bureau.
Doucheruimten zijn ingenieus op de
onmogelijkste plaatsen aangelegd.

Academy

17-21 Gower St, WC1E 6HG.
Kaart 5 A5. [0171-631 4115.
FAX 0171-636 3442. **Kamers:** 40. 🛏
36. 1 🎚 24 TV 🚶 ⚙ 📶 🍴
⚙ AE, DC, MC, V, JCB. €€€

Laurierbomen houden de wacht bij
deze drie georgiaanse herenhuizen
vlak bij de London University. De
sfeer in het Academy is geraffi-
neerd zonder overdaad. De open-
slaande deuren van een gezellige
zitkamer met boekenkast leiden
naar een uitnodigende patio. Op
het menu van het intieme restaurant in de kelder staan interessante
gerechten. Soms kan men genieten
van live-muziek.

Bonnington

92 Southampton Row, WC1B 4BH.
Kaart 5 C5. [0171-242 2828.
FAX 0171-831 9170. TX 261591.
Kamers: 215. 🛏 1 🎚 24 TV 🚶
🚶 🔌 📱 🔌 📶 🍴 🍴 AE, DC,
MC, V. €€€

De inrichting van dit praktische familiebedrijf in Bloomsbury is niet
erg opmerkelijk, maar de stijl is
persoonlijk en vertrouwd. De
lounge-bar en het restaurant zijn
aangenaam en modern. Er zijn
speciale, interessante weekendaan-
biedingen voor gezinnen.

Hotel Russell

Russell Sq, WC1B 5BE. **Kaart** 5 B5.
[0171-837 6470. FAX 0171-837
2857. TX 24615. **Kamers:** 329. 🛏
1 🎚 24 TV 🚶 🔌 📱 🔌 🔌
🍴 ⚙ AE, DC, MC, V, JCB. €€€

Het exterieur van dit voorname
laat-victoriaanse hotel is even ont-
zagwekkend als de foyer, een
doolhof van geelbruin marmer met
een imposante trap. Houten lambrizering, leren Chesterfield meu-
belen, warme, donkere stoffen en
kroonluchters bepalen het interieur in de rest van het hotel. De

aardigste kamers kijken uit op de
tuinen. Wie naar het theater wil
kan in de Virginia Woolf-brasserie
extra vroeg dineren.

Mountbatten

20 Monmouth St, WC2H 9HD.
Kaart 13 B2. [0171-836 4300.
FAX 0171-240 3540. TX 298087.
Kamers: 127. 🛏 🎚 24 TV 📶 🍴
🔌 📱 🔌 🔌 ⚙ AE, MC, V, JCB.
€€€€

Dit hotel is gunstig gelegen bij
verschillende theaters en Covent
Garden. U vindt hier tal van herin-
neringen aan Lord Mountbatten,
de veteraan uit de Tweede
Wereldoorlog. De comfortabele
lounges in de stijl van edwardiaanse salons zijn verfraaid met koloniale accessoires: plafondventilatoren, kleden en palmen. De populaire wijnbar beneden serveert
zeer goede snacks. Theaterbezoekers kunnen hier voor de voorstelling dineren.

Covent Garden Hotel

10 Monmouth St, WC2.
Kaart 13 B2. [0171-806 1000.
FAX 0171-806 1100. TX 298087.
Kamers: 50. 🛏 1 🎚 24 TV 📶
⚙ 🔌 📱 🔌 📶 🍴 ⚙
AE, MC, V. €€€€€

Dit is een voorbeeld van gentri-
fication rond Covent Gardens. Dit
hotel in een luxueus verbouwd
voormalig Frans ziekenhuis opende in 1996 de deuren. Bij de inrichting is men er zodanig in ge-
slaagd luxe met knusheid te com-
bineren dat het verleidelijk is de
hele dag door te brengen in de
stijlvolle lounge-bibliotheek. Maar
met de beste winkels van Londen
en uitgaansmogelijkheden voor de
deur is het de moeite waard naar
buiten te gaan. De lichte, ruime
kamers zijn voorzien van elk modern gemak, van cd-speler en
video tot modem en voice mail.

Howard

Temple Pl, Strand, WC2R 2PR.
Kaart 14 D2. [0171-836 3555.
FAX 0171-379 4547. TX 268047.
Kamers: 137. 🛏 1 🎚 24 TV 📶
⚙ 🔌 📱 🔌 📱 P 📶 🍴
AE, DC, MC, V, JCB. €€€€€

Dit is een modern gebouw, maar
de hoffelijkheid van het hotelper-
soneel neemt u al snel mee naar
vervlogen tijden. De foyer is een
sierlijke kopie van de klassieke
stijl met glinsterende kroonluchters en weelderig pleisterwerk geschilderd in pasteltinten. Van het
restaurant en de bar kijkt u uit op
de verzorgde binnentuin. Veel van
de prettige, traditioneel ingerichte
kamers bieden een schitterend uitzicht op de rivier.

Savoy

Strand, WC2R 0EU. **Kaart** 13 C2.
☎ 0171-836 4343. **FAX** 0171-240
6040. **TX** 24234. **Kamers:** 203. 🛏
1️⃣ 🛗 24 📺 📶 ⚡ 🏊 ♨ 🍴 🔄
🔄 🏃 🐾 🅿 📶 🍴 🔄 AE, DC, MC,
V, JCB. €€€€€ Zie blz. 116.

Hoog boven de Thames kijkt het
hotel van Richard D'Oyly Carte
nog altijd uit over Londen. De Grill
Room is van oudsher de ontmoetingsplaats voor politici en journalisten en de Thames Foyer is een
populaire plaats om thee te drinken met pianomuziek. De art
deco-verfraaiingen geven het
Savoy zijn kenmerkende elegantie.
Veel kamers beschikken over ouderwetse badkamers met douche-
koppen als gieters. Sommige van
de aantrekkelijke eenpersoonskamers hebben een balkon en kijken
uit op de rivier. Het is echter de
nadruk op kwaliteit die het Savoy
zijn uitstekende naam bezorgt: de
matrassen met hun 836 springve-
ren, de snelle, stipte bediening en
de overtuiging van de directeur dat
'standaardisering een begrip is dat
niet past in de filosofie van een
hotelmanager'. Het zwembad op
de bovenste verdieping en het fitnesscentrum zijn vanzelfsprekend
uiterst stijlvol.

Waldorf

Aldwych, WC2B 4DD. **Kaart** 14 D2.
☎ 0171-836 2400. **FAX** 0171-836
7244. **TX** 24574. **Kamers:** 292. 🛏
1️⃣ 24 📺 📶 ⚡ 🏃 🐾 👤 📶 📶
🍴 🔄 AE, DC, MC, V, JCB.
€€€€€

Dit uitstekende hotel is nog altijd
chic, maar niet meer de exclusieve
gelegenheid van vroeger. De thé
dansants, waar het hotel ooit zo
beroemd om was, worden in het
weekeinde nog steeds gehouden.
Een prettig tijdverdrijf is de *afternoon tea* onder het beroemde balkon, waarop het orkest speelt.
Theaterbezoekers kunnen voor de
voorstelling in de Aldwych Brasserie dineren. Sommige kamers
zijn wat somber, maar worden geleidelijk aan opnieuw ingericht.

DE CITY

Tower Thistle

St Katherine's Way, E1 9LD.
Kaart 16 E3. ☎ 0171-481 2575.
FAX 0171-481 3799. **TX** 885934.
Kamers: 806. 🛏 1️⃣ 🛗 24 📺
📶 ⚡ 🍴 🏃 🐾 🅿 📶 🍴
🔄 AE, DC, MC, V, JCB. €€€€€

Deze betonnen zigguratachtige
toren uit de jaren zeventig, juist ten
oosten van de Tower Bridge gelegen, bestrijkt een schitterend deel
van de Thames-oever. In het hotel
vindt u een koele, ruime foyer met
klaterend water en planten. De
restaurants variëren van het dure
Princess en het joviale Carvery tot
het chique Which Way West dat in
een nachtclub kan veranderen. De
kamers zijn niet erg ruim maar ze
hebben een mooi uitzicht, zijn
modern ingericht en van alle gemakken voorzien.

BUITEN HET CENTRUM

Chase Lodge

10 Park Rd, Hampton Wick, KT1 4AS.
☎ 0181-943 1862. **FAX** 0181-943 9363.
Kamers: 11. 🛏 1️⃣ 📺 📶 🐾
🐾 🅿 📶 🍴 🔄 AE, DC, MC, V. €€

Dit bescheiden victoriaanse gebouw beschikt over een frisse
serre waar uitstekende ontbijten
en diners worden geserveerd. U
vindt hier ook een kleine, keurige
bar en salon. De kamers zijn klein,
maar aardig ingericht in cottage-
stijl met victoriaans meubilair.
Waar mogelijk heeft men badkamers ingebouwd.

La Reserve

422-428 Fulham Rd, SW6 1DU.
Kaart 18 D5. ☎ 0171-385 8561.
FAX 0171-385 7662. **Kamers:** 41. 🛏
1️⃣ 🛗 📺 📶 🐾 🍴 🔄 📶 📶
🔄 AE, DC, MC, V. €€

Dit hotel heeft een klassieke
gevel, maar ziet er van binnen
heel anders uit. De sobere kamers
met hun ultramoderne meubels
spreken misschien niet iedereen
aan, maar op de bedden liggen
mooie beddespreien en de badkamers zijn uitstekend. Het restaurant heeft een korte maar interessante menukaart met buitenlandse
specialiteiten.

Swiss Cottage

4 Adamson Rd, NW3 3HP.
☎ 0171-722 2281. **FAX** 0171-483
4588. **TX** 297232 SWISSCO G.
Kamers: 80. 🛏 75. 1️⃣ 🛗 24 📺
🍴 🏃 🐾 📶 🍴 🔄 AE, DC, MC, V.
€€€

Dit goed onderhouden victoriaanse huis ligt in een rustige straat
niet ver van het metrostation Swiss
Cottage. Het is hier aangenaam
ouderwets toeven. De antieke
voorwerpen en de vleugel passen
goed bij de imitatie-antieke meubels en een ongewone verzameling schilderijen en oudgemaakt
behang. De kamers zijn ruim en
gerieflijk. In duurdere kamers
vindt u fluwelen sofa's of *chaises
longues*. De menukaart van het
restaurant is beperkt, maar in de
bar en lounge worden sandwiches
en andere snacks geserveerd.

Cannizaro House

West Side, Wimbledon Common,
SW19 4UF. ☎ 0181-879 1464.
FAX 0181-879 7338. **TX** 941 3837.
Kamers: 44. 🛏 1️⃣ 🛗 24 📺 📶
🍴 🐾 🐾 🐾 🅿 ♨ 📶 🍴
🔄 AE, DC, MC, V, JCB. €€€

Koning George III (die van 1760-
1820 regeerde) heeft ooit ontbeten
in dit koopmanshuis, dat uit 1705
dateert. De pretentieuze stijl van
het hotel past goed bij deze gebeurtenis. Gepleisterde plafonds,
imposante open haarden, enorme
bloemstukken en ramen getooid
met fraaie gordijnen dragen allemaal bij aan de voorname sfeer.
Deze pracht treft u ook boven in
de kamers aan. Maar het meest in
het oog springend bij het
Cannizaro zijn de magnifieke, rustige tuinen die het hotel een air
van een landhuis geven.

Kingston Lodge

Kingston Hill, Kingston-upon-Thames,
KT2 7NP. ☎ 0181-541 4481. **FAX** 0181-
547 1013. **TX** 936034. **Kamers:** 62.
🛏 1️⃣ 24 📺 📶 🍴 🐾 🍴 🅿
♨ 📶 🔄 AE, DC, MC, V. €€€

Dit kleine, eenvoudige hotel dat
deel uitmaakt van de hotelketen
Forte is licht en huiselijk. Het staat
in een tamelijk drukke straat; in de
kamers aan de achterkant dringt
minder geluid door. Achter de receptie liggen de intieme lounges.
In het houten interieur in *Adam-
style* brandt een vrolijk kolenvuur
op gas en in het restaurant met de
glazen wanden worden de gasten
door jaloezieën tegen de zon be-
schut. Het hotel is wat sleets, maar
maakt in het algemeen een gerieflijke indruk.

Sheraton Skyline,
Heathrow Airport

Bath Rd, Hayes, Middlesex, UB3 5BP.
☎ 0181-759 2535. **FAX** 0181-750
9150. **TX** 934254. **Kamers:** 354. 🛏
1️⃣ 🛗 24 📺 📶 🍴 🍴 🐾
🐾 🐾 🅿 📶 🍴 🔄 AE, DC, MC,
V, JCB. €€€€

Als u op zoek bent naar een hotel
in de buurt van de luchthaven
Heathrow dat meer is dan alleen
een geluiddicht gebouw met airconditioning, ga dan naar het
Sheraton Skyline. U vindt hier de
Patio Caribe, een bijzonder overdekt zwembad midden in een
jungle van tropische gebladerte.
Het vormt een uitstekende omgeving om te lunchen of te borrelen.
De andere faciliteiten zijn als bij
de ander hotels van de keten. Er is
vervoer naar de luchthaven en
gratis parkeerruimte beschikbaar.
*Zie bladzijde 356-357 voor een
overzicht van andere hotels bij de
luchthavens Gatwick en Heathrow.*

Verklaring van de symbolen *blz. 275.*

RESTAURANTS EN PUBS

Als u in Londen uit eten gaat, is het alsof u een gastronomische wereldreis maakt. In een tijdsbestek van een paar dagen kunt u door Amerika en Afrika, door alle Europese landen, het Midden-Oosten en het Verre Oosten reizen. De afgelopen 30 jaar is Londen veranderd in de onbetwistbare Verenigde Naties van de kookkunst.

Menukaart voor theaterbezoekers

EEN RESTAURANT KIEZEN

De restaurants die in dit boek worden besproken, serveren voortreffelijke gerechten en bezorgen u een fijne avond uit. Ze zijn gesitueerd in de voornaamste toeristische buurten en vertegenwoordigen een enorm scala aan stijlen en prijzen. De tabel op blz.

292-294 geeft de belangrijkste kenmerken van de restaurants, die zijn gerangschikt naar wijk en prijs. Meer bijzonderheden vindt u in het overzicht op blz. 295-305, waarin de zaken gegroepeerd staan naar keuken.

De Londense cafés hebben de laatste jaren een nieuw uiterlijk gekregen en behoren nu tot de levendigste uitgaansgelegenheden van de stad. Veel pubs serveren tegenwoordig smakelijke maaltijden, variërend van eenvoudige snacks tot populaire buitenlandse gerechten. Op blz. 306-309 vindt u enkele, voornamelijk informele gelegenheden waar u kunt eten en drinken en een lijst met pubs.

LONDENSE RESTAURANTS

In Covent Garden, Piccadilly, Soho en Leicester Square is de keuze aan eetgelegenheden het ruimst. In Kensington en Chelsea staan veel restaurants en Butler's Wharf aan de zuidoever van de Thames is nieuw leven ingeblazen met uitstekende restaurants aan het water. Bij Simpson's *(blz. 295)* kunt u nog steeds de traditionele Engelse rosbief met Yorkshire pudding krijgen, maar de belangrijkste trend is een nieuwe Engelse kookstijl die een combinatie is van lichter verteerbare gerechten

en een verscheidenheid aan buitenlandse invloeden. Londen is een paradijs voor liefhebbers van Indiaas eten. U vindt hier talloze tandoori-, balti- en bhel poori-eethuizen die tot laat open zijn en vaak goedkope gerechten serveren. De Thaise en de Italiaanse keuken zijn bijzonder populair. In Soho vindt u enkele van de beste Thaise eetgelegenheden, naast Japanse, Indonesische, Chinese en Maleisische restaurants. Sommige moderne Italiaanse restaurants, zoals Riva *(blz. 299)* en het River Café *(blz. 299)* bieden een veel lichtere keuken dan de traditionelere, levendige en goedkope Italiaanse restaurants in West End. De Franse keuken, de 'gast'-keuken die in Londen verreweg het langst is gevestigd, neemt een groot percentage van de eersteklas eetgelegenheden in de City en rond Mayfair voor zijn rekening. Steeds meer gespecialiseerde vegetarische restaurants, zoals The Place Below *(zie blz. 302)*, serveren avontuurlijke gerechten. Zowel moderne als traditionele visrestaurants zijn ruim vertegenwoordigd.

ANDERE EETGELEGENHEDEN

Veel hotels hebben uitstekende restaurants die ook

Coast *(blz. 298)*

anderen dan hotelgasten ontvangen. Sommige zijn echter saai en duur. Andere serveren uitstekende gerechten die door de beste chefs zijn bereid.

Verscheidene ketens van pizza- en pasta-restaurants hebben overal in de stad zaken die behoorlijke maaltijden serveren.

Net als de wijnbars serveren sommige pubs tegenwoordig tal van schotels, van de gewone Engelse gerechten tot exotische kerrieschotels, quiches en lasagna.

U vindt in Londen steeds meer café-brasserieën in Franse stijl. Daarnaast zijn sommige koffiehuizen annex patisserie beslist goed.

Een snelle, goedkope snack haalt u bij een sandwichbar, pizzeria of een *bagel*-bakker die de hele nacht geopend is.

Hard Rock Café *(blz. 302)*

Bibendum *(blz. 297)*

UIT ETEN GAAN: TIPS

Veel restaurants op stations serveren de lunch tussen 12.30 en 14.30 uur en het diner van 19.00-23.00 uur. Na 23.00 uur kunt u gewoonlijk niet meer bestellen. Buitenlandse restaurants blijven doorgaans tot 24.00 uur open of nog langer. Veel restaurants zijn op zon- en maandag gesloten.
Café-brasserieën die de hele dag geopend zijn, mogen soms alleen op bepaalde tijden of bij een maaltijd alcohol schenken.
Bijna iedere pub en veel restaurants serveren de traditionele zondagslunch *(blz. 289)*. Controleer altijd of dit het geval is, omdat zelfs de duurste restaurants hun normale menu hiervoor op zondag kunnen laten vervallen.
Alleen bij de allerduurste gelegenheden zijn een overhemd en een stropdas verplicht. Gewoonlijk kunt u het beste, 'alledaags maar netjes' gekleed gaan.
Reserveren is raadzaam.

PRIJS EN BEDIENING

Voor een gemiddelde maaltijd met drie gangen inclusief wijn betaalt u in een niet te duur restaurant in het centrum van Londen tussen de £25 en £35 per persoon. In kleine buitenlandse en vegetarische restaurants, wijnbars en pubs betaalt u minder (£5-£15). Veel restaurants bieden menu's tegen vaste prijzen die vaak veel voordeliger

zijn dan het menu *à la carte*. In het centrum serveren steeds meer restaurants maaltijden met snelle bediening voor mensen die naar het theater willen.
De prijzen horen inclusief btw (vat) te zijn, maar de bediening komt er soms nog bij (tussen de 10 en 15%). Sommige restaurants berekenen daarnaast nog couvertkosten (£1 tot £2 per persoon) en bij andere bent u verplicht om een bepaald minimumbedrag te besteden op tijden dat het het drukst is. In sommige restaurants worden bepaalde creditcards niet geaccepteerd.
De bediening verschilt per type eetgelegenheid: opgewekt en druk in hamburgerrestaurants, discreet en gedienstig in de beste restaurants. Tijdens piekuren zult u langer moeten wachten.

UIT ETEN MET DE KINDEREN

In Italiaanse restaurants en hamburger-restaurants zijn kinderen zeer welkom, maar in het algemeen worden kinderen in restaurants niet echt met open armen ontvangen. Veel restaurants hebben echter wel speciale kindermenu's, kleine porties en kinderstoelen *(blz. 292-294)*. Sommige trekken zelfs actief kinderen en tieners aan met amusement, muziek en activiteiten.
Op blz. 339 ziet u een overzicht van de zaken met goede voorzieningen voor kinderen.

SYMBOLEN
Verklaring symbolen in het overzicht op blz. 295-305.

🍽 menu's tegen vaste prijzen
L lunch
D diner
🚭 gedeelte voor niet-rokers
V vegetarische specialiteiten
🧒 kindermenu's en -stoelen
♿ toegankelijk voor gehandicapten in rolstoelen
👔 avondkleding verplicht
🎵 live-muziek
🪑 tafels buiten
🍷 zeer goede wijnkaart
★ zeer aanbevolen
💳 geaccepteerde creditcards
AE American Express
DC Diners Club
MC Mastercard/Access
V Visa
JCB Japanese Credit Bureau

Prijsklassen voor een driegangenmenu voor één persoon inclusief een halve fles huiswijn en alle extra kosten (zoals couvert, bediening en btw):
£ minder dan £15
££ £12-£20
£££ £20-£30
££££ £30-£40
£££££ meer dan £40

Clark's restaurant *(blz. 298)*

Het Hongaarse toprestaurant in Londen *(blz. 301)*

Wat eet u in Londen

De traditionele zondagslunch laat zien waar de Engelse keuken in uitblinkt: goede ingrediënten die eenvoudig, maar lekker zijn klaargemaakt. Een gebakken stuk vlees geserveerd met een bijpassende garnering (muntsaus of aalbessengelei bij lamsvlees, mosterd of mierikswortelsaus bij rundvlees) vormt het hoofdbestanddeel van de maaltijd. De verplichte nagerechten bestaan uit heerlijke toetjes en fijne Britse kaassoorten, geserveerd met kaaskoekjes. De zondagslunch is nog altijd een instituut voor de Londenaren en u zult er in veel restaurants, cafés, hotels en pubs in de gehele hoofdstad versies van tegenkomen. Het befaamde Engelse ontbijt mag dan minder ambitieus zijn dan de vijf gangen die men in de victoriaanse tijd nuttigde, maar het is nog steeds een stevige maaltijd en een perfect begin van een inspannende vakantiedag. *Afternoon tea* (die men gewoonlijk om een uur of vier gebruikt) is ook een traktatie. Als u door de stad wandelt, zult u vaak de geur van *fish and chips* ruiken. Dit klassieke Britse gerecht smaakt het beste in de open lucht, direct uit de papieren verpakking.

Fish and Chips
De vis (gewoonlijk school of kabeljauw) en aardappels zijn gefrituurd.

Engels ontbijt
Deze maaltijd bestaat uit spek, gebakken ei, tomaat, geroosterd brood en gebakken worst.

Toost met marmelade
Als laatste neemt men bij ontbijt gewoonlijk toost, besmeerd met marmelade.

Ploughman's Lunch
Deze eenvoudige lunch bestaat uit knapperig brood, kaas, wat groente en zuur.

Kaas
Britse kazen zijn meestal hard of tamelijk hard, zoals Cheshire, Leicester en de beroemde Cheddar. Stilton is blauw geaderd.

Cheddar

Sage Derby

Cheshire

Stilton

Red Leicester

Bread and Butter Pudding
Lagen brooddeeg en gedroogd fruit worden gebakken in romige custard.

Aardbeien met slagroom
Aardbeien geserveerd met suiker en slagroom zijn 's zomers een geliefd dessert.

Summer Pudding
Het brood is gedrenkt in het sap van de zachte vruchten die er in zitten.

Komkommersandwiches

Deze zeer dunne sandwiches horen van oudsher bij de Britse theemaaltijd.

Jam and Cream scones

Scones, een kruising tussen cake en een broodje, worden geserveerd met room en jam.

Thee

Een kopje thee met melk of citroen is nog steeds dè Britse drank.

Vleesgerechten worden gewoonlijk geserveerd met ten minste één groente

Mierikswortelsaus

Yorkshire pudding

Rosbief

Ovengebakken aardappels

Steak and Kidney Pie

Stukjes rundvlees en varkensniertjes, gesmoord in een dikke jus en bedekt met een korst deeg.

Rosbief en Yorkshire Pudding

Yorkshire pudding, een gekruid deeg, gebakken in de oven, wordt van oudsher gegeten met rosbief en mierikswortelsaus, ovengebakken aardappels en jus.

Shepherd's Pie

Dit wordt gemaakt van gesmoord rundergehakt met groenten en aardappelpuree.

Wat drinkt u

Bier is dè Britse drank. Er zijn vele soorten (blz. 308) *variërend van het lichte lager tot stout en bitter. Gin komt oorspronkelijk uit Londen. Pimms, dat gewoonlijk met limonade, vruchtesap en munt wordt gemengd, is lekker op warme zomerdagen.*

Stout (Guinness)   Bitter   Lager

Pimms   Gin en tonic

Restaurants en Pubs: een selectie

Er is een enorme variatie aan eet- en drinkgelegenheden in Londen. Er zijn elegante *haute cuisine*-restaurants, exotische restaurants (van het Indiase subcontinent tot het Caribisch gebied), goedkope, vrolijke cafés, vriendelijke pubs en *fish and chips*-zaken. Er is voor elk wat wils, in iedere prijsklasse. Zie blz. 295-305 voor een overzicht van de restaurants, blz. 306-307 voor informelere eetgelegenheden en blz. 308-309 voor pubs.

L'Odéon
Dit restaurant wordt geroemd om zijn opwindende schotels met bijzondere combinaties. (blz. 296)

Sea Shell
Dit drukke restaurant is een van de beste Londense fish and chips-zaken. De klanten komen van heinde en ver. (blz. 306-307)

Regent Park
en
Marylebone

The Chapel
The Chapel is een moderne pub met uitstekende maaltijden, een goede wijnkaart en vriendelijk personeel. (blz. 308-309)

Kensington en Holland Park

South Kensington en Knightsbridge

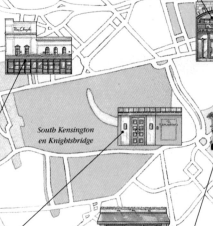

Chelsea

Brown's
Afternoon tea *is een specialiteit van dit traditionele hotel.* (blz. 306-307)

Tamarind
Indiaas restaurant met zorgvuldig bereide curries van de beste chefkoks. (blz. 304)

Aubergine
In dit Franse restaurant bereidt men onberispelijke schotels met smaak, verfijning en finesse. (blz. 296)

Wagamama
Dit drukke Japanse restaurant serveert ruime porties soep en noedel- en rijstscho- tels. Niet duur en heel populair. (blz. 305)

Pâtisserie Valerie
Deze drukke, ouderwetse zaak serveert cakes, koffie en croissants aan artistieke- rige clientèle. (blz. 306-307)

The Place Below
Vegetarische maaltijden worden uitstekend klaargemaakt en ge- presenteerd in de crypte van St Mary-le-Bow. (blz. 302)

Blue Print Café
Dit keurige restaurant aan Butler's Wharf biedt een moderne, verfrissende en elegante keuken. De pasteien zijn uitstekend en worden mooi opgediend. (blz. 297)

New World
In dit enorme, goedkope restaurant in Chinatown wordt tussen de middag dim sum geserveerd van volgeladen dien- wagentjes. (blz. 305)

Bloomsbury en Fitzrovia

Smithfield en Spitalfields

Holborn en de Inns of Court

Covent Garden en de Strand

Trafalgar

De City

THAMES

South Bank

Southwark en Bankside

…ull en …inster

0 km — 1

0 mijl — 0.5

Een restaurant kiezen

Deze restaurants zijn geselecteerd vanwege de goede kwaliteit of de uitstekende gerechten. In deze tabel zijn factoren gerangschikt die van invloed kunnen zijn op uw keuze. Zie voor meer informatie over de restaurants blz. 295-305, over lichte maaltijden en snacks blz. 306-307 en pubs blz. 308-309.

	BLADZIJDENUMMER	LUNCHES TEGEN VASTE PRIJZEN	DINERS TEGEN VASTE PRIJZEN	LAAT OPEN	KINDERVOORZIENINGEN	TERRAS	NIET-ROKERS AFDELING	VEGETARISCH ETEN
BAYSWATER, PADDINGTON								
L'Accento (Italiaans) £££	299	●	■		■	●		●
Magic Wok (Chinees) £££	305	●						●
Veronica's (Engels) £££	295	●	■	●	■	●		●
KENSINGTON, HOLLAND PARK, NOTTING HILL								
Malabar (Indiaas) ££	303		■	●				●
L'Altro (Italiaans) £££	299	●			■	●		
Kensington Place (internationaal) ★ £££	298	●		●				
Wódka (Pools) £££	301	●						
The Abingdon (Frans) ££££	296	●			●	■	●	
Clarke's (internationaal) ££££	298	●	■					
SOUTH KENSINGTON, GLOUCESTER ROAD								
Hilaire (internationaal) ££££	298	●	■	●	■	●		
Bibendum (internationaal) £££££	297	●						
KNIGHTSBRIDGE, BROMPTON, BELGRAVIA								
Caravela (Portugees) £££	301	●		●				
Khun Akorn (Thais) £££	304	●			■			●
Le Suquet (vis) £££	301	●		●				
Bombay Brasserie (Indiaas) ££££	303		■		●	■		●
L'Incontro (Italiaans) ££££	299			●		■	■	●
Memories of China (Chinees) ££££	305	●	■					●
Salloos (Indiaas) ££££	304	●	■					●
The Restaurant M P W (internationaal) £££££	299	●	■					
CHELSEA, FULHAM								
Café O (Grieks) ££	300	●			■	●		
Chutney Mary (Indiaas) £££	303	●		●				●
Albero & Grana (Spaans) ££££	300			●	■			
Nikita's (Russisch) ££££	301		■	●				
La Tante Claire (Frans) £££££	297	●	■					
Aubergine (Frans) ★ £££££	296	●	■					
PICCADILLY, MAYFAIR, BAKER STREET								
Down Mexico Way (Mexicaans) ££	302			●	■			●
Hard Rock Café (Amerikaans) ££	302			●	■	●	■	●
Al Hamra (Libanees) £££	300			●	■	●		
Singapore Garden (Aziatisch) £££	304	●	■					●
Stephen Bull (internationaal) £££	299	●	■		■			
The Avenue (internationaal) ££££	297	●		●				●
Le Caprice (internationaal) ££££	297			●				
Coast (internationaal) ★ ££££	298				■			
Criterion Brasserie (Frans) ★ ££££	296	●		●	■			
Miyama (Japans) ££££	305	●	■		■			●
Mulligan's of Mayfair (Iers) ££££	298							
L'Odéon (Frans) ★ £££	296	●		●			■	
Quaglino's (internationaal) ££££	298	●	■		■	●		
Sofra (Turks) £££	300	●	■					●

Prijsklassen per persoon voor een driegangenmenu met een halve fles huiswijn, inclusief alle extra kosten zoals couvertkosten, bediening en btw:
£ minder dan £12
££ £12-£20
£££ £20-£30
££££ £30-£40
£££££ meer dan £40.

★ betekent speciaal aanbevolen.

VISSPECIALITEITEN
Visrestaurant of restaurant met goede vis, schelp- en schaaldieren.
LAAT OPEN
De laatste bestellingen om of na 23.00 uur, behalve 's zondags.
KINDERVOORZIENINGEN
Kinderporties en/of -stoelen
RUSTIG RESTAURANT
Indien muziek dan alleen live, intiem.
VEGETARISCH ETEN
Vegetarisch restaurant/restaurant met minstens één vegetarisch hoofdgerecht.

Restaurant	Prijs	BLADZIJDENUMMER	LUNCHES TEGEN VASTE PRIJZEN	DINERS TEGEN VASTE PRIJZEN	LAAT OPEN	KINDERVOORZIENINGEN	TERRAS	NIET-ROKERS AFDELING	VEGETARISCH ETEN
Chez Nico (Frans)	£££££	296	●	■					
The Connaught (Engels)	£££££	295	●	■					
Le Gavroche (Frans)	£££££	296	●	■					
The Greenhouse (Engels)	£££££	295	●						
The Oriental (Chinees)	£££££	305	●	■		■			●
Suntory (Japans)	£££££	305	●	■					
Tamarind (Indiaas) ★	£££££	304	●	■	●				●
SOHO									
Mildred's (vegetarisch)	£	301					●	■	●
Tokyo Diner (Japans)	£	305			●	■	●		
Deal's (Amerikaans)	££	302				■	●		
Fung Shing (Chinees)	££	305	●	■	●				
Harbour City (Chinees) ★	££	305	●			■			
Melati (Indonesisch)	££	304	●	■	●				●
New World (Chinees)	££	305	●	■	●	■			
Jade Garden (Chinees)	££	305	●	■	●	■		■	
Bahn Thai (Thais)	£££	304	●	■		■			
Café Fish (vis)	£££	301			●		●	■	
The Gay Hussar (Hongaars)	£££	301	●						
Mezzo (internationaal) ★	£££	298	●		●				●
Sri Siam (Thais)	£££	304	●	■					●
Alastair Little (internationaal)	££££	297	●	■	●				
Bistrot Bruno (internationaal)	££££	297	●	■	●				
Arisugawa (Japans)	£££££	304	●	■				■	
COVENT GARDEN, DE STRAND									
Food for Thought (vegetarisch)	£	301					●	■	●
Calabash (Afrikaans)	££	302			●	■			
Oriental Gourmet (Aziatisch)	££	304				■			●
Plummers (Engels)	££	295	●	■	●				
Alfred (Engels) ★	£££	295	●	■	●	■			●
Belgo Centraal (Belgisch) ★	£££	300	●	■	●				
Bertorelli's (Italiaans)	£££	299			●			■	●
Café des Amis du Vin (Frans)	£££	296	●	■	●	■	●		
Christopher's (Amerikaans)	£££	302				■			
Orso (Italiaans)	£££	299			●			■	●
Palais du Jardin (Frans)	£££	297			●	■	●		●
Simpson's (Engels)	£££	295	●	■					●
World Food Café (vegetarisch) ★	£££	302						■	●
The Ivy (internationaal) ★	££££	298			●				●
Mon Plaisir (Frans)	££££	296	●	■					
Rules (Engels)	££££	295			●				●
Neal Street Restaurant (Italiaans)	£££££	299							●
BLOOMSBURY, FITZROVIA									
Chutneys (Indiaas)	£	303	●		●			■	●
Wagamama (Japans) ★	£	305	●	■				■	●
Mandeer (Indiaas)	£££	303	●	■				■	●
Museum Street Café (internationaal)	£££	298	●	■				■	

Prijsklassen per persoon voor een driegangenmenu met een halve fles huiswijn, inclusief alle extra kosten zoals couvertkosten, bediening en btw:
£ minder dan £12
££ £12-£20
£££ £20-£30
££££ £30-£40
£££££ meer dan £40.

★ betekent speciaal aanbevolen.

VISSPECIALITEITEN
Visrestaurant of restaurant met goede vis, schelp- en schaaldieren.
LAAT GEOPEND
De laatste bestellingen om of na 23.00 uur, behalve 's zondags.
KINDERVOORZIENINGEN
Kinderporties en/of -stoelen
RUSTIG RESTAURANT
Indien muziek dan alleen live, intiem.
VEGETARISCH ETEN
Vegetarisch restaurant/restaurant met minstens één vegetarisch hoofdgerecht.

		Bladzijdenummer	Lunches tegen vaste prijzen	Diners tegen vaste prijzen	Laat open	Kindervoorzieningen	Terras	Niet-rokers afdeling	Vegetarisch eten
CAMDEN TOWN, HAMPSTEAD									
Cottons Rhum Shop (Caribisch)	££	303						■	
Daphne (Grieks)	££	300	●		●	■	●		●
Lemonia (Grieks)	££	300	●		●	■			●
ISLINGTON									
Anna's Place (Zweeds)	£££	300					■	●	
SPITALFIELDS, CLERKENWELL									
Nazrul (Indiaas)	£	303				●			●
The Peasant (Italiaans)	£££	299					■		●
Quality Chop House (Engels)	£££	295				●	■		●
DE CITY, SOUTH BANK									
Moshi Moshi Sushi (Japans)	£	305				●	■		●
The Place Below (vegetarisch) ★	££	302		■				■	●
Café Spice Namaste (Indiaas)	£££	303							●
Livebait (zeebanket)	£££	301						■	
RSJ (Frans)	£££	297	●	■					●
Sweetings (zeebanket)	£££	301				●			
Blue Print Café, SE1 (internationaal)	££££	297					●		
The People's Palace (internationaal)	££££	298	●				■	■	
Le Pont de la Tour (Frans)	£££££	297	●			●	●		●
BUITEN HET CENTRUM									
Istanbul Iskembecisi, N16 (Turks)	££	300				●	■		
Madhu's Brilliant, Southall (Indiaas)	££	303	●	■		■		■	●
Osteria Antica Bologna, SW11 (Italiaans)	££	299					■		●
Rani, Richmond (Indiaas)	££	303	●			■	■	■	●
Rasa, N16 (Indiaas) ★	££	303				■		■	●
The Brixtonian, SW9 (Caribisch)	£££	302		■				■	
Riva, SW13 (Italiaans)	£££	300		■					●
Spread Eagle, SE10 (Frans)	£££	297	●	■					●
Wilson's W14 (Schots)	£££	295		■			■		
Chez Bruce, SW17 (Frans)	££££	296	●	■					
Montana, SW6 (Amerikaans)	££££	302					■		●
River Café, W6 (Italiaans) ★	££££	299					■	●	

ENGELS

De Engelse keuken heeft geen benijdenswaardige reputatie en speelt een steeds kleinere rol in het Engelse menu, een mengsel is geworden van allerlei buitenlandse ingrediënten en kookstijlen. Er zijn echter restaurants die vol trots het beste van de authentieke Engelse keuken bieden en deze hebben zeer trouwe gasten.

Alfred

245 Shaftesbury Avenue WC2. **Kaart** 13 B1. [0171-240 2566. **Open** dag. 12.00-15.30, 18.00-23.30 uur. **Gesloten** 24 dec.-2 jan. |●| L. 🆅 🚼 🖪 ★ 🖾 AE, DC, MC, V. ⓔⓔⓔ

Dit restaurant opende zijn deuren in 1994 en wil meer bieden dan de traditionele Engelse maaltijd van vlees en twee groenten. Het sobere interieur doet denken aan een na-oorlogs café met her en der zorgvuldig gekozen details van bakeliet en formica. Het menu is afhankelijk van het seizoen. De eenvoudige traditionele en nieuwe gerechten worden met zorg bereid en opgediend. Het personeel is vriendelijk en er is een prettige bar beneden die 's avonds open is en uitstekend bier en goede cider en Engelse wijn schenkt.

The Connaught

Carlos Pl W1. **Kaart** 12 E3. [0171-499 7070. **Open** dag. 7.30-10.00 uur (ontbijt), 12.30-14.30 , 18.00-22.45 uur. **Grill open** ma-vr 12.30-14.30, 18.30-22.45 uur. **Grill gesloten** op feestdagen. |●| L & D. 🖪 🍷 🖾 AE, MC. ⓔⓔⓔⓔⓔ

In het Connaught hotel vindt u de deftigste authentieke eetzaal van Londen. De Franse flair sluit hier naadloos aan op het Engelse formalisme. Onberispelijk personeel serveert Engelse specialiteiten als lendebiefstuk, *mixed grill* (allerlei soorten gegrild vlees), *feuilleté d'oeufs brouillés aux truffes* (pasteitjes gevuld met roerei en truffels), *homard grillé aux herbes* (gegrilde kreeft met kruiden) en *crème brûlée*. In de Grill Room wordt op werkdagen hetzelfde menu geserveerd.

The Greenhouse

27a Hay's Mews W1. **Kaart** 12 E3. [0171-499 3331. **Open** zo 12.30-15.00, 19.00-22.00 uur, ma-za 19.00-23.00 uur. 🖾 AE, DC, MC, V. ⓔⓔⓔⓔⓔ

Dit stijlvolle restaurant met zijn lage plafond, dat is gevestigd in een rustig straatje in Mayfair, serveert mooie Engelse gerechten. Chef

Gary Rhodes weet van gewone schotels als gekookt spek met linzen, gehaktballen in jus of kabeljauw in beslag met zachte erwten, een heel chic diner te maken. De sfeer is levendig en de cake met rozijnen, gember en siroop smaakt altijd weer verrukkelijk.

Plummers

33 King St WC2. **Kaart** 13 C2. [0171-240 2534. **Open** ma-vr 12.00-14.30, 17.30-23.30 uur, za 12.00-14.30, 17.30-23.30 uur, zo 18.00-22.00 uur. **Gesloten** op feestdagen. |●| L & D. 🆅 🚼 🖾 AE, DC, MC, V. ⓔⓔ

Plummers staat in een een wijk waar restaurants komen en gaan. Het heeft zich echter weten te handhaven door goede en flinke porties te serveren van een menu met een, twee of drie gangen. Het menu is de laatste vijftien jaar weinig veranderd: Engelse specialiteiten als *steak and kidney pie* en een stoofschotel met varkensvlees en appel maar ook Amerikaanse gerechten als *clam chowder* (soep van schelpdieren), Cajun meatloaf en hamburgers met een hele reeks sauzen.

Quality Chop House

94 Farringdon Road EC1. **Kaart** 6 E4. [0171-837 5093. **Open** ma-za 12.00-15.00, 18.30-23.30 uur, zo 12.00-16.00, 19.00-23.30 uur. **Gesloten** 24-26 dec. 🆅 🚼 ⓔⓔ

Volgens het bordje op het bewerkte raam van dit prachtige 19de-eeuwse restaurant is dit een eetgelegenheid voor de progressieve arbeidersklasse. Het originele meubilair uit 1869 is nog in verbazend goede staat, maar de 'arbeiders' komen tegenwoordig eerder uit de City dan uit de fabriek. U kunt op de menukaart nog altijd worstjes met puree aantreffen, maar de worstjes zijn van pittig kalfsvlees en de puree is heerlijk luchtig en romig. Andere heerlijke Engelse gerechten zijn: viskoekjes van zalm (met zuringsaus), lever en spek, roerei, gerookte zalm en koteletten. Als u met weinigen bent, moet u uw tafel soms met anderen delen. Het restaurant kan rokerig zijn.

Rules

35 Maiden La WC2. **Kaart** 13 C2. [0171-836 5314. **Open** dag. 12.00-24.00 uur. **Gesloten** 24-25 dec. 🆅 🖾 AE, DC, MC. ⓔⓔⓔⓔ

Dit is het oudste restaurant van Londen dat nog bestaat. Het brengt al sinds 1769 traditionele Engelse gerechten. Vroeger kwamen hier veel acteurs en aristocraten (de muren hangen vol spotprenten en foto's met handtekeningen van beroemde Engelse to-

neelspelers). Nu trekt het veel toeristen en zakenlui aan en enkele liefhebbers van jagen en vissen. Enkele specialiteiten zijn rundvlees, wild en gevogelte (korhoen, houtsnip, patrijs). *(zie ook blz. 112)*

Simpson's

110 Strand WC2. **Kaart** 13 C2. [0171-836 9112. **Open** ma-za 7.00-12.00 (ontbijt), 12.00-14.30, 15.00-17.00, 17.30-23.00 uur, zo 12.00-14.30, 18.00-21.00 uur. **Gesloten** op feestdagen. |●| L. 🆅 🖪 🍷 🖾 AE, DC, MC, V, JCB. ⓔⓔⓔ

Dit is een ruime, open eetgelegenheid die erg aan een Engelse *public school* doet denken (mannen moeten colbert en stropdas dragen). Het is een goed adres voor rosbief, gesneden in dikke plakken, geserveerd uit enorme dienwagens. Als voorgerecht zijn de kwarteleieren met schelvis- en kaassaus aan te bevelen. Neem als nagerecht een typisch Engelse *bread and butter pudding* of rozijnenpudding.

Veronica's

3 Hereford Rd W2. **Kaart** 10 D2. [0171-229 5079. **Open** ma-vr 12.00-15.00 uur, ma-za 18.30-24.00 uur. **Gesloten** op feestdagen. |●| L & D. 🆅 🚼 🖾 AE, DC, MC, V. ⓔⓔⓔⓔ

Veronica's is gespecialiseerd in het bereiden van regionale en historische schotels in een voor Londen unieke stijl. Voorbeelden zijn: kalfslever en biet (1940), lamsvlees met krab (19de eeuw) en Hannah Woolleys kip met mosterd (1644). Om de paar maanden verandert Veronica Shaw, de eigenares, het menu en het interieur en geeft er een nieuw thema aan (zoals gerechten uit Schotland of uit de tijd van de Tudors of de Middeleeuwen).

Wilson's

236 Blythe Road, W14. **Kaart** 17 A1. [0171-603 7267. **Open** zo-vr 12.00-14.30 uur, ma-za 19.30-22.30 uur. **Gesloten** in de week rond Kerstmis, feestdagen. 🚼 🖾 MC, V. ⓔⓔⓔ

Bob Wilson is eigenaar van het beste Schotse restaurant in Londen. Hij is geen puritein en dus zijn de meeste gerechten van het dagelijks wisselende menu van Engelse origine, al zijn er ook typisch Schotse gerechten te krijgen, zoals haggis, *athol brose* (een dessert van room met haver, whisky en honing) en rundvlees en zalm op Schotse wijze bereid. U hebt verder keuze uit een zestal moutwhisky's. Als de stemming er goed in zit, speelt Bob Wilson op verzoek na het eten op zijn doedelzak.

FRANS

De alomtegenwoordige Franse keuken is de 'gastkeuken' die het langst in Londen is gevestigd. De kwaliteit kan zeer hoog zijn. La Tante Claire (drie Michelin-sterren), Le Gavroche (twee Michelin-sterren) en Nico at Ninety (twee Michelin-sterren) zijn legendarische namen in Londen en omgeving. De meeste stijlen van de Franse keuken zijn in Londen vertegenwoordigd, van *haute cuisine* en de moderne lichtere stijl tot traditionele, regionale gerechten.

The Abingdon

54 Abingdon Rd W8. **Kaart** 17 C1.
[0171-937 3339. **Open** ma-za 12.00-14.30, 18.30-23.00 uur, zo 12.00-15.00, 18.30-23.30 uur.
|**@**| L. ⌘ ⌘ ♫ ⏚ AE, MC, V, JCB.
£££££

Een elegant, maar ontspannen restaurant met bar dicht bij Kensington High Street. Autochtonen in goeden doen komen hier een glas drinken terwijl ze het Europese menu bestuderen, met veel vis, zoals gestoomde zeebaarsfilet met paprika. Gastvrije en vriendelijke bediening.

Aubergine

11 Park Walk SW10. **Kaart** 18 F4.
Open ma-za 12.15-14.00, 19.00-23.00 uur. **Gesloten** 25 dec., 1 jan., Goede Vrijdag, Tweede Paasdag, 2 weken in aug. [0171-352 3449.
|**@**| alleen. ⌘ ⏚ ★ ⏚ AE, DC, MC, V, JCB.
£££££

Gordon Ramsays moderne Franse restaurant heeft een goede inrichting, charmante bediening en bovenal een onberispelijke keuken. De *cappuccinos* (lichte soepen) bevatten *haricots blancs* met truffelolie of gegrilde langoustines en zijn briljante combinaties van lichtheid met rijke, intense smaken. Hoofdschotels zijn ravioli's met zeebanket, perfect bereide vis en enkele vleesschotels, alle prachtig opgediend. De enige nadelen zijn de prijzen en de noodzaak om van tevoren te reserveren.

Café des Amis du Vin

11-14 Hanover Place WC2. **Kaart** 13 C2. [0171-379 3444. **Open** dag. 11.00-23.00 uur. |**@**| L & D. ⌘ ⏚ AE, DC, MC, V, JCB. £££

Deze populaire brasserie, aan de overkant van het Royal Opera House, is meestal bomvol. De gerechten kunnen eenvoudig zijn – omelet of Toulouse-worstjes aan de bar – maar ook uitgebreider, variërend van forel gevuld met spinazie en kalkoenbrochettes in het café tot een visschotel, gebak-

ken kalfslever met limoen en gegrilde biefstuk met pikante saus in het restaurant.

Chez Bruce

2 Bellevue Rd SW17. [0181-572 0114. **Open** ma-vr 12.00-14.00, 19.00-22.00 uur. **Gesloten** 25 dec., 1 jan., Goede Vrijdag, Tweede Paasdag. |**@**| L & D. ⌘ ⏚ AE, DC, MC, V, JCB. £££££

De locatie in Wandsworth Common en het chique interieur bereiden u niet echt voor op de serieuze kookkunst van Bruce Poole. De meeste schotels zijn klassiek Frans met veel wild en ingewanden, zoals kippelever en *foie gras* of konijn met uien. Onder de nagerechten klassiekers als *tarte Tatin*. Alle finesses – het tafellinnen, het indrukwekkende assortiment kaas en de bediening – bevestigen dat dit een restaurant van topklasse is.

Chez Nico

90 Park La W1. **Kaart** 12 D3.
[0171-409 1290. **Open** ma-vr 12.00-14.00, 19.00-23.00 uur, za 19.00-23.00 uur. **Gesloten** op feestdagen en 10 dagen rond Kerstmis.
|**@**| alleen. ⌘ ⏚ AE, DC, MC, V. £££££

Dit is het restaurant van topchef Nico Ladanis (drie Michelin-sterren). *Foie gras* is een specialiteit waarbij de volheid van de smaak met delicate accenten in evenwicht wordt gehouden. Nico's andere restaurants, Nico Central in Great Portland Street (0171-436 8846) en Simply Nico vlak bij Victoria Station (0171-630 8061) stellen u in staat om te genieten in een iets bescheidener omgeving. Hier is de Provençaalse invloed meer georiënteerd op de boer dan op de prins. Enkele gerechten zijn vissoep, inktvissalade of eend met gekruide meelballetjes.

Criterion Brasserie

Piccadilly Circus W1. **Kaart** 13 A3.
[0171-930 0488. **Open** ma-za 12.00-14.30, 18.00-24.00 uur, zo 12.00-16.00, 18.00-22.00 uur.
|**@**| L ⌘ ⏚ ♫ ★ ⏚ AE, DC, MC, V, JCB. ££££

Marco Pierre Whites nieuwste onderneming had als doel om hoogwaardige kookkunst bereikbaar te maken voor de kleinere portemonnee. De glanspunten zijn de locatie in Piccadilly en het interieur, een neo-Byzantijnse hal met een gewelfd mozaïekplafond. De vaste menu's zijn goedkoop maar teleurstellend. De *cappuccino* (lichte soep) met kip is verrukkelijk, de hoofdschotel van gesauteerde langoustines indrukwekkend en de citroentaart pittig.

Le Gavroche

43 Upper Brook St W1. **Kaart** 12 D2.
[0171-408 0881of 0171-499 1826.
Open ma-vr 12.00-14.00, 19.00-23.00 uur. **Gesloten** op feestdagen.
|**@**| L & D. ⏚ ⏚ ⏚ AE, DC, MC, V. £££££

Dit is het adres bij uitstek voor de *haute cuisine* en de prijzen zijn er dan ook naar. De keuken van de van Michel en Albert Roux is van constant hoge kwaliteit. Het is de filosofie van de broers om een perfecte eenheid te maken van de ingrediënten, de bereidingsmethode en de specerijen – zoals gesauteerde sint-jakobsschelpen geserveerd met knapperige, gebakken reepjes groente. Het interieur is, met al de gerechten, smaakvol en traditioneel en het menu in het Frans gesteld. De wijnkaart is enorm uitgebreid (800 wijnen). U kunt op een goedkopere wijze kennismaken met de Roux-stijl als u een van de menu's neemt die al gauw de helft goedkoper zijn dan de gerechten à la carte. Met wat geluk kunt u met twee personen onder de honderd pond eten.

Mon Plaisir

21 Monmouth St WC2. **Kaart** 13 B2.
[0171-836 7243. **Open** dag. 12.00-14.15, 18.00-23.15 uur. |**@**| L & D. ⏚ AE, DC, MC, V, JCB. ££££

Dit gerenommeerde restaurant in het theaterland van Covent Garden staat bekend om zijn betrouwbare, niet pretentieuze Franse provinciale gerechten, die met zorg worden klaargemaakt en geserveerd. Het menu wisselt, maar u kunt meestal specialiteiten krijgen als vissoep, salade van geitekaas, slakken in knoflook, *coq au vin, daube de boeuf* en verrukkelijke kazen.

L'Odéon

65 Regent St W1. **Kaart** 12 F2.
[0171-287 1400. **Open** ma-za 12.00-14.45, 17.30-23.30 uur, zo 12.30-15.15, 17.30-22.00 uur. **Gesloten** 1 jan., Tweede Paasdag. |**@**| L. ⌘ ⏚ ♫ ★ ⏚ AE, DC, MC, V. £££££

Een groot restaurant waar, ondanks de grandeur, het eten op de eerste plaats komt. Chefkok en eigenaar Bruno Loubert staat bekend om zijn onwaarschijnlijke ingrediënten en combinaties. Een voorgerecht van oranje lasagne met pompoen; garnalen in kruidenboter, geserveerd op geroosterde brioche en afgemaakt met reepjes andijvie en sperziebonen. Lichte Aziatische invloeden; gevulde varkenspootjes met barbecuesaus, geserveerd met een dressing van bonen en knoflook.

Palais du Jardin

136 Long Acre.. **Kaart** 13 B3.
[0171-379 5353. **Open** ma-za.
12.00-24.00 uur. 🅥 ♿ 👶 🚭 🍴
🍷 AE, DC, MC, V. ££££

Wat eruitziet als een kleine brasserie met een zeer goede vis- en
schelpafdeling, is eigenlijk een gelegenheid op vele niveaus met 300
stoelen. En de wat koele ontvangst
verhult de aardige en doelmatige
bediening voorbij de drukke bar.
Leef u uit op de mooi gepresenteerde *fruits de mer* of neem wat
prijsbewuster de heerlijke erg vissi-
ge viskoekjes. De huiswijn komt
uit de Jura en is uitstekend.
Vermijd 's zomers de openlucht-
entresol.

Le Pont de la Tour

Butlers Wharf SE1. **Kaart** 16 E4.
[0171-403 8403. **Bar en grill
open** dag. 12.00-24.00 uur.
Restaurant open dag. 12.00-15.00
uur, ma-za 18.00-23.30 uur, zo
18.00-23.00 uur. 🍴 L. 🅥 ♿ 🎵
🚭 🍷 🍽 AE, MC, V. £££££

Dit restaurant aan de Thames, ontworpen door Terence Conran,
heeft een schitterend uitzicht op
de Tower Bridge. Het interieur van
het restaurant, gevestigd in een
omgebouwd pakhuis, heeft het
stijlvolle voorkomen van een oce-
aanboot. De gerechten zijn even
opvallend en gestroomlijnd: risotto
met erwten en munt, sint-jakobsschelpen met knoflookboter, kalfslever met rode uien, gegrilde tonijn
met koriander. Er is ook een bar
en een grillroom waar vis, biefstuk
en salades worden geserveerd.

RSJ

13a Coin St SE1. **Kaart** 14 E3.
[0171-928 4554. **Open** ma-vr
12.00-14.00 uur, ma-za 17.45-23.00
uur. **Gesloten** op feestdagen. 🍴
L & D. 🅥 🚭 🍷 AE, MC, V.
£££

RSJ serveert onopvallende, maar
uitstekend klaargemaakte gerechten. De meest gebruikte ingrediënten zijn zalm, lamsvlees, eend en
kip. Deze worden met de goede
saus geserveerd. De buitengewoon
goede wijnkaart is gespecialiseerd
in wijnen uit de Loire-streek.

Spread Eagle

1-2 Stockwell St SE10. **Kaart** 23 B2.
[0181-853 2333. **Open** ma-za 12.00-
15.00 uur, 18.30-22.30 uur, zo 12.00-
15.30 uur. 🍴 L & D. 🅥 👶 ♿ 🍽
AE, DC, MC, V. £££

De Spread Eagle is een van de
weinige betrouwbare redelijk geprijsde restaurants in Greenwich.
Deze donkere, ouderwetse 17de-
eeuwse herberg serveert stevige

gerechten zonder franje: mossel-
soep, kalfsniertjes met mosselsaus
en voortreffelijk lamsvlees met tomaten en zwarte olijven.

La Tante Claire

68 Royal Hospital Rd SW3.
Kaart 19 C3. [0171-351 0227 of
0171-352 6045. **Open** ma-vr 12.30-
14.00, 19.00-23.00 uur. **Gesloten** op
feestdagen. 🍴 L. ♿ 🅥 🚭 🍽
AE, DC, MC, V, JCB. £££££

La Tante Claire is een klein, uitstekend en duur restaurant. U moet
lang van tevoren reserveren. De
Gasconse chef-eigenaar Pierre
Koffman bereidt graag voedzame
gerechten, waarbij hij rijkelijk gebruik maakt van ganzevet en *foie
gras*. Gevulde varkensbout, tour-
nedos Rossini en geitevlees met
chocolade en frambozensaus
geven u een indruk van de stijl.

INTERNATIONAAL

Deze restaurants leggen zich toe op
een stijl van koken die voortdurend
aan verandering onderhevig is.
Hierbij wordt met ingrediënten en
kookstijlen van over de gehele wereld iets nieuws gecreëerd. Zo kan
een gerecht bestaan uit Engels lamsvlees, oosterse specerijen en in de
zon gedroogde tomaten uit Italië.
De lichte accenten en het vernieuwende gebruik van ingrediënten is zeer in trek bij avontuurlijke
chefs als Sally Clark en Alastair
Little.

Alastair Little

49 Frith St W1. **Kaart** 13 A2.
[0171-734 5183. **Open** ma-vr
12.00-15.00, 18.00-23.00 uur.
Gesloten op feestdagen. 🍴 alleen.
🍷 AE, MC, V. ££££

De naamgever van Alastair was
een van eersten die de internationale stijl bracht. Zijn protégé Juliet
Preston leidt hier nu de keuken.
Hij brengt vernieuwende schotels
zoals Schtse mosselen met hete en
zure salsa, carpaccio van pancetta-
lende met wilde kool en
Parmesaanse kaas of gegrilde zee-
baars met ingelegde zeekraal, botersaus met saffraan en bieslook.
Het interieur is sober en de bediening wat afgemeten. Een nieuwe
vestiging waar Alastair zelf kookt
is gevestigd op 136 Lancaster
Road, W11 (0171-243 2220).

The Avenue

7-9 James's St SW1. **Kaart** 12 F3.
[0171-321 2111. **Open** ma-za
12.00-15.00, 18.00-23.30 uur,
zo 12.00-15.30, 19.00-21.30 uur.
🍴 L. 🅥 👶 ♿ 🚭 🍷 🍽 AE,
DC, MC, V, JCB. ££££

Deze zaal met zijn muur vol tv-
schermen met kunstvideo's lijkt
meer op een galerie dan op een
bar-restaurant. Vroeg in de avond
raakt de bar vol met Mayfair-pak-
ken. De prijzen zijn hoog en de
maaltijden onberispelijk. Onder de
voorgerechten een perfect gekara-
meliseerde andijvietaart; bij de
hoofdgerechten gestoofde griet
met witte bonen. De wijnen zijn
goed, maar niet goedkoop.

Bibendum

Michelin House, 81 Fulham Road SW3.
Kaart 19 A2. [0171-581 5817.
Open ma-vr 12.30-14.30 uur, ma-za
19.00-23.00 uur, za-zo 12.30-15.00
uur, zo 19.00-22.30 uur. **Gesloten** op
Tweede Paasdag en 4 dagen rond
Kerstmis. 🍴 L. ♿ 🅥 🍷 MC, V.
££££

In dit gerestaureerde Michelin-
gebouw met zijn schitterende glas-
in-loodramen kunnen welgestelde
gasten tafelen. De gerechten zijn
goed, zoals verwacht mag worden
van een maaltijd voor twee van
meer dan £ 100. Er zijn schotels
zoals kalfszwezerik met geroosterde paddestoelen en Madeirasaus,
gebraden konijn met tomaten,
zwarte olijven en pancetta of
koude kreeft met venkelsalade en
dragondressing.

Bistrot Bruno

63 Frith Street W1. **Kaart** 13 A2.
[0171-734 4545. **Open** ma-vr
12.00-14.30 uur, ma-za 18.15-23.30
uur. 🍴 L & D. 🍽 AE, DC, MC, V.
££££

Dit sobere, comfortabele restaurant
serveert verrukkelijke, succesvolle
gerechten van chef Bruno Loubet.
Voor een hoofdgerecht kunt u kiezen uit bijvoorbeeld *canard confit*
op een bedje van kastanjes en
knolselderij in rode wijn-saus met
uien of gestoofde haas met ravioli
van spliterwten. Voor- en nagerechten zijn al even bijzonder.

Blue Print Café

Design Museum, Butlers Wharf, SE1.
Kaart 16 E4. [0171-378 7031.
Open ma-za 12.00-15.00, 18.00-
23.00 uur, zo 12.00-15.30 uur.
Gesloten 25 dec., 1 jan. 🅥 ♿ 🎵
🍷 AE, DC, MC, V, JCB. ££££

Een van de beste en redelijkste
qua prijs van de keten van Terence
Conran aan Butler's Wharf. De inrichting is net zo ongecompliceerd
als de bediening, verfrissend pre-
tentieloos. Het beknopte menu
biedt schotels als *fenucine* met
paddestoelen en parmezaanse kaas
of zeeduivel in parmaham met gebakken tomaten en rozemarijn. De
nagerechten, zoals pannacotta met
bosbessen en rozijnen of kaasge-
bak zijn duur, maar perfect.

Verklaring van de symbolen *blz.* 287

Le Caprice

Arlington House, Arlington St SW1.
Kaart 12 F3. 📞 *0171-629 2239.*
Open dag. 12.00-14.30, 18.00-24.00
uur. **Gesloten** 24-29 dec. 📺 ♿ 🎵
🎴 *AE, DC, MC, V.*
€€€€

Dit is de stijlvolle oudere 'zuster'
van The Ivy *(blz. 298)* en zij heeft
dezelfde beroemde clientèle. De
gerechten zijn eenvoudig en modern met de nadruk op gegrild
vlees (tonijn, konijn, inktvis). Jus
en sauzen zijn taboe. Keurig gedrag en dito kleding zijn noodzakelijk in een eetgelegenheid van
dit niveau.

Clarke's

124 Kensington Church St W8.
Kaart 10 D4. 📞 *0171-221 9225.*
Open ma-vr 12.30-14.00, 19.00-
22.00 uur. **Gesloten** 's zomers
2 weken, op Kerstmis, Pasen en feestdagen. 🍴 L & D. 🔔 🚻 🎴 AE,
MC, V. €€€€

Groot-Brittannië, Californië en
Italië komen samen boven het
houtskoolvuur van Sally Clarke, de
chef-eigenares. Men serveert een
voortreffelijk menu dat iedere dag
anders en altijd voortreffelijk is.
Het eten is licht maar zeer smakelijk. Veelgebruikte ingrediënten
zijn: groenten uit het Middellan-
dse-Zeegebied, kip, zalm, brasem,
verse kruiden en wilde planten als
paardebloem en vlier.

Coast

268 Albernarie St W1. **Kaart** 12 F3.
📞 *0171-495 5999.* **Open** ma-za
12.00-15.00, 18.00-23.00 uur,
zo 12.00-15.30, 18.00-1.00 uur.
Gesloten soms op feestdagen.
🚻 ♿ 🔔 ★ 🎴 AE, MC, V, JCB.
€€€€

Dit is misschien wel het meest bijzondere restaurant van Londen,
niet alleen om het moderne en
uitdagende goudvissenkom-interi-
eur, maar ook om de kookkunst
van Stephen Terry, die de ver-
wachtingen van wat wel en niet
kan in de keuken uitdaagt.
Gerechten als *pavé* van tomaten-
risotto met avocado, artisjok, gei-
tenkaas en tomatenolie maken iets
nieuws van risotto.
En wat denkt u van vanillesaus
met een *confit* van zoet geglazuur-
de tomaat? De wijn is goed, maar
duur.

Hilaire

68 Old Brompton Rd SW7. **Kaart** 18
F2. 📞 *0171-584 8993.* **Open** ma-vr
12.30-14.30, 18.30-23.30 uur, za
18.30-24.00 uur. 🍴 L & D. 🚻
🎴 AE, DC, MC, V. €€€€€

Een overweldigende glazen voorgevel en een opwekkend interieur
verwelkomen de gasten in dit
mooie restaurant en de gerechten
zijn ook aantrekkelijk. De chef-eigenaar Bryan Webb brengt zijn
vlees en vis niet op smaak met de
gebruikelijke sauzen maar met
pesto, chutney, *foie gras* of linzen
met kruiden of specerijen. Zijn
theatermenu (18.30-19.30 en
22.00-23.00 uur) is ook bijzonder
goed en iets minder duur.

The Ivy

1 West St WC2. **Kaart** 13 B2.
📞 *0171-836 4751.* **Open** dag.
12.00-14.30, 17.30-24.00 uur. 📺
♿ ★ 🎴 AE, DC, MC, V. €€€€€

The Ivy is een bekend adres in de
theaterwijk en een traditioneel
trefpunt voor premièrefeesten. De
sterren doen zich in het interieur
met eikehouten lambrizering en
leren banken tegoed aan chique
hapjes als zalmkoekjes en
Parmezaanse salade.

Kensington Place

201-205 Kensington Church St W8.
Kaart 9 C3. 📞 *0171-727 3184.*
Open dag. 12.00-15.00, 18.30-23.45
uur. **Gesloten** op Kerstmis, aug. en
feestdagen. 🍴 L. 📺 🚶 ★ 🎴
MC. €€€

In dit sober ingerichte restaurant
is het vaak rumoerig. Dit is de internationale keuken te voeten uit:
zeekool met gepocheerde eieren
en truffels,of soep van wilde knoflook kunnen gevolgd worden
door gegrilde kwartel met walnoot
crème, lamslappen in salieboter of
wilde zeeforel met linzen en
champagnesaus. De wijnkaart is
redelijk van prijs.

Mezzo

100 Wardour St W1. **Kaart** 13 A2.
📞 *0171-314 4000.* **Open** ma-do &
zo 12.00-14.30, 18.00-1.00 uur, vr-za
12.00-14.00, 18.00-3.00 uur. 🍴 L.
📺 ♿ 🎵 ★ 🎴 AE, DC, MC, V,
JCB. €€€€ (Mezzanine
€€€)).

Terence Conran's enorme bezienswaardigheid is met meer dan 700
zitplaatsen het grootste restaurant
van de stad. In feite zijn het er
twee: boven Mezzonine, een zelf-
bedieningsrestaurant, en beneden
een restaurant met een rustiger
sfeer en duurdere maaltijden. In
Mezzonine is het eten oosters, terwijl beneden Europese, moderne
gerechten worden geserveerd.
Mezzo met zijn reusachtige trap,
enorme bar en talrijke personeel
(gekleed in ontwerpen van zoon
Jasper) heeft Quaglino's opgevolgd als de juweel in Conrans
kroon. Ga erheen voor de ervaring.

Mulligan's of Mayfair

13-14 Cork St W1. **Kaart** 12 F3.
📞 *0171-409 1370.* **Open** ma-vr
12.00-14.00 uur, ma-za 18.30-23.00
uur. **Gesloten** op feestdagen. 🎴 AE,
DC, MC, V. €€€€

De gerechten in dit Ierse restaurant zijn aan de zware kant: soep
van rapen en bruin brood, bloed-
worst, ossetong, stoofpotten van
rundvlees met Guinness en tal van
visschotels. Probeer ook specialiteiten als *colcannon* (puree van
groenten en aardappels) en *boxty*
(aardappelpannekoek).

Museum Street Café

47 Museum St WC1. **Kaart** 13 B1.
📞 *0171-405 3211.* **Open** ma-vr
12.30-14.30, 18.30-21.15 uur. 🍴
L & D. 📳 geheel. €€€

Het wat saaie en eenvoudige interieur wordt ruimschoots goedgemaakt door het uitstekende eten.
Trendy ingrediënten zoals tonijn
van de houtskoolgrill en rosema-
rijn en ansjovismayonaise, penne
met Italiaanse worst of geroosterde de maïskip met pesto. U kunt uw
eigen wijn meebrengen, maar er is
ook genoeg in huis.

The People's Palace

3de verdieping Royal Festival Hall,
South Bank Centre, SE1. **Kaart** 14
D4. 📞 *0171-928 9999.* **Open** 12.00-
15.00, 17.30-23.00 uur dag.
Gesloten 25 dec., 1 jan. 🍴 L. 📳
🚻 ♿ 🎴 AE, DC, MC, V.
€€€€

Deze dineerzaal in de Royal
Festival Hall biedt prachtig uitzicht
over de Thames. Er zijn menu's
die iedere dag veranderen voor
redelijke prijzen. *A la carte*-scho-
tels zijn onder andere gegrilde
duivelsrot met zuurkool en chorizo, gekruide varkens-*wonton* met
paksoi, knoflook en gember, of
zeebrasemfilet met courgette,
knoflook, limoen en thijm.
Reserveer ver van tevoren en vermijd de drukte voor en na voorstellingen.

Quaglino's

16 Bury Streert SW1. **Kaart** 12 F3.
📞 *0171-930 6767.* **Open** dag.
12.00-15.00 uur, ma-do 18.00-24.00
uur, vr-zo 17.30-1.00 uur. **Gesloten**
25 dec., 1 jan. 🍴 L. 📺 🎵 🎴 AE,
DC, MC,V. €€€€

Quaglinio's is niet meer zo modieus
als bij de opening in 1993, maar het
is nog steeds een elegante plek om
te eten. Het is niet de plek voor
een intiem of ontspannen etentje,
want 200 hoofden draaien als u de
showtrap afkomt. De zeeschotels
zijn erg goed, de bediening kan
wat nors zijn

The Restaurant Marco Pierre White

Hyde Park Hotel, 66 Knightbridge SW1. **Kaart** 11 C5. [📞] *0171-259 5380.* **Open** *ma-vr. 12.00-14.15 uur, ma-za 19.00-23.00 uur.* **Gesloten** *feestdagen, Kerstmis-1 jan.* [🍴] L & D. [🔖] AE, DC, MC, V. £££££

De chef Marco Pierre White heeft al veel complimenten en prijzen mogen ontvangen van critici. White verhuisde in 1994 van het minder imposante Harvey's in Wandsworth naar deze gelegenheid – waar hij zijn derde Michelen-ster ontving. Zijn sauzen variëren van delicate Sauternessaus tot verrukkelijke sojasaus. Foie gras en truffelolie zijn regelmatig terugkerende ingrediënten. Specialiteiten zijn vis, schelp- en schaaldieren en de desserts. Er is een lunch van drie gangen voor minder dan £30, een diner kost u meer dan het dubbele.

Stephen Bull

5-7 Blandford St W1. **Kaart** 12 D1. [📞] *0171-486 9696.* **Open** *ma-vr 12.15-14.30 uur, ma-za 18.30-22.30 uur.* [♿] [🔖] AE, MC, V. £££

Dit onberispelijke, moderne restaurant biedt eigentijdse kost: geitenkaassoufflé, krab-gember-tortellini met citroendressing, zeeforel in soyagelei met sinaasappel- en zuringsaus. De visgerechten zijn erg goed en de boeiende wijnkaart is voordelig. Er is een bistro en een bar (0171-490 1750) nabij Smithsfield Market (*blz. 164*), met goedkopere gerechten in een mooie omgeving, en een wat duurdere maar ook betere buitenpost in het westen van Londen, toepasselijk Fulham Road ge-

ITALIAANS

De Italiaanse keuken maakt een vernieuwing door. Er vindt een verschuiving plaats van pizza's, pasta's en kalfsvleesgerechten naar een stijl die de traditionele huiselijke keuken combineert met een moderne lichte aanpak. Vis, schelp- en schaaldieren, bonen, gemengde salades, gegrilde groente- en vleessoorten, gevuld brood, polenta en wilde champignons worden veel gebruikt.

L'Accento

16 Garway Rd W2. **Kaart** 10 D2. [📞] *0171-243 2201.* **Open** *ma-za 12.30-14.30, 18.30-23.15 uur, zo 18.30-22.30 uur.* [🍴] L & D. [♿] [♿] [🔖] MC, V.

Dit restaurant serveert stijlvolle moderne Italiaanse gerechten. Er zijn voordelige tweegangenmenu's met

eenvoudig voedsel. Onder de schotels met ruime porties vallen kalfslever met basilicumazijn, Ceasarsalade, enorme raviolikussens en saffraanrisotto met kruidige worstjes.

L'Altro

210 Kensington Park Rd W11, **Kaart** 9 B2. [📞] *0171-792 1066 of 792 1077.* **Open** *dagelijks 12.00-15.00 uur, 19.00-23.00 uur.* [🍴] L. [♿] [♿] [🔖] AE, DC, MC. £££

De glamour van Notting Hill komt in deze ruimte met fresco's en tafels op straat. De ravioli, de antipasti, de baby-artisjokken met parmezaanse kaas en de wilde pasta's zijn alle zoals *mamma* ze maakt. Het menu lijkt op een lijst van modieuze ingrediënten: crostini, pijnboompitten, pancerra, radicchio.

Bertorelli's

44a Floral St WC2. **Kaart** 13 C2. [📞] *0171-836 3969.* **Open** *ma-za 12.00-15.00, 17.30-23.30 uur.* [♿] [♿] alleen in restaurant. [🔖] AE, DC, MC, V, JCB. £££

Dit efficiënte restaurant vlak bij het Opera House is gewend aan gehaaste gasten die naar het theater willen. Boven vindt u een voornaam restaurant terwijl het eenvoudige café beneden zich op pasta's en pizza's concentreert. Reserveren is noodzakelijk.

L'Incontro

87 Pimlico Road SW1. **Kaart** 20 D2. [📞] *0171-730 6327 of 0171-730 3663.* **Open** *ma-vr 12.30-23.30 uur, za-zo 19.00-23.30 uur.* [🍴] L [V] [♿] [♿] [♪] [🔖] AE, DC, MC, V, JCB. ££££

Dit opmerkelijke establissement legt duidelijk de nadruk op de Venetiaanse keuken en in het bijzonder op vis. Neem de gezouten kabeljauw met olijfolie en melk of de inktvis, gebakken in z'n eigen inkt. Als u een iets minder uitdagend gerecht wilt, neem dan eens de pasta met wilde champignons of Noorse kreeft.

Neal Street Restaurant

26 Neal St WC2. **Kaart** 13 B1. [📞] *0171-836 8368.* **Open** *ma-za 12.30-14.30, 18.00-23.00 uur.* **Gesloten** *op feestdagen, 1 week rond Kerstmis en op Nieuwjaar.* [V] [♿] [♿] [🔖] AE, DC, MC, V £££££

Antonio Carluccio, de eigenaar van deze stijlvolle eetgelegenheid, staat bekend om zijn liefde voor paddestoelen en dit is duidelijk te merken aan het menu: soep van wilde champignons, warme salade van champignons en spek, wild met morilles en rundvlees met wilde

champignons. Informeer eerst hoe duur de specialiteit van het seizoen is voordat u deze bestelt, want de prijzen kunnen enorm hoog zijn.

Orso

27 Wellington St WC2. **Kaart** 13 C2. [📞] *0171-240 5269.* **Open** *dag. 12.00-24.00 uur.* **Gesloten** *op Kerstmis en feestdagen.* [📷] [V] £££

Dit restaurant wordt vaak bezocht door mensen uit de media- en theaterwereld. De gerechten zijn modern en wisselen steeds. De pasta en vlees- en visgerechten met pikante sauzen zijn bijzonder goed.

Osteria Antica Bologna

23 Northcote Rd SW11. [📞] *0171-978 4771.* **Open** *ma-vr 12.00-15.00 uur, 18.00-23.30 uur; za 10.30-23.30 uur; zo 10.30-22.30 uur.* [🍴] L. [V] [♿] [♿] [♿] [🔖] AE, MC, V. £££

Dit is een ideaal restaurant voor groepen. U kunt hier een goedkope maar goede maaltijd gebruiken door een aantal kleine schotels (*assagi*) met uw vrienden te delen – heerlijke combinaties van groente en vis voor een paar pond. Er is een indrukwekkend assortiment salades, pasta's, en vlees- en visgerechten.

The Peasant

240 St John Street EC1. **Kaart** 6 F3. [📞] *0171-336 7726.* **Open** *ma-vr 12.30-14.30 uur, ma-za 18.30-22.45 uur.* **Gesloten** *feestdagen, 23 dec.-3 jan.* [V] [♿] [🔖] MC, V. £££

Deze verbouwde pub staat bekend om moderne, Italiaans aandoende gerechten die niet onder doen voor wat u krijgt voorgeschoteld in de Italiaanse restaurants met naam. Alle ingrediënten zijn vers en worden zonder sausen met room of drank in grote porties geserveerd. De prijzen lijken aan de hoge kant voor een pub, maar u krijgt waar voor uw geld.

River Café

Thames Wharf Studios, Rainville Rd W6. [📞] *0171-381 8824.* **Open** *ma-vr 12.30-14.45, 19.30-23.00 uur, za 13.00-14.30, 19.00-23.00 uur, zo 13.00-14.45 uur.* **Gesloten** *op feestdagen.* [♿] [♿] [♿] ★ [🔖] MC, V. ££££

Dit is hèt bolwerk van de moderne Italiaanse keuken. Zowel de gerechten als de omgeving zijn netjes, licht en strak. Veel van de heerlijke gegrilde vis- en vleessoorten zijn op smaak gebracht met mozarella, salie, in de zon gedroogde tomaten, Parmezaanse kaas, pijnappelpitten, basilicum, tijm en knoflook.

Verklaring van de symbolen blz. 287

Riva

169 Church Road SW13. **℄** *0181-748 0434.* **Open** *zo-vr 12.00-14.30 uur, ma-za 19.00-23.00 uur, zo 19.00-22.00 uur.* **V** 🏃 ♿ 🍴 🍽 *MC, V.* £££

Barnes is niet precies het centrum van Londen, maar veel buurtbewoners zijn terecht vaste klant van dit restaurant. De regionale gerechten die hier worden klaargemaakt, zijn met fantasie samengesteld uit eerste kwaliteit ingrediënten. Prominent op het menu staan vis, schelp- en schaaldieren.

GRIEKS
MIDDEN-OOSTEN

De keukens uit het Midden-Oosten (Griekenland, Turkije, Libanon en Noord-Afrika) hebben veel gemeen. De gerechten zijn eerder licht dan zwaar gekruid en bestaan vaak uit gegrild vlees, gekruide stoofschotels, salades en groentegerechten zoals *taramasalata* (kuitsalade), *boumous* (kikkererwten) en *tzatziki* (yoghurt en komkommer). Het is het goedkoopst als u een *meze* (een reeks van deze schotels) tegen een vaste prijs neemt.

Café O

163 Draycott Ave SW3. **Kaart** 19 B2. **℄** *0171-584 5950.* **Open** *ma-za 12.00-15.00, 18.30-23.00 uur, zo 13.00-15.30 uur.* **Gesloten** *op feestdagen.* 🍴 *L.* **V** 🏃 ♿ 🍽 🍴 🍽 *AE, MC, V, JCB.* ££

De blauwwitte inrichting, het jonge personeel en een menu dat zich beroemt op een 'modern-Griekse' keuken verlenen dit bedrijf meer een mediterrane dan Egeïsche sfeer. Het kleine, maar verlokkelijke menu is uitstekend samengesteld en begint goed met sappige olijven en kruidenbrood. Overheersend zeebanket en vernieuwende combinaties, zoals *souvlaki* met garnalen, kabeljauw en zalm.

Daphne

83 Bayham St NW1. **Kaart** 4 F1. **℄** *0171-267 7322.* **Open** *dag. 12.00-14.30, 18.00-24.00 uur.* **Gesloten** *25-26 dec., 1 jan.* 🍴 *L.* **V** 🏃 ♿ 🍽 🍴 *MC, V.* ££

Dit gastvrije restaurant biedt het beste van de Griekse keuken: eenvoudige verse ingrediënten, voorzichtig met kruiden op smaak gebracht en tegen een redelijke prijs. Het serveert voornamelijk goede vlees- en visschotels, maar er zijn ook vegetarische specialiteiten. De *meze* is uitstekend.

Al Hamra

31-33 Shepherd Market W1. **Kaart** 12 E4. **℄** *071-493 1954.* **Open** *dag. 12.00-24.00 uur.* **V** 🏃 🍴 🍽 *AE, DC, MC, V.* £££

Als u aan een tafeltje hebt plaatsgenomen, wordt er als welkom meteen vers gebakken brood, olijven en rauwe groente op uw tafel gezet om naast de *meze*-schotels te nuttigen. U hebt keuze uit maar liefst 40 *meze*-schotels. Probeer *moutabal* (koud geserveerde aubergine met sesam) of *boumous kawarmah* (kikkererwtenpuree met lam en pijnappelpitten). De bediening is formeel.

Istanbul Iskembecisi

9 Stoke Newington Road N16. **℄** *0171-254 7291.* **Open** *ma-za 17.00-5.00 uur, zo 14.00-5.00 uur.* 🍴 🍽 *MC, V.* ££

Dit restaurant is gespecialiseerd in de Turkse keuken en serveert authentieke schotels als gegrilde lamsingewanden en gekookte hersenen met salade. Voor wie dit te ver gaat zijn er nog andere uitstekende vleesschotels. Dit is een levendige zaak met prettig personeel en lage prijzen. De zaak is open tot 5.00 uur 's ochtends.

Lemonia

89 Regents Park Road NW1. **Kaart** 3 C1. **℄** *0171-586 7454.* **Open** *zo-vr 12.00-15.00 uur, ma-za 18.30-23.30 uur.* 🍴 *L.* **V** 🏃 ♿ ££

Dit enorm populaire Griekse restaurant serveert schitterend klaargemaakte gerechten in een bedrijvige sfeer. U kunt hier kiezen uit goede vegetarische gerechten zoals gevulde groenten en schotels van bonen en linzen. Enkele goede *meze*-schotels: een fijne *tabouleh* (een salade van gekookte tarwe) en een aubergin:schotel. U moet avonden tevoren reserveren. Als u geen tafel kunt krijgen, probeer dan hun andere restaurant, Umani (0171-483 4492), aan de overkant.

Sofra

18 Shepherd St W1. **Kaart** 12 E4. **℄** *0171-493 3320.* **Open** *dag. 12.00-24.00 uur.* 🍴 *L & D.* **V** 🍽 *AE, DC, MC.* ££££

Sofra is het bekendste en duurste Turkse restaurant van Londen. De gegrilde vleeswaren zijn goed, maar het restaurant is vooral befaamd vanwege zijn heerlijke, kleine *meze*-schotels: *kisir* (een salade van gemalen tarwe), *imam biyaldi* (gevulde aubergine), *böreks* (gevulde pasteitjes), enzovoort. De nagerechten zijn ook overheerlijk.

ANDERE
EUROPESE LANDEN

Hoewel de meeste keukens wel in Londen te vinden zijn, treft u sommige maar in een of twee goede eetgelegenheden aan. De Engelsen geven over het algemeen de voorkeur aan gerechten uit zuidelijke, exotische klimaten, maar u vindt in Londen ook een paar Noord- en Oosteuropese restaurants.

Albero & Grana

89 Sloane Ave SW3. **Kaart** 20 D2. **℄** *0171-225 1048.* **Tapabar open** *dag. 17.30-24.00 uur.* **Restaurant open** *dag. 19.30-23.00 uur.* **Gesloten** *op feestdagen.* **V** 🏃 🍽 *AE, DC, MC, V, JCB.* ££££

Deze Spaanse tapabar met restaurant is het ontmoetingspunt van veel Spanjaarden in goeden doen. Het glanzende interieur wordt gecompleteerd door goed uitziend personeel en een chique cliëntèle. Als u gewoon honger hebt, kunt u prima (voor minder dan £ 20 per persoon) eten bij de tapabar, klassiekers als escalivada (een ragout van gegrilde paprika en aubergines) en chorizo met kikkererwten. In het formelere restaurant betaalt u het dubbele voor de moderne Spaanse keuken.

Anna's Place

90 Mildmay Pk N1. **℄** *0171-249 9379.* **Open** *di-za 12.15-14.15, 19.15-22.30 uur.* **Gesloten** *24-26 dec., Pasen en aug.* 🏃 ♿ £££

Werkelijk alles in dit Zweedse restaurant is in de zaak zelf gemaakt, ook het brood en de sorbets. Door de attente service en omdat Anna regelmatig een praatje komt maken bij uw tafel, lijkt het alsof u in de keuken van een vriendin zit te eten. De menukaart is kort met het accent op gemarineerde vis en vlees. Sommige hoofdgerechten zijn zeer eenvoudig: gebakken lamsvlees in gekruid deeg, gegrilde vis en traditionele Zweedse specialiteiten. Vooral de desserts zijn niet te versmaden. Reserveren is noodzakelijk, vooral als u op het prachtige terras wilt zitten.

Belgo Centraal

50 Earlham St WC2. **Kaart** 13 B2. **℄** *0171-813 2233.* **Open** *ma-za 12.00-23.30 uur, zo 12.00-22.30 uur.* **Gesloten** *24-26 dec.,* 🍴 *L & D.* ♿ ★ 🍽 *AE, DC, MC, V, JCB.* £££

Neem de lift naar beneden naar deze moderne kloosterkerker met jong personeel gekleed in monnikhabijt. Dit stijlvolle onderaardse eetlokaal is zelf al aandacht waard, maar ook het Belgische eten en bier verdienen nader onderzoek. In de voedzame maaltijden zitten *moules* en *frites* en de Belgische bierkaart bevat veel bijzondere lambiek- en tarwebieren.

Caravela

39 Beauchamp Place SW3. **Kaart** 19 B1.
(*0171-581 2366*. **Open** *ma-za 12.00-15.00 uur, dag. 19.00-24.00 uur.* ¶❚ L. ♪ ❷ AE, DC, MC, V. ₤₤₤

Een gitarist en een *fado*-zanger dragen bij aan de vakantiesfeer in dit levendige Portugese restaurant. De gerechten zijn geïnspireerd op een traditie van eenvoudige boerenmaaltijden met het accent op vis – gezouten kabeljauw, gegrilde vis, schelp- en schaaldieren – maar er staan natuurlijk ook soepen, gemarineerd vlees en verse groenten en salades op de kaart.

The Gay Hussar

2 Greek St W1. **Kaart** 13 B2.
(*0171-437 0973*. **Open** *ma-za 12.30-14.30, 17.30-22.45 uur.* **Gesloten** *op feestdagen.* ¶❚ L. ❷ AE. ₤₤₤

Dit is het enige Hongaarse restaurant in Londen. Het interieur met houten lambrizering en fluweel doet aan een bibliotheek denken. Al jaren komen hier veel politici en figuren uit literaire kringen om te genieten van specialiteiten als gekoelde wilde-kersensoep, gevulde kool, varkensschnitzel met rookworst, koude snoek en natuurlijk goelasj met meelballetjes, ei en Hongaarse paprika.

Nikita's

65 Ifield Rd SW10. **Kaart** 18 E4.
(*0171-352 6326*. **Open** *ma-za 19.30-23.30 uur.* **Gesloten** *op feestdagen.* ¶❚ D. ❷ AE, MC, V. ₤₤₤₤

Dit exotische restaurant bevindt zich in een kelder en serveert uitstekende Russische gerechten: *borsjtsj* (bietensoep), *pirosjli* (vleespastei), *blini's* (pannekoeken) met gerookte zalm en zure room, kip uit Kiev, biefstuk stroganoff en zalmpastei (gevuld met rijst en ei). Zeer bijzonder zijn de zeventien wodkasoorten zoals peper-, citroen- en dragonwodka. De karaffen worden spectaculair opgediend in ijs.

Wódka

12 St Albans Gro W8. **Kaart** 10 E5.
(*0171-937 6513*. **Open** *ma-vr 12.30-14.30, 19.00-23.15 uur, za 19.00-23.00 uur.* ¶❚ L. ❷ AE, MC, V. ₤₤₤

Een mengeling van traditionele en lichte moderne Poolse gerechten worden geserveerd in een klein, vriendelijk interieur. Naast de gebruikelijke gerechten als kool gevuld met vlees (*golabki*) en rundvlees gevuld met olijven (*zrazy*), kunt u groentepasteitjes met couscous, blini's met auberginemousse en kip met linzen en mosterdsaus krijgen.

VIS

Londen kent een klein aantal goedlopende visrestaurants. De meeste betrekken hun produkten iedere morgen vers van de markt. Gevestigde, ouderwetse restaurants als Manzi's en Wheeler's serveren een traditionele mengeling van gegrilde, gepocheerde, gebakken en gestoomde schol, kabeljauw, schelvis, tong en zalm en zwaardere gerechten met room en botersaus. Andere brengen een specifieke keuken, van joods (Grahame's) tot Frans (Le Suquet) en Italiaans (L'Altro).

Café Fish

39 Panton St SW1. **Kaart** 13 A3.
(*0171-930 3999*. **Open** *ma-vr 12.00-15.00 uur, ma-za 17.45-23.30 uur.* **Wijnbar open** *ma-za 11.00-23.00 uur.* ✂ ♪ ❷ ❷ AE, DC, MC, JCB. ₤₤₤

Dit grote, drukke, zeegroene restaurant dat ook dienst doet als wijnbar, ligt op twee minuten loopafstand van Piccadilly. De voorgerechten zijn eenvoudig (oesters, jonge haring, gerookte zalm, vissoep). De hoofdschotels zijn vaak bereid met room en botersaus. De korte wijnkaart bevat een van de goedkoopste huischampagnes van Londen.

Livebait

43 The Cut SE1. **Kaart** 14 D4.
(*0171-928 7211*. **Open** *ma-vr 12.00-15.00 uur, ma-wo 17.30-23.00 uur, do-za 17.30-23.30 uur.* **Gesloten** *24-26 dec., 1 jan.* ✂ ❚ ❷ MC, V, JCB. ₤₤₤

Dit restaurant is aangekleed in de originele Victoriaanse stijl en tegenwoordig de populairste plek om te eten aan de South Bank. De bediening is ontspannen en de kwaliteit van het zeebanket uitstekend. Een ijsgekoelde zeebankettoonbank biedt u de keuze uit de vangst van de dag. Met een *plateau de fruits de mer* kunt u ze allemaal proberen – oesters, clams, garnalen, kokkels, wulken of monstrueuze kreeften.

Le Suquet

104 Draycott Ave SW3. **Kaart** 19 B3.
(*0171-581 1785*. **Open** *dag. 12.00-14.30, 19.00-23.00 uur.* ¶❚ L. ❷ AE, DC, MC, V. ₤₤₤₤

Dit is een levendig, maar rustgevend Frans eethuis. Op zomeravonden is het hier het prettigst, als de ramen aan de Draycott Avenue open staan. Specialiteiten zijn: zeebrasem in folie, sint-jakobsschelpen met knoflook en de spectaculaire uitgebreide visschotel.

Sweetings

30 Queen Victoria St EC4. **Kaart** 14 F2. (*0171-248 3062*. **Open** *ma-vr 11.30-15.00 uur.* **Gesloten** *25-26 dec., 1 jan.* ❚ ₤₤₤

Een archaïsch visrestaurant in de City met een prachtig Victoriaans interieur. Schotels zijn oude favorieten als garnalencocktail en schildpaddensoep; verder verschillende visgerechten, gegrild, gebakken of gestoofd. De nagerechten, zoals custardpudding, zijn traditioneel Brits.

VEGETARISCH

Vegatariërs kunnen in veel Londense restaurants goed eten, maar er zijn nog maar weinig zaken met een compleet vegetarisch menu. De volgende restaurants zijn gespecialiseerd in gerechten zonder vlees of vis, hoewel Mildred's nog wel eens een visgerecht op de kaart heeft staan. De menukaart geeft vaak aan welke gerechten geschikt zijn voor veganisten.

Food for Thought

31 Neal St WC2. **Kaart** 13 B2.
(*0171-836 0239 of 9072*.
Open *ma-vr 9.30-11.30, 12.00-21.00 uur, za 12.00-21.00 uur, zo 12.00-16.00 uur.* ✂ *geheel.* Ⓥ ❚ ₤

Op de korte, fantasierijke menukaart vindt u roergebakken gerechten, Japanse tahoe-schotels en Europese stoofpotten en soepen, plus interessante quiches (prei, bloemkool) en weelderige puddingen en cakes (frambozen- en appelkruimeltaart, *scones* met sinaasappel, kokos en slagroom). Dit is een erg goedkoop adres voor Covent Garden en daarom druk, vooral tijdens de lunch.

Mildred's

58 Greek St W1. **Kaart** 13 B2.
(*0171-494 1634*. **Open** *ma-za 12.00-23.00 uur, zo 12.30-18.30 uur.* ✂ *geheel.* Ⓥ ❚ ₤

Mildred's is een van de weinige vegetarische restaurants die niet onderdoen voor hun concurrenten die vlees serveren. De soepen variëren van Japanse miso tot Poolse groente-gerstsoep (*krupnik*). De hoofdschotels lopen uiteen van Braziliaanse groente-kokosstoofpot tot Japanse zwarte bonen met verse ananas en noedels. Het restaurant is klein dus soms zult u uw tafel met anderen moeten delen.

Verklaring van de symbolen *blz. 287*

The Place Below

St Mary-Le-Bow Church EC2. **Kaart** 15
A2. 🔲 *0171-329 0789.* **Open** ma-vr
7.30-14.30 uur. 🍴 alleen. **V** ★
€€

De crypte van Wrens beroemde
kerk, 'Bow Bells' *(blz. 147),* zit
tussen de middag vol mensen die
in de stad werken en genieten van
de smakelijke soepen, quiches en
warme schotels. Na het olijfbrood
kunt u soep van rode paprika en
amandelen nemen, gevolgd door
taartjes met courgette en munt met
tomatensaus en tomatensalade met
avocado's en pruimen, en dan een
dessert van fruit van het seizoen,
ijs of truffelcake met gewone of
witte chocolade. Breng uw eigen
wijn mee of proef de heerlijke
zelfgemaakte limonade.

World Food Café

Eerste verdieping Neal's Yard, WC2.
Kaart 13 B1. 🔲 *0171-379 0298.*
Open ma-di, vr-za 12.00-17.00 uur,
18.00-23.00 uur, wo-do 12.00-19.30
uur. **Gesloten** op feestdagen. 🍴 alleen. **V** & ★ €€€

Dit new-agecentrum biedt onderdak aan een van de beste vegetarische restaurants van Londen. In
een aangename en etherische sfeer
kunt u kiezen uit Mexicaanse,
West-Afrikaanse, Indiase en Turkse
schotels, zorgvuldig bereid en
ruim opgediend. De verse vruch-
tensappen zijn verrukkelijk en de
toetjes zijn hun prijs waard.
Vermijd de drukke lunchtijd. Geen
alcohol.

AMERIKAANS
MEXICAANS

Afgezien van de vele hamburger-
zaken *(blz. 306-307)* is Amerikaans eten, vooral dat van redelijk
hoge kwaliteit, tamelijk nieuw in
Londen. Zaken als het Hard Rock
Café hebben wat concessies gedaan aan de trend van gezonde
voeding, maar gewoonlijk geldt:
hoe groter hoe beter. U krijgt hier
gerechten als hamburgers, gebraden kip, varkensribstukken en
sandwiches met spek, sla en tomaat, alles bedolven onder een
berg friet, gevolgd door cakes en
ijscoupes. De meeste restaurants
serveren ook enkele gerechten uit
Mexico en Louisiana.

Christopher's

18 Wellington St WC2. **Kaart** 13 C2.
🔲 *0171-240 4222.* **Open** ma-za
11.30-23.00 uur, zo 12.00-15.30 uur.
Gesloten op feestdagen. 🎫 🕴 AE,
DC, MC, V, JCB. €€€€ of
€€€ theatermenu (18.00-19.00
uur).

Van de bar op de begane grond
leidt een beschilderde spiraaltrap
naar de elegante, vorstelijke
dineerruimte.
Onder de enorme, moderne maaltijden een prima Caesar-salade –
een groot bord verse snijsla met
flinke schijven parmezaanse kaas
en croutons. De hoofdgerechten,
zoals de gegrilde zalm met kruiden en olijfoliesaus, zijn eenvoudig en volmaakt. Er is ook een
keur aan nagerechten – de
citroenmeringue is verrukkelijk en
heerlijk licht.

Deal's

14-16 Fouberts Pl W1. **Kaart** 12 F2.
🔲 *0171-287 1001.* **Open** ma-za
12.00-23.00 uur, zo 12.00-15.30 uur.
🕴 & 🎵 🎫 🍴 AE, MC, V. €€

Dit levendige eethuis serveert typisch Amerikaans eten (hamburgers, *spare ribs, T-bone steaks*) met
een sterk oosters tintje (Thaise ker-
riegerechten, biefstuk *teriyaki,*
loempia's).
Chelsea Harbour (0171-352 5887) is
ook een bezoek waard.

Down Mexico Way

25 Swallow St W1. **Kaart** 12 F3.
🔲 *0171-437 9895.* **Open** ma-za
12.00-24.00 uur, zo 12.00-23.00 uur.
Gesloten 25-26 dec. 🕴 **V** 🎵 🍴
AE, DC, MC, V, JCB. €€€

Het aantrekkelijkste Mexicaanse
restaurant van Londen heeft een
menu dat veel minder op *fast food*
is georiënteerd dan de meeste andere. Het serveert alle gebruikelijke *nachos* (tortilla-schijfjes met
diverse sauzen) en *empanadita's*
(pasteitjes gevuld met maïs of gekruid vlees), maar ook interessan-
tere schotels als vis in een saus
van chili en amandelen, kip met
limoen, gevulde courgettes en
haai met tabascosaus.

Hard Rock Café

150 Old Park Lane W1. **Kaart** 12 E4.
🔲 *0171-629 0382.* **Open** zo-do
11.30-0.30 uur, vr-za 11.30-1.00 uur.
Gesloten 25-26 dec. 🍴 **V** 🕴 🎫
🍴 AE, MC, V. €€

Dit is de enige eetgelegenheid in
Londen waar de rij wachtenden
een permanente attractie is.
Rockfans van over de gehele
wereld stromen hier naar toe om
hamburgers te eten onder de oude
gitaar van Jimi Hendrix of naast
Ozzie Osbornes witte leren schoenen.
Dit is een rockmuseum, een pelgrimsoord, een plaats die de één
aanbidt en de ander haat. U kunt
hier verbazend goede vegatarische
schotels krijgen, die vanzelfsprekend zijn bedacht door Linda
McCartney.

Montana

125-129 Dawes Rd SW6. **Kaart** 17
A5. 🔲 *0171-385 9500.* **Open** ma-do
19.00-23.00 uur, vr-za 18.00-24.00
uur, zo 12.00-15.00 en 19.00-23.30
uur. **Gesloten** 25-26 dec., Tweede
Paasdag. **V** 🕴 & 🎵 🍴 AE, MC,
V. €€€€

De nieuwe Amerikaanse restaurants in Londen mijden het snelle
Noord-Amerikaanse eten en richten zich op de rijke en gevarieerde
keuken van beide Amerikaanse
continenten. Voorgerechten zijn
bijvoorbeeld een salade van knapperig gebakken krabbetjes met limoen en ansjovismayonaise of
geroosterde maïspannekoeken
met gerookte zalm, komkommer
en avocadosalade.
Hoofdgerechten variëren van
Pueblo-kwartel en kip, gevuld met
appel tot wortelpuree met cider-
glazuur.

AFRO-CARIBISCH

Er zijn in Londen minder Afro-
Caribische restaurants dan men
zou verwachten in een stad met
zo'n multi-etnische bevolking. De
Afrikaanse en Caribische keukens
zijn gebaseerd op dezelfde ingrediënten – zoete aardappel en ma-
niok, rijst en platte broden, pompoen, bonen, erwten en zoete sappige vruchten zoals guave en
mango. Gebruikelijke schotels zijn
een soort gebakken banaan met
warme saus, soepen, hartige stoofpotten en geitevlees met kerrie.

The Brixtonian

11 Dorrell Place SW9. 🔲 *0171-978
8870.* **Open** di-za 19.00-23.00 uur,
ma 18.30-24.00 uur. 🍴 geheel.
🍴 D. 🎵 🍴 MC, V. €€€

Deze Caribische specialist serveert
iedere maand gerechten uit twee
andere Caribische eilanden. Alle
schotels zijn onberispelijk klaargemaakt en gepresenteerd, maar wel
vrij duur. De sfeer wordt versterkt
door de jazzklanken uit de bar beneden, waar men lunches serveert.
Deze bar is zo populair, omdat hij
de grootste sortering rum heeft
van heel Londen. In Covent
Garden vindt u de **Brixtonian
Backyard** (0171-240 2769).

Calabash

The Africa Centre, 38 King St WC2.
Kaart 13 C2. 🔲 *0171-836 1976.*
Open ma-vr 12.00-15.00 uur, ma-za
18.00-23.30 uur. **Gesloten** op feestdagen. **V** 🕴 🍴 AE, DC, MC, V.
€€

Dit is een van de eerste Afrikaanse
restaurants van Londen. U vindt
het in een zijstraat vlak bij Covent
Garden, onder aan een trap.

Overdag staat de zwoele sfeer in scherpe tegenstelling tot de drukke markt. 's Avonds, vooral in het weekeinde, komt het restaurant tot leven. Op de menukaart staat uitgelegd wat u te wachten staat. Er komen exotische schotels op voor als *yassa*, Senegalese kip, gekookt met uien in citroensaus.

Cottons Rhum Shop, Bar and Restaurant

55 Chalk Farm Road NW1.
C *0171-482 1096*. **Open** dag. 12.00-24.00 uur. **Gesloten** 24-26 dec. ♨ ▣ MC, V. ⓔⓔ

De luide reggaemuziek die de aanwezigheid van de Cottons aankondigt, deert het modieuze jonge publiek niet. Op het menu vindt u gerechten met grappige namen als 'rasta pasta' en 'reggae'-garnalen naast Jamaicaanse schotels als geitevlees met kerrie en gegrilde kip. De desserts zijn formidabel.

INDIAAS

Er zijn veel Indiase restaurants in Londen. Veel zijn gespecialiseerd in gerechten uit een bepaalde streek of stijl. De schotels variëren van licht gekruid (*korma, shahi, malayone*) en vrij scherp (*bhunna, dansak, dopiaza*) tot zeer heet (*madras, vindaloo*). Indiase maaltijden beginnen in het westen vaak met soep of een voorgerecht en de hoofdschotels (met rijst of platte broden als *chapati* of *nan*) worden vaak met anderen gedeeld.

Café Spice Namaste

16 Prescott St E1. **Kaart** 16 E2. **C** *0171-488 9242*. **Open** ma-vr 12.00-15.00, 18.30-23.30 uur, za 12.00-14.30, 18.30-22.00 uur. **Gesloten** op feestdagen. ▣ ♿ ▣ AE, DC, MC, V, JCB. ⓔⓔⓔ

Deze dure Indiase gelegenheid bewandelt onbetreden paden. De meesterlijke kookkunst van Curys Todiwala is verleidelijk en, voor een traditie die op het verleden gericht is, vernieuwend. Van de traditionele schotels zijn die Perzische en Goanese zijn specialiteiten, zoals *dansak* (lamsvlees met gekruide en gepureerde linzen) of *sorpotel* (varkensvlees op Goanese wijze bereid).

Bombay Brasserie

Courtfield Cl, Courtfield Rd SW7
Kaart 18 E2. **C** *0171-370 4040*.
Open dag. 12.00-15.00, 19.00-24.00 uur. **Gesloten** 25-26 dec. ▣ D. ♨ ▣ ♫ ▣ DC, MC, V. ⓔⓔⓔⓔ

Dit is een van de meest geprezen Indiase restaurants buiten Azië. Het in hoofdzaak Noordindiase menu bevat enkele ongebruikelijke spe-

cialiteiten zoals tandoori-forel – niet 'authentiek', maar erg lekker. De bereiding van de regionale schotels (inclusief Parsi en Goan) is niet te overtreffen. Als u tussen de middag komt, vindt u een veel minder duur, maar uitstekend buffet.

Chutney Mary

Plaza 535, Kings Rd SW10.
Kaart 18 E5. **C** *0171-351 3113*.
Open ma-za 12.30-14.30, 19.00-23.30 uur, zo 12.30-15.30, (buffet) 19.00-22.30 uur. ▣ L. ▣ ♨ AE, DC, MC, V. ⓔⓔⓔ

'Chutney Mary' is een Indiase term voor vrouwen die door twee culturen zijn beïnvloed: de Indiase en de Britse. U vindt hier echte Indiase schotels als *roghan josh* (lamsvlees gestoofd in yoghurt of room en gekleurd met biet of tomaat) en *chicken tikka* (blokjes kip, gemarineerd en gebakken), maar het merendeel van de gerechten is een combinatie van de Indiase en westerse smaak.

Chutneys

124 Drummond St NW1. **Kaart** 4 F4.
C *0171-388 0604*. **Open** dag. 12.00-15.00, 18.00-23.30 uur.
Gesloten op Kerstmis. ▣ L. ♨ ▣ ▣ MC. ⓔ

Dit restaurant is het keurigste van alle Indiase restaurants in Drummond Street en biedt uitstekende kwaliteit. Bij de buffetlunch kunt u net zoveel nemen als u zelf wilt van een tafel vol met *dals* (linzenschotel), kerrieschotels met groente, rijst, chutneys, broden en een zoet dessert, allemaal voor £ 4 (de hele zondag verkrijgbaar).

Madhu's Brilliant

39 South Rd, Southall, Middx UB1.
C *0181-574 1897* of *0181-571 6380*. **Open** ma, wo, do, vr 12.30-15.00, 18.00-23.30 uur, za, zo 18.00-24.00 uur. ▣ L & D. ♨ ▣ ♿ ▣ AE, DC, MC, V. ⓔⓔ

Madhu's Brilliant lijkt misschien niet zoveel voor te stellen, maar de gerechten zijn authentiek, goed en half zo duur (of nog goedkoper) als u zou verwachten. Het accent ligt op sterk gekruide Indiase en Pakistaanse vleesschotels.

Malabar

27 Uxbridge St W8. **Kaart** 9 C3.
C *0171-727 8800*. **Open** dag. 12.00-15.00, 18.00-23.30 uur.
Gesloten 1 week na feestdag in aug. en 4 dagen rond Kerstmis. ▣ D. ▣ ♿ ▣ MC, V. ⓔⓔ

Het Malabar, een stijlvol, klein eethuis in een rustige straat, is een van de weinige Indiase restaurants in deze buurt die de uitstekende

Noordindiase en Pakistaanse gerechten serveert. Probeer het wild of de gegrilde kippelevers.

Mandeer

21 Hanway Place W1 **Kaart** 13 A1.
C *0171-323 0660* of *580 3470*.
Open ma-za 12.00-15.00, 17.30-22.00 uur. **Gesloten** op feestdagen.
▣ L & D. ♨ geheel. ▣ ♫ ▣ AE, DC, MC, V. ⓔⓔⓔ

Dit is het stijlvolste èn duurste Indiase restaurant van Londen. Op de kaart staan goede schotels, van alledaagse Zuidindiase gerechten tot specialiteiten die op de keuken van Gujarati zijn geïnspireerd (gepofte lotuszaden en zelfs een tahoe-kerrieschotel).

Nazrul

130 Brick Lane E1. **Kaart** 8 E5.
C *0171-247 2505*. **Open** ma-do 12.00-14.30, 17.30-24.00 uur, vr, za 12.00-14.30, 17.30-1.00 uur, zo 12.00-24.00 uur. ▣ L & D. ▣ ⓔ

Van de vele goedkope cafés en restaurants uit Bangladesh rond Brick Lane is Nazrul een van de beste. De inrichting is zeer eenvoudig, de prijzen laag en de sfeer levendig. De porties zijn groot, dus bestel niet te veel. Er mag geen alcohol worden geschonken.

Rani

3 Hill St, Richmond. **Kaart** 12 E3.
C *0181-332 2322*. **Open** ma-do 12.15-14.30, 18.00-23.00 uur, vr-zo 12.15-23.00 uur. **Gesloten** 25-26 dec. ▣ L & D. ♨ alleen. ▣ ♿ ▣ AE, MC, V, JCB. ⓔⓔⓔ

Een moderne plek in Richmond. Gujarati en vegetarisch eten, variërend van Zuid-Indiase klassiekers zoals *masala dosa* (een rijstpannekoek gevuld met gekruide aardappels, met kokosnoot-chutney en een groentencurry) tot ongebruikelijker Afrikaans-Aziatische schotels met maïs en pisang.

Rasa

55 Stoke Newington Church St N16.
C *0171-249 0344*. **Open** ma 18.00-23.00, 12.00-15.00 uur, di-do, zo 18.00-23.00 uur, vr-za 12.00-15.00, 18.00-24.00 uur. **Gesloten** 25-26 dec. ♨ alleen. ▣ ♿ ★ ▣ AE, DC, MC, V, JCB. ⓔⓔ

Het enige restaurant buiten India waar men de vegetarische keuken van de provincie Kerala serveert. De kleurrijke schotels zijn op smaak gebracht met kruiden als kardemom, peper, kerriebladen, kurkuma en kruidnagel. Ingrediënten zijn Keralaanse rijst, kokosnoten, pisang en tapiocawortel. Hoogwaardige kookkunst.

Verklaring van de symbolen *blz.* 287

Salloos

62-64 Kinnerton St SW1. **Kaart** 11 C5.
℃ *0171-235 4444.* **Open** *ma-za
12.00-14.30, 19.00-23.00 uur.*
Gesloten *op feestdagen.* **⏴⬤❙** *L & D.*
⌨ *AE, DC, MC, V.* **£££££**

Salloos, het beste Indiase restaurant
in Londen, is niet Indiaas maar
Pakistaans. Het accent ligt op vlees
(lam, kip, kwartels) gegrild, gebakken in de tandoori-oven en met
kerrie. De wijnkaart is indrukwekkend. Probeer het voordelige
menu. De sfeer is exclusief, maar
wel een tikkeltje somber, en de bediening is zeer professioneel.

Tamarind

20 Queen St W1. **Kaart** 12 E4. **℃**
0171-629 3561. **Open** *dag. 12.00-
15.00, 19.00-23.00 uur.* **⏴⬤❙** *L & D.*
▼⛨★⌨ *AE, DC, MC, V, JCB.*
£££££

Van een discrete ingang gaat er
een trap naar beneden naar een
luxueus ingerichte kelder. Het
menu wijkt niet sterk af van de
honderden andere Indiase gelegenheden in Londen, maar de
kwaliteit van het eten, met veel
zorg bereid door de beste Indiase
chefkoks, steekt daar ver boven-
uit. Laat u niet weerhouden door
de prijzen als u wilt ondervinden
hoe goed een *birriani* of een *roghan josh* kan smaken.

ZUIDOOSTAZIATISCH

De Zuidoostaziatische keuken,
vooral de Thaise, heeft zijn stempel gedrukt op de Londense restaurants. De meeste restaurants in
dit gedeelte leggen de nadruk op
de keukens uit Thailand,
Singapore, Maleisië of Indonesië
en bieden ook een combinatie van
deze stijlen. Er wordt gewerkt met
pittige en zure smaken, afkomstig
van limoensap, limoenbladeren, citroengras, tamarinde, gember en
knoflook. Chilipeper zorgt voor
het vuur en kokosmelk voor ver-
koeling. Rijst en mie vormen de
basis van iedere maaltijd en de belangrijkste bereidingsmethoden
van de Zuidoostaziatische keuken
zijn stomen en roerbakken.

Bahn Thai

21a Frith St W1. **Kaart** 13 A2.
℃ *0171-437 8504.* **Open** *ma-za
12.00-14.45, 18.00-23.15 uur, zo
12.30-14.30, 18.30-22.30 uur.*
Gesloten *op Kerstmis, Pasen en feestdagen.* **⏴⬤❙** *L & D.* **▼⛨⛃⌨**
AE, DC, MC, V. **£££**

Bahn Thai serveert veel schotels
die u zelden buiten Thailand zult
aantreffen. Op het menu staan var-
kensbouten, kikkerpoten en kippelevers, op Thaise wijze bereid,

maar de gewonere gerechten zijn
ook uitstekend. Probeer de *tom
yum* (pittige soep met citroengras)
of de *kwaitiew pad Thai* (een
schotel met gebakken mie). Er
wordt duidelijk op het menu aangegeven of gerechten vegetarisch
zijn of heet.

Khun Akorn

136 Brompton Rd SW3. **Kaart** 11 C5.
℃ *0171-225 2688.* **Open** *dag.
12.00-15.00 uur, ma-za 18.00-23.00
uur.* **⏴⬤❙** *L.* **▼⛨⌨** *AE, DC, MC,
V.* **£££**

Khun Akorn ligt schuin tegenover
Harrods en is een stijlvol, rustig en
comfortabel restaurant dat in handen is van Imperial Hotels, een
Thaise keten van luxehotels. De
meeste gerechten zijn klassieke
Thaise schotels, aromatische kerrieschotels, roergebakken mie, en
veel vis-, kip- en rundvleessscho-
tels. De smaak en geur van citroengras, basilicum, kokosnoot,
korianderzaad en vissaus overheersen. Zowel de bereiding als
de presentatie is onberispelijk. De
lunches zijn uitstekend.

Melati

21 Gt Windmill St W1. **Kaart** 13 A2.
℃ *0171-734 6964 of 0171-437 2745.*
Open *dagelijks 12.00-24.00 uur.*
Gesloten *op Kerstmis.* **⏴⬤❙** *L & D.*
▼⛨⛃⌨ *AE, DC, MC, V, JCB.*
£££

Het is raadzaam om te reserveren
in dit drukke Maleis-Indonesische
restaurant, als u niet in de rij wilt
staan. De bediening is vlot, maar
enigszins gejaagd. De schotels
worden op zeer authentieke wijze
bereid. De *laksa* uit Singapore
(aromatische vermicellisoep) is
bijzonder goed, de saté is sappig
en smakelijk en nagerechten als
kue dadar (een groene opgerolde
pannekoek, gevuld met kokos)
zijn niet te versmaden.

Oriental Gourmet

32 Great Queen St WC2. **Kaart** 13
C1. **℃** *0171-404 6383.* **Open** *ma-vr
12.00-15.00, 17.30-23.00 uur, za
17.30-23.30 uur.* **Gesloten** *op feestdagen.* **▼⛨⌨** *AE, DC, MC, V,
JCB.* **££**

De menukaart omvat geheel
Zuidoost-Azië, maar met verve.
Hij is verdeeld naar nationaliteit.
Laksa, een kerrie-noedelsoep, is
een goed voorbeeld van de combinatie van de produkten van de
Molukken met Chinese berei-
dingswijzen die rond Malakka ge-
bruikelijk zijn. Ook de Thaise
schotels, zoals *hor mok* – een
kruidige vismousse, gestoomd in
bananenbladeren – zijn met zorg
bereid.

Singapore Garden

154-156 Gloucester Place NW1.
Kaart 3 C4. **℃** *0171-723 8233.*
Open *dag. 12.00-15.00, 18.00-22.45
uur.* **Gesloten** *24-26 dec.* **⏴⬤❙** *L & D.*
▼⌨ *AE, DC, MC, V, JCB.* **£££**

Dit restaurant serveert het beste
Singaporese eten van het centrum.
In de eetzaal kunt u genieten van
uitstekend bereide Nonya-gerech-
ten – een combinatie van Maleise
kruiden en Chinese bereidingswij-
zen. Probeert u de chilikrab, ge-
roerbakte noedels, zoals *kway
teow* (rijstnoedels met pruimen, ei,
varkensvlees en vistaart) en visspecialiteiten als krab, kip met citroengras of *rendang* rundvlees.

Sri Siam

16 Old Compton St W1. **Kaart** 13 A2.
℃ *0171-434 3544.* **Open** *ma-za
12.00-15.00, 18.00-23.15 uur, zo
18.00-22.30 uur.*
Gesloten *24-26 dec., 1 jan.*
⏴⬤❙ *L & D.* **▼⌨** *AE, DC, MC, V.*
£££

Dit stijlvolle restaurant is een perfect adres om kennis te maken met
Thais eten. Probeer de gemengde
voorgerechten en een van de visschotels. Er is ook een uitgebreid
vegetarisch menu bestaande uit
heerlijke pittige en zure soepen en
salades, saté, kerrieschotels, gefrituurde tahoe, enzovoort.
Het vaste lunchmenu is bijzonder
goed.

JAPANS

Japanse restaurants zijn vermaard
om hun eenvoudige maar stijlvolle
inrichting. In sommige staan *tep-
pan-yaki*-tafels (waar de gasten
rond de chef zitten die op een
kookplaat kookt) en vindt u een
bar waar u *sushi* kunt eten –
rauwe vis of groenten met rijst. In
de duurste restaurants vindt u *ta-
tami*-zalen, waar groepen kunnen
eten, gezeten op stromatten.

Arisugawa

27 Percy Street, W1. **Kaart** 13 A1.
℃ *0171-636 8913.* **Open** *ma-za
12.30-14.30 uur, ma-vr 18.00-22.00
uur.* **Gesloten** *op feestdagen.* **⏴⬤❙** *L
& D.* **⌨** *AE, DC, MC, V, JCB.*
£££££

Een doorsnee Japans restaurant
dat aan alle smaken tegemoet-
komt. Op de begane grond werkt
men 's avonds met een *teppan-
yaki* (grillplaat) en beneden kunt u
uitstekende *sushi* (rijst met rauwe
vis), *yakitori* (gegrild vlees) en
tempura (in beslag gefrituurde
mosselen) eten.
Ook de *bento* (meeneemlunches)
zijn uitstekend.

Miyama

38 Clarges St W1. **Kaart** 12 E3.
📞 *0171-499 2443.*
Open *ma-vr 12.00-14.30 uur, dag.
18.00-22.30 uur.*
🍴 *L & D.* 🚶 & 🏧 *AE, DC, MC, V,
JCB.* €€€€

Vlak bij de Japanse ambassade
staat het Miyama, dat nauwkeurig
klaargemaakte en gepresenteerde
Japanse gerechten serveert als
sushi- en *sashimi-*schotels. In de
*teppan-yaki-*bar worden vlees, vis
en schelpdieren gegrild terwijl u
toekijkt.

Moshi Moshi Sushi

Unit 24, Liverpool Street Station, EC2.
Kaart 7 C5. 📞 *0171-247 3227.*
Open *ma-vr 11.30-21.00 uur.*
Gesloten *op feestdagen.* 🚶 🎵 🏧
AE, DC, MC, V, JCB. €

Een sushibar in een eenvoudig
winkelcentrum dat uitkijkt op
Liverpool Street Station. Op een
lopende band glijden verschillende vis- en rijstgerechten over de
toonbank. Dit is een ideale plek
om zalmkuit, harder, kongeraal of
zeeëgel te proberen. Er is ook een
vestiging op 7-8 Limeburner Lane,
EC4 (0171-248 1808).

Suntory

72-73 St James's St SW1. **Kaart** 12 F3.
📞 *0171-409 0201.*
Open *ma-za 12.00-14.00, 18.00-
22.00 uur.* **Gesloten** *op feestdagen.*
🍴 *L & D.* 🚽 🏧 *AE, DC, MC, V,
JCB.* €€€€

Dit is het beste Japanse restaurant
van Groot-Brittannië met een wel-
verdiende Michelin-ster. Het wordt
zeer professioneel gerund. Er zijn
verschillende eetzalen, waaronder
*tatami-*zalen, *teppan-yaki-*tafels en
een eenvoudig ingerichte hoofd-
eetzaal. De sfeer is even formeel
als u zelf wilt, de presentatie is
vlekkeloos.

Tokyo Diner

2 Newport Place, WC1. **Kaart** 13 B2.
📞 *0171-287 8777.*
Open *dag. 12.00-24.00 uur.*
⚡ V 🚶 🏧 *MC, V.* €

Door de handige ligging (net achter Leicester Square) en de lage
prijzen is dit restaurant een prettig
toevluchtsoord. De deur opent en
sluit automatisch, naar Japanse ge-
woonte, evenals de kranen in de
toiletten. Fooien worden niet geaccepteerd. De kaart is uitgebreid
en voorzien van een duidelijke
uitleg.
Men serveert sushi, sashimi, mie-
soep en Japanse kerrieschotels.
Drink hier Japans bier bij.

Wagamama

4 Streatham St, off Coptic St WC1.
Kaart 13 B1. 📞 *0171-323 9223.*
Open *ma-vr 12.00-15.00, 17.45-
23.00 uur, zo 12.00-15.00, 18.00-
22.00 uur.* ⚡ *alleen.* V ★ €

Deze bar is gevestigd in een kelder vlak bij het British Museum.
Het drukke interieur is minimalis-
tisch ingericht. Het eten is goedkoop, voedzaam en interessant:
grote kommen soep, gebakken
mie of rijst met schelpdieren en
groenten. Het personeel noteert
de bestellingen op apparaatjes die
op Nintendo Gameboys lijken.

CHINEES

De Kantonese keuken komt het
meeste voor in Chinese restaurants
in Londen. Deze is gebaseerd op
rijst; de gerechten worden voornamelijk gestoomd of licht gebakken.
De meeste restaurants serveren ook
gerechten uit Peking, die zijn gebaseerd op gefrituurde ingrediënten
en schotels uit Shanghai die meer
zetmeel, vet en specerijen bevatten.
Bij de lunch kunt u in veel
Kantonese restaurants heerlijke *dim
sum* eten, voornamelijk gestoomde
of gefrituurde meelballetjes.

Fung Shing

15 Lisle St WC2. **Kaart** 13 A2.
📞 *0171-437 1539.* **Open** *dag.
12.00-24.00 uur.* **Gesloten** *24-25 dec.*
🍴 *L & D.* 🏧 *AE, DC, MC, V.* €€

Volgens velen is Fung Shing het
beste restaurant van Chinatown.
De inrichting is duidelijk stijlvoller
dan u elders in de wijk zult aantreffen. Op het menu staan *Kantonese*
gerechten. De jachtschotels (stevige
stoofpotten in heerlijke bouillon)
zijn aan te bevelen.

Harbour City

46 Gerrard Street W1. **Kaart** 13 A2.
📞 *0171-439 7859.* **Open** *ma-do.
12.00-23.30 uur, vr, za 12.00-24.00
uur, zo 11.00-22.30 uur.* 🍴 *L.* 🚶
★ 🏧 *AE, DC, MC, V.* €€

Dit is een van de Chinese restaurants waar u uit zeer veel *dim sum-*
gerechten kunt kiezen. Het heeft
echter op de andere restaurants
een tweetal dingen voor: op de
menukaart staan alle gerechten ook
in het Engels uitgelegd en het personeel is er bijzonder vriendelijk.
Het aantal vegetarische gerechten
is beperkt, maar gezegd moet worden dat alles er zeer goed smaakt.

Jade Garden

15 Wardour St W1. **Kaart** 13 A2.
📞 *0171-437 5065.* **Open** *ma-za
12.00-23.45 uur, zo 11.30-23.00 uur.*
Gesloten *Kerstmis.* 🍴 *L & D.* 🚶
🏧 *AE, MC, V.* €€

Dit is lang een favoriet eethuis geweest waar Kantonezen *dim sum*
konden eten. De bediening is rustig en de *dim sum*, zoals kwarteleieren en garnalenballetjes, zijn
van de beste kwaliteit. Probeer de
visschotels op het à la carte menu.

Magic Wok

100 Queensway W2. **Kaart** 10 D2.
📞 *0171-792 9767 of 0171-221 9953.*
Open *dag. 12.00-23.00 uur.* 🍴 *L.*
V 🏧 *AE, DC, MC, V.* €€€

Magic Wok is een van de beste
Chinese restaurants in Queensway.
De lijst met specialiteiten bevat altijd interessante Kantonese gerechten. Gefrituurde krab met knoflook en chilipeper is een heerlijk
voorgerecht.

Memories of China

67-69 Ebury St SW1. **Kaart** 20 E1.
📞 *0171-730 7734.* **Open** *ma-za
12.00-14.00 uur, 19.00-22.45 uur.*
Gesloten *op feestdagen.* 🍴 *L & D.*
V & 🏧 *AE, DC, MC, V, JCB.* €€€

Dit restaurant leidt westerse gasten
door de belangrijkste Chinese keukens. De menu's tegen vaste prijzen laten u op een degelijke (en
dure) wijze kennismaken met regionale gerechten, aangepast aan
de westerse smaak.

New World

1 Gerrard Pl W1. **Kaart** 13 B2.
📞 *0171-434 2508.* **Open** *ma-za
11.00-0.30 uur, zo 11.00-23.00 uur.*
Gesloten *25-26 dec.* 🍴 *L & D.* V
🚶 & 🏧 *AE, DC, MC, V, JCB.* €€

Dit is een van de authentiekste
restaurants in Chinatown met *dim
sum* op de kaart. Het Engels van
het personeel is niet erg goed dus
is het vaak een verrassing wat u
krijgt, maar dit maakt het nu juist
leuk. Het uitgebreide menu is
even lang als de Chinese Muur en
bevat schotels voor volgzame en
avontuurlijke eters.

The Oriental

The Dorchester Hotel, Park La W1.
Kaart 12 D4. 📞 *0171-629 8888.*
Open *ma-vr 12.00-14.30 uur, za
19.00-23.00 uur.* 🍴 🚶 & 🚽 🏧
AE, DC, MC, V, JCB. €€€€€

Het Dorchester-hotel opende in
1991 vol zelfvertrouwen zijn Chinese
restaurant. Er werden bataljons vak-
bekwame chefs ingescheept om de
Kantonese gerechten zeer nauwkeurig klaar te maken. De dure ingrediënten en voortreffelijke presentatie worden door de deftige
clientèle zeer op prijs gesteld. Mis
de uitgebreide Chinese theemaaltijd
niet. Groepen van maximaal twaalf
personen kunnen een luxe eigen
zaal reserveren.

Verklaring van de symbolen *blz. 287*

Lichte maaltijden en snacks

Soms ontbreekt het geld en de tijd om uitgebreid te gaan eten. Gelukkig staat Londen vol gelegenheden waar u terecht kunt voor een eenvoudige, snelle en soms goedkope maaltijd. De adressen in dit overzicht zijn ideaal voor hongerige toeristen met een druk programma.

ONTBIJT

Als u de hele dag op stap gaat, kunt u niet buiten een goed ontbijt. Veel hotels (blz. 272-285) serveren ook ontbijt aan niet-hotelgasten. Hotels als **Simpson's-on-the-Strand** bieden geweldige Engelse ontbijten (blz. 288-289), waarin u bijvoorbeeld varkensneus met peterselie en uiensaus krijgt voorgezet. Als u liever een kopje thee met toast hebt, dan zijn er in de stad genoeg goedkope eettentjes waar u terecht kunt. U kunt ook een cappuccino met een croissant in een koffieshop nemen. Als u laat naar bed gaat of vroeg opstaat, kunt u terecht bij **Harry's**, die geopend is van 23.00 tot 6.00 uur. Verscheidene pubs rond Smithfield Market, waaronder de **Cock Tavern**, zijn van 5.30 uur af geopend.

KOFFIE EN THEE

Veel Londense warenhuizen hebben hun eigen lunchrooms. Het moderne Italiaanse **Emporio Armani Express** is het stijlvolst. Patisserieën als **Patisserie Valerie** en **Maison Berteaux** zijn een waar genoegen en hebben etalages waarvan het water in de mond loopt. Zeer luxe hotels als het **Ritz** en het **Brown's** (blz. 282) serveren potten thee, scones met jam en room, dunne sandwiches met komkommer en een overvloed aan cakes. Uitstekend gebak (en koffie) serveert de **Coffee Gallery**, dicht bij het British Museum. **Fortnum and Mason** (blz. 311) biedt zowel afternoon tea als high tea (een uitgebreidere maaltijd). De **Seattle Coffee Company** biedt drankjes uit de stad die nooit slaapt en de theesalon **Maids of Honour** in Kew serveert gebakjes die koning Hendrik VIII ook al at.

CAFÉS IN MUSEA EN THEATER-CAFÉS

In de meeste musea is een café aanwezig. In het café van het **British Museum** (blz. 126-129) kunt u tal van vegetarische schotels krijgen en het Café de Colombia in het Museum of Mankind (blz. 91) serveert uitstekende koffie. Als u het Young Vic Theatre bezoekt, proef dan het heerlijke, voedzame gebak van Konditor & Cook. Ook in het Arts Theatre Café worden uitstekende hapjes geserveerd.

DINERS

Londen staat vol diners waar u hamburgers, friet, gebraden kip, appeltaart, milkshakes en cola kunt krijgen. **Fatboy's Diner** is een authentieke Amerikaanse trailer uit de jaren veertig. In de **Rock Island Diner** springt het personeel op de tafel om rock-and-rollnummers te dansen. Geniet van de smakelijke hamburgers en de leuke sfeer in de zaken van **Ed's Easy Diner**.

PIZZA EN PASTA

Italiaans fast food is overal in Londen verkrijgbaar. De beste pizza-keten is **Pizza Express**. Ga naar de zaak die op blz. 122 wordt genoemd of naar **Kettners** (blz. 109). Voor pasta's kunt u naar **Centrale, Lorelei** en **Pollo**. Deze zijn sfeervol en bieden zeer goede kwaliteit.

SANDWICHBARS

Veel Londenaren gebruiken de lunch in een sandwichbar. Onder de talloze sandwichbars in Londen, zijn er een paar uitstekende, zoals de talrijke vestigingen van **Prêt à Manger** en **Aroma**, met bijzondere en smakelijke sandwiches.

FISH AND CHIPS

Dit is een typisch Engelse lekkernij. Ga naar 'chippies' voor gefrituurde vis en dikke frieten, overladen met zout en azijn. Van oudsher eet men hier zachte broodjes en zure uien bij. Wilt u iets luxe-euzer eten, ga dan naar een restaurant waar u verse vis kunt krijgen zoals tong, schar, rog en kabeljauw. De beste adressen zijn de **Sea Shell Faulkner's** en de **Upper Street Fish Shop**.

BARS

Als u iets wilt drinken, dan is de pub natuurlijk de aangewezen plaats (zie blz. 308-309). U kunt ook naar een hotel gaan, zoals het **Claridge's** om u in een comfortabele leunstoel in de foyer te ontspannen, terwijl de ober de drankjes brengt. Bij wijnbars kunt u terecht voor snacks, een maaltijd of, alleen een glas wijn. De **Cork and Bottle** is populair en altijd vol; goed voor een snack, een maaltijd of een glas wijn. In Old Compton street in Soho is een groot aantal homobars, waar ook hetero's welkom zijn. Er staan tafeltjes op straat en er hangt een levendige sfeer. Een gemengd publiek vindt u bij **Freedom** en bij **Mondo**, beide vol met mooie mensen, luide house-muziek en prijzige drankjes. Er is ook een aantal nieuwe stijlvolle heterobars in Londen, zoals **Ny-lon, Detroit** en **R Bar**. Als u dol bent op rum: het Afro-Caribische **Cottons** (blz. 303) en **Brixtonian** (blz. 302) hebben een ruime keuze.

BRASSERIEËN

Terwijl Londen vroeger strikte tijden hanteerde voor ontbijt, lunch en diner, kan er nu voortdurend worden gegeten. Brasserieketens als het stijlvolle **Dôme** en **Café Rouge** komt u het meeste tegen, maar ook onafhankelijke brasserieën zijn uitstekend, zoals **Boulevard**, een van de beste.

INTERNET-CAFÉS

In cybercafés nemen computerfreaks een hapje tussen het surfen op Internet door. **Cyberia Cyber Café** ligt in Fitzrovia en **Café Internet** bij Victoria in de buurt.

HAPJES OP STRAAT

Geroosterde kastanjes zijn een lekkernij in de herfst. In iedere straat vindt u kramen waar u ingemaakte garnalen, krab, wulken en paling in gelei kunt kopen die u meteen kunt opeten. In Camden Lock en Spring Fields kunt u falafels (broodje met kruidige salade), kipsaté, vegetarische burgers en honingballen krijgen. In het Londense East End vindt u joodse bakkers zoals **Brick Lane Beigel Bake** en **Ridley Bagel Bakery** die 24 uur per dag open zijn. Hoewel het weer in Londen niet naar ijs doet verlangen, is het toch goed te weten dat **Marine Ices** het beste ijs van de stad verkoopt.

PIE AND MASH

*U zult pie and mash-*zaken niet in chique buurten aantreffen, maar ze zijn interessant vanwege de echte cockney-sfeer. Voor een paar pond krijgt u hier paling met aardappels, of vleespastei met puree en groene peterseliesaus. Deze hoort u met azijn te eten en met thee weg te spoelen. **F Cooke and Sons** is een bezoek waard.

ADRESSEN

ONTBIJT

Cock Tavern
East Poultry Market, Smithfield Market EC1.
Kaart 6 F5.

Harry's Bar
19 Kingly St W1.
Kaart 12 F2.

Simpson's
100 Strand WC2.
Kaart 13 C2.

KOFFIE EN THEE

Brown's Hotel
Albermarle St W1.
Kaart 12 F3.

Coffee Gallery
23 Museum St WC1.
Kaart 13 B1.

Emporio Armani Express
191 Brompton Rd SW3.
Kaart 19 B1.

Fortnum and Mason
181 Piccadilly W1.
Kaart 12 F3.

Maids of Honour
288 Kew Rd, Richmond.

Maison Bertaux
28 Greek St W1.
Kaart 13 A1.

Patisserie Valerie
215 Brompton Rd SW3.
Kaart 19 B1.

Ritz
Piccadilly W1. Palm Court. Ritz Bar.
Kaart 12 F3.

Seattle Coffee Co.
51-54 Long Acre WC2.
Kaart 13 B2.

MUSEUM- EN THEATER-CAFÉS

Arts Theatre Café
6 Great Newport St WC2.
Kaart 13 B2.

British Museum
Great Russel St WC1.
Kaart 5 B5.

Café de Colombia
Museum of Mankind, 6 Burlington Gardens W1.
Kaart 12 F3.

Konditor & Cook
Young Vic Theatre, 66 The Cut SE1.
Kaart 14 E4.

DINERS

Ed's Easy Diner
12 Moor St W1. **Kaart** 13 B2.
Een van de zaken van een keten.

Fatboy's Diner
21-22 Maiden La WC2.
Kaart 13 C2.

Rock Island Diner
2nd Floor, London Pavilion, Piccadilly Circus W1.
Kaart 13 A3.

PIZZA EN PASTA

Centrale
16 Moor St W1.
Kaart 13 B2.

Kettners
(Pizza Express) 29 Romilly St W1. **Kaart** 13 A2.

Lorelei
21 Bateman St W1.
Kaart 13 A2.

Pizza Express
30 Coptic St WC1.
Kaart 13 B1. *Een van de zaken van een keten.*

Pollo
20 Old Compton St W1.
Kaart 13 A2.

SANDWICHBARS

Aroma
1b Dean St W1. **Kaart** 13 A1.
Een van de vestigingen.

Prêt à Manger
421 Strand WC2.
Kaart 13 C3.
Een van de vele vestigingen.

FISH AND CHIPS

Faulkner's
424-426 Kingsland Rd E8.

Sea Shell
49-51 Lisson Grove NW1.
Kaart 3 B5.

Upper St Fish Shop
324 Upper St N1.
Kaart 6 F1.

BARS

Claridge's
Brook St W1.
Kaart 12 E2.

Cork and Bottle
44-46 Cranbourn St WC2.
Kaart 13 B2.

Detroit
35 Earlham St WC2.
Kaart 13 B2.

Freedom
60-66 Wardour St W1.
Kaart 13 A2.

Mondo
12-13 Greek St W1.
Kaart 13 A2.

Ny-lon
84-86 Sloane Ave SW3.
Kaart 19 B2.

R Bar
4 Sydney St SW 3.
Kaart 19 A3.

BRASSERIEËN

Boulevard
38-40 Wellington St WC2. **Kaart** 13 C2.

Café Rouge
27 Basil St SW3.
Kaart 11 C5.

Dôme
34 Wellington St WC2.
Kaart 13 C2.

INTERNET-CAFÉS

Café Internet
22-24 Buckingham Palace Rd SW1.
Kaart 20 E2.

Cyberia Cyber Café
39 Whitfield St W1.
Kaart 4 F4.

HAPJES OP STRAAT

Brick Lane Beigel Bake
159 Brick La E1.
Kaart 8 E5.

Marine Ices
8 Haverstock Hill NW3.

Ridley Bagel Bakery
13-15 Ridley Rd E8.

PIE AND MASH

F Cooke and Sons
41 Kingsland High St E8.

Londense pubs

P*ublic houses* of *pubs* waren oorspronkelijk daadwerkelijk huizen waar het publiek kon eten, drinken en overnachten. Grote herbergen met binnenplaatsen, zoals de **George Inn** *(blz. 176)* en de **City Barge,** waren ooit haltes voor postkoetsen. Sommige pubs staan op een plek waar eeuwen geleden al een bierhuis stond, zoals de **Ship** en de **Lamb and Flag** *(blz. 116)* en de **City Barge** *(blz. 256)*. Maar veel fraaie pubs dateren uit het einde van de 19de eeuw, toen de *gin palaces* werden geopend. Zij ontsnapten Londenaars aan de ellende van de sloppenwijken (de **Salisbury**, de **Tottenham** en de **Princess Louise**). **Crockers**, vlak bij Little Venice *(blz. 262-263)*, is waarschijnlijk het mooiste nog bestaande *gin palace* in Londen.

REGELS EN AFSPRAKEN

Pubs zijn geopend van maandag tot en met zaterdag van 11.00-23.00 uur en op zondag van 12.00-22.30 uur, maar sommige zijn 's middags of vroeg op de avond en in het weekeinde gesloten. U moet ten minste 18 jaar oud zijn om hier alcoholhoudende drank te mogen kopen of drinken. Kinderen onder de 14 mogen alleen met een volwassene naar pubs. Fooien geven is ongebruikelijk, tenzij u uw bestelling aan tafel krijgt geserveerd. Vijf minuten voor de pub sluit kunt u uw laatste bestelling doen. Dan wordt er 'time' geroepen, waarna u nog tien minuten hebt om uw glas leeg te drinken.

ENGELS BIER

De meeste tradtionele Engelse biersoorten zijn verkrijgbaar in verschillende alcoholpercentages en smaken. Het spectrum van gebotteld bier loopt van 'light' ale, 'pale', 'brown' en 'old' tot de bijzonder sterke 'barley wine'. Shandy, een mengsel van 'lager' en limonade is zoeter en bevat minder alcohol. Er is een ruime sortering aan 'real ale' verkrijgbaar in de Londense pubs. Sommige pubs die 'real ale' schenken, zoals de **Sun** in Bloomsbury, hebben een interieur zonder opsmuk met kale houten vloeren en tafels. Serieuze bierdrinkers moeten ook eens naar 'Free Houses' gaan, pubs die niet aan een brouwerij zijn verbonden. De belangrijkste Londense brouwerijen zijn Young's (probeer het sterke 'Winter Warmer'-bier) en Fuller's. Kleine brouwerijen komen niet veel voor, maar de **Orange Brewery** biedt niet alleen een prima *pint* en uitstekend eten, maar ook rondleidingen.

ANDERE DRANKEN

Cider is een andere traditionele Engelse drank die u in iedere Londense pub aantreft. Het wordt van appels gemaakt en is verkrijgbaar in diverse alcoholgehalten. Een echte Londense drank is gin, die men gewoonlijk met tonic drinkt. 's Winters schenkt men ook wel bisschopwijn (warm en gekruid) of warme *toddies* (brandy of whisky met heet water en suiker). Daarnaast zijn er vanzelfsprekend sapjes en mineraalwatertjes.

ETEN IN DE PUB

De afgelopen jaren heeft eten in de pub een revolutie doorgemaakt. Er is nog een groot aantal waar tijdens lunchtijd de traditionele maaltijden worden geserveerd, zoals Ploughman's Lunch (kaas, salade en brood), Shepherd's Pie of roastbeef op zondag *(zie 288-289)*, maar er komen steeds meer pubs die avontuurlijker avondmaaltijden serveren. **Chapel**, **Cow**, **Eagle**, **Engineer**, **Crown and Goose**, **Fire Station**, **Lansdowne** en **Prince Bonaparte** zijn de beste. Van tevoren boeken is noodzakelijk.

HISTORISCHE PUBS

Bijna iedere pub in Londen heeft een boeiend verleden. Soms vindt u in de gebouwen middeleeuwse gelagkamers met balken, extravagante 19de-eeuwse versieringen of een magnifiek interieur in de Arts and Crafts-stijl, zoals in de **Black Friar**. In de **Bunch of Grapes** (SW3) is de bar voorzien van 'snobscreens', schermen die er vroeger voor zorgden dat de mensen uit de hoogste standen zich niet onder hun bedienden hoefden te mengen als ze iets wilden drinken. Het 16de-eeuwse **King's Head and Eight Bells** staat vol antiek. Veel pubs hebben sterke banden met literatoren, zoals de **Fitzroy Tavern** *(blz. 131)*, **Ye Olde Cheshire Cheese** *(blz. 140)* en de **Trafalgar Tavern** *(blz. 238)*. De **Bull and Bush** speelt in de literaire wereld niet zo'n grote rol maar werd wel bezongen in een variététlied. Andere pubs hebben een geweldadiger verleden. Zo werden slachtoffers van Jack the Ripper vlak bij de **Roebuck** en de **Ten Bells** gevonden. De 18de-eeuwse struikrover Dick Turpin dronk tussen de berovingen door zijn glas in de **Spaniards Inn** in Noord-Londen *(blz. 231)* en de **French House** *(blz. 109)* in Soho was in de Tweede Wereldoorlog een ontmoetingsplaats van mensen uit het Franse verzet.

PUBS EN BARS MET EEN THEMA

Pubs met een thema zijn een nieuw fenomeen. 'Ierse' pubs zoals **Filthy McNasty's** en **Waxy O'Connor's** trekken niet veel mensen van het Groene Erin, maar er wordt genoeg gedronken om ze geloofwaardigheid te verlenen. 'Australische' bars, zoals **Sheila's**, behoren tot dezelfde groep. Sportbars hebben nog echt niet tot de verbeelding gesproken. Het **Sports Café** in de buurt van Piccadilly heeft drie bars, een dansvloer en 120 tv's met de satellietnetten erop.

BUITEN DRINKEN

Er zijn in het centrum van Londen weinig pubs met tuinen of binnenplaatsen. De beste van deze pubs vindt u buiten het centrum. De **Freemasons Arms** beschikt over een aangename tuin en in de **Bunch of Grapes** in Southwark zijn ook gezinnen welkom. Sommige pubs liggen aan de Thames maar een uitzicht over de rivier. Van de **Grapes** tot aan de **White Cross** in Richmond kunt u kiezen uit tal van dergelijke pubs.

PUBS MET AMUSEMENT

Veel Londense pubs bieden amusement. Er worden theatervoorstellingen gegeven in de **King's Head**, de **Bush**, de **Latchmere** en de **Prince Albert**.
In andere pubs wordt live-muziek gespeeld (*blz. 333-335*): Engelse folk in de **Archway Tavern**; moderne jazz in de **Bulls Head** en allerlei soorten muziek in de populaire **Mean Fiddler**, die regelmatig vol is.

NAMEN VAN PUBS

In 1393 besloot koning Richard II dat het struikgewas dat men in die tijd voor de ingang van pubs placht te laten groeien, moest worden vervangen door een uithangbord. De meeste mensen konden niet lezen, dus werden er symbolen gekozen: wapenschilden (Freemasons' Arms), historische figuren (Princess Louise) of heraldieke dieren (White Lion).

ADRESSEN

Verklaring van de symbolen:
🎭 pub met podium of speciale zaal voor live-optredens (bel voor informatie)
🍴 biedt meer dan alleen de gebruikelijke snacks
🎵 regelmatig livemuziek (bel voor informatie)
🌳 ruimte buiten waar kan worden gedronken

SOHO, TRAFALGAR SQUARE

French House
49 Dean St W1.
Kaart 13 A2. 🍴

Sports Café
80 Haymarket SW1.
Kaart 13 A3.

Tottenham
6 Oxford St W1.
Kaart 13 A1.

Waxy O'Connor's
14-16 Rupert St W1.
Kaart 13 A2.

COVENT GARDEN, STRAND

Lamb and Flag
33 Rose St WC2.
Kaart 13 B2. 🍴

Salisbury
90 St Martin's Lane
WC2. **Kaart** 13 B2.

Sheila's
14 King St WC2.
Kaart 13 B2.

BLOOMSBURY, FITZROVIA

Fitzroy Tavern
16 Charlotte St W1.
Kaart 13 A1. 🍴

HOLBORN

Ye Olde Cheshire Cheese
145 Fleet St EC4.
Kaart 14 E1. 🍴

THE CITY, CLERKENWELL

Black Friar
174 Queen Victoria St EC4.
Kaart 14 F2.

Eagle
159 Farringdon Rd EC1.
Kaart 6 E4. 🍴

Filthy McNasty's
68 Armwell St EC1.
Kaart 6 E3.

Ship
23 Lime St EC3. **Kaart** 15 C2.

Ten Bells
84 Commercial St E1.
Kaart 16 E1.

SOUTHWARK

Bunch of Grapes
St Thomas St SE1.
Kaart 15 C4. 🌳 🍴

Fire Station
150 Waterloo Rd SE1.
Kaart 14 E4. 🍴

George Inn
77 Borough High St SE1.
Kaart 15 B4. 🌳 🍴

CHELSEA, SOUTH KENSINGTON

Chapel
48 Chapel St NW1.
Kaart 3 B5. 🍴

King's Head and Eight Bells
50 Cheyne Walk SW3.
Kaart 19 A5. 🍴

Orange Brewery
37 Pimlico Rd SW1.
Kaart 20 D2. 🍴

CAMDEN TOWN, HAMPSTEAD

Bull and Bush
North End Way NW3.
Kaart 1 A3.

Crown and Goose
100 Arlington Rd NW1.
Kaart 4 F1. 🍴

Engineer
65 Gloucester Ave NW1.
Kaart 4 D1. 🌳 🍴

Freemasons Arms
32 Downshire Hill NW3.
Kaart 1 C5. 🌳

Landsdowne
90 Gloucester Ave NW1.
Kaart 4 D1. 🍴

Spaniards Inn
Spaniards Rd NW3.
Kaart 1 A3. 🌳

NOTTING HILL, MAIDA VALE

Crockers
24 Aberdeen Pl NW8.

Cow
89 Westbourne Park Rd
W11. **Kaart** 23 C1. 🌳 🍴

Prince Albert
11 Pembridge Rd W11.
Kaart 9 C3. Gate Theatre:
📞 0171-229 0706. 🎭

Prince Bonaparte
80 Chepstow Rd W2.
Kaart 9 C1. 🍴

BUITEN HET CENTRUM

Archway Tavern
1 Archway Close N19. 🎵

Bull's Head
373 Lonsdale Rd SW13. 🎵

Bush
Shepherd's Bush Green
W12. Theatre: 📞 0181-743 3388. 🎭

City Barge
27 Strand-on-the-Green
W4. 🌳 🍴

Grapes
76 Narrow St E14. 🌳

King's Head
115 Upper St N1. **Kaart** 6
F1. Theatre 📞 0171-226
1916. 🎭 🎵 🍴

Latchmere
503 Battersea Park Rd
SW11. Grace Theatre
📞 0171-228 2620. 🎭

Mean Fiddler
28a High St NW10. 🎵

Roebuck
27 Brady St E1.

Trafalgar Tavern
Park Row SE10.
Kaart 23 C1. 🎵 🍴

White Cross
Cholmondeley Walk,
Richmond. 🌳 🍴

WINKELEN

Tassen van twee winkels in West End

Londen is een van de aangenaamste steden ter wereld om te winkelen. Er zijn wijken waar u op een paar minuten loopafstand zowel grote warenhuizen kunt aantreffen als kleine volgepropte winkeltjes waarbij één klant bijna de hele zaak vult. In de wijk Knightsbridge en in Regent Street staan heel wat van de beroemdste Londense winkels. Deze zijn dikwijls wel erg duur. Oxford Street is ook een echte winkelstraat. Overal in Londen treft u talloze in kleine zijstraatjes verscholen winkeltjes aan. Vergeet ook de markten niet waar u antieke en handgemaakte voorwerpen, huishoudelijke artikelen, levensmiddelen en kleding kunt kopen. In Londen is praktisch alles verkrijgbaar. Specialiteiten zijn: kleding (van Burberry-regenjassen en traditionele tweedkleding tot modieuze tweedehandskleding), parfums en zeep, kunst en antiek, en handgemaakte sieraden, keramiek en lederwaren.

OPENINGSTIJDEN

In het centrum van Londen gaan de meeste winkels tussen 9.00 en 10.00 uur open en ze sluiten op werkdagen tussen 17.00 en 18.00 uur. In Oxford Street en de rest van het West End is het op donderdag 'koopavond' (tot 19.00 of 20.00 uur) en in Kingbridge en Chelsea op woensdag. Sommige winkels in de toeristische wijken als Covent Garden *(blz. 110-119)* en de Trocadero zijn iedere dag tot 19.00 uur of later geopend, ook op zondag. Sommige markten en een geleidelijk toenemend aantal winkels zijn ook op zondag geopend.

HOE BETALEN

De meeste winkels accepteren de volgende creditcards: Access (Mastercard), American Express, Diners Club, Japanese Credit Bureau en Visa. Op sommige adressen worden ze echter niet geaccepteerd, met name in de winkels van John Lewis en Marks and Spencer en ook niet op markten en bepaalde kleinere winkels. Sommige zaken accepteren travellerscheques, vooral als ze zijn uitgeschreven in ponden. Voor andere valuta's is de wisselkoers minder gunstig dan bij een bank. U moet uw paspoort dan bij u hebben. Heel weinig winkels accepteren cheques van buitenlandse banken, met uitzondering van eurocheques.

RECHTEN EN SERVICE

Mocht er iets aan de door u gekochte goederen mankeren, dan krijgt u gewoonlijk uw geld terug als u bij het terugbrengen van het gekochte het bonnetje van aankoop kunt overleggen. Dit gaat echter niet altijd op voor artikelen die u heeft gekocht in de uitverkoop. De meeste grote winkels en ook sommige kleine zullen gekochte goederen voor u inpakken en verzenden naar elk gewenst adres ter wereld.
Voor ernstige klachten kunt u terecht bij het Citizen's Advice Bureau, 31 Wellington Street WC2.

UITVERKOOP

De traditionele uitverkoop, de *sales*, wordt van januari tot februari en van juni tot juli gehouden. Vrijwel iedere winkel verlaagt dan zijn prijzen en houdt uitverkoop van spullen waaraan wat mankeert of waar normaal gesproken weinig vraag naar is. In de warenhuizen vindt u enkele van de beste koopjes. De uitverkoop in het warenhuis **Harrod's** *(blz. 207)* is zeer beroemd. Lang voordat de winkel voor de uitverkoop open gaat, staan de mensen voor de deur in lange rijen te wachten.

De met edwardiaanse tegels verfraaide levensmiddelenafdelingen van Harrod's

WARENHUIZEN: EEN SELECTIE

Harrods is met zijn 300 afdelingen en 4000 personeelsleden van oudsher de koning van de warenhuizen. In dit warenhuis is echt alles te koop en de prijzen zijn er lang niet altijd zo hoog als u zou verwachten. In de spectaculaire levensmiddelenafdeling, de Foodhalls, die is verfraaid met edwardiaanse tegels, vindt u de meest exquise delicatessen waaronder allerlei exotische vissoorten, kazen, en groente- en fruitsoorten. Andere specialiteiten van Harrods zijn: kleding voor alle leeftijden, porselein en glas, elektronica en keukengerei. Er is ook een kapper en een schoonheidssalon.
Hoewel Harrods nog altijd zeer populair is, vooral bij de welgestelde bezoekers, gaan Londenaars vaak naar het nabijgelegen **Harvey Nichols**, dat er naar streeft om van alles het beste te hebben, met bijbehorende prijskaartjes. De kleding is een bijzonder sterk punt met de nadruk op *haute couture*, waarbij veel getalenteerde Engelse, Europese en Amerikaanse namen vertegenwoordigd zijn. De levensmiddelenafdeling, die in 1992 werd geopend, is een van de stijlvolste in Londen. Het warenhuis bezit ook een interessante cadeauafdeling.
In het enorme gebouw van **Selfridge's** in Oxford Street komt u alles tegen, van tassen van Gucci en sjaals van Hermès tot huishoudelijke artikelen en beddegoed. **Miss Selfridge's**, de populaire keten voor mode voor het grote publiek, is ook in dit warenhuis gevestigd.
De oorspronkelijke **John Lewis** was een manufacturier en u kunt in zijn winkel nog altijd een fantastische collectie aan stoffen en fournituren

aantreffen. John Lewis en zijn bekende partner op Sloane Square, Peter Jones, zijn heel populair bij de Londenaars om hun porselein, glaswerk en huishoudelijke artikelen. **Liberty** *(blz. 109)*, het laatste particulier beheerde warenhuis van Londen, verkoopt nog steeds de zijden kledingstukken en andere oostdingse artikelen waar deze uit 1875 daterende zaak zo beroemd om is. Ga vooral naar de vermaarde afdeling met sjaals. De levensmiddelenafdeling op de begane grond van **Fortnum and Mason's** maakt een zo overweldigende indruk dat de afdelingen op

Portier bij Fortnum and Mason

de hogere verdiepingen, waar u onder andere klassieke mode aantreft, enigszins tegenvallen. De levensmiddelenafdeling heeft alles in voorraad, van witte bonen in tomatensaus tot schitterend klaargemaakte manden met allerlei heerlijke etenswaar.

Enkele van de bekendste hedendaagse Engelse couturiers

WARENHUIZEN

Fortnum and Mason
181 Piccadilly W1. **Kaart** 12 F3.
☎ *0171-734 8040.*

Harrods
87-135 Brompton Rd SW1.
Kaart 11 C5.
☎ *0171-730 1234.*

Harvey Nichols
109-125 Knightsbridge SW1.
Kaart 11 C5.
☎ *0171-235 5000.*

John Lewis
278-306 Oxford St W1. **Kaart** 12 E1.
☎ *0171-629 7711.*

Liberty
210-220 Regent St W1. **Kaart** 12 F2.
☎ *0171-734 1234.*

Selfridge's
400 Oxford St W1. **Kaart** 12 D2.
☎ *0171-629 1234.*

MARKS AND SPENCER

Marks and Spencer is enorm opgeklommen sinds de Russische emigrant Michael Marks in 1882 een kraam had op de Kirkgate Market in Leeds met het opschrift 'Vraag niet naar de prijs – het kost een penny!'. Er zijn nu meer dan 680 Marks and Spencer-winkels over de hele wereld. Er worden alleen artikelen verkocht van 'eigen merk'. De levensmidelenafdeling is volledig geconcentreerd op duurdere kant-en-klaar-maaltijden. De belangrijkste vestigingen in Oxford Street bij het Pantheon (vlak bij Oxford Circus) en Marble Arch zijn het interessantst en zeer goed bevoorraad.

Penhaligon's voor parfums

Winkelstraten en markten: een selectie

U vindt in Londen tal van buurten met winkelstraten, variërend van het stijlvolle Knightsbridge, waar u porselein, sieraden en *haute couture*-kleding kunt kopen tegen de hoogste prijzen, tot kleurrijke markten zoals Brick Lane en Portobello Road voor koopjesjagers. De Londense markten weerspiegelen de ondernemingszin van de Londense bevolking. Liefhebbers van speciaalzaken komen ook uitstekend aan hun trekken. U vindt hier straten boordevol antiekwinkels, antiquarische boekhandels en kunstgaleries. Op bladzijde 316-322 leest u meer bijzonderheden over dit soort winkels.

Kensington Church Street
De kleine boek- en meubelwinkels in deze kronkelige straat bieden nog ouderwetse service. (blz. 321)

Portobello
Meer dan 200 kramen verkopen kunstvoorwerpen, sieraden, medailles, schilderijen en zilverwerk plus verse groente en fruit. (blz. 323)

Kensington en Holland Park

South Kensington en Knightsbridge

Regent's Park en Marylebone

Zie inzet kaart

Piccadi en St James

Chelsea

Knightsbridge
De Rolls-Royce en de bontjas regeren nog steeds in deze zeer deftige winkelbuurt.
(blz. 311)

King's Road
King's Road, in de jaren zestig en zeventig een centrum voor avantgardemode, is nog steeds een populaire winkelstraat. U vindt hier ook een goede antiekmarkt. (blz. 192)

WINKELS IN HET WEST END

Oxford Street wordt ook wel de *High Street* van Londen genoemd. Veel van de winkels in deze straat maken deel uit van een nationale of internationale keten. Ook vindt u hier de grote warenhuizen zoals Selfridge's en John Lewis evenals kleinere kleding- en souvenirwinkels. Ten zuiden van Oxford Street liggen Regent Street, Piccadilly en Bond Street. Het winkelende publiek is hier op zoek naar specifieke artikelen in de winkels voor merkkleding en accessoires, juwelen en kunst en antiek.

Brick Lane Market
In deze straat in East End is alles te koop, van oude boeken tot nieuwe sportschoenen. (blz. 322)

0 kilometer 1

0 mijl 0.5

Gabriel's Wharf
Deze kade is omgebouwd tot kleine winkeltjes die kunst, sieraden en handgemaakte voorwerpen verkopen. (blz. 187)

Petticoat Lane
Deze beroemdste markt van Londen verkoopt lederwaren, kleding, horloges, sieraden en speelgoed. (blz. 323)

Charing Cross Road
In deze straat staan propvolle winkels die oude en nieuwe boeken verkopen. (blz. 316)

Covent Garden en Neal Street
Artiesten geven voorstellingen op deze markt. De gespecialiseerde zaken in Neal Street zijn vlak in de buurt. (blz. 115)

Kleding

Wie in Londen kleding wil kopen treft een onuitputtelijke verscheidenheid aan stijlen, prijsklassen en kwaliteit aan. Rond Knightsbridge, Bond Street en Chelsea vindt u 's werelds topcouturiers, evenals de bekende winkelketens Benetton en The Gap. Maar het is vooral de typisch Engelse stijl die Londen tot zo'n fantastische stad maakt om kleding te kopen. De Engelse ontwerpers munten uit in zowel de traditionele maatkleding als in vrijetijdskleding of *street fashion*.

TRADITIONELE KLEDING

Voor de ruige plattelandsstijl kunt het beste naar de wijk rond Regent Street en Piccadilly. Barbour-jassen zijn verkrijgbaar bij **Farlow's** *(Royal Opera Arcade, blz. 92)* in Pall Mall en paardrij-accessoires bij **Swaine Adeney**. **Kent and Curwen** is hèt adres voor crickettruien en **Captain Watts** voor zeemanstruien en oliejassen. **The Scotch House** in Knightsbridge verkoopt traditionele Schots geruite kleding, kasjmieren sjaals, truien van de Aran Eilanden en sjaals van Shetlandwol.
Klassieke stads- en zakelijke kleding is een andere specialiteit van deze wijk. **Burberry** verkoopt de beroemde trenchcoats. Bij **Hackett** vindt u traditionele herenmaatkleding. In Jermyn Street kunt u zich een overhemd laten aanmeten of iets redelijker geprijsde shirts uit voorraad uitzoeken. Veel kleermakers verkopen tegenwoordig ook klassieke damesblouses. **Liberty** *(blz. 109)* gebruikt zijn stoffen voor sjaals, stropdassen, blouses en bijzondere denimjasjes. **Laura Ashley** is ook vermaard om haar gebloemde jurken en blouses met ruches. In Savile Row ten slotte zijn enkele van de beste kleermakers gevestigd, waaronder de beroemde **Gieves and Hawkes**.

VRIJETIJDSKLEDING EN HAUTE COUTURE

Londen is een van de belangrijkste steden ter wereld op het gebied van vrijetijdskleding *(street fashion)*. De eigenzinnige **Vivienne Westwood** heeft in Groot-Brittannië de *Fashion Designer of the Year Award* (1991) gewonnen. Andere extravagante Engelse couturiers vindt u bij **Browns**. Ga voor gangbaarder stijlen naar de zaken rond Newburgh Street, in West Soho, zoals bijvoorbeeld de befaamde **The Duffer of St George** voor herenmode. Nieuwe ontwerpers beginnen vaak in **Hyper Hyper** of op **Kensington Market** waar aparte kleding wordt verkocht. **Top Shop** en **Mash** in Oxford Street zijn experts in het namaken van *street fashion* tegen lage prijzen. Wat de Engelse *haute couture* betreft is **Paul Smith** een van de betere zaken voor mannen. Vrouwen kunnen terecht bij **Browns, Whistles, Jasper Conran, Katherine Hamnett** en **Caroline Charles**.

GEBREIDE KLEDING

Groot-Brittannië is vermaard om zijn gebreide kleding. U slaagt het beste bij de zaken in Piccadilly, zoals **N Peal**, Regent Street en Knightsbridge. Topontwerpers als **Patricia Roberts** en **Joseph Tricot** en kleine winkels als **Jane and Dada** verkopen zeer bijzondere en vernieuwende machinaal gebreide of handgebreide creaties.

KINDERKLEDING

U vindt traditionele met de hand gesmokte jurkjes en kruippakjes bij **Liberty**, **Young England** en **The White House**, die kleding

OMREKENTABEL

Kinderkleding

Engels	2–3	4–5	6–7	8–9	10–11	12	14	14+ (jaar)
Amerikaans	2–3	4–5	6–6X	7–8	10	12	14	16 (maat)
Europees	2–3	4–5	6–7	8–9	10–11	12	14	14+ (jaar)

Kinderschoenen

Engels	7	8	9	10	11	12	13	1	2
Amerikaans	7½	8½	9½	10½	11½	12½	13½	1½	2½
Europees	24	25½	27	28	29	30	32	33	34

Damesjurken, -jassen en rokken

Engels	6	8	10	12	14	16	18	20
Amerikaans	4	6	8	10	12	14	16	18
Europees	38	40	42	44	46	48	50	52

Damestruien en blouses

Engels	30	32	34	36	38	40	42
Amerikaans	6	8	10	12	14	16	18
Europees	40	42	44	46	48	50	52

Damesschoenen

Engels	3	4	5	6	7	8
Amerikaans	5	6	7	8	9	10
Europees	36	37	38	39	40	41

Herenkostuums

Engels	34	36	38	40	42	44	46	48
Amerikaans	34	36	38	40	42	44	46	48
Europees	44	46	48	50	52	54	56	58

Herenoverhemden

Engels	14	15	15½	16	16½	17	17½	18
Amerikaans	14	15	15½	16	16½	17	17½	18
Europees	36	38	39	41	42	43	44	45

Herenschoenen

Engels	7	7½	8	9	10	11	12
Amerikaans	7½	8	8½	9½	10½	11	11½
Europees	40	41	42	43	44	45	46

verkopen in een nostalgische stijl, zoals jasjes en tweedmantels met fluwelen kragen. Bij **Trotters**, buiten Sloane Square, is alles verkrijgbaar, van schoenen tot pruiken.

SCHOENEN

Ook de Engelse schoenmakers blinken enerzijds uit in zeer traditionele en anderzijds zeer modieuze ontwerpen. **Church's Shoes** is hèt adres voor brogues en *oxfords* (lage rijgschoenen). Ga voor handgemaakt klassiek schoeisel naar **John Lobb**, de schoenmaker van de koninklijke familie. **Shelly's** verkoopt daarentegen functionele, modieuze *Dr Martens*, die oorspronkelijk waren ontworpen als sterke werkschoenen, maar nu dè schoenen zijn om in gezien te worden. **Red or Dead** ontwerpt en maakt zeer extravagante schoenen en kleding. Elegante schoenen vindt u bij **Johnny Moke** in King's Road en **Emma Hope** in Oost-Londen. Bent u op zoek naar exclusievere damesschoenen, ga dan naar **Manolo Blahnik**. De ontwerpen bij **Hobbs** en **Pied à Terre** zijn goedkoper en minder exclusief maar vaak net zo origineel.

ADRESSEN

TRADITIONEEL

Burberry
18-22 Haymarket SW1.
Kaart 13 A3.
0171-734 4060.
Een van twee zaken.

Captain Watts
7 Dover St W1.
Kaart 12 E3.
0171-493 4633.

Gieves & Hawkes
1 Savile Row W1.
Kaart 12 E3.
0171-434 2001.

Hackett
87 Jermyn St SW1.
Kaart 13 A3.
0171-930 1300.
Deel van een keten.

Kent and Curwen
39 St James's St SW1.
Kaart 12 F3.
0171-409 1955.

Laura Ashley
256-258 Regent St W1.
Kaart 12 F1.
0171-437 9760.
Deel van een keten.

The Scotch House
2 Brompton Rd SW1.
Kaart 11 C5.
0171-581 2151.
Deel van een keten.

Swaine Adeney
185 Piccadilly W1.
Kaart 12 F3.
0171-409 7277.

VRIJE TIJD/ HAUTE COUTURE

Browns
23-27 South Molton St
W1. **Kaart** 12 E2.
0171-491 1230.
Deel van een keten.

Caroline Charles
56-57 Beauchamp Pl SW3.
Kaart 19 B1.
0171-589 5850.

The Duffer of St George
27 D'Arblay St W1.
Kaart 13 A2.
0171-439 0996.

Hyper Hyper
26-40 Kensington High St
W8. **Kaart** 10 D5.
0171-938 1515.
Een van twee zaken.

Jean-Paul Gaultier
171-175 Draycott Ave SW3
Kaart 19 B2.
0171-584 4648.

Katherine Hamnett
20 Sloane St SW1.
Kaart 11 C5.
0171-823 1002.

Kensington Market
49-53 Kensington High St
W8. **Kaart** 10 D5.
0171-938 4343.

Mash
73 Oxford St W1.
Kaart 13 A1.
0171-434 9609.

Koh Samui
50 Monmouth St WC2.
Kaart 13 B2.
0171-240 4280.

Nicole Fahri
158 New Bond St W1.
Kaart 12 E2.
0171-499 8368.

Paul Smith
41-44 Floral St WC2.
Kaart 13 B2.
0171-379 7133.

Top Shop
Oxford Circus W1.
Kaart 12 F1.
0171-636 7700.
Deel van een keten.

Vivienne Westwood
6 Davies St W1.
Kaart 12 E2.
0171-629 3757.

Whistles
12-14 St Christopher's Pl
W1. **Kaart** 12 D1
0171-487 4484.

GEBREIDE KLEDING

Jane and Dada
20-21 St Christopher's Pl
W1. **Kaart** 12 D1.
0171-486 0977.

Joseph Tricot
28 Brook St W1.
Kaart 12 E2.
0171-629 6077.

N Peal
Burlington Arcade,
Piccadilly, W1. **Kaart** 12 F3.
0171-493 9220.
Deel van een keten.

Patricia Roberts
60 Kinnerton St SW1.
Kaart 11 C5.
0171-235 4742.

KINDERKLEDING

Trotters
34 King's Rd SW3.
Kaart 19 C2.
0171-259 9620.

The White House
51-52 New Bond St W1.
Kaart 12 E2.
0171-629 3521.

Young England
47 Elizabeth St SW1.
Kaart 20 E2.
0171-259 9003.

SCHOENEN

Church's Shoes
163 New Bond St W1.
Kaart 12 E2.
0171-499 9449.
Deel van een keten.

Emma Hope
33 Amwell St EC1.
Kaart 6 E3.
0171-833 2367.

Hobbs
47 South Molton St W1.
Kaart 12 E2
0171-629 0750.
Deel van een keten.

Johnny Moke
396 King's Rd SW10.
Kaart 18 F4.
0171-351 2232.

John Lobb
9 St James's St SW1.
Kaart 12 F4.
0171-930 3664.

Manolo Blahnik
49-51 Old Church St,
Kings Road SW3.
Kaart 19 A4.
0171-352 8622.

Pied à Terre
19 South Molton St W1
Kaart 12 E2.
0171-493 3637.
Deel van een keten.

Red or Dead
33 Neal St WC2.
Kaart 13 B2.
0171-379 7571.
Deel van een keten.

Shelly's
19-21 Foubert's Pl,
Carnaby Street, W1.
Kaart 12 F2.
0171-287 0593.
Deel van een keten.

Speciaalzaken

Londen mag dan beroemd zijn om zijn grote warenhuizen, er zijn ook veel interessante speciaalzaken. Sommige daarvan kunnen bogen op ervaring en kennis van een eeuw of nog langer. Andere richten zich op alles wat nieuw en modieus is.

LEVENSMIDDELEN

Over het Engelse eten wordt meestal weinig goeds gezegd. Toch zijn er veel specialiteiten die u beslist eens moet proeven, zoals bijzondere theesoorten, kazen, chocolade, biscuits en nagerechten *(blz. 288-289)*. De levensmiddelenafdelingen van Fortnum and Mason, Harrods en Selfridge's zijn uitstekend gesorteerd. Ga ook eens naar **Paxton and Whitfield**, een aardige winkel, daterend uit 1830, die meer dan 300 kaassoorten verkoopt, waaronder kleine *Stiltons* en *Cheshire*-kazen. **Charbonnel et Walker** is het toppunt van extravagantie op het gebied van chocolade. Hoewel de naam anders doet vermoeden is dit een Engelse zaak. Alle bonbons worden hier met de hand gemaakt. **Bendicks** in Curzon Street verkoopt heerlijk bonbons van pure chocolade en chocolaatjes met pepermuntvulling.

THEE

Thee, de vermaardste drank van Groot-Brittannië, is in allerlei smaken verkrijgbaar, van de verfijnde buskruitthee tot de volle, sterke en donkere soorten voor bij het ontbijt. Het **Tea House** in Covent Garden verkoopt een interessant assortiment, waaronder soorten met een fruitsmaak. U kunt er ook leuke theepotten krijgen. In de **Algarian Coffee Stores** wordt meer thee dan koffie verkocht, waaronder kruiden- en vruchtentheeën. Maar de koffie is hier ook uitstekend.

EÉN ARTIKEL

Er zijn in Londen honderden bijzondere winkels die gespecialiseerd zijn in één bepaald artikel. Bij **The Bead Shop** is een enorme collectie kralen verkrijgbaar. **The Candle Shop** verkoopt kaarsen in elke mogelijk denkbare vorm en grootte en zaken als kandelaars en snuiters. Buiten de zaak zijn er demonstraties van het kaarsen maken. **Halcyon Days** is gespecialiseerd in kleine geëmailleerde koperen doosjes, een 18de-eeuwse Engelse nijverheid die tegenwoordig weer populair is.

Bij **Astleys** vindt u een verbazingwekkende collectie pijpen, van eenvoudige handgemaakte tot eigenaardig ogende kalebaspijpen en meerschuimen 'Sherlock Holmes'-pijpen. Voor serieuze verzamelaars van antieke wetenschappelijke instrumenten heeft **Arthur Middleton** een fascinerende zaak vol met oude wereldbollen en microscopen. In de **Singing Tree** vindt u de prachtige Engelse poppenhuizen en fraaie handgemaakte spulletjes om er in te zetten, allemaal replica's die exact op schaal zijn gemaakt in stijlen uit specifieke perioden.

In **Anything Left-Handed** in Soho is alles ontworpen om het leven van linkshandigen te veraangenamen. Scharen, kurketrekkers, bestek, pennen, keukengerei en tuingereedschap verkopen het best.

BOEKEN EN TIJDSCHRIFTEN

U vindt in Londen uitstekende boekwinkels. Charing Cross Road *(blz. 108)* is hèt adres voor liefhebbers van nieuwe, antiquarische en tweedehands boeken. **Foyle's** heeft een gigantische maar weinig overzichtelijke collectie. Grote vestigingen van ketens zoals **Books Etc** en **Waterstone's** zijn hier ook vertegenwoordigd, evenals tal van gespecialiseerde boekhandels zoals **Murder One** voor misdaadboeken, **Silver Moon** voor vrouwen- en feministische boeken en **Zwemmer** voor kunstboeken.

Sandford's *(blz. 112)* in Long Acre verkoopt kaarten en reisgidsen. Andere reisboeken vindt u in de **Travel Bookshop**. Vlakbij vindt u **Books for Cooks**, compleet met café en open keuken. Strips voor volwassenen zijn te vinden in **Comic Showcase** in Neal Street. **Forbidden Planet** is gespecialiseerd in fantasy, sf en tot strips gemaakte romans. **Gay's The World**, vlak bij Russell Square is gespecialiseerd in boeken over homoseksuele mannen. In **Cinema Bookshop** vindt u de beste collectie filmboeken. **PC Bookshop** heeft alles over computers.

Hatchard's in Piccadilly en **Dillons** in Gower Street zijn twee uitstekende algemene boekhandels. Beide bieden een uitgebreide collectie. **Compendium**, een alternatieve boekhandel vlak bij Camden Market, verkoopt interessante en moeilijk verkrijgbare titels. **The Banana Bookshop** in Covent Garden is waarschijnlijk een van de sympathiekste ramsjwinkels, met oerwoudbegroeiing aan de muren en een waterval naast de trap.

Mensen op die zoek zijn naar antiquarische boeken, hebben het meeste succes in de wijk rond Charing Cross Road. Veel boekhandels gaan speciaal voor u op zoek naar bepaalde titels die niet meer worden gedrukt. Bent u op zoek naar niet-Britse kranten en tijdschriften, ga dan naar **Capital Newsagents** waar bladen uit tal van andere Europese landen verkrijgbaar zijn. Ook bij **Gray Inn News** kunt u terecht voor kranten en tijdschriften uit diverse landen *(blz. 352-353)*. In de kelderverdieping van **Tower Records** vindt u de beste collectie Amerikaanse kranten.

CD'S EN MUZIEK

Londen is een van de belangrijkste centra van muziekopnamen ter wereld. U vindt hier een enorme en voortreffelijke reeks platenzaken. Het **Music Discount Centre** heeft een zeer goede collectie klassieke muziek, net als de winkelgiganten **HMV**, **Virgin** en **Tower Records** die het best zijn gesorteerd op het gebied van

bekende op volwassenen georiënteerde rock en lichte muziek. Kleine speciaalzaken hebben zich vaak gespecialiseerd in specifieke muziekstijlen voor een minder groot publiek. Voor jazz moet u zijn bij **Ray's Jazz** en **Honest**

Jon's, terwijl reggaeliefhebbers niet om **Daddy Kool** heen kunnen. Voor Afrikaanse muziek is er geen beter adres dan **Stern's**. **Trax** en **Black Market** zijn de meest centraal gelegen zaken voor 12-inch-singles.

ADRESSEN

LEVENSMIDDELEN

Bendicks of Mayfair
7 Aldwych WC2.
Kaart 13 C2.
℡ *0171-836 1846.*

Charbonnel et Walker
1 Royal Arcade, 28 Old Bond St W1. **Kaart** 12 F3.
℡ *0171-491 0939.*

Paxton and Whitfield
93 Jermyn St SW1.
Kaart 12 F3.
℡ *0171-930 0250.*

THEE

Algerian Coffee Stores
52 Old Compton St W1.
Kaart 13 A2.
℡ *0171-437 2480.*

The Tea House
15 Neal St WC2.
Kaart 13 B2.
℡ *0171-240 7539.*

EÉN ARTIKEL

Anything Left-Handed
57 Brewer St W1.
Kaart 13 A2.
℡ *0171-437 3910.*

Arthur Middleton
12 New Row, Covent Garden WC2.
Kaart 13 B2.
℡ *0171-836 7042.*

Astleys
16 Piccadilly Arcade SW1.
Kaart 13 A3.
℡ *0171-499 9950.*

The Bead Shop
43 Neal Street WC2.
Kaart 13 B1.
℡ *0171-240 0931.*

The Candle Shop
30 The Market, Covent Garden Piazza WC2.
Kaart 13 C2.
℡ *0171-836 9815.*

Halcyon Days
14 Brook St W1.
Kaart 12 E2.
℡ *0171-629 8811.*

The Singing Tree
69 New King's Rd SW6.
℡ *0171-736 4527.*

BOEKEN EN TIJDSCHRIFTEN

The Banana Bookshop
10 The Market, Convent Garden Piazza WC2.
Kaart 13 C2.
℡ *0171-379 7650.*

Books Etc
120 Charing Cross Rd WC2.
Kaart 13 B1.
℡ *0171-379 6838.*

Books for Cooks
4 Blenheim Crescent W11.
Kaart 9 B2.
℡ *0171-221 1992.*

Capital Newsagents
48 Old Compton St W1.
Kaart 13 A2.
℡ *0171-437 2479.*

Cinema Bookshop
13-14 Great Russell St WC1. **Kaart** 13 B1.
℡ *0171-637 0206.*

Comic Showcase
76 Neal St WC2. **Map** 13 B1.
℡ *0171-240 3664.*

Compendium
234 Camden High St NW1.
℡ *0171-485 8944.*

Dillons
82 Gower St WC1.
Kaart 5 A5.
℡ *0171-636 1577.*

Forbidden Planet
71 New Oxford St WC1.
Kaart 13 B1.
℡ *0171-836 4179.*

Foyle's
113-119 Charing Cross Rd WC2. **Kaart** 13 B1.
℡ *0171-437 5660.*

Gay's The Word
66 Marchmont St WC1.
Kaart 5 B4.
℡ *0171-278 7654.*

Gray's Inn News
50 Theobald's Rd WC1.
Kaart 6 D5.
℡ *0171-405 5241.*

Hatchard's
187 Piccadilly W1.
Kaart 12 F3.
℡ *0171-439 9921.*

Murder One
71-73 Charing Cross Rd WC2. **Kaart** 13 B2.
℡ *0171-734 3485.*

PC Bookshop
11 Sicilian Ave WC1.
Kaart 13 C1.
℡ *0171-831 0022.*

Silver Moon
64-68 Charing Cross Rd WC2. **Kaart** 13 B2.
℡ *0171-836 7906.*

Stanford's
12-14 Long Acre WC2.
Kaart 13 B2.
℡ *0171-836 1321.*

Travel Bookshop
13 Blenheim Crescent W11. **Kaart** 9 B2.
℡ *0171-229 5260.*

Waterstone's
121-125 Charing Cross Rd WC2. **Kaart** 13 B1.
℡ *0171-434 4291.*

The Women's Book Club
34 Great Sutton St EC1.
Kaart 6 F4.
℡ *0171-251 3007.*

Zwemmer
26 Litchfield St WC2.
Kaart 13 B2.
℡ *0171-379 7886.*

CD'S EN MUZIEK

Black Market
25 D'Arblay St W1.
Kaart 13 A2.
℡ *0171-437 0478.*

Daddy Kool Music
12 Berwick St W1.
Kaart 13 A2.
℡ *0171-437 3535.*

HMV
150 Oxford St W1.
Kaart 13 A1.
℡ *0171-631 3423.*

Honest Jon's Records
278 Portobello Rd W10.
Kaart 9 A1.
℡ *0181-969 9822.*

The Music Discount Centre
33-34 Rathbone Pl W1.
Kaart 13 A1.
℡ *0171-637 4700.*

Ray's Jazz
180 Shaftesbury Ave WC2. **Kaart** 13 B1.
℡ *0171-240 3969.*

Rough Trade
130 Talbot Rd W11.
Kaart 9 C1.
℡ *0171-229 8541.*

Stern's
293 Euston Rd
Kaart 5 A4.
℡ *0171-387 5550.*

Tower Records
1 Piccadilly Circus W1.
Kaart 13 A3.
℡ *0171-439 2500.*

Trax
55 Greek St W1.
Kaart 13 A2.
℡ *0171-734 0795.*

Virgin Megastore
14-30 Oxford St W1.
Kaart 13 A1.
℡ *0171-631 1234.*

Cadeaus en souvenirs

Als u op zoek bent naar cadeautjes, dan vindt in Londen beslist iets van uw gading. Naast een indrukwekkend assortiment Engelse keramiek, sieraden, parfum en glaswerk treft u hier waren aan van over de gehele wereld, zoals sieraden uit India en Afrika, schrijfwaren uit diverse Europese landen en Frans en Italiaans keukengerei. In de stijlvolle 19de-eeuwse Burlington Arcade *(blz. 91)* vindt u geschenken van hoge kwaliteit, kleding, kunst en handgemaakte voorwerpen, die veelal in het Verenigd Koninkrijk zijn vervaardigd. De winkels in de grote musea, zoals het Victoria and Albert Museum *(blz. 198-201)*, het National History Museum *(blz. 204-205)* en het Science Museum *(blz. 208-209)* verkopen vaak bijzondere en originele souvenirs. De **Contemporary Applied Arts**, het winkelcomplex **Thomas Neal's** en de markt in Covent Garden Piazza *(blz. 311)* verkopen Engels aardewerk, sieraden, gebreide kleding en dergelijke. Koopt u alles graag op één adres, ga dan naar Liberty *(blz. 311)*.

SIERADEN

Juweliers in Londen variëren van de bekende traditionele zaken tot minuscule winkeltjes in wijken als Covent Garden *(blz. 110-119)*, Gabriel's Wharf *(blz. 187)* en Camden Lock *(blz. 322)*. **Butler and Wilson** verkoopt opmerkelijke imitatiesieraden. De sieraden bij het ernaast gelegen **Electrum** zijn minder opvallend maar even vernieuwend.

Past Time verkoopt moderne reprodukties van Keltische en Romeinse ontwerpen en sieraden in Tudor-stijl, net als de winkeltjes in het British Museum *(blz. 126-129)* en het Victoria en Albert Museum. Bij de **Lesley Craze Gallery** vindt u nieuwe ontwerpen, en de **Contemporary Applied Arts** verkoopt stijlvolle handgemaakte sieraden. **The Great Frog** in Carnaby Street is hèt adres voor groteske sieraden. Bij Liberty vindt u folkloristische, imitatie- en modesieraden en bij **Manquette** fraaie, unieke gouden en zilveren sieraden met lapis lazuli, amber en koraal.

HOEDEN EN ACCESSOIRES

Traditionele herenhoeden, van platte petten tot slappe vilthoeden en tropenhelmen, vindt u bij **Edward Bates** en **Herbert Johnson**. Vrouwen kunnen terecht bij **Herald and Heart Hatters** die zeer opvallende creaties verkopen. **Stephen Jones** heeft een ruime collectie hoeden, van alledaags tot extravagant. Daarnaast maakt deze zaak voor ieder kledingstuk een bijpassende hoed, als u zelf voor de stof zorgt.

De fraaiste Engelse accessoires vindt u in de winkels in Jermyn Street en de winkelgalerijen bij Piccadilly. **James Smith & Sons** maakt schitterende paraplu's, die natuurlijk ideaal zijn voor het Londense weer. Voor wandelstokken en rijzwepen moet u bij Swain Adeney *(blz. 315)* zijn. **Mulberry Company** verkoopt klassieke Engelse tassen, riemen, portemonnees en portefeuilles. **Janet Fitch** verkoopt een ruime collectie tassen, riemen, sieraden en andere onmisbare accessoires. Bij **Accessorize** kunt u terecht voor kralen en accessoires, alles naar kleur gerangschikt om het u gemakkelijk te maken.

PARFUMS EN TOILETARTIKELEN

Veel parfumerieën gebruiken recepten die honderden jaren oud zijn. **Floris** en **Penhaligon's** bijvoorbeeld, vervaardigen nog steeds, dezelfde op bloemen gebaseerde parfums en toiletartikelen voor mannen en vrouwen, die ze in de 19de eeuw verkochten. Hetzelfde geldt voor **Czech and Speake**, en voor **Truefitt and Hill** en **George F Trumper** die specialiteiten voor mannen verkopen en ook enkele schitterende reprodukties van antiek scheergerei. Zowel **Culpeper** als **Neal's Yard Remedies** gebruiken traditionele middeltjes op basis van kruiden en bloemen voor hun natuurlijke geneeskrachtige toiletartikelen. Andere zaken hebben een moderner benadering van hun produkten. De **Body Shop**, bijvoorbeeld, gebruikt voor zijn natuurlijke cosmetica en toiletartikelen een plastic verpakking die kan worden recycled en spoort zowel het personeel als de klanten aan om rekening te houden met het milieu. **Molton Brown** verkoopt een assortiment natuurlijke cosmetica voor de verzorging van het lichaam en het haar.

KANTOORBENODIGDHEDEN

Tessa Fantoni ontwerpt enkele van de interessantste soorten cadeaupapier die in Londen te krijgen zijn. Haar met papier beplakte dozen, fotolijstjes en -albums zijn verkrijgbaar bij verscheidene kantoorboekhandels en cadeauwinkels, in de Conran Shop en in haar eigen winkel in Clapham. De **Falkiner Fine Papers** heeft een prachtige sortering Florentijns papier en kantoorbenodigdheden. Voor luxe schrijfpapier, pennen, potloden en bureauaccessoires gaat u naar **Smython** in Bond Street, een hofleverancier. Fortnum and Mason *(blz. 311)* verkoopt fraai in leer gebonden agenda's, vloeiblokken en pennehouders terwijl Liberty zijn bureau-accessoires verfraait met zijn beroemde art deco-print. Bij **Filofax Centre** en **Lefax** kunt u terecht voor *desk organizers* van vinyl tot leguaneleer. Het minuscule winkeltje **Pencraft** is hèt adres voor pennen van Mont Blanc, Waterman, Parker en Sheaffer. Voor kaarten, pennen, cadeaupapier en briefpapier met enveloppen kunt u terecht bij de vestigingen van **Paperchase**.

INTERIEUR

Wedgwood maakt nog altijd hetzelfde beroemde lichtblauwe jaspisporselein dat Josiah Wedgwood in de 18de eeuw ontwierp. Het is verkrijgbaar bij **Waterford Wedgwood** in Piccadilly, waar u ook Iers Waterford kristal en Coalport porselein kunt krijgen. Ga voor een goede collectie origineel aardewerk naar de pottenbakkerij **Craftsman Potters Association** en **Contemporary Applied Arts**. Prachtig en ingenieus keramiek vindt u bij **Mildred Pearce**. De beste Engelse moderne ontwerpen van glas vindt u vlak bij Covent Garden in de **Glasshouse**. **Heal's** en **Conran Shop** verkopen een ongeëvenaard assortiment stijlvolle, prachtig ontworpen accessoires voor in huis. Voor een keur aan eenvoudig maar deugdelijk keukengerei moet u bij **David Mellor** en **Divertimenti** zijn.

ADRESSEN

SIERADEN

Butler & Wilson
20 South Molton St W1.
Kaart 12 E2.
📞 0171-409 2955.

Contemporary Applied Arts
2 Percy St WC1.
Kaart 13 A1.
📞 0171-436 2344.

Electrum Gallery
21 South Molton St W1.
Kaart 12 E2.
📞 0171-629 6325.

The Great Frog
51 Carnaby St W1.
Kaart 12 F2.
📞 0171-734 1900.

Leslie Craze Gallery
34 Clerkenwell Green EC1. **Kaart** 6 E4.
📞 0171-608 0393.

Manquette
20a Kensington Church Walk W8. **Kaart** 10 D5.
📞 0171-937 2897.

Past Times
146 Brompton Rd SW3.
Kaart 11 C5.
📞 0171-581 7616.

Thomas Neal's
Earlham St WC2.
Kaart 13 B2.

HOEDEN EN ACCESSOIRES

Accessorize
42 Carnaby St W1.
Kaart 12 F2.
📞 0171-581 1408.

Edward Bates
21a Jermyn St SW1.
Kaart 13 A3.
📞 0171-734 2722.

Herald & Heart Hatters
131 St Philip St SW8.
📞 0171-627 2414.

Herbert Johnson
10 Old Bond St W1.
Kaart 12 F3.
📞 0171-408 1174.

James Smith & Sons
53 New Oxford St WC1.
Kaart 13 C1.
📞 0171-836 4731.

Janet Fitch
188a King's Rd SW6.
Kaart 19 B3.
📞 0171-352 4401.

Mulberry Company
11-12 Gees Court, St Christopher's Pl W1.
Kaart 12 D1.
📞 0171-493 2546.

Stephen Jones
36 Great Queen St WC2.
Kaart 13 C1.
📞 0171-242 0770.

PARFUMS EN TOILETARTIKELEN

The Body Shop
32-34 Great Marlborough St W1. **Kaart** 12 F2.
Zaken in geheel Londen.
📞 0171-437 5137.

Culpeper Ltd
21 Bruton St W1.
Kaart 12 E3.
📞 0171-629 4559.

Czech & Speake
39c Jermyn St SW1.
Kaart 13 A3.
📞 0171-439 0216.

Floris
89 Jermyn St SW1.
Kaart 13 A3.
📞 0171-930 2885.

Molton Brown
58 South Molton St W1.
Kaart 12 E2.
📞 0171-629 1872.

Neal's Yard Remedies
15 Neal's Yard WC2.
Kaart 13 B1.
📞 0171-379 7222.

Penhaligon's
41 Wellington St WC2.
Kaart 13 C2.
📞 0171-836 2150.

Truefitt & Hill
71 St James St SW1.
Kaart 12 F3.
📞 0171-493 2961.

George F Trumper
9 Curzon St W1.
Kaart 12 E3.
📞 0171-499 2932.

KANTOORBENODIGDHEDEN

Falkiner Fine Papers
76 Southhampton Row WC1. **Kaart** 5 C5.
📞 0171-831 1151.

The Filofax Centre
21 Conduit St W1.
Kaart 12 F2.
📞 0171-499 0457.

Lefax
69 Neal St WC2.
Kaart 13 B2.
📞 0171-836 1977.

Paperchase
213 Tottenham Court Rd W1. **Kaart** 5 A5.
📞 0171-580 8496.

Pencraft
91 Kingsway WC2.
Kaart 13 C1.
📞 0171-405 3639.

Smythson of Bond Street
44 New Bond St W1.
Kaart 12 E2.
📞 0171-629 8558.

Tessa Fantoni
77 Abbeville Rd SW4.
📞 0181-673 1253.

INTERIEUR

Conran Shop
Michelin House, 81 Fulham Rd SW3.
Kaart 19 A2.
📞 0171-589 7401.

Craftsmen Potters Association of Great Britain
7 Marshall St W1.
Kaart 12 F2.
📞 0171-437 7605.

David Mellor
4 Sloane Sq SW1.
Kaart 20 D2.
📞 0171-730 4259.

Divertimenti
45-47 Wigmore St W1.
Kaart 12 E1.
📞 0171-935 0689.

Freud's
198 Shaftesbury Ave WC2.
Kaart 13 B1.
📞 0171-831 1071.

The Glasshouse
Kaart 6 E2.
21 St Albans Place N1.
Kaart 6 E1.
📞 0171-398 8162.

Gore Booker
41 Bedford St WC2.
Kaart 13 C3.
📞 0171-497 1254.

Heal's
196 Tottenham Court Rd W1. **Kaart** 5 A5.
📞 0171-636 1666.

Mildred Pearce
33 Earlham St WC2.
Kaart 13 B2.
📞 0171-379 5128.

Waterford Wedgwood
174 Piccadilly W1.
Kaart 12 F3.
📞 0171-629 2614.

Kunst en antiek

De Londense kunst- en antiekzaken staan door de hele stad verspreid. De modieuzere zijn geconcentreerd in een betrekkelijk kleine wijk die door Mayfair en St James's wordt begrensd. De andere winkels die zich op een bescheidener budget richten, staan door de rest van de stad. Of u van de oude meesters houdt of van moderne kunstenaars, van Boule of van Bauhaus, u kunt in Londen altijd iets moois aantreffen dat binnen uw budget valt.

MAYFAIR

Cork Street is het centrum van de Engelse moderne kunst. Als u de straat vanaf Piccadilly inloopt, komt u langs de **Piccadilly Gallery**, waar hedendaagse Engelse schilderijen worden verkocht. Vervolgens komt u bij verscheidene galeries, waaronder **Raab** die moderne avant garde-kunst aanbieden. De grootste naam op het gebied van de moderne kunst is **Waddington**. Kopen is hier echter alleen weggelegd voor de serieuze (en rijke) verzamelaar.

De **Chat Noir** verkoopt goedkoper hedendaags werk. Neem ook een kijkje in Clifford Street, waar **Maas Gallery** schitterend werk van 19de-eeuwse meesters verhandelt. Loop dan terug naar Cork Street via een ruime verscheidenheid aan kunststijlen, van de traditionele Engelse schilderijen van sportieve onderwerpen tot beeldhouwwerk in **Tryon and Morland** tot en met het surrealisme bij **Mayor's** en moderne kunst bij **Redfern**.

Als u op zoek bent naar aquarellen van Turner of Louis XV-meubilair, dan moet u in Old Bond Street zijn. Als u verder van Piccadilly afloopt, komt u langs de weeldrige portalen van **Richard Green** en de **Fine Art Society** en andere buitengewoon chique galeries. Ga voor meubels en decoratieve kunstwerken naar **Bond Street Antiques Centre** en **Asprey**. Voor zilver moet u bij **S J Phillips** zijn en voor victoriaanse kunst bij de **Christopher Wood Gallery**. Zelfs als u niets koopt zijn deze adressen toch interessant om te bezoeken, dus schroom

niet om naar binnen te lopen. U steekt hier in één uur meer op dan door weken in boeken te studeren. Op Old Bond Street vindt u ook de twee grote veilinghuizen **Phillips** en **Sotheby's**.

Mensen met een goedgevulde portemonnee bezoeken in Bury Street **Malcolm Innes**, waar aquarellen te zien zijn met sport als thema.

ST JAMES'S

Ten zuiden van Piccadilly ligt een doolhof van straten. Hier treft u de herenclubs (blz. 92) aan en de galeries weerspiegelen vooral het traditionele karakter van deze wijk. Het centrum wordt gevormd door Duke Street waar **Johnny van Haeften** en **Harari and Johns**, handelaars in oude meesters, zijn gevestigd. Aan het einde komt u uit bij King Street waar u **Spink**, de gigant onder de antiekhandelaars, aantreft en tevens de belangrijkste veilinglokalen bij **Christie's**, het bekende veilinghuis. Loop dan terug naar Bury Street langs verscheidene interessante galeries en breng in Ryder Street een bezoek aan **Chris Beetle's** galerie waar u werken van illustrators en karikaturisten kunt bekijken.

BELGRAVIA

Deze wijk is beroemd om zijn galeries met mooie Engelse schilderijen. Wie op zoek is naar verfijnde maar kostbare Engelse schilderijen, kan een bezoek brengen aan **Michael Parkin Gallerie**, terwijl liefhebbers van oosterse kunst kunnen genieten in de **Mathaf Gallerie** met zijn 19de-eeuwse schilderijen van de Arabische wereld.

PIMLICO ROAD

De antiekzaken in deze straat zijn gespecialiseerd in de prijzige benodigdheden van de binnenhuisarchitect. Hier vindt u Italiaanse leren schermen of een schedel van een ram die met zilver is overtrokken. Vooral **Westenholz** is interessant. **Henry Sotheran** verkoopt fraaie prenten.

WALTON STREET

Walton Street ligt vlak bij het chique, dure Knightsbridge en de prijzen in de kunstgaleries en antiekzaken in deze stijlvolle straat zijn daar dan ook naar. Vlakbij, in Montpelier Street, staat het veilinghuis **Bonham's**, een van de grote vier. Als u geluk hebt, loopt u hier tegen een koopje aan.

BETAALBARE KUNST

Iedere herfst wordt in **Smith's Galleries** in Covent Garden de enorm populaire markt van de Contemporary Art Society gehouden, waar werk wordt verkocht vanaf £100. De drie galeries die u hier aantreft tonen (en verkopen) ook de rest van het jaar schitterend werk. U vindt hier naast vele kleine galeries ook het geweldige **Flowers East**, dat zich vooral op jonge kunstenaars richt. Net zulk levendig hedendaags werk ziet u als u langs Portobello loopt en in **East-West Gallery** een kijkje neemt. De prijzen zijn hier ook zeer redelijk.

FOTOGRAFIE

In de **Photographers' Gallery** vindt u de grootste collectie foto's die te koop zijn van Engeland. De **Special Photographers' Company** staat bekent om het magnifieke werk dat hier wordt verkocht, zowel van onbekende als van beroemde namen. **Hamilton's** is ook een bezoek waard, zeker als ze een grote tentoonstelling hebben.

BRIC-A-BRAC EN VERZAMELOBJECTEN

Bent u op zoek naar kleinere, meer betaalbare werken, ga dan naar een van de markten, zoals Camden Lock *(blz. 322)*, Camden Passage *(blz. 322)* of Bermondsey *(blz. 279)*, dat de voornaamste antiekmarkt is. In veel hoofdstraten buiten het stadscentrum vindt u overdekte markten met gespecialiseerde kramen. U kunt ook rondkijken in Kensington Church Street in West-Londen, waar u van alles tegenkomt, van Arts and Crafts-meubilair tot Staffordshire bullterriërs.

VEILINGEN

Wie zelfverzekerd genoeg is, kan op veilingen op een goedkope manier kunst of antiek kopen. Lees echter wel de kleine lettertjes in de catalogus (die gewoonlijk zo'n £15 kost). Bieden is eenvoudig. Schrijf u in, neem een nummer en als het door u beoogde bedrag aan de beurt is, steek dan uw hand op naar de veilingmeester. De belangrijkste veilinghuizen zijn: Christie's, Sotheby's, Phillips en Bonham's. Vergeet het veilinglokaal van Christie's in South Kensington niet. Hier wordt kunst en antiek aangeboden tegen lagere prijzen.

ADRESSEN

MAYFAIR

Asprey
165-169 New Bond St
W1. **Kaart** 12 E2.
℡ 0171-493 6767.

**Bond Street
Antiques Centre**
124 New Bond St W1.
Kaart 12 F3.
℡ 0171-351 5353.

Chat Noir
35 Albemarle St W1.
Kaart 12 F3.
℡ 0171-495 6710.

**Christopher Wood
Gallery**
141 New Bond St W1.
Kaart 12 E2.
℡ 0171-499 7411.

Fine Art Society
148 New Bond St W1.
Kaart 12 E2.
℡ 0171-629 5116.

Maas Gallery
15a Clifford St W1.
Kaart 12 F3.
℡ 0171-734 2302.

**Malcolm Innes
Gallery**
7 Bury St W1.
Kaart 12 F3.
℡ 0171-839 8083.

Mayor Gallery
22a Cork St W1.
Kaart 12 F3.
℡ 0171-734 3558.

Piccadilly Gallery
16 Cork Street W1.
Kaart 12 F3.
℡ 0171-629 2875.

Raab Gallery
9 Cork St W1. **Kaart** 12 F3.
℡ 0171-734 6444.

Redfern Art Gallery
20 Cork St W1.
Kaart 12 F3.
℡ 0171-734 1732.

Richard Green
4 New Bond St W1.
Kaart 12 E2.
℡ 0171-491 3277.

S J Phillips
139 New Bond St W1.
Kaart 12 E2.
℡ 0171-629 6261.

Tryon and Morland
23 Cork St W1.
Kaart 12 F3.
℡ 0171-734 6961.

**Waddington
Galleries**
11, 12, 34 Cork St W1.
Kaart 12 F3.
℡ 0171-437 8611.

ST JAMES'S

Chris Beetle
8 & 10 Ryder St SW1.
Kaart 12 F3.
℡ 0171-839 7429.

Harari and Johns
12 Duke St SW1.
Kaart 12 F3.
℡ 0171-839 7671.

Johnny van Haeften
13 Duke St SW1.
Kaart 12 F3.
℡ 0171-930 3062.

Spink & Son
5 King St SW1.
Kaart 12 F4.
℡ 0171-930 7888.

PIMLICO ROAD

Henry Sotheran Ltd
80 Pimlico Rd SW1.
Kaart 20 D3.
℡ 0171-730 8756.

Westenholz
76 Pimlico Rd SW1.
Kaart 20 D2.
℡ 0171-824 8090.

BELGRAVIA

Mathaf Gallery
24 Motcomb St SW1.
Kaart 12 D5.
℡ 0171-235 0010.

**Michael Parkin
Gallery**
11 Motcomb St SW1.
Kaart 12 D5.
℡ 0171-235 8144.

BETAALBARE KUNST

East-West Gallery
8 Blenheim Cres W11.
Kaart 9 A2.
℡ 0171-229 7981.

Flowers East
199-205 Richmond Rd E8.
℡ 0181-985 3333.

Smith's Galleries
56 Earlham St WC2.
Kaart 13 B2.
℡ 0171-836 6253.

FOTOGRAFIE

Hamiltons
13 Carlos Place W1.
Kaart 12 E3.
℡ 0171-820 9660.

**Photographers'
Gallery**
5 & 8 Great Newport St
WC2. **Kaart** 13 B2.
℡ 0171-831 1772.

**Special
Photographers
Company**
21 Kensington Park Rd
W11. **Kaart** 9 B2.
℡ 0171-221 3489.

VEILINGEN

**Bonhams, W &
F C, Auctioneers**
Montpelier St SW7.
Kaart 11 B5.
℡ 0171-584 9161
Ook: Chelsea Galleries,
65-69 Lots Road SW10.
Kaart 18 F5.
℡ 0171-351 7111.

**Christie's Fine Art
Auctioneers**
8 King St SW1.
Kaart 12 F4.
℡ 0171-839 9060.
Ook: 85 Old Brompton
Road SW7. **Kaart** 18 F2.
℡ 0171-581 7611.

**Sotheby's
Auctioneers**
34-35 New Bond St W1.
Kaart 12 E2.
℡ 0171-493 8080.

Phillips Auctioneers & Valuers
101 New Bond St W1.
Kaart 12 E2.
℡ 0171-629 6602.

Markten

De sfeer op de markten in Londen is uitbundig, wat op zichzelf al genoeg reden is om erheen te gaan. Hier vindt u veel van de laagste prijzen van de hele stad. Let goed op, houd uw hand op uw portemonnee en geniet.

Bermondsey Market (New Caledonian Market)

Long Lane and Bermondsey St SE1. **Kaart** 15 C5. ⊝ *London Bridge, Borough.* **Open** *vr 5.00-14.00 uur.* **Begin sluiting** *12.00 uur. Zie blz. 179.*

Dit is het verzamelpunt van de Londense antiekhandelaars. Serieuze verzamelaars komen vroeg en de schilderijen, het zilver en de oude sieraden aan een diepgaand onderzoek te onderwerpen. De meeste koopjes zijn al voor 9.00 uur weg.

Berwick Street Market

Berwick St W1. **Kaart** 13 A1. ⊝ *Piccadilly Circus, Leicester Sq.* **Open** *ma-za 9.00-18.00 uur. Zie blz. 108.*

De energieke straatventers van deze markt in Soho verkopen de voordeligste en mooiste groenten en fruit van West End. Hier verkoopt men produkten als radijsjes, stervruchten en Italiaanse tomaten. Dennis's groentestal verkoopt een enorm assortiment eetbare paddestoelen die op onberispelijke wijze worden gepresenteerd. U vindt op de markt ook stoffen, goedkope huishoudelijke artikelen, leren handtassen en delicatessen. Een vervallen straatje scheidt Berwick Street van de markt in Rupert Street. Hier zijn de prijzen hoger en de handelaars minder luidruchtig.

Brick Lane Market

Brick Lane E1. **Kaart** 8 E5. ⊝ *Shoreditch, Liverpool St, Aldgate East.* **Open** *zo van zonsopgang tot 13.00 uur. Zie blz. 170-171.*

Deze feestelijke markt in East End is enorm populair. Ga op onderzoek in de winkels in Chester Street, die vol staan met oude meubels en boeken, of tussen het allegaartje aan rommel die in Bethnal Green Road wordt verkocht. Scharrelaars uit West End brengen in Bacon Street oude gouden ringen en horloges aan de man, terwijl een groot deel van Sclater Street aan dierenvoer is gewijd. Op het onbebouwde gebied buiten Cygnet Street liggen fietsen, diepvriesprodukten en tal van andere spullen voor het uitzoeken. Brick Lane zelf is prozaïscher met nieuwe artikelen zoals handtassen, sportschoenen en jeans. Ga ook

naar de kruidenzaken en restaurants in dit centrum van de uit Bangladesh afkomstige gemeenschap in Londen.

Brixton Market

Electric Ave SW9. ⊝ *Brixton.* **Open** *ma, di en do-za 8.30-17.30 uur, wo 8.30-13.00 uur.*

Deze markt verkoopt heerlijke Afro-Caribische etenswaren, van geitevlees, varkensvlees en gezouten vis tot bananen, yammen en broodvruchten. De lekkerste etenswaren vindt u in de arcaden van Granville en Market Row waar exotische vis de specialiteit is. Ook vindt u hier pruiken in Afro-stijl, vreemde kruiden en drankjes, godsdienstige traktaten die door rastapriesters worden verkocht en, in Brixton Station Road, tweedehands kleding. Vanaf de muziekstalletjes dreunt de reggae als het kloppende hart van deze kosmopolitische markt.

Camden Lock Market

Buck St NW1. ⊝ *Camden Town.* **Open** *do en vr 9.00-17.00 uur, za en zo 10.00-18.00 uur.*

De Camden Lock Market is snel gegroeid, sinds hij in 1974 werd geopend. De voornaamste spullen die er worden verkocht zijn: handgemaakte voorwerpen, nieuwe en tweedehands kleding, natuurlijke voeding, boeken, platen en antiek. Duizenden jongeren komen hier alleen om de sfeer te proeven, vooral in het weekeinde. De mensen komen ook af op de straatmuzikanten en kunstenaars.

Camden Passage Market

Camden Passage N1. **Kaart** 6 F1. ⊝ *Angel.* **Open** *wo 10.00-14.00 uur, za 10.00-17.00 uur.*

Camden Passage is een rustige wandelweg waar u tussen de antiekzaken ook boekwinkels en restaurants aantreft. Prenten, zilver, 19de-eeuwse tijdschriften, sieraden en speelgoed zijn enkele van de verzamelobjecten die hier uitgestald liggen. U zult hier niet veel koopjes in de wacht kunnen slepen, omdat de meeste handelaars specialisten zijn. Dit is echter een ideale markt voor mensen die fijn willen rondneuzen.

Chapel Market

Chapel Market N1. **Kaart** 6 E2. ⊝ *Angel.* **Open** *wo, vr en za 9.00-15.30 uur; do en zo 9.00-13.00 uur.*

Dit is een van traditioneelste en weelderigste markten van Londen, vooral in het weekeinde. U vindt hier allerlei goedkope groente- en fruitsoorten, de beste viskramen van de buurt en een overvloed aan goedkope huishoudelijke artikelen en kleding.

Church Street Market en Bell Street Market

Church St NW8 and Bell St NW1. **Kaart** 3 A5. ⊝ *Edgware Rd.* **Open** *ma-do 8.30-16.00 uur; vr en za 8.30-17.00 uur.*

De Church Street Market is in het weekeinde op zijn best. Op vrijdag staan er naast de dagelijkse groente- en fruitstallen ook kramen met elektrische apparaten, goedkope kleding, huishoudelijke artikelen, vis, kaas en antiek. Op Alfie's Antique Market op nummer 13-25 staan meer dan 300 kraampjes waar alles te krijgen is, van sieraden tot oude radio's en platenspelers. Bell Street heeft zijn eigen markt waar op zaterdag voor een habbekrats tweedehands kleding, platen en verouderde elektrische apparaten worden verkocht.

Columbia Road Market

Columbia Rd E2. **Kaart** 8 D3. ⊝ *Shoreditch, Old St.* **Open** *zo 8.00-12.30 uur. Zie blz. 171.*

Of u nu u bloemen en planten wilt kopen of alleen van de geuren en kleuren wilt genieten, dit is de markt waar u zijn moet. Bloemen, planten, heesters, zaailingen en potten worden voor ongeveer de helft van de normale prijs verkocht in deze 19de-eeuwse straat.

East Street Market

East St SE17. ⊝ *Elephant and Castle.* **Open** *di, wo, vr en za 8.00-17.00 uur; do en zo 8.00-14.00 uur.*

Op zondag is deze markt op zijn best. Meer dan 250 kramen vullen dan de nauwe straten en in Blackwood Street wordt bovendien een kleine bloemen- en plantenmarkt gehouden. De groente- en fruitstallen zijn in de minderheid als de handelaars in kleding en elektrische en huishoudelijke apparaten in actie komen. Straatventers verkopen veters en scheermesjes uit oude koffers. De meeste buurtbewoners komen hier meer voor het amusement dan om iets te kopen, net als de jonge Charlie Chaplin *(blz. 37)* aan het begin van deze eeuw.

Gabriel's Wharf Market en Riverside Walk Market

56 Upper Ground en Riverside Walk SE1. **Kaart 14 E3.** ⊖ *Waterloo.* **Gabriel's Wharf open** *vr-zo 9.30-18.00 uur;* **Riverside Walk open** *za, zo en onregelmatig op werkdagen 10.00-17.00 uur. Zie blz. 187.*

Winkeltjes vol keramiek, schilderijen en sieraden omgeven de muziektent in Gabriel's Wharf waar 's zomers wel eens jazzgroepen spelen. Sommige kramen worden rond het plein opgezet. Hier worden buitenlandse kleding en handgemaakte sieraden en aardewerk verkocht. Op de nabijgelegen boekenmarkt, onder Waterloo Bridge, vindt u een grote verzameling nieuwe en oude pocketboeken van Penguin en ook gebonden boeken.

Greenwich Market

College Approach SE10. **Kaart 23 B2.** ⊯ *Greenwich.* **Open** *za en zo 9.00-18.00 uur.*

In het weekeinde vindt u ten westen van hotel Ibis tientallen schragen vol munten, medailles, bankbiljetten, tweedehands boeken, art deco-meubilair en curiosa. De overdekte markt is gespecialiseerd in houten speelgoed, kleding van jonge ontwerpers, handgemaakte sieraden en accessoires.

Jubilee Market en Apple Market

Covent Gdn Piazza WC2. **Kaart 13 C2.** ⊖ *Covent Gdn.* **Open** *dag. 9.00-17.00 uur.*

Covent Garden is het centrum van het Londense straatleven. Hier treden enkele van de beste straatmuziekanten van de stad op. De Apple Street Market vindt u in de Piazza, waar vroeger de beroemde groente- en fruitmarkt werd gehouden (*blz. 114*). Nu worden er gebreide artikelen, leren sieraden en modesnufjes verkocht. In een onoverdekt gedeelte zijn goedkope legerkleding, oude prenten en sieraden verkrijgbaar. Jubilee Hall verkoopt op maandag antiek, in het weekeinde handgemaakte voorwerpen en de rest van de week kleding, handtassen, cosmetica en souvenirs.

Leadenhall Market

Whittington Ave EC3. **Kaart 15 C2.** ⊖ *Bank, Monument.* **Open** *ma-vr 7.00-16.00 uur. Zie blz. 159.*

Leadenhall Market is een aangename culinaire oase in de City. U vindt hier enkele van de beste levensmiddelenwinkels van de stad. De markt verkoopt nog altijd het traditionele gevogelte en wild: eend, patrijs en houtsnip zijn in het seizoen verkrijgbaar. In Ashdown vindt u een schitterende uitstalling met vis, schelp- en schaaldieren, waaronder oesters. Andere zaken verkopen uitstekende delicatessen, kaas en chocolade – een duur maar overheerlijk assortiment artikelen van zeer goede kwaliteit.

Leather Lane Market

Leather Lane EC1. **Kaart 6 E5.** ⊖ *Chancery Lane.* **Open** *ma-vr 10.30-14.00 uur.*

In deze oude straat wordt al meer dan 300 jaar een markt gehouden. De geschiedenis van de Lane heeft niets met leer te maken (oorspronkelijk heette hij Le Vrune Lane) maar toch kunt u tegenwoordig juist bij de lederwaren enkele zeer goede spullen aantreffen. Ook de kramen met elektrische apparaten, goedkope cassettebandjes en cd's, kleding en toiletartikelen zijn niet te versmaden.

Petticoat Lane Market

Middlesex St E1. **Kaart 16 D1.** ⊖ *Liverpool St, Aldgate, Aldgate East.* **Open** *zo 9.00-14.00 uur (Wentworth St ma-vr 10.00-14.30 uur). Zie blz. 169.*

Petticoat Lane is waarschijnlijk de beroemdste markt van Londen die iedere zondag een bruisende menigte van duizenden toeristen en lokale bewoners trekt. De prijzen zijn misschien niet zo laag als elders, maar de grote hoeveelheid lederwaren, kleding (de traditionele specialiteit van de Lane), horloges, goedkope sieraden en speelgoed maakt dit meer dan goed. Verkopers van uiteenlopende snacks doen hier goede zaken.

Piccadilly Crafts Market

St James's Church, Piccadilly W1. **Kaart 13 A3.** ⊖ *Piccadilly Circus, Green Park.* **Open** *do-za 10.00-17.00 uur.*

In de Middeleeuwen werden de markten veelal bij kerken gehouden en Piccadilly Craft Market laat deze oude traditie herleven. De markt richt zich meer op toeristen dan op de plaatselijke bevolking. De koopwaar varieert van T-shirts tot echte 19de-eeuwse prenten. U vindt hier ook warme kleding van Aran-wol, handgemaakte ansichtkaarten en hier en daar antiek. Dit alles ligt uitgestald in de schaduw van Wrens schitterende kerk (*blz. 90*).

Portobello Road Market

Portobello Rd W10. **Kaart 9 C3.** ⊖ *Notting Hill Gate, Ladbroke Grove.* **Open** *antiek en rommel: za 7.00-17.30 uur. Algemene markt: ma-wo, vr en za 9.00-17.00 uur; do 9.00-13.00 uur. Zie blz. 215.*

Portobello Road bestaat eigenlijk uit drie of vier markten die in elkaar overlopen. Aan de kant van Notting Hill vindt u meer dan 2000 kramen met kunstvoorwerpen, sieraden, oude medailles, schilderijen en zilver. Achter de meeste kramen staan experts dus u zult niet snel koopjes vinden. Verder de heuvel af maakt het antiek plaats voor groenten en fruit. De volgende verandering vindt plaats onder het Westway-viaduct waar u voordelige kleding, curiosa en goedkope sieraden kunt krijgen. Vanaf hier wordt de markt steeds sjofeler.

Ridley Road Market

Ridley Rd E8. ⊯ *Dalston.* **Open** *ma-wo 9.00-15.00 uur; do 9.00-12.00 uur; vr en za 9.00-17.00 uur.*

Begin deze eeuw was Ridley Road een centrum van de joodse gemeenschap. Sindsdien hebben zich hier ook Aziaten, Grieken, Turken en mensen uit het Caribisch gebied gevestigd. Deze markt is nu een levendige culturele mengelmoes. U vindt hier de *bagel*-bakkerij die dag en nacht geopend is, kramen waar groene bananen en reggaemuziek worden verkocht, kleurrijke kramen met textiel en zeer goedkope groenten en fruit.

St Martin-in-the-Fields Market

St Martin-in-the-Fields Churchyard WC2. **Kaart 13 B3.** ⊖ *Charing Cross.* **Open** *ma-za 11.00-17.00 uur; zo 12.00-17.00 uur. Zie blz. 102.*

Deze markt werd eind jaren tachtig opgezet. U vindt hier een niet opmerkelijk assortiment souvenirs, zoals T-shirts en voetbalsjaals. Interessanter zijn de Russische poppen, handgemaakte Zuidamerikaanse voorwerpen en de gebreide artikelen.

Shepherd's Bush Market

Goldhawk Rd W12. ⊖ *Goldhawk Road, Shepherd's Bush.* **Open** *ma-wo, vr en za 9.30-17.00 uur; do 9.30-14.30 uur.*

Ook deze markt is een middelpunt voor veel lokale buitenlandse gemeenschappen. U vindt hier Westindische etenswaren, Afro-pruiken, Aziatische specerijen, goedkope huishoudelijke en elektrische apparaten en nog veel meer.

AMUSEMENT

Café met live muziek

Londen kent het enorme aanbod aan amusement dat alleen de allergrootste steden ter wereld kunnen bieden en, zoals altijd, geeft de historische achtergrond van de stad meer diepte aan de beleving daarvan. Wat is er eigentijdser dan een hele avond dansen in een beroemde disco als Stringfellows of Heaven. U kunt naar een klassiek toneelstuk gaan in een van de theaters van West End, maar u vindt hier ook vernieuwend modern theaterleven en u kunt ballet en opera van wereldklasse bijwonen in theaters als Sadler's Wells, het Royal Opera House en het Coliseum. U kunt in Londen de beste op muziekgebied horen, variërend van klassiek, jazz en rock tot rhythm and blues. Hartstochtelijke filmliefhebbers kunnen iedere avond kiezen uit honderden films, zowel in grote compexen met verscheidene filmdoeken als in heel goede, kleine, onafhankelijke bioscopen. Sportliefhebbers kunnen een cricketwedstrijd bekijken op Lords, roeiers aanmoedigen die die Thames doorklieven of aardbeien met slagroom eten tijdens het tennistoernooi van Wimbledon. Mocht u zelf sportief en avontuurlijk zijn aangelegd, waarom gaat u dan niet eens paardrijden op Rotten Row in Hyde Park. U kunt naar festivals, evenementen en sportwedstrijden en voor kinderen is er ook van alles te doen – er is in feite voor iedereen van alles te doen. Waar u ook zin in hebt, u kunt er zeker van zijn dat u het in Londen zult vinden, als u maar weet waar u moet zoeken.

Een concert in Kenwood House *(boven)*; **openluchttheater in Regent's Park** *(linksonder)*; *The Mikado* **in het Coliseum** *(rechtsonder)*

iedere dag een andere kunstvorm. *The Guardian* kunt u iedere dag in het G2-gedeelte kunstrecenties lezen en 's zaterdags een overzicht van wat er die week te doen is. In *The Independent*, *The Guardian* en *The Times* vindt u een overzicht van het beschikbare aantal kaarten.

Uitkranten, brochures en programmaoverzichten zijn gratis verkrijgbaar in de foyer van theaters, concertzalen, bioscopen en kunstcomplexen als de South Bank en het Barbican. Overal staan aanplakborden met affiches die de evenementen aankondigen.

De Society of West End Theatres (SWET) geeft elke veertien dagen een gratis programma uit dat in de foyer van veel theaters verkrijgbaar is. Deze concentreert zich vooral op de gangbare theaters, maar bevat wel onschatbare informatie over wat er te zien is. Het National Theatre en De Royal Shakespeare Company geven ook gratis programma's uit met gegevens over komende voorstellingen. Deze zijn bij de theaters verkrijgbaar. Ieder theater heeft een telefonische informatieservice met gegevens over het beschikbare

UITGAANSINFORMATIE

In de 150 bladzijden tellende weekbladen *Time Out* (verschijnt op woensdag) en *City Limits* (verschijnt op donderdag) die bij de meeste kiosken en veel boekhandels verkrijgbaar zijn, vindt u uitgebreide overzichten van wat er te doen is. Het weekblad *What's On and Where to Go in London* ('s woensdags) is ook handig. Het Londense avondblad, *The Evening Standard*, bevat dagelijkse overzichten maar is minder uitgebreid. In *The Independent* staan de dagelijkse overzichten en de krant bespreekt aantal plaatsen, die dagelijks wordt bijgewerkt. Deze gesprekken zijn echter vrij duur. De algemene SWET-lijn (0171-836 0971) geeft iedere dag bijgewerkte gegevens over het beschikbare aantal plaatsen en algemene uitgaansinformatie.

PLAATSEN BESPREKEN

Sommige populaire voorstellingen en toneelstukken in het Londense West End kunnen weken en zelfs maanden van te voren uitverkocht zijn. Dit is echter niet de normale gang van zaken. De meeste kaarten zijn verkrijgbaar op de avond zelf, vooral als u bereid bent om bij het theater in de rij te gaan staan voor kaarten die worden teruggebracht of niet afgehaald. Als u echter ontspannen van uw vakantie wilt genieten, kunt u plaatsen het beste reserveren. U kunt bij het bespreekbureau langsgaan om plaatsen te bespreken, maar dit kan ook schriftelijk en telefonisch. In veel hotels kan de portier u adviseren waar u heen moet gaan en plaatsen voor u bespreken. Bespreekbureaus zijn gewoonlijk geopend van ongeveer 10.00-20.00 uur en u kunt hier contant betalen of met een creditcard of travellerscheque. De meeste uitgaansgele-

Voorstelling van het Royal Ballet in Covent Garden

genheden verkopen tegenwoordig vlak voor de voorstelling niet opgehaalde of teruggebrachte kaarten. Als u telefonisch kaarten wilt bespreken, bel dan naar een bespreekbureau en betaal als u naar het theater gaat of per post. De plaatsen worden meestal drie dagen vastgehouden. Sommige uitgaansgelegenheden hebben aparte telefoonnummers voor boekingen die worden afgerekend per creditcard. Bespreek uw plaats en neem altijd uw creditcard mee als u de kaarten gaat ophalen. Sommige kleinere gelegenheden accepteren geen creditcards.

Gedenkplaat in Palace Theatre

GEHANDICAPTE BEZOEKERS

Veel uitgaansgelegenheden bevinden zich in oude gebouwen die oorspronkelijk niet op invalide bezoekers waren berekend. De afgelopen jaren zijn echter veel gelegenheden gemoderniseerd en vooral de voorzieningen voor mensen in rolstoelen en slechthorenden zijn verbeterd.

Neem vooraf telefonisch contact op met het bespreekbureau om speciale zitplaatsen of apparatuur te reserveren, omdat deze vaak maar beperkt aanwezig zijn. Soms zijn er speciale kortingen voor gehandicapte bezoekers en hun begeleiders.

VERVOER

De meeste mensen nemen 's avonds de nachtbus. U kunt ook een taxi bellen vanuit een uitgaansgelegenheid. De metro rijdt gewoonlijk tot iets na 24.00 uur, maar de tijden van de laatste treinen lopen uiteen, afhankelijk van de lijn. Bekijk de dienstregelingen in de stations (*blz. 362-363*).

ONAFHANKELIJKE BESPREEKBUREAUS

Ga eerst naar het bespreekbureau van het theater. Zijn hier geen kaarten meer, zoek dan uit wat de normale prijzen zijn, voordat u naar een onafhankelijk bureau gaat. De meeste hebben een goede naam (sommige dus niet). Bureaus die met kaarten van grote voorstellingen voor 'vanavond' adverteren, kunnen deze werkelijk verkopen en tegen redelijke prijzen. Telefonisch bestelde kaarten worden naar u verstuurd of naar het theater, waar u ze kunt ophalen. De commissie is normaal 22%. Sommige voorstellingen betalen de commissie zelf en de onafhankelijke bureaus moeten dan de normale prijs voor een kaart vragen. Vergelijk de prijzen altijd, mijd bureaus in wisselkantoren en koop alleen in het uiterste geval bij handelaars op straat.

belangrijkste uitgaansbladen

Een bespreekbureau in Shaftesbury Avenue

Theaters in Londen

Londen heeft op het gebied van theater ongelofelijk veel te bieden – niet alleen is de hoeveelheid voorstellingen overweldigend, ook het niveau is van wereldklasse. Hoewel Engelsen de naam hebben gereserveerd te zijn, geldt dit zeker niet voor hun alles omvattende passie voor het toneel. Een wandeling door het West End leert u dat in een zaal naast een zwaarwichtige voorstelling van bijvoorbeeld Samuel Becket een frivool niemendalletje als *No sex please, We're British!* wordt opgevoerd. De keuze is zo groot, dat iedereen er van theater kan genieten.

THEATERS WEST END

De theaters in West End stralen een zekere glamour uit. Misschien zijn het de flonkerende foyers en het rijk geornamenteerde interieur, misschien hun hoogstaande reputatie – in ieder geval hebben deze theaters nog niets aan hun oude glorie ingeboet.

De aanplakbiljetten in West End zijn niet zuinig met het aankondigen van wereldberoemde sterren, zoals Judi Dench, Vanessa Redgrave, John Malkovich, Richard Harris en Peter O'Toole. De grootste commerciële theaters bevinden zich allemaal op Shaftesbury Avenue en Haymarket en rond Covent Garden en Charing Cross Road. In tegenstelling tot de nationale theaters ontvangen de theaters in West End geen enkele vorm van subsidie. Ze bekostigen alles van de recettes en van het geld van talloze eeuwig optimistische financiers en producenten. Veel van deze theaters zijn mijlpalen geweest in de rijke theatergeschiedenis van Engeland, zoals het klassieke **Theatre Royal Drury Lane** uit 1663 *(blz. 115)* en het stijlvolle **Theatre Royal Haymarket**, beide schitterende voorbeelden van de architectuur uit het begin van de 19de eeuw.

NATIONAL THEATRE

Het **Royal National Theatre** is gevestigd in het South Bank Centre *(blz. 330)*. Het theater heeft drie zalen, de Olivier-, de Lyttelton- en de Cottesloezaal, die het mogelijk maken uiteenlopende genres te brengen, van groots opgezette spektakels tot intieme solovoorstellingen. Een bezoek aan dit theater is tevens een sociale gebeurtenis: u kunt er voor de voorstelling iets drinken en naar de drommen mensen en de rivier kijken. Verder kunt u er genieten van de gratis tentoonstellingen, vroeg in de avond zijn er concerten in de foyer en de interessante theater-boekwinkel is eveneens beslist een bezoek waard.

De **Royal Shakespeare Company**, het nationaal theatergezelschap, speelt in Londen altijd in het Barbican Centre. Dit unieke gezelschap brengt voornamelijk Shakespeare, en daarnaast een aantal klassieke tragedies, parels uit de tijd van de Restauratie en veel modern werk. De grote produkties van bijzonder hoge kwaliteit staan in het schitterende Barbican Theatre, terwijl kleinschaliger produkties in The Pit, in hetzelfde gebouw, worden opgevoerd. Aangezien het niet altijd even gemakkelijk is in het Barbican Centre wegwijs te worden, is het raadzaam ruim van tevoren aanwezig te zijn. Er zijn vaak in aanvulling op de voorstellingen gratis tentoonstellingen in de foyer. Hier kunt u ook van live muziek genieten, van opera en kamermuziek tot samba en big band.

Het Barbican verstrekt ook informatie over de voorstellingen die de Royal Shakespeare Company geeft in het Memorial Theatre Stratford-upon-Avon, de geboorte- en sterfplaats van William Shakespeare.

NATIONAL THEATRE BESPREEKADRESSEN
Royal National Theatre
(Lyttelton, Cottesloe, Olivier)
South Bank SE1.
Kaart 14 D3.
(0171-928 2252.

Royal Shakespeare Company
Barbican Centre, Silk St EC2.
Kaart 7 A5.
(0171-638 8891.

PANTOMIME

Wanneer u Londen bezoekt tussen december en februari moet u beslist met de hele familie een pantomime-voorstelling gaan zien. In deze voorstelling vol absurde humor spelen de mannen de grote vrouwenrollen, en vice versa, en krijgt ook het publiek een grote rol door aanmoedigingen en aanwijzingen te schreeuwen. Volwassenen kijken soms raar aan tegen deze exuberante vorm van toneel, maar kinderen genieten er volop van.

OPENLUCHTVOORSTELLINGEN

Shakespeare schreef een aantal luchtige stukken, zoals *Het spel der vergissingen*, *Naar het u lijkt* en *Een midzomernachtsdroom*, die een sprookjesachtige sfeer krijgen als u ze gaat zien in Regent's Park *(blz. 220)* of Holland Park *(blz. 214)*. Zorg voor een deken en neem voor alle zekerheid een paraplu mee. U kunt zelf wat te eten meenemen, maar ter plekke zijn ook hapjes te krijgen.

BESPREKEN OPENLUCHTVOORSTELLINGEN

Holland Park Theatre
Holland Park. **Kaart** 9 B4.
(0171-602 7856.
Open juni-aug..

Open-Air Theatre
Inner Circle, Regent's Park NW1.
Kaart 4 D3.
(0171-935 5756.
🖂 0171-486 1933.
Open mei-sept.

THEATERS IN WEST END

Adelphi ⑬
Strand WC2.
☎ 0171-344 0055.

Albery ①
St Martin's Lane WC2.
☎ 0171-369 1730.

Aldwych ⑰
Aldwych WC2.
☎ 0171-416 6003.

Ambassadors ㉔
West St WC2.
☎ 0171-836 1171.

Apollo ㉚
Shaftesbury Ave W1.
☎ 0171-494 5054.

Cambridge ㉒
Earlham St WC2.
☎ 0171-494 5040.

Comedy ⑧
Panton St SW1.
☎ 0171-369 1731.

Criterion ⑦
Piccadilly Circus W1.
☎ 0171-369 1747.

Duchess ⑮
Catherine St WC2.
☎ 0171-494 5075.

Duke of York's ④
St Martin's Lane WC2.
☎ 0171-836 5122.

Fortune ⑲
Russell St WC2.
☎ 0171-836 2238.

Garrick ⑤
Charing Cross Rd WC2.
☎ 0171-494 5085.

Gielgud ㉙
Shaftesbury Ave W1.
☎ 0171-494 5065.

Her Majesty's ⑩
Haymarket SW1.
☎ 0171-494 5400.

Lyric ㉛
Shaftesbury Ave W1.
☎ 0171-494 5045.

New London ㉒
Drury Lane WC2.
☎ 0171-405 0072.

Palace ㉖
Shaftesbury Ave W1.
☎ 0171-434 0909.

Phoenix ㉕
Charing Cross Rd WC2.
☎ 0171-369 1733 .

Piccadilly ㉜
Denman St W1.
☎ 0171-369 1734.

Playhouse ⑫
Northumberland Ave WC2.
☎ 0171-839 4401.

Prince Edward ㉗
Old Compton St W1.
☎ 0171-447 5400.

Prince of Wales ⑥
Coventry St W1.
☎ 0171-839 5972.

Queen's ㉘
Shaftesbury Ave W1.
☎ 0171-494 5040.

Shaftesbury ㉑
Shaftesbury Ave WC2.
☎ 0171-379 5399.

Strand ⑯
Aldwych WC2.
☎ 0171-930 8800.

St Martin's ㉓
West St WC2.
☎ 0171-836 1443.

Theatre Royal:
–Drury Lane ⑱
Catherine St WC2.
☎ 0171-494 5062.
–Haymarket ⑨
Haymarket SW1.
☎ 0171-930 8800.

Vaudeville ⑭
Strand WC2.
☎ 0171-836 9987.

Whitehall ⑪
Whitehall SW1.
☎ 0171-369 1735.

Wyndham's ③
Charing Cross Rd WC2.
☎ 0171-369 1736.

THEATERS IN WEST END

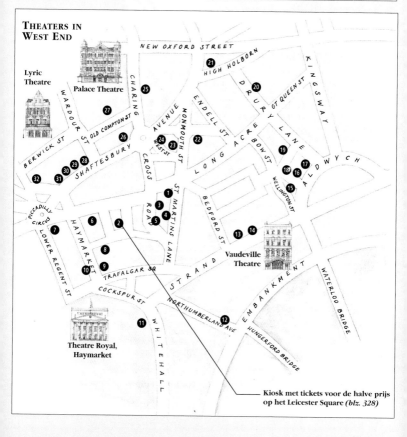

Kiosk met tickets voor de halve prijs
op het Leicester Square (blz. 328)

MODERN THEATER

Naast het officiële circuit theaters in Londen vindt er ook veel plaats dat door de Engelsen met de term 'fringe' wordt aangeduid. Vernieuwende toneelstukken en schrijvers uit andere culturen en met uiteenlopende opvattingen krijgen hier een kans, van Ierse schrijvers tot Caribische of lesbische toneelschrijvers. De meeste stukken worden in kleine theatertjes opgevoerd, bijvoorbeeld **Gate Theatre** boven de Prince Albert pub in Notting Hill, **King's Head** in Islington en **Grace** in de Latchmere pub in Battersea (blz 309), of in pakhuizen of leegstaande ruimtes in grote theaters, zoals het **Donmar Warehouse** en de **Studio** in het Lyric.

Theaters als **Bush**, **Almeida** en **Theatre Upstairs** in de Royal Court staan bekend om hun goede nieuwe stukken, waarvan een aantal vervolgens ook in het West End zijn opgevoerd.

Af en toe worden er ook toneelstukken in andere talen opgevoerd; het **French Institute** brengt soms bijvoorbeeld een stuk van Molière of het **Goethe Institute** iets van Brecht. Informatie hierover vindt u in de uitgaansgidsen.

Om een ander soort cabaretiers en komieken aan het werk te zien, kunt u naar de **Comedy Store**, de plek waar de zogeheten 'alternatieve' humor werd uitgevonden, het **Hackney Empire** (een voormalig Victoriaans variététheater, nog in prachtige authentieke staat).

GOEDKOPE PLAATSBEWIJZEN

De toegangsprijzen voor het theater in Londen kunnen behoorlijk uiteenlopen. Een goedkoop plaatsbewijs in West End kost ongeveer £10, terwijl een goede plaats voor een musical kan oplopen tot £30. U kunt echter vaak ook goedkopere kaartjes kopen.

Een kiosk op Leicester Square (blz. 327) verkoopt kaartjes van uiteenlopende voorstellingen voor de halve prijs op de dag zelf. De kiosk is van maandag tot zaterdag open vanaf 12 uur voor matinees en van 14.30-18.30 voor avondvoorstellingen. De kaarten, maximaal vier per koper, dienen contant te worden betaald. Behalve de helft van de oorspronkelijke prijs betaalt u ook nog iets aan bemiddelingskosten.

Soms is het mogelijk tegen gereduceerd tarief kaarten te krijgen voor matinees, try-outs en persvoorstellingen – het loont altijd om te vragen wat er op dat gebied beschikbaar is.

ZITPLAATSEN

Als u zelf naar het theater gaat, kunt u op een plattegrond bekijken welke plaatsen goed en betaalbaar zijn. Als u telefonisch reserveert, dient u te weten dat 'stalls' de eerste, dure rijen voor het podium zijn. 'Back stalls' is goedkoper, 'dress', 'grand' en 'royal circles' zijn de balkons en nog iets goedkoper en de 'upper circle' of 'balcony', het bovenste balkon, is het goed-koopst. Plaatsen aan de rand heten 'slips'; plaatsen in een van de loges zijn het duurst. Bedenk wel dat hoe goedkoper uw plaats, hoe minder goed uw zicht op het toneel waarschijnlijk is.

ACHTER DE COULISSEN

Als u meer wilt weten over hoe het er achter de coulissen aan toe gaat, is een rondleiding 'backstage' iets voor u. Zowel het National Theatre als de RSC organiseren deze (meer informatie aan de kassa, blz. 327). Als u van een stevige wandeling houdt, kunt u de Londen Theatre Walks (0171-839 7438) proberen. Het Theatre Museum (blz. 115) is interessant.

BOZE GEESTEN

Over veel van de Londense theaters doen spookverhalen de ronde, de meest bekende voorbeelden zijn die over het Garrick en de Duke of York's (blz. 327). In het Garrick vertoont de geest van Arthur Bourchier, een directeur rond de eeuwwisseling, zich naar verluidt nog met enige regelmaat. Hij haatte critici en er wordt gezegd dat hij ze nog steeds probeert af te schrikken. De geest in de Duke of York's is die van Violet Melnotte, zaakwaarneemster van actrices rond 1890, die bekend stond om haar woedeaanvallen.

MODERN THEATER	**Donmar Warehouse** Earlham St WC2. **Kaart** 13 B2. ☎ 0171-369 1732.	**Goethe Institute** 50 Prince's Gate, Exhibition Rd SW7. **Kaart** 11 A5. ☎ 0171-411 3400.	**King's Head** 115 Upper St N1. **Kaart** 6 F1. ☎ 0171-226 1916.
Almeida Almeida St N1. ☎ 0171-359 4404.	**French Institute** 17 Queensberry Pl SW7. **Kaart** 18 F2. ☎ 0171-589 6211.	**Grace** 503 Battersea Park Rd SW11. ☎ 0171-228 2620.	**Studio** Lyric, Hammersmith, King St W6. ☎ 0181-741 2311.
Bush Shepherds Bush Gr. W12. ☎ 0171-602 3703.	**Gate Theatre** The Prince Albert, 11 Pembridge Rd W11. **Kaart** 9 C3. ☎ 0171-229 0706.	**Hackney Empire** 291 Mare St E8. ☎ 0181-985 2424.	**Theatre Upstairs** Royal Court, Sloane Sq SW1. **Kaart** 19 C2. ☎ 0171-730 2554.
Comedy Store 28a Leicester Sq WC2. **Kaart** 13 B3. ☎ 01426-914433.			

Bioscopen

Als u in Londen geen leuke film kunt vinden, houdt u niet van film. Het gigantische aanbod van Engelse, Amerikaanse en andere buitenlandse films, zowel de nieuwste, als klassieke films en cultfilms, maakt Londen tot een internationaal filmcentrum. Er zijn alleen al in het centrum ongeveer 50 bioscopen, waaronder veel ultra-moderne complexen met diverse zalen. De grote commerciële ketens bioscopen draaien de kassuccessen en een groot aantal onafhankelijke bioscopen tonen een inventief scala aan films, teruggrijpend op de hele geschiedenis. In de uitgaansgidsen vindt u de informatie over wat waar draait.

WEST END-BIOSCOPEN

Onder West End-bioscopen worden die bioscopen in West End verstaan waar de nieuwste films worden vertoond, zoals **Odeon Leicester Square** en **ABC** Shaftesbury Avenue, maar ook bioscopen in Chelsea, Fulham en Notting Hill. De eerste voorstelling begint doorgaans om een uur of twaalf en de volgende steeds twee, drie uur later, de laatste rond 20.30 uur. De meeste bioscopen in het centrum hebben op vrijdag en zaterdag nachtvoorstellingen. Onlangs was voor de film Jurassic Parc de belangstelling echter zo groot dat men 's nachts en 's ochtends extra voorstellingen inlaste. West End-bioscopen zijn erg duur: een plaatsje op de eerste rij kost al snel tweemaal zoveel als in een bioscoop buiten het centrum. Vaak gelden gereduceerde prijzen voor matinees en op maandagen. Het is niet onverstandig ruim van tevoren plaatsen te reserveren voor een populaire film op vrijdag- en zaterdagavond of zondagmiddag. Veel bioscopen accepteren al telefonische credit card-reserveringen.

FILMHUIZEN

Filmhuizen vertonen veel niet-Engelstalige en enigszins onconventionele films. Soms wisselen ze dagelijks van aanbod. Af en toe worden films rond een thema gedraaid en verschaft één kaartje u toegang tot meer films. Bekende filmhuizen zijn **Prince Charles**, vlak bij Leicester Square, **ICA** in de Mall, **Everyman** in Noord-Londen, de onlangs verbouwde **Ritzy** in zuid-Londen en het National Film Theatre.

NATIONAL FILM THEATRE

Het National Film Theatre (NFT) *(blz. 182)* en het Museum of the Moving Image (MOMI) *(blz. 184)* bevinden zich in het South Bank Arts Complex, bij Waterloo Station. Het NFT heeft twee eigen bioscopen, elk met een uitgebreid en divers aanbod. Met enige regelmaat vertonen ze ook zeldzame en gerestaureerde films en televisieprogramma's van films uit het National Film Archive. Filmliefhebbers moeten hier beslist een bezoek brengen.

NIET-ENGELSTALIGE FILMS

Deze films worden vertoond in de onafhankelijke bioscopen en de filmhuizen, zoals **Renoir**, **Prince Charles**, **Lumière**, het **Curson** in Shaftesbury Avenue, **Minema** en de bioscoopketen **Screen**. De films worden ondertiteld.

FILMKWALIFICATIES

Kinderen mogen zonder volwassene naar films waar de kwalificatie U (universal) of PG (parental guidance advised) is aangegeven.
De nummers 12, 15 of 18 staan in dit verband voor de minimaal toelaatbare leeftijd van de bezoeker. Deze kwalificaties staan altijd duidelijk vermeld in de gepubliceerde aankondigingen van de films.

LONDON FILM FESTIVAL

De belangrijkste gebeurtenis van het filmjaar in Engeland vindt plaats in november, wanneer er ruim honderd films, al of niet eerder in de prijzen gevallen, in Londen worden getoond. Het NFT en een aantal filmhuizen en West End-bioscopen hebben in deze maand een speciaal programma. Uitgebreide informatie over het London Film Festival vindt u in de uitkranten. Het is niet eenvoudig aan kaartjes voor deze voorstellingen te komen, maar vaak lukt het nog om vanaf een half uur voor aanvang zogenoemde 'standby'-plaatsen te bemachtigen.

BIOSCOOP-ADRESSEN

ABC
135 Shaftesbury Ave
WC2.
Kaart 13 B2.
☎ 0171-836 8861.

Everyman
Hollybush Vale NW3.
Kaart 1 A5.
☎ 0171-435 1525.

Lumière
49 St Martin's Lane
WC2.
Kaart 13 B2.
☎ 0171-836 0691.
☎ 0171-379 3014.

Minema
45 Knightsbridge
SW1.
Kaart 12 D5.
☎ 0171-235 4225.

National Film Theatre
(zie blz. 182)

Odeon Leicester Sq
Leicester Sq WC2.
Kaart 13 B2.
☎ 0171-930 3232.
☎ 0181-315 4215.

Prince Charles
Leicester Pl WC2.
Kaart 13 B2
☎ 0171-437 8181.

Renoir
Brunswick Sq WC1.
Kaart 5 C4.
☎ 0171-837 8402.

Ritzy
Brixton Rd SW2.
Kaart 5 C4.
☎ 0171-737 2121.

Screen Cinemas
96 Baker St NW1
Kaart 3 C5.
☎ 0171-935 2772.

Opera, klassieke en moderne muziek

Tot voor kort had opera de naam elitair te zijn. Uitvoeringen op de televisie, en gratis openlucht-voorstellingen in Hyde Park en Covent Garden hebben echter voor een wijdverspreide groei van de belangstelling gezorgd. Naast drie professionele en veel kleine operagezelschappen is Londen de thuisbasis van een vijftal orkesten van wereldklasse en zijn de vele orkesten die zich toeleggen op een bepaalde periode internationaal eveneens toonaangevend. Londen speelt een grote rol in het op plaat uitbrengen van klassieke muziek en onderhoudt daarmee talloze musici en zangers. Daarbij valt er ook veel te beleven op het gebied van moderne muziek, in al haar verscheidenheid. Het blad *Time out (blz. 324)* heeft de meest complete lijst van concerten in en rond de hoofdstad.

Royal Opera House

Floral Street WC2. **Kaart** 13 C2.
℃ *0171-240 1066. Zie blz. 115.*

In dit rijk geornamenteerde gebouw zetelt de Royal Opera en vinden veel gastoptredens van andere operagezelschappen en balletgroepen plaats. Er zijn ook vaak produkties in samenwerking met buitenlandse gezelschappen die zowel een tournee door Europa maken, als hier worden gespeeld. Het is dus heel goed mogelijk dat u een van deze produkties al hebt gezien. Alle opera's worden in de oorspronkelijke taal gebracht, een Engelse vertaling wordt boven het toneel geprojecteerd.
Plaatsen worden lang van tevoren gereserveerd, zeker als er sterren als Placido Domingo, Luciano Pavarotti of Kiri Te Kanawa optreden. De akoestiek is het best vooraan in het midden van de zaal. Kaarten kosten £5 tot £200 en zelfs meer. De goedkopere plaatsen vliegen als eerste de deur uit, op een aantal na die pas op de dag zelf worden aangeboden. (Sommige van deze plaatsen bieden echter nauwelijks zicht op het toneel.) Staanplaatsen kunnen tot het laatst worden verkregen. Informatie over plaatsbewijzen kunt u tot op de dag van de voorstelling zelf krijgen op telefoonnummer 0171-836 6903 en soms zijn er niet opgehaalde of vervallen reserveringen. Het loont om tot het allerlaatste moment in de rij te blijven staan.

London Coliseum

St Martin's Lane WC2. **Kaart** 13 B3.
℃ *0171-836 0111.*
✉ *0171-240 5258. Zie blz. 119.*

Het Coliseum huisvest de English National Opera (ENO) in een wat vervallen decor, maar het gezelschap heeft muzikaal een hoog aanzien. Zangers worden intern opgeleid en men repeteert en speelt op dezelfde plaats. ENO-produkties worden bijna zonder uitzondering in het Engels gezongen en vaak avontuurlijk genoemd. Critici klagen soms dat het verhaal daardoor wat in het gedrang komt. Het publiek is over het algemeen jonger dan in het Royal Opera House en plaatsen zijn stukken goedkoper. Van de goedkoopste plaatsen wordt echter gezegd dat ze een hernia bezorgen.

Sadler's Wells

Rosebery Ave EC1. **Kaart** 6 E3.
℃ *0171-713 6000*

Het Sadler's Wells is minder chic, duur en centraal gelegen dan de andere opera's en heeft geen eigen gezelschap maar biedt een podium aan reizende gezelschappen, waarvan er drie op vaste tijden spelen. De D'Oyly Carte Company, in 1875 opgericht met als doel werken van Gilbert en Sullivan te brengen, speelt in april en mei. Opera 80, met een bezetting van 22 zangers en 27 orkestleden, brengt Engelstalige opera's en speelt in de laatste twee weken van mei. De British Youth Opera treedt op begin september. Alle drie de gezelschappen brengen in de periode dat zij er spelen twee verschillende produkties.

South Bank Centre

South Bank Centre SE1.
Kaart 14 D4.
℃ *0171-928 8800. Zie blz. 182.*

In het South Bank Centre zijn drie concertzalen; de Royal Festival Hall (RFH), de Queen Elizabeth Hall en de Purcell Room. De drie zalen verschillen van grootte en sfeer en hebben dan ook alle drie een programma dat hier rekening mee houdt. Elke avond zijn er concerten, meestal klassiek, maar afgewisseld met opera, ballet, moderne dans, jazz, festivals van eigentijdse en etnische muziek en andere eenmalige evenementen. De grootste zaal, de Royal Festival Hall, is bij uitstek geschikt voor de grote nationale en internationale orkesten. In de relatief kleine Purcell Room staan meestal strijkkwartetten, groepen die eigentijdse muziek brengen en beginnende musici. De Queen Elizabeth Hall bevindt zich daartussenin. Daar treden ensembles op met een publiek dat te groot is voor de Purcell Room, maar de Festival Hall niet zou vullen; er vinden veel jazzconcerten, optredens van etnische muzikanten en de vernieuwende en controversële produkties van de Opera Factory plaats. Verder worden er moderne interpretaties van klassieke muziek gegeven en krijgen nieuwe componisten de kans hun werken hier ten gehore te brengen. In alle zalen is de akoestiek optimaal.
Het Londen Philharmonic Orchestra is de vaste bespeler van het South Bank Centre, terwijl de Royal Philharmonic, het Philharmonica en het BBC Symphony Orchestra regelmatige gasten zijn, net als de solisten Shura Tsjerkassky, Stephen Kovacevitsj en Anne-Sofie von Otter.
Verder staan de Academy of St Martin-in-the-Fields, het London Festival Orchestra, de London Classical Players en de London

---

MUZIEKFESTIVALS
Het London Opera Festival in juni speelt zich onder meer af in het Place Theatre, het Lilian Baylis Theatre (Saddler's Wells), de Purcell Room, het St John's Smith Square en het Royal Theatre. Dit festival trekt artiesten uit binnen- en buitenland aan. Voor kaarten en informatie kunt u bij de betreffende theaters terecht.
Het City of London Festival wordt elk jaar in juli gehouden in een groot aantal kerken en openbare gebouwen, bijvoorbeeld de Tower of London *(blz. 154)*, Goldsmith's Hall en andere lokaties. Veel van deze concerten zijn gratis toegankelijk. Meer informatie kunt u krijgen aan de kassa vanaf mei *(0171-606 7010)*.

Mozart Players vast op het programma. Er zijn vaak gratis concerten in de foyer en 's zomers wordt er met mooi weer op het terras buiten gemusiceerd, een evenement dat u zich zeker niet mag laten ontgaan.

Barbican Concert Hall

Silk Street EC2. **Kaart** 7 A5.
☏ *0171-638 8891. Zie blz. 165.*

Dit betonnen complex huisvest het London Symphony Orchestra (LSO), dat zich elk jaar aan een componist wijdt. De LSO Summer Pops heeft in de loop der jaren optredens met vele beroemde gasten verzorgd, zoals Victor Borge en Barbara Cook.
De English National Opera treedt er regelmatig op en het Royal Philharmonic Orchestra speelt er elke lente.
Het Barbican wordt met name geassocieerd met moderne muziek, onder andere door het jaarlijkse festival van muziek uit de 20ste eeuw door het BBC Symphony Orchestra en veelvuldige optredens van het Londen Sinfonietta dat zich hierin heeft gespecialiseerd. Er zijn gratis concerten in de foyer.

Royal Albert Hall

Kensington Gore SW7.
Kaart 10 F5.
☏ *0171-589 3203. Zie blz. 203.*

De schitterende Royal Albert Hall biedt zulke diverse evenementen als modeshows, popconcerten en worstelwedstrijden.
De periode van half juli tot half september is echter in zijn geheel gewijd aan de Henry Wood Promenade Concerts, de zogenaamde 'Proms'. Deze serie concerten wordt georganiseerd door de BBC met in de hoofdrol het BBC Philharmonic Orchestra die zowel klassieke als moderne werken brengen.
Verder treden er diverse orkesten uit binnen- en buitenland op, zoals het City of Birmingham Orchestra, het Chicago Symphony Orchestra en het Boston Symphony Orchestra. Toegangskaarten voor deze concerten kunnen op de dag zelf worden verkregen, al kan het zijn dat u er lang voor in de rij moet staan. Alleen de befaamde 'Last Night of the Proms' is al weken van te voren uitverkocht.
Tijdens dit concert wordt er door het publiek uitbundig meegezongen en enthousiast gezwaaid met Engelse vlaggen. Niet iedereen zal zich kunnen vinden in dit openlijk vertoon van nationalisme, maar de meerderheid van het publiek zingt het *Land of hope and glory* zonder zich bewust te zijn van de bloeddorstige tekst.

OPENLUCHT-CONCERTEN

In de zomer zijn er veel openluchtconcerten, bijvoorbeeld op Hampstead Heath *(blz. 230),* waar u vanaf een heuvel uitkijkt over een meer waarachter het podium is opgesteld. Het is raadzaam ruim van tevoren aanwezig te zijn, omdat de concerten veel publiek trekken, niet in de laatste plaats vanwege het vuurwerk. De ligstoelen zijn al snel bezet, neem dus een deken mee, en ook een warme trui en iets te eten. De muziek wordt versterkt, wat de kwaliteit niet altijd ten goede komt. U krijgt uw geld niet terug als het regent, omdat het orkest het nog nooit heeft laten afweten.
Andere plaatsen waar u buiten van muziek kunt genieten zijn Marble Hill House *(blz. 254),* Kenwood, Crystal Palace Park en Holland Park.

Wigmore Hall

36 Wigmore St W1.
Kaart 12 E1.
☏ *0171-935 2141. Zie blz. 222.*

Wigmore Hall is vanwege zijn akoestiek bij artiesten een bijzonder geliefde plek om op te treden en trekt internationale namen zoals Jessye Norman en Julian Bream. Er zijn alle avonden concerten van zeer uiteenlopende aard en ook nog elke zondagochtend van september tot juli.

St Martin-in-the-Fields

Trafalgar Sq WC2. **Kaart** 13 B3.
☏ *0171-930 1862. Zie blz. 102.*

Een sierlijke kerk huisvest de Academy of St Martin-in-the-Fields en het beroemde gelijknamige koor. Deze en andere orkesten als het Henry Wood Chambre Orchestra, het Penguin Café Orchestra en de St Martin-in-the-Fields Sinfonia geven elke avond concerten. Het programma wordt mede bepaald door het kerkelijk jaar, zoals een uitvoering van de *Johannes Passion* van Bach op Hemelvaartsdag en Händels *Messiah* met Kerstmis.
Aankomende musici geven elke maandag, dinsdag en vrijdag gratis lunchconcerten.

St John's, Smith Square

Smith Sq SW1. **Kaart** 21 B1.
☏ *0171-222 1061. Zie blz. 81.*

Deze verbouwde barokke kerk heeft een uitstekende akoestiek en uitstekende zitplaatsen, waardoor het een bezoek meer dan waard is. Hier spelen onder meer groepen als het Wren Orchestra, het Vanbrugh String Quartet en de London Sonata Group. Dagelijks vinden er lunchconcerten en vocale recitals plaats die worden verzorgd door de BBC.

Broadgate Arena

3 Broadgate EC2. **Kaart** 7 C5.
☏ *0171-588 6565. Zie blz. 169.*

Dit is tegenwoordig dè plek in de City waar gedurende de hele zomer lunchconcerten worden gegeven, vaak door ontluikend talent.

LOKATIES

Orkesten
Barbican Concert Hall
Broadgate Arena
Queen Elizabeth Hall
Royal Albert Hall
Royal Festival Hall
St Martin-in-the-Fields
St John's, Smith Square

Kamermuziek en ensembles
Barbican Concert Hall
Broadgate Arena
Purcell Room
Royal Festival Hall foyer
St Martin-in-the-Fields
St John's, Smith Square
Wigmore Hall

Solisten en recitals
Barbican Concert Hall
Purcell Room
Royal Albert Hall
St Martin-in-the-Fields
St John's, Smith Square
Wigmore Hall

Kinderconcerten
Barbican Concert Hall
Royal Festival Hall

Gratis
Barbican Concert Hall
National Theatre foyer *(blz. 326)*
Royal Festival Hall foyer
St Martin-in-the-Fields (lunchtijd)

Oude muziek
Purcell Room
Wigmore Hall

Moderne muziek
Barbican Concert Hall
South Bank Complex

Dans

De in Londen gevestigde dansgroepen brengen een grote diversiteit aan dansvoorstellingen, van klassiek en jazz ballet tot mime en experimentele dans. Verder treden er in Londen groepen op als het gerenommeerde klassieke Bolsjoi Ballet en het vernieuwende Jaleo Flamenco. De gastgezelschappen treden meestal niet langer dan een week op in Londen – meer informatie hierover vindt u in de uitgaansgidsen. Theaters waar regelmatig dansvoorstellingen plaatsvinden zijn het **Royal Opera House**, het **London Coliseum**, **Sadler's Wells** en **The Place Theatre**. Verder zijn er voorstellingen te zien in het **South Bank Centre** en andere culturele centra in de stad.

zorgt. Verder kunt u naar het **Institute of Contemporary Arts** (ICA, *blz. 92*), het **Shaw Theatre** en de **Chisenhale Dance Space**, waar kleine, onafhankelijke dansgroepen experimentele dans brengen.

BALLET

In het **Royal Opera House** (*blz. 115*) en het **London Coliseum** in St Martin's Lane treden de beste buitenlandse dansgezelschappen op. Het Royal Ballet is permanent gevestigd in het Royal Opera House en werkt regelmatig samen met beroemde buitenlandse dansers, die vaak voor langere tijd met het gezelschap meespelen. Reserveer tijdig voor de klassieken zoals het *Zwanenmeer* en *Giselle*. Het gezelschap danst ook een groot aantal moderne balletten. Combinatiekaarten bieden toegang tot meerdere uitvoeringen, meestal gemengd klassiek en modern.
Het English National Ballet geeft 's zomers voorstellingen in het **London Coliseum**. Het repertoire verschilt niet veel van het Royal Ballet. Gastoptredens van buitenlandse gezelschappen zijn er ook in **Sadler's Wells** (*blz. 243*), terwijl in december en januari het London City Ballet zijn seizoen heeft. Dit gezelschap heeft een voornamelijk klassiek repertoire.

MODERNE DANS

De moderne dans floreert in Londen. Het aantal dansgroepen met een eigen stijl is groot. Veel groepen treden op in **Sadler's Wells**, naast veel buitenlandse gezelschappen. Aan Sadler's Wells is de Lilian Baylis Studio verbonden, een plaats waar kleine, experimentele produkties worden gespeeld.
In **The Place Theatre** vindt u moderne dansvoorstellingen, waaronder veel van etnische gezelschappen. Er worden het hele jaar door voorstellingen gegeven. Het London Contemporary Dance Theatre, het grootste Britse eigentijdse dansgezelschap, heeft hier zijn thuis.
Het **Island Theatre**, oorspronkelijk een bioscoop/theater, legt zich sinds kort toe op moderne dans. In de zomer worden er stukken van in binnen- en buitenland bekende choreografen uitgevoerd door Rambert Dance. Deze groep treedt ook op in de **Riverside Studios**, waar hij in april workshops ver-

ETNISCHE DANS

Vanuit de hele wereld komen er dansgroepen naar Londen om traditionele dansvoorstellingen te geven. Zowel **Sadler's Wells** als **Riverside Studios** hebben een groot aantal van deze voorstellingen in hun programma opgenomen. Traditionele dansen uit India en het Verre Oosten zijn regelmatig te zien in het South Bank Centre, meestal in de **Queen Elizabeth Hall**. Kijk in de uitgaansbladen voor de precieze programma's.

DANSFESTIVALS

Er zijn jaarlijks twee grote dansfestivals in Londen, met een grote verscheidenheid aan optredens. Het festival Spring Loaded loopt van februari tot april en het Dance Umbrella van begin oktober tot begin november. De uitgaansgidsen geven uitgebreid informatie over de vele verschillende dansvoorstellingen.
Er zijn ook kleinere festivals, zoals Almeida Dance van eind april tot de eerste week van mei in het **Almeida Theatre** en The Turning World, een multicultureel dansfestival in april en mei met dansen van over de hele wereld.

DANSTHEATERS

Almeida Theatre
Almeida St N1.
☏ 0171-226 7432.

Chisenhale Dance Space
64 Chisenhale Rd E3.
☏ 0181-981 6617.

ICA
Nash House,
Carlton House Terrace,
The Mall SW1.
Kaart 13 A4.
☏ 0171-930 0493.

Island Theatre
Portugal St WC2.
Kaart 14 D1.
☏ 0171-494 5090.

London Coliseum
St Martin's Lane WC2.
Kaart 13 B3.
☏ 0171-836 3161.
✉ 0171-240 5258.

The Place Theatre
17 Duke's Rd WC1.
Kaart 5 B3.
☏ 0171-434 0088.

Riverside Studios
Crisp Rd W6.
☏ 0181-741 2251.

Queen Elizabeth Hall
South Bank Centre SE1.
Kaart 14 D4.
☏ 0171-928 8800.

Royal Opera House
Floral St WC2. **Kaart 13 C2.**
☏ 0171-240 1200 of
0171-240 1911.

Sadler's Wells
Rosebery Ave EC1.
Kaart 6 E3.
☏ 0171-713 6000.

Shaw Theatre
The Brix, Brixton Hill SW2
1JF. **Kaart 5 B3.**
☏ 0171-733 4443.

Rock, pop, jazz en wereldmuziek

Iedere muziekliefhebber kan in Londen zijn hart ophalen, geen moderne stroming of in Londen kunt u er een concert van meemaken. Op een doordeweekse avond kan het aantal concerten oplopen tot zo'n 80, waaronder reggae, soul, folk, country, jazz, Latin en wereldmuziek. Naast al deze losse optredens zijn er 's zomers in parken, pubs, zalen en stadions muziekfestivals in de hele stad *(blz. 335)*. Kijk voor meer informatie in de uitgaansgidsen en let op de posters op straat *(blz. 324)*.

BEKENDSTE LOKATIES

De grootste stadions en zalen bieden een keur aan internationale sterren de gelegenheid om op te treden. Grote sterren wiens optredens binnen de kortste keren zijn uitverkocht treden veelal op in de zomer in het **Wembley Stadium** na het voetbalseizoen. In de winter staan ze in de enorme, overdekte **Wembley Arena**, het **Hammersmith Odeon** of, als ze zichzelf erg serieus nemen, in de **Royal Albert Hall**. Iets kleiner zijn de **Brixton Academy** en de **Town and Country Club**, die elk ongeveer 1000 mensen kunnen toelaten. De meeste Londenaren prefereren deze voormalige bioscopen met grote dansvloeren en bars beneden en zitplaatsen boven.

ROCK EN POP

Londen kent een zeer eigenzinnige muziek*scene*, waaronder de zogeheten 'Goth Rock', waar bleke, in het zwart geklede fans ademloos naar keiharde muziek luisteren (**Bull and Gate** in Kentish Town en **Powerhouse** in Islington zijn hier de uitgelezen plaatsen voor). Het nieuwere geluid uit Manchester valt meer in de smaak bij de nieuwe generatie hippies (probeer het **Astoria** in West End en de **National Ballroom Kilburn**). Het **Grand** in Clapham heeft zich onder de nieuwe eigenaar, dezelfde als van de **Mean Fiddler**, nu ook toegelegd op popconcerten. Londen is de stad van de zogenaamde pub-rock, een mengeling van rythm and blues, heavy rock en punk dat zich vanaf de jaren zestig ontwikkelde. In de **Station Tavern** komen de beste pub-rock bands, de toegang is weliswaar gratis, maar de drankjes duurder. U kunt ook in de **Sir George Robey** bij Finsbury Park en vele andere pubs verspreid door de hele stad naar dit soort muziek luisteren. Nieuwe bands treden bijna alle avonden op in de **Rock Garden** in Covent Garden. **Borderline**, vlak bij Leicester Square, wordt vaak bezocht door talentenjagers van platenmaatschappijen. **Subterania** in Ladbroke Grove organiseert avonden met aankomende tekstschrijvers, vaak met een aantal musici. Het **Camden Palace** biedt waar voor uw geld, zeker op dinsdagavonden met goede live-optredens en muziek.

JAZZ

De laatste jaren is er een groeiende belangstelling voor jazz. **Ronnie Scott's** in West End is al sinds jaar en dag een favoriet adres, al sinds 1950 treden hier de grote namen op. De **100 Club** in Oxford Street is ook erg populair. In de jaren tachtig werd **Bass Clef** druk bezocht, in de weekeinden is het er erg vol. Een verwante club is de **Tenor Clef**, in hetzelfde gebouw. Hier treden Latijnse en Afrikaanse jazzmusici in een wat verzorgdere omgeving dan in de Bass Clef op. Op vele plaatsen valt er van de combinatie jazz en eten te genieten, zoals in **PalookaVille** in Covent Garden, de bijzonder gezellige **Dover Street Wine Bar** en het voorname-

lijk vegetarische **Jazz Café**. Minder beroemd zijn de **Pizza Express** in Dean Street en **Pizza on the Park** bij Hyde Park Corner. In het **South Bank Centre** *(blz. 182)* en het **Barbican** *(blz. 165)* wordt ook vaak jazz gespeeld. Daarnaast zijn er natuurlijk officieel georganiseerde concerten in de verschillende zalen, en minder gestructureerde optredens in de wandelgangen van het complex.

REGGAE

Reggae is bijzonder populair in Londen. Op het **Notting Hill Carnival** *(blz. 57)* laat in augustus treden beroemde reggaebands gratis op. Reggae is nu al zo geïntegreerd in de muziekwereld dat er ook regelmatig optredens zijn te zien op de gangbare lokaties voor rock- en popconcerten.

WERELDMUZIEK

In Londen wonen en werken muzikanten uit alle hoeken van de wereld. Wereldmuziek is niet-westerse volksmuziek en popmuziek die is gebaseerd op lokale tradities. De populariteit hiervan blies ook de Engelse en Ierse folkmuziek nieuw leven in. In **Cecil Sharp House** kunt u naar pure folkmuziek luisteren en de **ICA** *(blz. 92)* brengt meer vernieuwende geluiden. Veel pubs in Kilburn en Willesden organiseren nachten met Ierse folkmuziek, bijvoorbeeld de **Mean Fiddler**. **The Weaver's Arms**, vlak bij Newington Green, staat bekend om zijn Afrikaanse en Latijns-Amerikaanse muziek. In **Down Mexico Way** en **Cuba Libre** kunt u terecht voor Hot Latin nachten. **Le Café de Piaf** biedt Franse Caribische en Afrikaanse muziek. Voor zowel Afrikaans eten als Afrikaanse muziek moet u in het **Africa Centre** in Covent Garden zijn.

Uitgaan

Het gezegde dat heel Londen slaapt na het sluiten van de pubs om elf uur gaat niet langer meer op. Net als in Parijs, Madrid en Amsterdam begint de nacht pas goed na middernacht. De beste discotheken en clubs liggen niet allemaal in het centrum van de stad – de teleurstellende ontdekking dat uw hotel een half uur met de metro van Leicester Square ligt, wordt soms goedgemaakt door het feit dat er precies tegenover uw hotel een populaire discotheek staat.

ETIQUETTE

Mode is grillig en zo is het ook met de uitgaansgelegenheden in Londen. Wat vandaag het toppunt van modern is, kan morgen alweer gesloten zijn. Sommige zijn maar een avond in de week open – raadpleeg dus altijd de uitkranten *(blz. 324)*. Leer uit de nieuwste modebladen, zoals het magazine *The Face*, hoe u kunt vermijden uit de toon te vallen door uw kleding. Sommige clubs schrijven per avond andere kleding voor. Van andere clubs en discotheken moet u lid zijn, wat 48 uur van tevoren is te regelen, of u komt er alleen in als introducé. Ook hiervoor kunt u het beste de bladen raadplegen. Groepen mannen worden soms niet toegelaten, dus probeer bij voorkeur in gemengd gezelschap naar binnen te komen. Houd er rekening mee dat u regelmatig in de rij moet staan om ergens binnen te komen. De toegangsprijzen zijn meestal redelijk, de drankjes daarentegen duur.

De meeste gelegenheden zijn geopend op maandag tot zaterdag van 22.00-3.00 uur, sommige zijn op zaterdag open tot 6.00 uur of op zondag tot 24.00 uur.

DISCOTHEKEN EN CLUBS

In Londen staat een van de bekendste discotheken ter wereld: **Stringfellows**. Het is chic en duur – spijkerbroeken zijn er uit den boze. **Hippodrome** is hier niet ver vandaan en heeft een vergelijkbare sfeer. Er worden lichtshows gehouden, er zijn verschillende bars en u kunt er ook iets eten: deze discotheek is onderdeel van de platgetrapte toeristenroute geworden.

De meeste exclusieve clubs zijn alleen voor leden toegankelijk, bijvoorbeeld **Annabel's**. Leden kunnen alleen door andere leden worden voorgedragen en de wachtlijsten zijn lang.

Rond West End zijn de meer gewone, disco-achtige clubs, zoals **Limelight**, **Legends** en **Café de Paris**, waar u de hele nacht de foxtrot en de wals kunt dansen.

Meer naar het noorden vindt u de populaire **Forum**, die soul, funk en rythm and blues draait, de **Equinox** op Leicester Square en **Tattershall Castle** in een boot op de Thames.

ALTERNATIEVEN

De laatste jaren is er in Londen een groeiend aantal alternatieve uitgaansmogelijkheden ontstaan, dat toonaangevend in de wereld is geworden. House is tegenwoordig erg populair en **Heaven** was de eerste discotheek die zich hierop toelegde. Het heeft een omvangrijke dansvloer, lasers en lichtshows. De **Ministry of Sound** is een nieuwe disco in de stijl van New York die veel navolging heeft gekregen. Het is er vaak erg vol, hoewel er geen sterke drank wordt geschonken. Als u zich in goede conditie voelt, kunt u ook naar house-party's in de **Gardening Club**, **Woody's** en de jonge en populaire **Wag Club**. In **LA2** wordt muziek gedraaid met Indiase invloeden tijdens hun 'Popscene'-avonden.

In de **Fridge** kunt u zich uitleven op funky jazz. **Turnmills** is 24 uur per dag open, het is goedkoop, er wordt funky jazz gedraaid en u kunt er eten.

Degenen die de jaren zeventig opnieuw willen beleven, kunnen terecht in **Le Scandale**. U betaalt minder entree als u zich in de in die tijd gangbare stijl aanmeldt. Ook nostalgisch is **79 Club**, waar Earth, Wind and Fire grijs wordt gedraaid.

Gossips staat bekend om reggae op zaterdag en ska, soul en rythm and blues op donderdag, maar verder is het aanbod van reggaemuziek verrassend mager.

HOMO'S EN LESBIENNES

Londen heeft meerdere nachtclubs speciaal voor homoseksuelen. De bekendste homo-discotheek is **Heaven**, met een enorme dansvloer, een bar, video en een lounge. **Paradise** in Islington heeft zogenaamde 'leather and rubber nights', alleen voor mannen, travestieten-shows, games rooms en twee disco's. **Club 180** is een rustige club die een constante populariteit geniet. Zowel de **Fridge** als de **Gardening Club** hebben gemengde homo-avonden, de Fridge heeft ook een avond alleen voor vrouwen.

TRAVESTIE

Zoek in de uitgaansgidsen de zogeheten 'Kinky Gerlinky'-nights: een extravagante parade van drag queens en andere exotica. In **Madame Jojo** valt er een wervelende en uitbundige show te bewonderen.

CASINO'S

Om in Londen een gokje te wagen, dient u lid te zijn van een casino of club. Bij de meeste casino's en clubs valt dit binnen 48 uur te regelen. Veel gelegenheden laten u ook binnen als u niet komt om te gokken, ze blijven open tot 4.00 uur. Vaak zijn er uitstekende bars en restaurants waar de gebruikelijke regels gelden *(blz. 308)*. In veel clubs lopen gastvrouwen rond die uiteraard niet bij de prijs zijn inbegrepen.

ADRESSEN

GROTE CONCERTEN

Brixton Academy
211 Stockwell Rd SW9.
☎ 0171-924 9999.

Hammersmith Odeon
Queen Caroline St W6.
☎ 0181-748 8600.

Royal Albert Hall
Zie blz. 203.

Forum
9-17 Highgate Rd NW5.
☎ 0171-284 1001.
📠 0171-284 2200.

Wembley Arena and Stadium
Empire Way, Wembley, Middlesex.
☎ 0181-900 1234.

ROCK- EN POPCONCERTEN

Astoria
157 Charing Cross Rd WC2. **Kaart** 13 B1.
☎ 0171-434 9592.

Borderline
Orange Yard, Manette St WC2. **Kaart** 13 B1.
☎ 0171-734 2095.

Bull and Gate
389 Kentish Town Rd NW5.
☎ 0171-485 5358.

Camden Palace
1a Camden High St NW1. **Kaart** 4 F2.
☎ 0171-387 0428.

Grand
Clapham Junction, St John's Hill SW11.
☎ 0171-738 9000.

LA2
157 Charing Cross Rd WC2. **Kaart** 13 B2.
☎ 0171-734 6963.

Limelight
136 Shaftesbury Ave WC2. **Kaart** 13 B2.
☎ 0171-434 0572.

Mean Fiddler
24-28a High St NW10.
☎ 0181-961 5490.
📠 0181-963 0940.

National Ballroom Kilburn
234 Kilburn High Rd NW6.
☎ 0171-328 3141.

Rock Garden
6-7 The Piazza, Covent Garden WC2. **Kaart** 13 C2.
☎ 0171-836 4052.

Station Tavern
41 Bramley Rd W10.
☎ 0171-727 4053.

Subterania
12 Acklam Rd W10.
☎ 0181-960 4590.
📠 0181-284 2200.

Woody's
41-43 Woodfield Rd W9.
☎ 0171-286 5574.

JAZZCLUBS

100 Club
100 Oxford St W1.
Kaart 13 A1.
☎ 0171-636 0933.

Barbican Hall
Zie blz. 165.

Bass Clef
35 Coronet St N1.
Kaart 7 C3.
☎ 0171-729 2476.

Dover Street Wine Bar
8 Dover St W1. **Kaart** 12 F3.
☎ 0171-629 9813.

Jazz Café
5 Parkway NW1. **Kaart** 4 E1.
☎ 0171-916 6060.

Pizza Express
10 Dean St W1. **Kaart** 13 A1.
☎ 0171-437 9595.

Pizza on the Park
11 Knightsbridge SW1.
Kaart 12 D5.
☎ 0171-235 5550.

Ronnie Scott's
47 Frith St W1. **Kaart** 13 A2.
☎ 0171-439 0747.

Royal Festival Hall
Zie blz. 184.

Vortex Jazz Bar
Stoke Newington Church St N16.
☎ 0171-254 6516.

WERELDMUZIEK-CONCERTEN

Africa Centre
38 King St WC2.
Kaart 13 C2.
☎ 0171-836 1973.

Cecil Sharp House
2 Regent's Park Rd NW1.
Kaart 4 D1.
☎ 0171-485 2206.

Cuba Libre
72 Upper St N1.
Kaart 6 F1.
☎ 0171-354 9998.

Down Mexico Way
25 Swallow St W1.
Kaart 12 F3.
☎ 0171-437 9895.

ICA
Zie blz. 92.

Mean Fiddler
24-28A High St NW10.
☎ 0181-961 5490.

Weavers Arms
98 Newington Green Rd N1.
☎ 0171-226 6911.

CLUBS EN DISCOTHEKEN

Annabel's
44 Berkeley Sq W1.
Kaart 12 E3.
☎ 0171-629 1096.

Café de Paris
3 Coventry St W1.
Kaart 13 A3.
☎ 0171-734 7700.

Club 180
180 Earl's Court Rd SW5.
Kaart 18 D2.
☎ 0171-835 1826.

Equinox
Leicester Sq WC2.
Kaart 13 B2
☎ 0171-437 1446.

Fridge
Town Hall Parade, Brixton Hill SW2.
☎ 0171-326 5100.

Gardening Club
4 The Piazza, Covent Garden WC2.
Kaart 13 C2.
☎ 0171-497 3153.

Gossips
69 Dean St W1.
Kaart 13 A2.
☎ 0171-434 4480.

Heaven
Under the Arches, Villiers St WC2.
Kaart 13 C3.
☎ 0171-930 2020.

Hippodrome
Cranbourn St WC2.
Kaart 13 B2.
☎ 0171-437 4311.

Legends
29 Old Burlington St W1.
Kaart 12 F3.
☎ 0171-437 9933.

Madame Jojo
8-10 Brewer St W1.
Kaart 13 A2.
☎ 0171-734 2473.

Ministry of Sound
103 Gaunt St SE1.
☎ 0171-378 6528.

Paradise Club
1-5 Parkfield St N1.
Kaart 6 E2.
☎ 0171-354 9993.

Scandale
53-54 Berwick St W1.
Kaart 13 A1.
☎ 0171-437 6830.

Stringfellows
16 Upper St Martin's Lane WC2.
Kaart 13 B2.
☎ 0171-240 5534.

Tattershall Castle
Victoria Embankment, SW1.
Kaart 13 C3.
☎ 0171-839 6548.

Turnmills
63 Clerkenwell Road EC1
Kaart 6 E5.
☎ 0171-250 3409.

Wag Club
35 Wardour St W1.
Kaart 13 A2.
☎ 0171-437 5534.

Sport

In Londen kunt u een groot aantal sporten gaan bekijken. U kunt er een spelletje middeleeuws tennis bewonderen of u bekwamen in diepzee-duiken in het hartje van Londen. De meesten zullen een bezoek aan een voetbalwedstrijd en een rugbycompetitie voldoende vinden en hoogstens zelf willen tennissen. In Londen is het allemaal mogelijk. Er zijn enorm veel faciliteiten en het kost nooit veel.

AMERIKAANS FOOTBALL

Op **Wembley** ontmoeten de Londense Monarchs in maart en april andere clubs uit Amerika en Europa. In augustus is er op Wembley de NFL Bowl, waarin de twee beste Amerikaanse ploegen tegen elkaar spelen.

ATLETIEK

Er zijn genoeg goede banen in Londen, vaak ook gratis, zoals het **Linford Christie Stadium**, het **Regent's Park** en de **Parliament Hill Fields**. Als u gezamenlijk wilt joggen, kunt u op donderdag om 18.00 uur bij de **Jubilee Hall** de Bow Street Runners ontmoeten en met hun meelopen.

CONDITIETRAINING

In de meeste sportcentra kunt u aan uw conditie werken. Met een lidmaatschap van de YMCA kunt u terecht in het **Central YMCA**. Zowel **Jubilee Hall** als **Swiss Cottage Sports Centre** geven aerobicles, conditietraining en gewichtstraining. In het geval er iets mis is gegaan, kunt u terecht in de kliniek van het **Chelsea Sports Centre** die blessures behandelt.

CRICKET

In de zomer wordt er cricket gespeeld in **Lord's** en de **Oval**. Kaarten dienen ruim van tevoren te worden gereserveerd, alleen aan kaarten voor internationale wedstrijden van één dag is vaak nog wel te komen. Met name de ploegen uit Middlesex en Surrey spelen cricket op topniveau. De Long Room en het paviljoen van de Oval zijn een bezoek waard.

GOLF

In Londen zelf zijn geen golfbanen, in de buitenwijken wel een aantal, waaronder **Hounslow Heath**, **Chessington** (negen holes, de trein erheen vertrekt vanuit Waterloo) en **Richmond Park** (twee banen en een geautomatiseerde lesruimte binnen). Clubs en dergelijke worden tegen redelijke prijzen verhuurd.

HONDENRENNEN

Op een avond 'down the dogs' in het **Walthamstow Stadium** of het **Wimbledon Stadium** kunt u de hazewindhondenrennen volgen op een scherm aan de bar, het restaurant (reserveer vooraf een tafel) of langs de baan.

PAARDESPORT

Al eeuwen lang rijden er parmantig ruiters door Hyde Park; **Ross Nye** levert u het edele ros waarmee u deze lange traditie in ere kunt houden.

RUGBY

Bij professionele rugbywedstrijden telt elk team dertien spelers, de kampioenschappen vinden plaats op **Wembley**. Rugby Union, amateur-rugby, word gespeeld met teams van vijftien spelers en de belangrijke wedstrijden zijn op de **Twickenham Rugby Football Ground**, van september tot april. In de weekeinden zijn er vriendschappelijke wedstrijden. De beste teams uit Londen zijn de **Saracens** en **Rosslyn Park**, die elk op hun eigen terrein even buiten Londen spelen.

SCHAATSEN

De beste ijsbaan in Londen is **Queens**, waar u schaatsen kunt huren. De mooiste plek om te schaatsen is het **Broadgate** complex, alleen 's winters open, in het hartje van de stad.

SQUASH

Het is raadzaam minstens twee dagen van tevoren een baan te reserveren. Veel sporthallen beschikken over banen en verhuren rackets en dergelijke, zoals **Swiss Cottage Sports Centre** en **Saddlers Sports Centre**.

STOCK CAR RACING

Stock car racing kunt u bekijken in het **Wimbledon Stadium**. Het is een zeer luidruchtige sport, maar u kunt zich altijd even terugtrekken in het restaurant.

TENNIS

Er zijn honderden tennisbanen in de parken van Londen en het huren van een baan is goedkoop en gemakkelijk. In de zomer kunt u het beste twee of drie dagen van tevoren reserveren. Neem uw eigen racket en ballen mee. De betere banen zijn **Holland Park**, **Parliament Hill** en **Swiss Cottage**. Kaarten voor het Centre Court van de **All England Lawn Tennis Club** op Wimbledon zijn nauwelijks te krijgen – het is bijna gemakkelijker en als speler toegang te krijgen dan als toeschouwer. U kunt proberen een nacht in de rij door te brengen of op kaartjes na de lunch te wachten. Voor een paar centen kunt u dan toch nog vier uur tennis zien.

TRADITIONELE SPORTEN

De roeiwedstrijd in april of maart tussen de universiteiten van Oxford en Cambridge, van Putney naar Mortlake (*blz. 56*), heeft een lange traditie. Een traditie van recenter datum is de marathon op een zondag in april (blz. 56). U kunt croquet gaan zien op de **Hurlingham Club**, polo op de **Guards Polo CLub** en middeleeuws tennis op de **Queen's Club**.

VOETBAL

Voetbal is de populairste sport in Engeland. Het seizoen loopt van augustus tot mei, de wedstrijden beginnen om 15.00 uur op zaterdag. Met uitzondering van de finale in de FA Cup en de belangrijkste competitiewedstrijden kunnen kaarten gewoon aan de kassa worden verkregen op de dag zelf. De grootste clubs uit Londen zijn **Arsenal** en **Tottenham Hotspur**.

WATERSPORT

U kunt allerlei sporten beoefenen in het **Docklands Sailing and Water Sports Centre** (windsurfen, varen met zeil- en motorboten en kanoën), de **Docklands Water Sports Club**, de **Peter Chilvers**

Windsurfing School en de **Royal Docks Waterski Club**. U kunt ook boten huren bij **Serpentine** in Hyde Park en **Regent's Park Lane**.

ZWEMMEN

De beste binnenbaden zijn het **Chelsea Sports Centre** en de **Porchester Baths**. Buitenbaden zijn **Highgate** (mannen), **Kenwood** (vrouwen) en **Hampstead** (gemengd zwemmen).

ADRESSEN

Algemene sportinformatielijn voor Londen
📞 0171-222 8000.

Greater London Sports Council
📞 0170-273 1500.

All England Lawn Tennis and Croquet Club
Church Rd, Wimbledon SW19. 📞 0181-946 2244.

Arsenal Stadium
Avenell Rd, Highbury N5.
📞 0171-704 4000.

Broadgate Ice Rink
Broadgate Circle EC2.
Kaart 7 C5.
📞 0171-505 4608.

Central YMCA
112 Great Russell St WC1. **Kaart** 13 B1.
📞 0171-637 8131.

Chelsea Sports Centre
Chelsea Manor St SW3.
Kaart 19 B3.
📞 0171-352 6985.

Chessington Golf Course
Garrison Lane, Chessington, Surrey.
📞 0181-391 0948.

Docklands Sailing and Watersports Centre
235a Westferry Rd, Millwall Docks E14.
📞 0171-537 2626.

Docklands Water Sports Club
King George V Dock, Woolwich Manor Way E16. 📞 0171-511 5000.

Guards Polo Club
Windsor Great Park, Englefield Green, Egham, Surrey.
📞 0784-434212.

Hampstead Ponds
bij East Heath Rd NW3.
Kaart 1 C4.
📞 0171-435 2366.

Holland Park Lawn Tennis Courts
Kensington High St W8.
Kaart 9 B5.
📞 0171-603 3928.

Hounslow Heath Golf Course
Staines Rd, Hounslow, Middlesex.
📞 0181-570 5271.

Hurlingham Club
Ranelagh Gdns SW6.
📞 0171-736 8411.

Jubilee Hall Sports Centre
30 The Piazza, Covent Garden WC2. **Kaart** 13 C2.
📞 0171-836 4007.

Kenwood and Highgate Ponds
bij Millfield Lane N6.
Kaart 2 E3.
📞 0181-340 4044.

Lord's Cricket Ground
St John's Wood NW8.
Kaart 3 A3.
📞 0171-289 1611.

Oval Cricket Ground
Kennington Oval SE11.
Kaart 22 D4.
📞 0171-582 6660.

Parliament Hill
Highgate Rd NW5.
Kaart 2 E4.

📞 0171-435 8998 (atletiek).
📞 0171-485 4491 (tennis).

Peter Chilvers Windsurfing Centre
Gate 6, Tidal Basin, Royal Victoria Docks E16.
📞 0171-474 2500.

Porchester Centre
Queensway W2.
Kaart 10 D1.
📞 0171-792 2919.

Queen's Club (Real Tennis)
Palliser Rd W14.
Kaart 17 A3.
📞 0171-385 3421.

Queens Ice Skating Club
17 Queensway W2.
Kaart 10 E2.
📞 0171-229 0172.

Regent's Park Lake
Regent's Park NW1.
Kaart 3 C3.
📞 0171-486 7905.

Richmond Park Golf
Roehampton Gate, Priory Lane SW15.
📞 0181-876 3205.

Rosslyn Park Rugby
Priory Lane, Upper Richmond Rd SW15.
📞 0181-876 1879.

Ross Nye
8 Bathurst Mews W2.
Kaart 11 A2.
📞 0171-262 3791.

Royal Docks Waterski Club
Gate 16, King George V Dock, Woolwich Manor Way E16.
📞 0171-511 2000.

Saddlers Sports Centre
Goswell Rd EC1.
Kaart 6 F3.
📞 0171-253 9285.

Saracens Rugby Football Club
Dale Green Rd N14.
📞 0181-449 3770.

Serpentine
Hyde Park W2.
Kaart 11 B4.
📞 0171-262 3751.

Swiss Cottage Sports Centre
Winchester Rd NW3.
📞 0171-413 6490.

Tottenham Hotspur
White Hart Lane, 748 High Rd N17.
📞 0171-365 5050.

Twickenham Rugby Ground
Whitton Rd, Twickenham, Middlesex.
📞 0181-892 8161.

Walthamstow Stadium
Chingford Rd E4.
📞 0181-531 4255.

Wembley Stadium
Wembley, Middlesex.
📞 0181-900 1234.

Lindford Christie Stadium
Du Cane Rd W12.
📞 0181-749 6758.

Wimbledon Stadium
Plough Lane SW19.
📞 0181-946 8000.

LONDEN VOOR KINDEREN

In Londen valt er ook voor kinderen veel te beleven. Elk jaar komen er meer en meer attracties die speciaal voor kinderen zijn bedoeld.

Als u Londen voor het eerst met een bezoek vereert, kunt u de bekende ceremoniën (*blz. 52-55*) en beroemde gebouwen (*blz. 34-35*) bezichtigen, maar dat is natuurlijk slechts het topje van de ijsberg. Behalve de par-

Humpty Dumpty pop

ken, dierentuinen, pretparken en andere attracties buiten, zijn er ook veel workshops, buurthuizen en musea die van alles voor kinderen organiseren. Daarbij komt nog dat er voor kinderen meestal een gereduceerd tarief geldt, zoals in de bus en de musea. Een aantal van de topattracties in Londen, bijvoorbeeld alle ceremoniën, zijn zelfs gratis.

PRAKTISCHE TIPS

Een degelijke planning is de sleutel tot een geslaagde dag voor kinderen. Informeer als eerste telefonisch naar de openingstijden. Bekijk vervolgens welke route u het beste kunt nemen op het metrokaartje achter in dit boek en bedenk dat het druk is in de metro en bij bushaltes vlak bij toeristische attracties. Het is raadzaam om als u met kinderen reist van tevoren bus- en metrokaartjes te kopen (*blz. 360*).

Kinderen tot vijf jaar reizen gratis in de bus en de metro, voor kinderen tussen de vijf en de vijftien geldt een speciaal tarief. (Zorg ervoor dat u van kinderen die er ouder uitzien of veertien of vijftien zijn een persoonsbewijs met een foto bij u hebt.) Aangezien veel kinderen reizen met het openbaar vervoer een avontuur op zich vinden, is het

Jan Klaasen en Katrijn op de Piazza, Covent Garden

leuk om voor de heen- en de terugreis iets anders te bedenken. Naast de bus en de metro kunt u gebruik maken van treinen, taxi's en boten (*blz. 360-367*). Musea en tentoonstellingen bezoeken met het hele gezin hoeft niet zo duur te zijn als u misschien denkt. Een museumkaart voor twee vol-

wassenen en maximaal vier kinderen is verkrijgbaar bij de meeste musea en is waarschijnlijk het voordeligst. In sommige gevallen kunt u een groepskaart kopen die u toegang tot verschillende musea geeft, bijvoorbeeld tot het Science, Natural History en Victoria and Albert Museum (*blz. 184-215*). U kunt misschien het beste een museum een paar keer bezoeken, op die manier kunnen u en uw kinderen alles op hun gemak bekijken en beleeft iedereen er meer plezier aan.

U kunt informatie inwinnen bij de gemeente over instellingen en activiteiten die er voor kinderen worden georganiseerd. Folders hierover liggen in bibliotheken, buurtcentra en het gemeentehuis. Tijdens de lange zomervakantie (juli-begin september) is er in Londen veel te doen voor kinderen.

WETTELIJKE BEPALINGEN

Kinderen tot veertien mogen niet in pubs en wijnbars komen (tenzij er een speciaal gedeelte voor families is) en drank mag pas worden besteld en gedronken door mensen boven de achttien. In restaurants mogen kinderen boven de zestien wijn en bier drinken (achttien als het om sterke drank gaat).

Sommige films zijn niet voor kinderen geschikt bevonden (*blz. 328*) en kleine kinderen zijn niet altijd welkom op plaatsen waar ze eventueel last kunnen veroorzaken.

Clowns in Covent Garden

UIT ETEN MET KINDEREN

De lijst restaurants *(blz. 292-294)* in dit boek geeft al aan in welke restaurants kinderen welkom zijn. Zolang uw kinderen zich enigszins weten te gedragen, zal geen enkel informeel, gezellig restaurant tegen hun aanwezigheid bezwaar maken. Soms zijn er voor kinderen hoge stoelen, extra kussens of een kleurplaat om de tijd door te komen.
Een aantal restaurants serveert speciale kindermenu's,

niets verrassends, maar wel goedkoop.
In het weekeinde organiseren sommige restaurants, zoals **Smollensky's Balloon** en **Sweeny Todds**, optredens van clowns, verhalenvertellers en goochelaars.
Een aantal restaurants accepteert ook groepen kinderen, bijvoorbeeld voor een kinderfeestje. Het is aan te raden hiervoor tijdig te reserveren (zeker als u er op zondag tussen de middag wilt eten) zodat de kinderen niet moe en hongerig moeten wachten.
Het **Rock Island Diner** *(blz. 306)* en het **Hard Rock Café** in Old Park Lane zijn er speciaal voor jongeren.
U kunt bijzonder goedkoop eten in het café in de crypte van de kerk St Martin-in-the-Fields *(blz. 102)*.

Weer opduiken in Smollensky's Balloon

NUTTIGE ADRESSEN

Haagen-Dazs
14 Leicester Square WC2. **Kaart** 13 B2.
0171-287 9577.

Hard Rock Café
150 Old Park Lane W1. **Kaart** 12 E4.
0171-629 0382.

Smollensky's Balloon
1 Dover St W1. **Kaart** 12 F3.
0171-491 1199.

Sweeny Todds
3-5 Tooley St SE1. **Kaart** 15 C3.
0171-407 5267.

Vrolijke bediening in het Rock Island Diner

Kinderen dienen in de auto veiligheidsgordels te dragen als deze aanwezig zijn. Baby's moeten in een apart zitje. Elk politiebureau kan u over deze wettelijke bepalingen meer informatie geven.

ALLEEN VOOR KINDEREN

Veel van de Londense musea *(blz. 40-43)* en theaters *(blz. 326-328)* organiseren middagen en dagen met spelletjes, activiteiten en cursussen waar u de kinderen kunt achterlaten, een ideale oplossing voor een regenachtige middag. Een dag naar de kermis, bijvoorbeeld in Hampstead op een zomerse dag, is altijd een gegarandeerd succes.
Londen kent veel sportcentra *(blz. 336-337)* die dagelijks open zijn en voor kinderen van verschillende leeftijden vaak een speciaal programma hebben.
Van 16.00-18.00 uur kunt u van de Kids Line (0171-222

8070) telefonisch informatie krijgen over activiteiten voor kinderen.
Als u er zelf op uit wilt zonder de kinderen, kunt u contact opnemen met **Childminders**, **Babysitters Unlimited**, **Universal Aunts** of **Pippa Pop-Ins**, een hotel dat als gasten uitsluitend kinderen tussen de twee en de twaalf jaar oud accepteert.

KINDEROPVANG

Babysitters Unlimited
2 Napoleon Road, Twickenham.
0181-892 8888.

Childminders
9 Paddington Street W1.
Kaart 4 D5.
0171-487 5040.

Pippa Pop-Ins
430 Fulham Road SW6.
Kaart 18 D5.
0171-385 2458.

Universal Aunts
PO Box 304, SW4.
0171-738 8937.

Kermis in Hampstead

Pret in bad in Pippa Pop-Ins

WINKELEN

Alle kinderen zijn dol op **Hamleys** speelgoedwinkel of de speelgoedafdeling van Harrods *(blz. 311)*. **Davenport's Magic Shop** en **The Doll's House** zijn kleiner en gespecialiseerder.

Voor goede (Engelstalige) kinderboeken kunt u naar **Early Learning Centre**, **Children's Book Centre** en **Puffin Book Shop**. In enkele boekhandels komen auteurs voorlezen of signeren, bijvoorbeeld tijdens de kinderboekenweek in oktober.

Handige telefoonnummers
Children's Book Centre 0171-937 7497; Davenport's Magic Shop 0171-836 0408; The Doll's House 0171-240 6075; Early Learning Centre 0171-937 0419; Hamleys 0171-734 3161; Puffin Book Shop 0171-416 3000.

Beren in Hamleys

MUSEA EN GALERIES

Op bladzijde 40-43 staat een uitgebreide lijst van musea en galeries. De meeste zijn de laatste jaren drastisch gemoderniseerd en maken gebruik van de vele technische mogelijkheden van deze tijd. Saaie en stoffige musea zult u alleen nog met de grootste moeite kunnen vinden.

Het Bethnal Green Museum of Childhood, in het Victoria and Albert Museum, het London Toy and Model Museum, met een tuin en een stoomtrein op de rails, en het Pollock's Toy Museum zijn speciaal voor kleine kinderen ingericht.

Met iets oudere kinderen kunt u de kunst van het 'Brass Rubbing' (een afdruk maken van mooie bronzen heiligenafbeeldingen) leren in de crypte van St Martin-in-the-Fields *(blz. 102)*, de Westminster Abbey *(blz. 76-79)* of St James's Church *(blz. 90)*. De Guinness World of Records Exhibitions *(blz. 100)*, het Museum of the Moving Image *(blz. 184)*, Madame Tussauds *(blz. 220)* of de Tower Bridge *(blz. 153)* zijn ook favoriet bij kinderen. Het British Museum heeft een schitterende collectie kostbaarheden en het Common-wealth Institute, Horniman Museum en Museum of Mankind hebben vondsten uit allerlei culturen. Het Science Museum is bijzonder leuk voor kinderen, omdat ze actief van alles kunnen ontdekken en leren – de Launch Pad-zaal houdt ze uren zoet. Hiernaast kunt u in het Natural History Museum honderden verbazingwekkende objecten en dieren zien waaronder een afdeling met dinosaurussen, die kinderen van alle leeftijden zullen fascineren. In de Tower of London zijn wapenuitrustingen van ridders en koningen te zien. Moderne wapens en ook vliegtuigen zijn te bewonderen in het National Army Museum en het Imperial War Museum. Verder is het Guards' Museum op Birdcage Walk zeker een bezoek waard. In het Museum of London wordt de geschiedenis van de stad op levendige wijze getoond. Het nieuwe bijgebouw, de Tower Hill Pageant, behandelt zo'n 2000 jaar historie op een zeer aanschouwelijke manier, compleet met geuren en geluiden.

Shirley Temple-pop in Bethnal Green Museum

BUITEN SPELEN

Londen kan trots zijn op het grote aantal parken *(blz. 48-51)*. De meeste ervan hebben een speeltuin met veilig en modern speeltuig. Daarnaast hebben sommige parken ook nog One O'Clock Clubs (een speelterrein voor kinderen onder de vijf jaar waar allerlei activiteiten voor ze worden georganiseerd) en avonturen-terreinen, natuurpaden, vijvers met bootjes en trimbanen.

De poppen van het Little Angel Marionette Theatre in Highbury

Speeltuin in Gunnersbury Park

In Blackheath *(blz. 239)*, Hampstead Heath of Parliament Hill kan worden gevliegerd, in Regent's Park is het leuk om te gaan varen. Combineer een tocht naar Primrose Hill *(blz. 262-263)* met een bezoek aan de dierentuin en Regent's Canal *(blz. 223)*.

De grote parken zijn een uitkomst voor ouders van actieve kinderen. U kunt er lange wandelingen en mooie fietstochten maken, bijvoorbeeld in Hyde Park in het centrum, meer noordelijk in Hampstead Heath, in Wimbledon Common in het zuidwesten en Gunnersby Park in het westen.

Battersea Park heeft een dierentuin en Crystal Palace Park (Thicket Road, Penge SE20) een kinderboerderij. In Greenwich en Richmond Park lopen herten en in St James's Park kunt u de eendjes voeren.

KINDERTHEATER

Het is moeilijk vast te stellen wie bij kindervoorstellingen de meeste pret hebben, de ouders of de kinderen. Sleep de kleintjes mee naar

Tuojiangasaurus-geraamte in het Natural History Museum

het **Little Angel Theatre** voor een prachtige poppenvoorstelling. Met name bijzonder vanwege de locatie is het drijvende **Puppet Theatre Barge** in Little Venice, waar ook met poppen wordt gespeeld. **The Unicorn Theatre** biedt het allerbeste kindertoneel en ook het **Polka Children's Theatre** heeft goede shows.

Handige telefoonnummers
Little Angel Theatre 📞 0171-359 8581; Polka Children's Theatre 📞 0181-543 3741; Puppet Theatre Barge Marionette Performers 📞 0171-249 6876; The Unicorn Theatre 📞 0171-379 3280.

Hert in het Richmond Park

DE STAD BEKIJKEN

Om de stad eens op uw gemak te bekijken, kunt u nog altijd het beste een dubbeldekker nemen *(blz. 364-365)*. Het is goedkoop en kinderen genieten ervan. De kleurrijke ceremoniëen worden uitgebreid beschreven op bladzijde 52-55. Kinderen genieten ook volop van de zomer-kermissen in de parken, de vuurwerkspektakels op Guy Fawkes Night (5 november) en de prachtig versierde

Boten te huur in het Regent's Park

Regent Street en het Trafalgar Square op de dagen rond Kerstmis.

ACHTER DE SCHERMEN

Kinderen nemen graag een kijkje achter de schermen, bijvoorbeeld om te zien hoe de beroemde evenementen in Londen worden georganiseerd. Als uw kinderen sportliefhebbers zijn, kunt u ze meenemen naar Wembley Stadium, Twickenham Rugby Football Ground *(blz. 337)*, Lord's Cricket Ground *(blz. 242)* of het Wimbledon Lawn Tennis Museum *(blz. 247)*.

Het Royal National Theatre *(blz. 184)*, Royal Opera House *(blz. 115)* en Sadler's Wells *(blz. 243)* organiseren rondleidingen die kinderen een kijkje achter het toneel gunnen.

Andere mooie gebouwen die u kunt bezoeken zijn de Tower of London *(blz. 154-157)*, de Old Bailey rechtbank *(blz. 147)* en de Houses of Parliament *(blz. 72-73)*. De rondleidingen bij de London Fire Brigade (0171-587 4063) en het London Diamond Centre (0171-629 5511) zijn een bijzondere belevenis.

WEGWIJS
IN LONDEN

PRAKTISCHE INFORMATIE

Londen is tegenwoordig goed ingesteld op het toerisme. De laatste jaren zijn de diverse faciliteiten voor toeristen, zoals medische hulp en nachtelijke transportmogelijkheden, sterk in aantal toegenomen. Het is mede afhankelijk van de wisselkoers van de Engelse pond en uw eigen munteenheid of u Londen als duur ervaart. Londen staat bekend om de prijzige hotels, hoewel er ook goedkope mogelijkheden zijn *(blz. 272-275)*. Hetzelfde geldt voor restaurants in Londen *(blz. 306-307);* van het geld dat u op één avond in een restaurant in Mayfair opsoupeert, kunt u elders meerdere keren eten. In dit hoofdstuk vindt u informatie over dit soort praktische aangelegenheden waarmee u uw voordeel kunt doen.

Met een gids de stad ontdekken

DRUKTE VERMIJDEN

Musea en galeries kunnen erg vol zijn met groepen scholieren. Plan uw bezoek dan ook zo mogelijk na 14.30 uur op schooldagen. Tijdens vakanties kunt u het best vroeg op de dag gaan en de weekeinden vermijden. Georganiseerde groepsreizen volgen vaak een vast reisschema. Vermijd om deze reden 's ochtends Westminster Abbey en St Paul's in de middag. Bij de Tower kunt u daarentegen te allen tijde op drukte rekenen.

U kunt een groot deel van Londen te voet bekijken. De bruine borden vermelden bezienswaardigheden, de blauwe bordjes op gebouwen *(blz. 39)* vertellen u waar beroemdheden in het verleden woonden.

RONDLEIDINGEN

Als het weer een beetje meezit, is een tocht boven op een dubbeldekker de ideale manier om Londen te bekijken. De rondrit van **London Transport Sightseeing Tour** duurt zo'n 90 minuten en vertrekt ieder half uur (10.00-18.00 uur) vanaf verschillende punten. Andere organisaties, zoals **Frames Rickards** en **Harrod's** bieden tours van een uur tot een hele dag. U kunt bij het instappen een kaartje kopen of vooraf in de Tourist Information Centres. Bij onder andere **Tour Guides Ltd** en **British Tours** is het mogelijk privé tours te boeken. De betere organisaties zijn te herkennen aan een Blue Badge kwalificatie. U kunt in Londen ook wandelingen met een gids maken *(blz. 259)*, zoals een kroegentocht of in de voetsporen van Dickens treden. De Toeristeninformatie of uitkranten *(blz. 324)* geven meer informatie. Een rondvaarttocht over de Thames is natuurlijk ook een leuke manier om Londen te zien *(blz. 60-65)*.

Handige telefoonnummers
British Tours ☎ *0171-629 5267;*
Frames Rickards ☎ *0171-837 3111;*
Harrod's ☎ *0171-581 3603;*
London Transport Sightseeing Tour
☎ *0171-828 7395;*
Tour Guides Ltd ☎ *0171-839 2498;*
informatie voor gehandicapten:
☎ *0171-495 5504.*

OPENINGSTIJDEN

In het gedeelte *Londen van buurt tot buurt* staan de openingstijden van de bezienswaardigheden vermeld. Gemakshalve kunt u ervan uitgaan dat alles van 10.00 tot 17.00 uur open is, in de zomer vaak nog iets langer. Een aantal bezienswaardigheden zijn op sommige avonden nog tot laat open. In de weekeinden, op nationale feestdagen en soms op maandagen gelden andere openingstijden.

Een dubbeldekker, speciaal voor bezichtiging van de stad, met een open dak

In de rij voor de bus

Toegangsprijzen

Veel van de grote attracties in Londen, zoals de ka-thedralen en enkele kerken, vragen sinds kort entreegeld of een vrijwillige bijdrage. De toegangsprijzen variëren van een paar pond voor het Florence Nightingale Museum *(blz. 185)* tot meer dan £ 6.00 voor de Tower *(blz. 154-157)*. In het deel *Londen van buurt tot buurt* vindt u bij de musea vermeld of ze al dan niet een toegangsprijs vragen. Een aantal bezienswaardigheden zijn op bepaalde tijden goedkoper of geven reducties. Bel even als u denkt voor korting in aanmerking te komen.

De bezienswaardig-heden staan aangegeven

Gedragscodes

Het is tegenwoordig in de meeste openbare gele-genheden niet meer toege-staan te roken. Dit is bijvoor-beeld het geval in de bus, de metro, taxi's en een aantal stations en theaters. Veel res-taurants hebben een niet-roken gedeelte. De grote uit-zondering hierop vormen echter de pubs. ASH (Action on Smoking and Health) kan u meer informatie geven (071-935 3519) of kijk in de lijst hotels *(blz. 272-285)* en restaurants *(blz. 286-309)*. Londenaars staan netjes in de rij, of het nu is voor de bus, in het postkantoor, voor de kassa van een theater of een taxi. Degenen die proberen voor te dringen worden ont-haald op ijzige blikken en scherp commentaar. Alleen in de forenzentreinen en de metro in de spitsuren geld het recht van de sterkste. De woorden 'please', 'thank you' en 'sorry' worden veel gebezigd. Het komt u mis-schien overdreven voor een barman te bedanken als hij gewoon zijn werk doet, maar het levert vaak een vriendelij-ke bediening op.
Zoals de meeste grote steden, werkt ook Londen enigszins vervreemdend, zeker bij een eerste kennismaking. De Engelsen zijn echter een vriendelijk volk en zijn u graag van dienst. Ook de stoere Engelse bobby's hel-pen u geduldig als dit nodig mocht zijn *(blz. 346)*.

Gehandicapten

De meeste bezienswaardig-heden zijn toegankelijk voor mensen in rolstoelen (zie ook *Londen van buurt tot buurt)*, al blijft het aan te raden vooraf hierover te bel-len. Behulpzame boeken zijn *Access in London* (uitgeverij Nicholson), *London for all* (London Tourist Board) en een brochure *Access to the underground* (London Transport, verkrijgbaar in veel metrostations). U kunt **Artsline** vragen naar facilitei-ten voor gehandicapten bij culturele evenementen en in-stellingen. **Holiday Care Service** geeft informatie over geschikte accommodaties in Londen en **Tripscope** kan u meer vertellen over de toe-gankelijkheid van het open-baar vervoer.

Handige telefoonnummers
Artsline ☎ 0171-388 2227; Holiday Care Service ☎ 01293-771500; Tripscope ☎ 0181-994 9294.

Een vrijwillige bijdrage wordt op een heleboel plaatsen op prijs gesteld

Bureaus van de Toeristeninformatie

De bureaus voor toeris-teninformatie kunnen u over de meeste zaken informeren.

Het symbool van de toeristen-informatie

Kijk uit naar het blauwe bord met een witte letter i op de volgende plaatsen:

Heathrow Airport
Plaats metrostation.
⊖ *Heathrow, 1, 2, 3*. **Open** dag. 8.00-18.00 uur.

Liverpool Street Station
EC2. **Kaart** 7 C5.
Plaats metrostation. ⊖ *Liverpool Street*. **Open** ma 8.15-19.00 uur, di-za 8.15-18.00 uur, zo 8.15-16.45 uur.

Selfridge's
400 Oxford St W1. **Kaart** 12 D2.
Plaats souterrain.
⊖ *Bond Street*. **Open** vr-wo 9.30-19.00 uur, do 9.30-20.00 uur.

Victoria Station
SW1. **Kaart** 20 F1.
Plaats op het stationsplein.
⊖ *Victoria*. **Open** dag. 8.00-19.00 uur.

U kunt telefonisch inlichtingen krijgen bij de Londen Tourist Board ☎ 0171-730 3450.

Er is ook nog een organisatie die alleen informatie verstrekt over het centrum van Londen (blz. 143-159):

City of London Information Centre
St Paul's Churchyard EC4.
Kaart 15 A1. ☎ 0171-332 1456.
⊖ *St Paul's*. **Open** april-okt.: dag. 9.30-17.00 uur; nov-mrt.: za 9.30-12.30 uur.

Veiligheid en gezondheid

L onden kent als alle grote steden de daarmee samen-
hangende problemen. De stad is daarnaast met enige
regelmaat het doel van terroristische aanslagen. Bij alle
bommeldingen slaat men alarm en worden er veiligheids-
maatregelen getroffen. Al blijkt het overgrote deel van de
meldingen vals te zijn, het blijft zaak ze serieus te nemen.
Aarzel niet een van de vele Londense agenten om bij-
stand te vragen – ze zijn er om de mensen te helpen.

VOORZORGSMAATREGELEN

H et is hoogst onwaar-
schijnlijk dat u tijdens uw
verblijf in Londen wordt ge-
confronteerd met gewelddadige misdrijven. Ook in de minder goed bekend staande en
ruigere wijken zijn zelfs weinig zakkenrollers en tasjesdieven. Die treft u eerder in
drukke straten, zoals Oxford
Street en Camden Lock of op
volle perrons van de trein- of
metrostations.

Straatrovers en verkrachters
hebben een voorkeur voor
slecht verlichte en geïsoleerde
plekken, zoals verlaten treinstations, achterafsteegjes en
parken. Als u deze vermijdt,
zeker 's nachts, en bij voorkeur niet alleen bent, loopt u
weinig risico.

Zakkenrollers en tasjesdieven
stellen u voor een acuter probleem. Draag liever geen
kostbaarheden bij u, of anders zo onzichtbaar mogelijk
en let te allen tijde op uw tas
of koffer, zeker ook in restaurants, bioscopen en theaters;
daar worden persoonlijke ei-
gendommen soms pal onder
uw neus vandaan gepikt.
Hoewel er veel daklozen in
Londen zijn, wordt u door
hen niet lastig gevallen.
Hooguit zal men u om wat
kleingeld vragen.

ALLEENREIZENDE
VROUWEN

I n Londen, in tegenstelling
tot in sommige andere steden in Europa, kunt u als
vrouw alleen of met een
groep vrouwen gewoon uit
eten of naar de kroeg gaan.
Toch blijft enige voorzichtig-
heid geboden. Blijf zoveel
mogelijk op goed verlichte,
drukke straten. De meeste
vrouwen reizen 's avonds liever niet met de metro en dit

Politie te paard

geldt eigenlijk ook voor de
trein. In het geval het toch
noodzakelijk is, kunt u het
beste in een al wat drukkere
coupé plaatsnemen. Een taxi
blijft de beste oplossing (*blz.
367*).

Een aantal vormen van zelf-
verdediging zijn slechts onder
voorbehoud toegestaan. In
het openbaar is het verboden
wapens te dragen. Het in uw
bezit hebben van bijvoor-
beeld messen, knuppels, ge-
weren en traangasgranaten
kan u duur komen te staan.

PERSOONLIJKE
BEZITTINGEN

W ees altijd zorgvuldig met
uw persoonlijke bezit-
tingen en laat ze goed verze-
keren voor u op reis gaat.
Draag zo min mogelijk kostbare zaken en contant geld
bij u, het is verstandiger deze
in een hotelkluis of goed afgesloten koffer houden. Het
beste om mee te nemen zijn
traveller's cheques (*blz. 349*).
Laat geen tas of koffer onbe-
heerd staan in metro- of treinstations – ze worden ofwel
meegenomen, ofwel aange-
zien voor een mogelijke bom;
vooral de situatie in Noord-
Ierland zorgt voor een ge-
spannen sfeer.

Geef vermiste goederen aan
bij het dichtstbijzijnde politiebureau en zorg voor de juiste
formulieren als de verzekering de schade behoort te
dekken. Alle stations hebben
een afdeling gevonden voorwerpen. Als u iets vergeten
bent in de trein, bus of metro,
is het beter zelf naar het onderstaande adres te gaan dan
te bellen.

Lost Property

Gevonden voorwerpen
Londen Transport Lost Property Office,
200 Baker Street W1. **Open** *ma-vr
alleen 's ochtends.* 📠 *0171-486
2496, inlichtingen alleen persoonlijk
te verkrijgen;* Black Cab Lost Property
Office. 📞 *0171-833 0996.*

Agente in uniform

Verkeerspolitie

Agent in uniform

Typisch Londense politieauto

Ambulance

Brandweer

IN NOODGEVALLEN

De politie, brandweer en ambulancedienst hebben alarmnummers die 24 uur per dag bereikbaar zijn voor noodgevallen.
Er zijn een aantal centra die hulp bieden in geval van acute nood, bijvoorbeeld na een verkrachting. Als u in het kader hiernaast niet het juiste nummer kunt vinden, kunt u inlichtingen bellen (draai 142 of 192).
Politiebureaus en ziekenhuizen met opvangmogelijkheden in geval van nood staan op de *plattegrond* aangegeven *(blz. 368-369)*.

MEDISCHE HULP

Het wordt alle toeristen van buiten de Europese Gemeenschap streng aangeraden een goede medische verzekering af te sluiten. Een behandeling in geval van nood is in Engeland gratis, maar aanvullende medische zorg is duur.
Inwoners van de EG, andere Europese landen of het Britse Gemenebest krijgen gratis medische hulp, die valt onder de National Health Service (NHS). Voor vertrek is het raadzaam te vragen of uw

land van herkomst en Engeland op medisch gebied afspraken hebben over wat wel en wat niet door verzekeringen wordt gedekt. Ook als dit niet het geval is, is het mogelijk gratis te worden geholpen als u uw nationaliteit kunt aantonen, maar er kunnen restricties en uitzonderingen gelden.
Voor een bezoek aan de tandarts betaalt u in ieder geval een kleine vergoeding, de hoogte hangt af van uw recht op NHS-behandeling en van het feit of u een NHS-tandarts kunt vinden. Verschillende instituten bieden 24 uur per dag tandheelkundige zorg *(zie het kader hiernaast)*, maar voor een particuliere tandarts kunt u beter de Gouden Gids raadplegen.

MEDICIJNEN

De meeste medicijnen zijn in supermarkten of drogisterijen verspreid door de stad te krijgen. U hebt echter wel vaak een recept nodig. Als het waarschijnlijk is dat u medicijnen nodig zult hebben, is het aan te raden deze zelf mee te nemen of uw huisarts te vragen om de algemene naam, in plaats van de merknaam. Als u niet in aanmerking komt voor NHS, betaalt u de kostprijs van de medicijnen zelf, en die kunnen flink oplopen.
Vergeet niet een reçu te vragen, zodat u dat bij terugkeer thuis aan uw verzekering kunt tonen.

Boots: een keten drogisterijen

Geldzaken

Toeristen ondervinden al snel in Londen dat de banken tegen de gunstigste koersen wisselen. Bij wisselkantoren van particulieren lopen deze nogal eens uiteen en het is zaak op de kleine lettertjes over commissie en minimaal te wisselen bedragen te letten voor u tot een transactie overgaat. Het voordeel van de wisselkantoren is wel dat u er op alle tijden kunt wisselen, in tegenstelling tot de banken.

Bankautomaat

BANKEN

De openingstijden van banken variëren in Londen. Alle banken zijn in ieder geval geopend van maandag tot en met vrijdag van 9.30 tot 15.30 uur, maar de meeste blijven langer open, zeker in het centrum. Er zijn ook al meer banken op zaterdagochtend open. Op nationale feestdagen zijn alle banken gesloten *(blz. 59)* en sommige doen op de dag ervoor hun deuren eerder dicht. De meeste grote banken hebben geldautomaten die een credit card en pincode accepteren. Een aantal van deze automaten geven instructies in meerdere talen. U kunt 24 uur per dag bij Lloyds Bank en Royal Bank of Scotland in Londen terecht met American Express, maar u moet wel vooraf regelen dat uw pincode met een code aan uw persoonlijke rekening is gekoppeld. Er wordt bij elke transactie 2 % commissie gerekend.

U kunt uw traveller's cheques ook uitstekend verzilveren in **Thomas Cook-** en **American Express**-kantoren of bij de wisselkantoren van banken die vaak op vliegvelden en in grote stations zijn te vinden. Er zijn in het centrum van Londen meer dan genoeg mogelijkheden om uw geld te wisselen, zoals op stations, bij de toeristen-infor-

matie en in grote warenhuizen. **Chequepoint** is een van de grotere wisselkantoren en **Exchange International** heeft in het centrum van Londen een groot aantal filialen met lange openingstijden. Aangezien er geen organisatie is die particuliere wisselkantoren controleert, dient u zelf goed op de koersen en voorwaarden te letten.

CREDITCARDS

In Londen is het erg handig als u in het bezit bent van een creditcard. U kunt er onder andere in hotels, restaurants, winkels, garages en theaters mee betalen. Ook is het vaak al mogelijk telefonisch met uw card te betalen. Visa is de meest gangbare creditcard, gevolgd door Mastercard (ook wel Access genoemd), American Express, Diners Club en JCB.
U kunt in de meeste banken op vertoon van uw creditcard en het juiste pasje ook contant geld (tot uw kredietlimiet) krijgen. Wel wordt de rente van de betreffende creditcard-organisatie in rekening gebracht, hetgeen ook genoteerd staat op uw bankafschrift.

BANKEN IN LONDEN

Engelands grootste clearing banken (banken die alles via een en hetzelfde verrekenkantoor regelen) zijn Barclays, Lloyds, Midland en National Westminster (NatWest). Elke bank is gemakkelijk te herkennen aan het eigen logo. De Royal Bank of Scotland heeft ook een aantal filialen in Londen waar u geld kunt wisselen. De kosten die de banken rekenen variëren, dus let daarop voor u gaat wisselen.

CONTANTEN EN TRAVELLER'S CHEQUES

De Britse munteenheid is de pond sterling (£), die bestaat uit 100 pence (p). Omdat wisseltransacties niet aan controle onderhevig zijn, gelden er in Engeland geen restricties op de in- en uitvoer van contanten.

Als u reist zijn traveller's cheques de veiligste vorm van geld. Houd de afschriften apart en onthoud de kantoren waar u terecht kunt in geval van diefstal of verlies. Sommige banken vragen geen commissie van hun vaste klanten, maar meestal zal deze 1 % bedragen. Zorg ervoor alvast een klein bedrag in Engelse ponden bij u te hebben, aangezien er bij de wisselkantoren op het vliegveld vaak lange rijen staan. Vraag ook om kleine coupures, omdat sommige winkeliers niet graag grote coupures wisselen: biljetten van £ 20 worden bij kleine boodschappen soms geweigerd.

Alle bankbiljetten hebben aan een zijde het portret van de koningin

Bankbiljetten

Er zijn bankbiljetten van £ 5, £ 10, £ 20, en £ 50. Schotland heeft eigen bankbiljetten die, hoewel geldig in heel Engeland, niet altijd welkom zijn.

Biljet van £ 50

Biljet van £ 20

Biljet van £ 10

Biljet van £ 5

Munten

De huidige munten hebben een waarde van £ 1, 50 p, 20 p, 10 p, 5 p, 2 p en 1 p. Alle hebben een afbeelding van de koningin aan een zijde. Onlangs is er een munt van £ 2 geïntroduceerd.

1 pound (£ 1)

50 pence (50 p)

20 pence (20 p)

10 pence (10 p)

5 pence (5 p)

2 pence (2 p)

1 penny (1 p)

Telefoneren in Londen

O p bijna alle straathoeken, bij veel busstations en op alle treinstations staat een telefooncel. Telefoneren in het binnenland is het duurst door de week tussen 9.00 en 13.00 uur en het goedkoopst door de week voor 8.00 uur en na 18.00 uur en in het weekeinde. Goedkoop bellen naar het buitenland is afhankelijk van het land, maar kan meestal in het weekeinde en 's avonds. U kunt munten, telefoonkaarten of creditcards gebruiken. BT-telefoonkaarten zijn er van £ 2, £ 4 en £ 10. Ze zijn verkrijgbaar bij sommige kiosken en bij het postkantoor.

TELEFOONCELLEN

E r zijn twee soorten telefooncellen in Londen: de oude rode en de moderne grijze. Ze accepteren munten of kaarten. Het voordeel van een telefoonkaart is dat u niet op hoeft te letten dat u voldoende kleingeld bij zich heeft. Als kaart kunt u BT-telefoonkaarten en de meeste creditcards gebruiken. Bij de moderne telefooncellen staat op de deur aangegeven of er kaarten, munten of beide worden geaccepteerd.

Oude BT-telefooncel   **Nieuwe BT-telefooncel**

Hieronder vindt u een uitleg over het gebruik van kaart- of munttelefoons.

HET JUISTE NUMMER

- Londen (centrum) heeft netnummer 0171.
- Buiten het centrum is het netnummer 0181. Om bijvoorbeeld vanuit Greenwich Village Covent Garden te bellen, draait u eerst 0171, vice versa draait u 0181.
- Inlichtingen lokale telefoonnummers: 192.
- Als u geen verbinding krijgt, draait u 100 voor een telefonist(e).
- Voor internationale telefoongesprekken draait u 00 gevolgd door het landnummer (Nederland 32, België 32), het netnummer zonder de 0 en het abonneenummer.
- Draai 155 voor een Engelse telefoniste, 0800-890031 voor een Nederlandse of 0800-890032 voor een Belgische.
- **In geval van nood kunt u 999 of 112 draaien.**

KAARTTELEFOON

1 Neem hoorn van haak en wacht op kiestoon.

2 Schuif kaart naar binnen met groene zijde boven.

3 Aantal te gebruiken eenheden wordt zichtbaar. Minimaal één.

4 Sommige telefoons accepteren creditcards. Schuif deze horizontaal naar binnen en duw.

5 Draai nummer en wacht op verbinding.

6 Als uw telefoonkaart op is, hoort u een pieptoon. Druk op de knop, waardoor de kaart eruit schuift. Schuif nieuwe kaart in gleuf.

7 Wilt u nogmaals bellen, drukt u op knop *follow on call*, in plaats van de hoorn erop te hangen.

BT-kaarten (geheel links) koopt u in winkels met dit logo (links)

MUNTTELEFOON

1 Neem hoorn van haak en wacht op kiestoon.

2 Werp munten in. Alle munten zijn bruikbaar, behalve die van 5, 2 en 1 pence.

3 Draai nummer en wacht op verbinding.

4 Het bedrag dat u hebt besteed, wordt aangegeven. Een serie piepjes betekent dat u nieuwe munten moet inwerpen.

5 Wilt u nogmaals bellen, druk op de knop *follow on call*, in plaats van de hoorn erop te hangen.

6 Hang de hoorn erop als u klaar bent. Ongebruikte munten ontvangt u terug. Wisselgeld is er niet altijd, dus gebruik munten van 10 p en 20 p voor korte gesprekken.

Brieven versturen

Logo van het postkantoor

Naast de grote postkantoren heeft Londen een groot aantal kleine filialen die vaak tevens kiosk zijn. Deze zijn op werkdagen geopend van 9.00 tot 18.30 uur en op zaterdag tot 12.30 uur. First- en second-class postzegels kunnen per stuk of in series van tien worden gekocht. First-class postzegels zijn geschikt binnen de Europese Unie. Postbussen – in alle soorten en maten, maar altijd rood – vindt u in de hele stad.

Oude brievenbus

POST

Postzegels zijn verkrijgbaar bij elke zaak met het bordje *Stamps sold here*. Hotels hebben vaak een brievenbus in de buurt van de receptie. Vergeet de postcode niet als u naar een adres in Groot-Brittannië schrijft. U vindt die in het telefoonboek. Brieven binnen Engeland kunnen met een first- of second-class postzegel worden verstuurd. First class betekent een snellere bezorging, meestal de volgende dag (behalve zondag). Second-class duurt meestal twee dagen of meer.

POSTE RESTANTE

U kunt in Londen uw post *poste restante* ontvangen. Dit betekent dat het postkantoor de brieven voor u bewaart. Zorg dat de achternaam duidelijk staat aangegeven, zodat het poststuk op de juiste plek terechtkomt. Om uw post op te halen, moet u een identificatiebewijs laten zien. Uw post wordt een maand bewaard. Het grootste postkantoor van Londen is dat aan William Street, WC2. Ook de American Express-vestiging aan 6 Haymarket heeft een *poste restante*-dienst voor zijn klanten.

BRIEVENBUSSEN

Deze kunnen zowel vrijstaand zijn of zijn ingebouwd, maar ze zijn altijd helderrood. Sommige vrijstaande hebben aparte gleuven, een voor post naar het buitenland en first-class post en een voor second-class post.
De initialen op de buitenkant van de oude bussen zijn van de vorst of vorstin die regeerde toen de bus werd gemaakt.
De tijden waarop de post wordt opgehaald, staan aangegeven op de bus; door de week vaak enkele malen per dag, op zaterdag minder vaak en op zondag niet.

Luchtpost is first class

Second class   First class

Boekjes met tien zegels

POST VOOR HET BUITENLAND

New-style post box

Luchtpost is een snelle manier van communicatie. Luchtpost heeft altijd een first-class postzegel en eenzelfde prijs, onafhankelijk van de plaats van bestemming.
Luchtpost doet er ongeveer vier dagen over naar steden binnen Europa en tussen de vier en zeven dagen voor andere bestemmingen.
Post per schip versturen is goedkoper, maar het kan wel twaalf weken duren voor het zijn bestemming bereikt. Brieven en pakjes binnen de EU per schip versturen kost hetzelfde als in het binnenland.
Het postkantoor heeft een expressedienst, **Parcelforce International**, vergelijkbaar in prijs met particuliere bedrijven als **DHL**, **Crossflight** of **Expressair**.

Crossflight
℡ *01753-687100.*

Expressair
℡ *0181-897 6568.*

DHL
℡ *0345-100300.*

Parcelforce International
℡ *0800-224466.*

EXTRA INFORMATIE

Diensten en instellingen die niet in deze reisgids zijn vermeld, kunt u wellicht vinden in het telefoonboek van Londen of in de gouden gids. Vraag zonodig assistentie van het personeel van uw hotel. Verder heeft British Telecom een dienst genaamd **Talking Pages**, die u het telefoonnummer van elke gewenste dienst of instelling in Londen of elders in Engeland kan geven.

Het nummer voor inlichtingen (draai 192) is gratis en kan ook vanuit een telefooncel worden gebeld. Om het nummer op te vragen, dient u de naam en het adres van degene die u wilt opbellen te weten.

DOUANE EN IMMIGRATIE

Voor Engeland dient u in het bezit te zijn van een geldig paspoort. Een visum of vaccinaties zijn niet nodig als u uit de EG, de Verenigde Staten, Canada, Australië of Nieuw Zeeland komt.

Bij aankomst op een van de luchthavens of in een haven treft u aparte rijen bij de immigratiedienst voor inwoners van de EG enerzijds en inwoners van andere landen anderzijds.

Met de komst van de Europese Gemeenschap is het invoer- en immigratiebeleid gewijzigd in Engeland. Alle reizigers van buiten de EG dienen de douane te passeren, via een rood gemarkeerde route indien u iets aan te geven hebt, via een groen gemarkeerde route als dit niet het geval is. Als u uit de EG zelf komt, bestaat er tegenwoordig een derde, blauw gemarkeerde route, en daar hoeft u nooit iets aan te geven. Steeksproefgewijze wordt er bagage doorzocht, vanwege de mogelijke smokkel in verdovende middelen. Reizigers uit EG-landen hebben geen recht meer op een VAT-teruggave (Value Added Tax, vergelijkbaar met onze BTW) van goederen die in Engeland zijn aangeschaft. Reizigers van buiten de EG hebben dit recht behouden, mits zij Engeland binnen drie maanden na aankoop hebben verlaten *(blz. 310).*

STUDENTEN

Een ISIC-kaart (internationale studentenkaart) biedt veel voordeel, zoals kortingen op de reis en op sportevenementen. Als u niet in het bezit bent van een ISIC-kaart, kunt u deze ook in Londen zelf halen bij de **University of London Students' Union** (ULSU) of een filiaal van **STA Travel** op vertoon van een bewijs dat u student bent. De kaart is niet beschikbaar voor deeltijdstudenten. ULU organiseert een groot aantal activiteiten en biedt ook toegang tot sportfaciliteiten voor studenten. Een lidmaatschap van de **International Youth Hostel Federation** (de Internationale Jeugdherbergcentrale) kan ook van pas komen als u goedkope accommodatie zoekt. Vergeet niet uw CJP (Cultureel Jongeren Paspoort) mee te nemen, deze geeft ook recht op een groot aantal kortingen. Inwoners van de EG hoeven geen werkvergunning voor Engeland te hebben. U kunt terecht bij Exis in Amsterdam voor informatie over organisaties die studentenuitwisselingen tussen Engeland en Nederland regelen, werkkampen organiseren of werkmogelijkheden bieden.

Internationale studentenkaart

HANDIGE ADRESSEN EN TELEFOONNUMMERS

Exis
Prof. Tulpstraat 2
1018 AH Amsterdam, Nederland
☎ 020-626 2664.

International Youth Hostel Federation
☎ 0707-332 487.

STA Travel
74 en 86 Old Brompton Rd SW7.
Kaart 18 F2. ☎ 0171-581 1022.

Talking Pages
☎ 0800-600 901.

University of London Students' Union
Malet St WC1. **Kaart** 5 A5.
☎ 0171-580 9551.

KRANTEN, TELEVISIE EN RADIO

Londens grootste krant is de *Evening Standard*, op werkdagen vanaf het begin van de middag te koop. Met

---

OPENBARE TOILETTEN

Naast een groot aantal gewone, ouderwetse openbare toiletten zijn er tegenwoordig ook veel moderne 'Superloos' gekomen. Kinderen kunnen deze beter niet alleen gebruiken – de grendel aan de binnenkant geeft eigenlijk altijd problemen.

1 Als het groene lampje achter 'vacant' oplicht, werpt u munten in de gleuf. De deur links van u gaat open.

'**vrij**' lampje   **muntgleuf**

2 Eenmaal binnen, sluit de deur automatisch.

3 Om eruit te komen, trekt u aan de grendel.

Londense krantenkiosk

name de vrijdageditie is de moeite waard, omdat daar een uitlijst en recensies in staan. Er zijn ook veel internationale kranten te koop, zoals de *International Herald Tribune*. In Engeland kunt u op elk televisietoestel ten minste vier kanalen ontvangen, te weten twee van de BBC (BBC1 en BBC2) en twee commerciële netten (ITV en Channel 4). Daarnaast zijn er ook uitzendingen via de satelliet en de kabel, die in sommige hotels zijn te ontvangen.
Naast de lokale en nationale radiostations van de BBC, zenden een groot aantal onafhankelijke zendgemachtigden uit, zoals de popzender London's Capital Radio

AMBASSADES

Nederland
Nederlandse ambassade, 38 Hyde Park Gate.
℡ 0171-584 5040.
Metro: Hyde Park Corner.

België
Belgische ambassade, 103 Eaton Square.
℡ 0171-470 3700.

Engelse ambassades
Lange Voorhout 10, 2514 ED Den Haag.
℡ 070-3645800.

Aarlenstraat 85, 1040 Brussel.
℡ 02-2876211.

(194m/1548kHz MW; 95.8mHz FM).

VERKOOPPUNTEN INTERNATIONALE KRANTEN

Gray's Inn News
50 Theobald's Rd WC1. **Kaart** 5 C5.
℡ 0171-405 5241.

A Moroni and Son
68 Old Compton Street W1.
Kaart 13 A2. ℡ 0171-437 2847.

D S Radford
61 Fleet St EC4. **Kaart** 14 E1.
℡ 0171-583 7166.

VERLOOPSTEKKER

De netspanning bedraagt in Engeland 240 volt. De stekkers zien er enigszins anders uit; ze hebben drie pluggen. Vandaar dat u een verloopstekker nodig hebt, die u het beste voor vertrek kunt kopen. De meeste hotels hebben één aangepast stopcontact voor een scheerapparaat.

Engelse stekker

TIJD

U kunt de tijd in Londen aanvragen op telefoonnummer 123. Er is een zomer- en een wintertijd.

MATEN

Officieel wordt ook in Engeland het metrieke stelsel gebruikt, maar de oude maten komen nog steeds voor.

Engels – metrisch
1 inch = 2.5 cm
1 foot = 30 cm
1 mile = 1.6 km
1 ounce = 28 g
1 pound = 454 g
1 pint = 0.6 l
1 gallon = 4.6 l

Metrisch – Engels
1 mm = 0.04 inch
1 cm = 0.4 inch
1 m = 3 feet 3 inches
1 km = 0.6 mile
1 g = 0.04 ounce
1 kg = 2.2 pounds

RELIGIEUZE DIENSTEN

Onderstaande organisaties kunnen u informeren over religieuse diensten en vieringen.

Church of England
St Paul's Cathedral EC4.
Kaart 15 A2. ℡ 0171-236 4128.

Rooms-katholiek
Westminster Cathedral, Victoria St SW1. **Kaart** 20 F1.
℡ 0171-798 9055.

Joods
Liberal Jewish Synagogue, 28 St John's Wood Rd NW8.
Kaart 3 A3. ℡ 0171-286 5181.
United Synagogue (orthodox) 735 High Rd N12.
℡ 0181-343 8989.

Islamitisch
Islamic Cultural Centre, 146 Park Rd NW8.
Kaart 3 B3.
℡ 0171-724 3363.

Baptist
London Baptist Association, 1 Merchant St E3.
℡ 0181-980 6818.

Quakers
Religious Society of Quakers, 173-7 Euston Rd NW1.
Kaart 5 A4. ℡ 0171-387 3601.

Evangelisch
Whitefield House, 186 Kennington Park Rd SE11.
Kaart 22 E4. ℡ 0171-582 0228.

Boeddhistisch
The Buddhist Society, 58 Eccleston Sq SW1.
Kaart 20 F2. ℡ 0171-834 5858.

St Martin-in-the-Fields, Trafalgar Square (blz. 102)

DE REIS NAAR LONDEN

Londen is een van de belangrijkste centraal gelegen punten voor het internationaal verkeer door de lucht en over het water. Wat het reizen per vliegtuig betreft kunnen reizigers kiezen uit vele luchtvaartmaatschappijen, onder andere de KLM, Sabena, British Airways en British Midland. Talloze andere maatschappijen landen met langere vluchten echter ook zowel op het Europese vasteland als op een van Londen's vliegvelden. De mogelijkheden om de oversteek naar Engeland door de lucht te maken zijn

Concorde

vrijwel onbeperkt. De scherpe concurrentie leidt er vaak toe dat luchtvaartmaatschappijen de tarieven verlagen om meer passagiers te trekken. Er bestaan ook efficiënte veerdiensten tussen Nederland en België enerzijds en Groot-Brittannië anderzijds voor het vervoer van passagiers en auto's. Nu de Kanaaltunnel uiteindelijk in gebruik is genomen, zijn het vasteland van Europa en het Verenigd Koninkrijk tevens met elkaar verbonden door middel van een nieuwe efficiënte hogesnelheidstrein.

REIZEN PER VLIEGTUIG

De vliegverbindingen tussen Nederland en Londen worden door tal van vliegtuigmaatschappijen onderhouden. De belangrijkste zijn **KLM**, **British Airways** en **British Midland** die rechtstreekse verbindingen verzorgen tussen Schiphol en de luchthavens Heathrow en Gatwick. **Air UK** verzorgt daarnaast vluchten op Stansted. De reistijd tussen Schiphol en Londen bedraagt krap een uur. Ook uit Rotterdam, Beek en Eindhoven vertrekken er regelmatig vliegtuigen richting Londen.
Reizigers uit België vliegen vanaf luchthaven Zaventem bij Brussel in ongeveer een uur naar Londen. De vluchten komen aan op Heathrow, Gatwick en Londen City en worden verzorgd door **Sabena**, **British Airways** en **British Midland**. Daarnaast wordt er rechtstreeks op

Passagiersvliegtuig op Heathrow

Londen gevlogen uit Oostende en Deurne.

Voordelige aanbiedingen
Aanbiedingen zijn verkrijgbaar bij goede reisbureaus of reisagenten van speciale arrangementen. Let ook op advertenties in kranten en reistijdschriften.
Vliegtuigmaatschappijen verlagen vaak het normale tarief als ze stoelen over hebben die niet verkocht zijn.
Studenten, ouderen, mensen die veel vliegen en zakenlieden komen vaak in aanmerking voor een korting. Voor kinderen onder de 2 jaar (zonder eigen plaats) hoeft slechts 10% van het volwassen tarief te worden betaald. Oudere kinderen (tot 12 jaar) reizen tegen lagere tarieven.

Soorten tickets
APEX-tickets (advanced purchase) zijn vaak goedkoop, maar de boeking moet tot een maand van tevoren plaatsvinden. Deze tickets kennen bepaalde beperkingen. Vaak gelden er bepaalde eisen over de minimale (en maximale) duur van het verblijf. Tickets van lijnvluchten zijn tegen veel lagere tarieven verkrijgbaar bij gespecialiseerde reisbureaus. Chartervluchten kunt u tegen nog veel goedkopere tarieven boeken, maar deze hebben minder flexibele vertrektijden en vertrekken niet altijd op tijd.

Als u uit bent op een voordelige aanbieding bij een reisagent die in goedkope vliegreizen is gespecialiseerd, controleer dan of u uw geld terugkrijgt als de reisagent of organisator er mee op mocht houden. Controleer bijvoorbeeld of uw reisbureau lid van de ANVR is.
Betaal het volle tarief niet voordat u het ticket hebt gezien. Vaak moet u een aanbetaling doen. Controleer bij de betreffende luchtvaartmaatschappij of uw reservering is bevestigd.

LUCHTVAART-MAATSCHAPPIJEN

Air UK
☎ *0127-968 0146.*

British Airways
☎ *0181-759 5511.*

British Midland
☎ *0171-589 5599.*

KLM
☎ *0181-750 9000.*

Sabena
☎ *0181-759 1033.*

Voordelige vluchten
ATAB (Air Travel Advisory Bureau)
Deze officieel erkende organisatie kan u een gespecialiseerd reisbureau voor voordelige vliegtickets aanbevelen.
☎ *0171-636 5000.*

Lukas Travel *(Europese reizen)*
☎ *0171-734 9174.*

REIZEN PER TREIN

Er zijn acht belangrijke stations in Londen die in een ring rond het stadscentrum *(blz. 358-359)* liggen. Dit zijn de vertrekpunten voor InterCity-sneltreinen (bel voor informatie 0171-928 5100). Van Paddington Station in West-Londen rijden treinen naar de West Country, Wales en de South Midlands. Van Liverpool Street Station rijden treinen naar East Anglia en Essex. In Noord-Londen vindt u Euston Station, St Pancras Station en King's Cross Station voor treinen naar het noorden en midden van Groot-Brittannië. Charing Cross Station, Victoria Station en Waterloo Station in het zuiden onderhouden verbindingen met Zuid-Engeland. Reizigers uit Nederland en België die per trein en veerdienst naar Londen reizen komen hier ook meestal aan.

Stationshal in Liverpool Street

Al deze stations beschikken over veel voorzieningen voor reizigers zoals wisselkantoren en winkels waar boeken en versnaperingen worden verkocht. Ook vindt u er bars en cafés, maar hier kunnen de hapjes en drankjes duur zijn. Informatie over British Rail (BR) staat duidelijk aangegeven. In ieder station vindt u een informatiepunt met gegevens over tijden, prijzen en bestemmingen. Daarnaast worden voortdurend bijgewerkte gegevens van diensten op monitors uitgezonden die over de stations zijn verspreid of op informatieborden vermeld aan het begin van de perrons. Als de prijs van uw treinkaartje niet bij uw bootticket is inbegrepen, dan kunt u kaartjes kopen bij de kaartverkooppunten of kaartautomaten *(blz. 366)*. Misschien vindt u het handig om meteen een Travelcard aan te schaffen.

BR informatiepunt

BUSSEN

Het belangrijkste busstation voor de lange afstanden vindt u in Buckingham Palace Road, ongeveer tien minuten van Victoria Station. National Express verzorgt busreizen naar meer dan 1000 bestemmingen in Groot-Brittannië, maar er zijn ook andere maatschappijen die Londen als vertrekpunt hebben. Reizen per bus is goedkoper dan per trein. U bent echter langer onderweg en de aankomsttijd is soms moeilijk te voorspellen, gezien de files en andere problemen op de weg. National Express Rapide-bussen zijn erg comfortabel en hebben meestal goede voorzieningen. Green Line-bussen rijden binnen een straal van 64 km van Londen. **Bus nummers** London Country Bus ☎ 01737-240501; Rapide ☎ 0990-808080.

DE NOORDZEE

Naast de bootverbindingen met Groot-Brittannië is er een verbinding over land gekomen, nu de Kanaaltunnel geopend is. Een netwerk van veerdiensten verzorgt de overtocht tussen 13 Engelse havens en meer dan 20 havens op het Europese vasteland. Het aantal veerdiensten zal waarschijnlijk afnemen door het effect van de tunnel. Tussen Hoek van Holland en Harwich vaart de **Sealink Stena** en tussen Vlissingen en Sheerness verzorgt de **Olau Line** de overtocht. **P&O European Ferries** vaart tussen Zeebrugge, Dover, de **Sally Line** tussen Duinkerken en Ramsgate en **Seacat** tussen Folkstone en Boulogne, en tussen Newhaven en Dieppe. **Hoverspeed** verzorgt overtochten per hovercraft tussen Calais of Boulogne en Dover. De kortste overtochten zijn niet altijd de goedkoopste. U betaalt zo-

Veerboot over Het Kanaal

wel voor de snelheid als voor de gerieflijkheid. Als u met uw auto reist, controleer dan de voorwaarden van uw verzekering.

Nuttige nummers Hoverspeed ☎ 01304 240241; P&O European Ferries ☎ 0990-980980; Sally Line ☎ 01843-595522; Seacat ☎ 01304-240101; Sealink Stena ☎ 01233-647047.

Luchthavens in Londen

Passagiersvliegtuig

De belangrijkste luchthavens van Londen, Heathrow en Gatwick, worden ondersteund door Luton, Stansted en London City Airport *(blz. 358-359)*. Heathrow en Gatwick hebben goede verbindingen met het stadscentrum en beschikken over tal van voorzieningen. Zoek uit op welke luchthaven u aankomt, zodat u het laatste deel van uw reis kunt plannen.

Douane op Heathrow

HEATHROW (LHR)

Heathrow in West-Londen (luchtvaartinformatie 0181-759 4321) is de drukste internationale luchthaven ter wereld. Veel lange-afstandsvluchten hebben hier hun begin- en eindpunt. Er zijn plannen voor een vijfde terminal om het toenemende luchtvaartverkeer op het Verenigd Koninkrijk te verwerken. In alle terminals kunt u geld wisselen. Alle vier de terminals zijn verbonden met het metronet door middel van diverse bewegende banen, gangen en liften. Er staat in de terminals duidelijk aangegeven welke richting u

uit moet. De Piccadilly Line verzorgt een geregelde metroverbinding die u normaal in ongeveer 40 minuten naar het Centrum van Londen brengt (tel hier 10 minuten bij op als u vanaf terminal 4 vertrekt). Er is een geregelde airbusdienst van Heathrow naar het

Borden naar de uitgang op Heathrow

centrum van Londen. De bussen stoppen buiten iedere terminal. De airbus is duurder dan de metro maar u kunt er wel beter met uw bagage overweg. Een taxirit naar het centrum van Londen duurt ongeveer 45 minuten en kost rond de £25.

HOTELS BIJ LUCHTHAVENS

Forte Crest
0181-759 2323.

Holiday Inn
0895-445555.

Sheraton Skyline
Zie blz. 285.

London Heathrow Hilton Hotel
0181-759 7755.

Terminal 3, voor lange vluchten (behalve British Airways en SAS-vluchten naar Scandinavië). U kunt 24 uur per dag geld wisselen.

Naar de M4 en A4 richting Londen

Terminal 1 voor vluchten naar Europa en binnen Groot-Brittannië.

PLATTEGROND VAN LUCHTHAVEN HEATHROW
Als u Londen verlaat controleer dan eerst welke terminal u nodig hebt. Terminal 4 ligt een eind van de andere terminals en heeft daarom een eigen metrostation.

Heathrow station voor terminals 1, 2 en 3

Terminal 2 wordt gebruikt voor de meeste Europese, niet-Britse maatschappijen.

Heathrow station voor terminal 4

Terminal 3 Vertrekhal

A30

SYMBOLEN

Ⓔ	Metrostation
🚌	Busstation (lokale diensten)
🏨	Luxebusstation
P	Kort parkeren
⇒	Richting van het verkeer

Terminal 4 wordt gebruikt voor internationale British Airways-vluchten met de Concorde en bepaalde vluchten naar Amsterdam, Parijs en Athene.

London Heathrow Hilton Hotel

GATWICK (LGW)

G atwick (luchthaveninfor-
matie 0293-535 353) ligt
ten zuiden van Londen op de
grens tussen Surrey en
Sussex. In tegenstelling tot
Heathrow worden hier zowel
lijn- als chartervluchten uitgevoerd. Zeer veel vakantiegan-
gers arriveren op Gatwick.
Dit kan leiden tot lange rijen
bij de balies van de douane.
Zorg dus dat u bij de thuisvlucht genoeg tijd hebt om in
te checken als u niet van
haasten houdt. Zoek ook uit

PLATTEGROND VAN LUCHTHAVEN GATWICK

*Er zijn twee terminals in
Gatwick: noord en zuid. Een
gratis monorail-dienst brengt
u in een paar minuten van de
een naar de ander. Vlak bij de
ingang van het British Rail-
station (duidelijk aangegeven
voor mensen die niet per trein
arriveren) vindt u borden die
vermelden bij welke terminal
u moet zijn voor uw luchtvaartmaatschappij.*

Gatwick Express
Trains to London
Services to Victoria Station every
15 minutes; hourly throughout the night

**Bewegwijzering op het perron
van het station op Gatwick**

bij welke terminal u moet
zijn bij de thuisvlucht.
Gatwick heeft minder voorzieningen dan Heathrow,
maar u vindt hier wel restaurants die 24 uur per dag geopend zijn, banken, wisselkantoren en belastingvrije

SYMBOLEN

✈	British Rail-station
🚌	Luxebusstation
P	Kort parkeren
🚓	Politiebureau
➡	Richting van het verkeer

winkels. Gatwick heeft handige verbindingen met
Londen, waaronder
Thameslink van British
Airways. De Gatwick
Express-trein verzorgt een
snelle, regelmatige dienst op
het Victoria Station. Deze reis
duurt ongeveer een half uur.
Controleer *(blz. 366)* wel of
er tijdens de piekuren andere
tijden gelden. Per auto doet u
er een paar uur over om in
Londen te komen. Een taxirit
kost £50 à £60.

HOTELS BIJ DE LUCHTHAVEN

Chequers Thistle
☎ 01293-786992.

Forte Crest
☎ 01293-567070.

Hilton International
☎ 01293-518080.

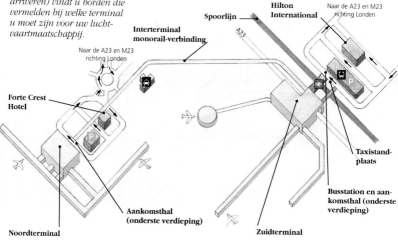

Spoorlijn

Interterminal
monorail-verbinding

Hilton
International

Naar de A23 en M23
richting Londen

A23

Naar de A23 en M23
richting Londen

Forte Crest
Hotel

Taxistand-
plaats

Busstation en aan-
komsthal (onderste
verdieping)

Aankomsthal
(onderste verdieping)

Noordterminal

Zuidterminal

ANDERE LUCHTHAVENS BIJ LONDEN

De luchthavens Luton en
Stansted, beide ten noorden
van Londen, worden hoofd-
zakelijk voor chartervluchten
gebruikt. Beide luchthavens
hebben plannen om uit te
breiden. Vanaf Luton gaan er
bussen naar het spoorweg-
station en vandaar rijden
treinen naar King's Cross
Station. U kunt ook met een
bus naar Victoria Station.
Ieder half uur komt de

Stansted Express-trein aan
op Liverpool Street Station
en er is een geregelde efficiënte busverbinding met
Victoria Station. Londen
City Airport, in de
Docklands, is vooral gericht
op zakenlieden en verzorgt
korte vluchten naar de rest
van Europa. U vindt hier
goede voorzieningen voor
zakenlieden. Dit vliegveld
ligt vlak bij de City.

Een van de twee hotels bij Gatwick

Aankomst in Londen

O p deze kaart staan de bus-, trein en metroverbindingen tussen de Londense luchthavens en
de belangrijkste spoorwegstations. Ook ziet u de
treinverbindingen tussen deze stations
en de veerhavens in het zuid-oosten èn
tussen de stations en de rest van het
Verenigd Koninkrijk. In de kaders vindt
u reisinformatie, inclusief reistijden van
treinen en bussen en hoe u per auto
van de havens naar Londen moet rijden.

VERKLARING

✈	Luchthaven *blz. 356-357*
⛴	Veerhaven *blz. 355*
☰	British Rail *blz. 366*
▣	Luxebusverbinding *blz. 355*
▦	Busdienst *blz. 364-365*
⊖	Metroverbinding *blz. 362-363*
▬	British Rail link *blz. 355*
▬	British Rail Thameslink *blz. 366*
▬	Piccadilly Line *blz. 356*
▬	Busverbinding *blz. 355*

☰ East Midlands
Sluit aan op St Pancras station.
Leicester *(1 uur 10 min),*
Nottingham *(1 uur 45 min),*
Sheffield *(2 uur 20 min).*

**☰ West Midlands, het Noord-
westen en West-Schotland**
Sluit aan op Euston station.
Birmingham *(1 uur 40 min),*
Glasgow *(5 uur),*
Liverpool *(2 uur 40 min),*
Manchester *(2 uur 30 min).*

N

0 kilometer 1

0 mijl 0.5

*Regent's Park
en
Marylebone*

Euston

Paddington ☰ ⊖

*Sol
en Traf
Squ*

Piccadilly Circus

*South
Kensington
en
Knightsbridge*

*Piccadilly
en
St James's*

*Kensington
en
Holland Park*

☰ Het Westen en Zuid-Wales
Sluit aan op Paddington station.
Bristol *(1 uur 45 min),* **Cardiff**
(2 uur), **Oxford** *(55 min),*
Plymouth *(3 uur 30 min).*

✈ HEATHROW
*Om de 5 minuten rijdt er een
metro naar de stad. Busdienst
naar het stadscentrum.*
⊖ *Piccadilly line door het
stadscentrum (40 min).*
▦ *Airbus A1 naar Victoria (1 uur).*
▦ *Airbus A2 naar Russell Sq (1 uur).*

Victoria

Chelsea **Victoria Coach Station**

☰ Het Zuiden
Sluit aan op Waterloo Station.
Winchester *(1 uur 5 min).*

⛴ SOUTHAMPTON
*Veerdienst van en naar
Cherbourg. Neem de snelweg
M3 naar het stadscentrum.*

⛴ PORTSMOUTH
*Veerdienst van en naar Caen,
St Malo, Le Havre en Cherbourg.
Neem de hoofdweg A3 naar het
stadscentrum.*

National Express verzorgt geregelde luxebusdiensten door Engeland.

✈ **Het Noordoosten en Schotland**
Sluit aan op King's Cross station.
Aberdeen (7 uur), **Durham** (3 uur), **Edinburgh** (4 uur 30 min), **Leeds** (2 uur 30 min), **York** (2 uur).

✈ **STANSTED**
Om de 30 min rijdt er een trein en bus naar de stad. Metro van **Tottenham Hale**.
⇄ naar **Liverpool Street** (45 min).
🚌 **National Express** naar **Victoria** (1 uur 25 min).

✈ **LUTON**
Directe busdiensten. Treindiensten van **Luton Town** naar het centrum van Londen iedere 15-30 min. Busdiensten naar **Luton Station**.
⇄ naar **King's Cross** (30 min).
🚌 **Greenline** naar **Victoria** (1 uur 15 min).

Tottenham Hale ⇄ ⊖

De luchthavens hebben bus- en treinverbindingen met de hoofdstad.

⇄ **Het Oosten**
Sluit aan op Liverpool Street Station.
Colchester (1 uur), **Norwich** (2 uur).

🚢 **FELIXSTOWE**
Veerdienst van en naar **Zeebrugge**. Neem de hoofdwegen A45 en A12 naar het stadscentrum.

🚢 **HARWICH**
Veerdienst van en naar **Hoek van Holland**. Neem de hoofdwegen A120 en A12 naar het stadscentrum.

King's Cross ⇄ ⊖

...cras ⇄ ⊖

...nsbury
...zrovia

Holborn
en de
Inns of Court

...Garden
...n
...rand

Charing Cross ⇄ ⊖

Blackfriars ⇄ ⊖

Smithfield
en
Spitalfields

Liverpool Street ⇄ ⊖

De City

South Bank

...ball

...nster

Waterloo ⇄ ⊖

Southwark
en
Bankside

Een hovercraft steekt Het Kanaal over

⇄ **Het Zuidoosten**
Sluit aan met Charing Cross Station.
Canterbury West (1 uur 40 min).

🚢 **RAMSGATE**
Veerdienst van en naar **Duinkerken**. Neem de hoofdwegen A253 en A299, dan de snelweg M2 naar het stadscentrum.

🚢 **DOVER**
Veerboten, catamarans en hovercrafts (alleen 's zomers) naar **Calais**. Jetfoilverbindingen met **Oostende**. Neem de snelweg A2 (M2) naar het stadscentrum.

✈ **GATWICK**
Iedere 15-30 min rijdt er een bus en trein naar het centrum.
⇄ naar **Victoria** (30-35 min).
🚌 **Flightline** naar **Victoria** (2 uur).

⇄ **Het Zuiden en Zuidoosten**
Sluit aan op Victoria Station.
Brighton (55 min), **Canterbury East** (1 uur 30 min).

🚢 **NEWHAVEN**
Veerdienst van en naar **Dieppe**. Neem de hoofdweg A22 naar het stadscentrum.

🚢 **FOLKESTONE**
Catamaranverbindingen met **Boulogne**. Neem de snelweg M20 naar het stadscentrum.

Vervoer in Londen

Het netwerk van het Londense openbaar vervoer is een van de drukste en grootste in Europa en heeft te kampen met alle problemen die kenmerkend zijn voor een overvolle stad. De slechtste en drukste tijd om te reizen is tijdens de spitsuren. Het grootste gedeelte van het openbaar vervoer tussen Londen en voorsteden wordt verzorgd door de Londen Regional Transport (LRT). Dit omvat

Routemaster-bus

bussen, het metronet en Network South East (een netwerk van lange-afstandstreinen dat in handen is van British Rail). Bel voor informatie over tarieven, routes en tijden van de diverse vervoersdiensten 0171-222 1234 *(blz. 345)* of ga naar een van de LRT Travel Information Centres die u op de stations Euston, King's Cross, en Victoria kunt vinden en tevens in Oxford Circus, Piccadilly Circus en de luchthaven Heathrow.

HET OPENBAAR VERVOER

De metro (*underground* of *tube*) is gewoonlijk verreweg de snelste manier om u in Londen te verplaatsen. De ondergrondse heeft echter te kampen met vertragingen en de treinen zijn vaak zeer vol. Op sommige stations moet u een flinke wandeling maken om over te stappen. Londen is zo groot dat sommige bezienswaardigheden een heel eind van een metrostation af liggen. In sommige wijken, vooral in het zuiden, rijden geen metro's.

Travelcard voor een week met geldige pasfoto

TRAVELCARDS

Het openbaar vervoer in Londen is, in vergelijking met veel andere Europese steden, duur, omdat de overheid weinig subsidie geeft en de afstanden groot zijn. Korte ritten zijn in verhouding duurder dan langere. *Travelcards* zijn verreweg de voordeligste kaarten om mee te reizen. Dit zijn dag-, week-, en maandkaarten waarmee u onbeperkt kunt reizen op alle vormen van vervoer in de door u gewenste zones.

(Londen is ingedeeld in zes ringen, of reiszones, die zich uitstrekken van het stadscentrum naar de voorsteden. Travelcards zijn verkrijgbaar in de spoorweg- of metrostations *(blz. 362)* en bij kiosken die een rood bord met *pass agent* hebben. Bij week- en maandkaarten hebt u een *Photocard* nodig met een pasfoto. Travelcards voor

één dag (pasfoto niet nodig) kunnen van maandag tot vrijdag niet voor 9.30 uur worden gebruikt. Week- en maandabonnementen kennen echter geen beperkingen. Als u vier dagen of langer in Londen verblijft, is het waarschijnlijk het voordeligst en handigst om een weekkaart voor een of twee zones te kopen.

TE VOET IN LONDEN

Als u er eenmaal aan gewend bent dat het verkeer links rijdt, of Londen veilig te voet verkennen, maar kijk wel uit bij het oversteken. Er zijn twee soorten voetgangersoversteekplaatsen in Londen: gestreepte zebrapaden met knipperbollen en oversteekplaatsen met drukknoppen en verkeerslichten. Bij zebrapaden moet het verkeer voor u stoppen, maar bij oversteekplaatsen met drukknoppen stopt het verkeer alleen als het voetgangerslicht op groen staat. Let op de aanwijzingen op het wegdek die aangeven uit welke richting het verkeer komt.

Zebrapad

Oudere zebrapaden zijn voorzien van een knipperbol

Als u op de knop drukt springt het voetgangerslicht aan de overkant op groen.

Drukknop

Niet oversteken   **Oversteken**

Met de auto in Londen

Naar parkeerplaats

Autorijden in het centrum van Londen valt voor de meeste toeristen af te raden. Het verkeer rijdt in het spitsuur gemiddeld 18 km/u en een parkeerplaats is bijna onvindbaar. De meeste Londenaars gebruiken hun auto alleen in het weekeinde en op werkdagen na 18.30 uur als parkeren bij sommige gele lijnen is toegestaan en er geen geld in de parkeermeters hoeft.

Bij een dubbele gele lijn mag u niet parkeren

PARKEREN

In Londen is parkeergelegenheid schaars. Let altijd op of er borden met beperkende bepalingen zijn. (Deze zijn gewoonlijk aan de lantaarnpalen bevestigd). De parkeermeters vlak bij het centrum zijn duur tijdens kantooruren (gewoonlijk tussen 8.00-18.30 uur). U hebt bovendien veel losse munten nodig *(blz. 349)*. U kunt bij een meter gewoonlijk maximaal twee uur staan. Op centrale punten vindt u National Car Parks (herkenbaar aan het logo NCP), die gemakkelijk te vinden zijn. De NCP geeft een gratis London Parking Guide uit waarin deze parkeerplaatsen staan aangegeven. Deze gids kunt u schriftelijk aanvragen bij 21 Bryanston Street W1A 4NH, of telefonisch bij nummer 0171-747 7474. U mag nooit parkeren langs rode routes en op een dubbele gele lijn. Parkeren bij een enkele gele lijn is verboden tijdens kantooruren, maar u mag hier 's avonds of op zondag wel parkeren, mits u niet in de weg staat. Buiten kantooruren mag u parkeren in *resident permit*-zones, maar u moet uw auto weg 8.00 uur verwijderen. Op parkeerplaatsen aangeduid met 'card holders only' mag u nooit parkeren en ook niet op voetgangersoversteekplaatsen. In *Pay-and-Display*-parkeerplaatsen moet u bij de parkeerautomaat een kaartje kopen dat u achter uw voorruit plaatst.

Parkeermeter

WIELKLEMMEN EN WEGSLEPEN

Als u fout parkeert of te lang bij een parkeermeter staat, loopt u de kans dat men een wielklem plaatst. Op een groot papier achter uw ruitewisser leest u naar welk Payment Centre u moet gaan om de wielklem te laten verwijderen (nadat u een forse boete hebt betaald). Als u uw auto niet meer kunt terugvinden, hoeft dit niet te betekenen dat hij is gestolen. Het is niet onwaarschijnlijk dat hij is weggehaald door de in Londen zeer gevreesde en gehate wegsleepdienst.

VERKEERSBORDEN

Automobilisten doen er goed aan het handboek UK Highway Code *te lezen en zo kennis over de Londense verkeersregels op te doen.*

Verboden in te rijden	**Voorrang verlenen aan voertuigen**	**Eenrichtingsverkeer**

Fout geparkeerde auto met een wielklem

AUTOVERHUUR

Avis
℡ 0171-917 6700.

Eurodollar
℡ 0171-278 2273.

Europcar
℡ 0171-387 2276.

Hertz
℡ 0171-278 1588.

Stopverbod **Maximumsnelheid 30 mijl /u (48 km/u)**

Verboden rechts af te slaan

FIETSEN IN LONDEN

De drukke Londense straten kunnen gevaarlijk zijn voor fietsers, maar in parken en rustige buurten kunt u uitstekend fietsen. Gebruik altijd een stevig slot en diefstal tegen te gaan en draag bij voorkeur weerbestendige, reflecterende kleding. Een helm is niet verplicht maar wordt wel aanbevolen. U kunt onder meer fietsen huren bij **On Your Bike**, 52-54 Tooley Street SE1.

Telefoonnummers On Your Bike
℡ 0171-378 6669.

Vervoer per metro

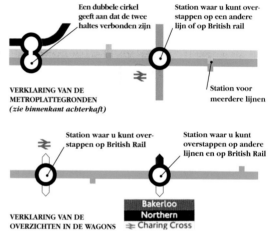

Het metronet, door Londenaars de *tube* genoemd, heeft 273 stations, die duidelijk herkenbaar zijn aan het logo van de metro. De metro rijdt iedere dag, behalve op Eerste Kerstdag van 6.30 tot iets na 24.00 uur, maar sommige lijnen of delen van lijnen hebben een onregelmatige dienst. Als u na 22.30 uur met de metro wilt, controleer dan hoe laat de laatste metro vertrekt. Op zondag rijden er minder metro's. Het is niet altijd prettig om laat op de avond met de metro te reizen.

Metrobord buiten het station

Londense metro

Plattegrond van de metro

Elk van de elf metrolijnen wordt aangegeven met een andere kleur. Plattegronden of 'Journey Planners' (zie de binnenkant van de kaft) vindt u in ieder station. In de treinen hangen plattegronden van de metro in Londen. De plattegrond geeft aan waar u moet overstappen. Sommige lijnen, zoals de Victoria of Jubilee Line, zijn eenvoudige trajecten zonder vertakkingen. Andere, zoals de Northern Line, zijn wel vertakt. De Circle Line is een doorlopende cirkel. De afstanden op de plattegrond zijn niet op schaal en de getekende routes komen niet altijd overeen met de werkelijke richting.

Een dubbele cirkel geeft aan dat de twee haltes verbonden zijn

Station waar u kunt overstappen op een andere lijn of op British rail

VERKLARING VAN DE METROPLATTEGRONDEN *(zie binnenkant achterkaft)*

Station voor meerdere lijnen

Station waar u kunt overstappen op British Rail

Station waar u kunt overstappen op andere lijnen en op British Rail

VERKLARING VAN DE OVERZICHTEN IN DE WAGONS

Bakerloo
Northern
⇌ Charing Cross

EEN KAARTJE KOPEN

Als u denkt meer dan twee ritten per dag te maken met de Londense metro, dan kunt u het beste een Travelcard (blz. 360) kopen. U kunt ook kaartjes voor een enkele reis of retour kopen bij het loket in ieder station of bij een van de twee soorten kaartautomaten die u op de meeste stations aantreft. De grootste automaten *(zie onder)* werken op munten en bankbiljetten van £5 en £10 en geven wisselgeld

terug. Selecteer het soort kaartje dat u nodig hebt en het station waar u naar toe wilt. De prijs van de rit wordt automatisch aangegeven. De kleinere automaten geven alleen de prijzen aan, waar u de juiste uitkiest voor uw rit. Deze automaten accepteren geen bankbiljetten, geven zelden wisselgeld en zijn bedoeld voor mensen die regelmatig met de metro reizen en de ritprijs kennen.

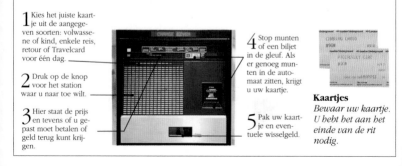

1 Kies het juiste kaartje uit de aangegeven soorten: volwassene of kind, enkele reis, retour of Travelcard voor één dag.

2 Druk op de knop voor het station waar u naar toe wilt.

3 Hier staat de prijs en tevens of u gepast moet betalen of geld terug kunt krijgen.

4 Stop munten of een biljet in de gleuf. Als er genoeg munten in de automaat zitten, krijgt u uw kaartje.

5 Pak uw kaartje en eventuele wisselgeld.

Kaartjes
Bewaar uw kaartje. U hebt het aan het einde van de rit nodig.

EEN RIT MET DE METRO

1 Kijk bij aankomst in het station welke lijn of lijnen u moet hebben. Als u moeite hebt om uw route uit te stippelen, vraag dan de hulp van de loketbeambte.

Journey planner

Steek uw kaartje of Travelcard in de sleuf aan de voorkant van de machine.

2 Als u geen Travelcard hebt, koop dan een kaartje bij een van de kaartautomaten. Als u heen en terug wilt met de metro, dan krijgt u gewoonlijk één kaartje dat u moet bewaren tot u beide ritten hebt afgelegd.

Verwijder het kaartje zodra het verschijnt en het hekje gaat open.

3 De perrons bevinden zich aan weerszijden van de hekjes. Deze zijn gemakkelijk te gebruiken als u de juiste handelingen verricht.

De loketten voor kaartjes zijn meestal niet ver van de draaihekken.

Central line →

4 Volg de borden die de richting naar de juiste lijn aangeven. Dit is soms een ingewikkelde route. Let dus goed op.

Central line
Westbound platform 5 →

5 Uiteindelijk krijgt u een bord te zien met verscheidene perrons voor de door u gewenste lijn. Kijk op de lijst met stations als u niet weet welke richting u moet kiezen.

6 De meeste perrons hebben elektronische borden die de bestemming van de volgende twee of drie treinen aangeven en hoelang het duurt voordat ze komen.

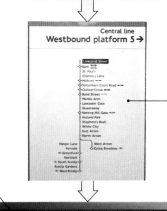
1 HAINAULT via Newbury Park
2 EPPING   5 mins

Op sommige treinen moet u de deuren van de wagons met een drukknop openen.

7 In de trein kunt u tijdens de reis controleren waar u bent op het overzicht dat u in iedere wagon aantreft. Als u aankomt in een station ziet u de naam van het station op de muren vermeld staan.

Way out →
⇌ British Rail
Hammersmith & City →
Metropolitan and Circle lines

8 Als u bent uitgestapt, zoek dan de borden naar de uitgang of naar perrons voor aansluitende lijnen.

Londense bussen

Een van de herkenbaarste symbolen van Londen is de ouderwetse rode dubbeldekker of 'Routemaster bus', maar toch komt u deze minder vaak tegen dan vroeger. Ten gevolge van deregulering en privatisering rijden er tegenwoordig veel moderne kleinere bussen rond, waarvan sommige met één

Herkenningsteken openbaar vervoer

verdieping en niet rood. Als u er in slaagt om een zitplaats te bemachtigen, dan is een rit met de bus een gemakkelijke en prettige manier om Londen te bekijken. Maar als u haast hebt, kan een busrit erg vervelend zijn. Een busrit kan een lange tijd in beslag nemen, vooral in de spitsuren (8.00-9.30 uur en 16.30-18.30 uur).

DE JUISTE BUS VINDEN

Bij iedere bushalte in het centrum van Londen vindt u een lijst met de belangrijkste bestemmingen die aangeeft welke busroutes u moet nemen. Soms hangt er ook een plattegrond waarop de nabijgelegen haltes met letters staan aangegeven.

GEBRUIK VAN DE BUS

De bussen stoppen altijd bij haltes met het LRT-symbool (zie boven), ook als er niemand in- of uitstapt, tenzij op de halte het woord 'request' vermeld staat. De routenummers en bestemmingen staan duidelijk aangegeven op de voor- en achterkant van de bus. Op de nieuwe bussen kunt u alleen bij de chauffeur betalen. Routemaster-bussen hebben naast een chauffeur ook een conducteur waarbij u onderweg kunt betalen. De chauffeur of de conducteur vertelt hoeveel een bepaalde rit kost en ze kunnen wisselgeld geven (maar niet als u met te groot geld betaalt). Als u overstapt, moet u opnieuw betalen. Bewaar uw kaartje tot de eind van de rit voor het geval

dat er een controleur instapt. Travelcards zijn in de praktijk handiger (blz. 360), vooral als u verscheidene ritten maakt.
Als u wilt uitstappen, druk dan op de bel als de bus de halte nadert waar u zijn moet. Op Routemasters doet de conducteur dit voor u. Stap nooit in of uit een bus die niet bij een halte staat. Raadpleeg de conducteur of chauffeur als u niet zeker weet waar u moet uitstappen.

Busconducteur
Conducteurs verkopen kaartjes op de Londense Routemaster-bussen.

Bushaltes
Bussen stoppen altijd bij haltes met het LRT-symbool (geheel links). Bij 'request'-haltes (onder) houdt u de bus aan door uw arm op te steken. In de praktijk kunt u dit het beste bij iedere halte doen.

Kaartjes op de Routemasters
De conducteur geeft u het juiste kaartje voor uw route. Betaal niet met te groot geld.

HANDIGE BUSROUTES

Verscheidene busroutes lopen langs veel belangrijke bezienswaardigheden en winkels. Als u een Travelcard meeneemt en geen haast hebt, is het erg leuk om met de bus bezienswaardigheden te bekijken of te winkelen. Een rit met het openbaar vervoer kost veel minder dan bij welke van de touroperators ook, maar u moet het zonder het commentaar stellen dat u van touroperators krijgt als u langs de bezienswaardigheden komt (blz. 344).
Sommige bezienswaardigheden of wijken zijn met de metro niet bereikbaar. Er rijden geregeld bussen van het stadscentrum naar bijvoorbeeld de Albert Hall (blz. 203), Chelsea (blz. 188-293) en Clerkenbell (blz. 243).

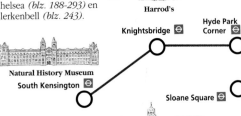

Marble Arch

Harrod's

Hyde Park Corner

Knightsbridge

Natural History Museum
South Kensington

Sloane Square

Victoria en Albert Museum

De bus stopt als u één keer op de bel drukt die u bij de deur of de trap vindt.

Bestemmingen staan aangegeven op de voor- en achterkant van de bus.

Houd geld gereed voor een kaartje voor u instapt.

Routemaster-bus
Hier stapt u aan de achterkant in. Als u hebt plaatsgenomen, betaalt u bij de conducteur, zodra hij langskomt.

Nachtbussen
Deze rijden de hele nacht en komen bij haltes met dit logo. Travelcards voor één dag zijn niet geldig op deze bussen.

Nieuwe bussen
Op deze bussen rijdt geen conducteur mee. Passagiers betalen bij het instappen bij de chauffeur.

NACHTBUSSEN

Er rijden in Londen van 23.00 tot 6.00 uur nachtbussen op verscheidene drukke routes. Deze routes zijn voorzien van de letter 'N' plus een blauw of geel nummer. Al deze bussen doen Trafalgar Square aan, dus als u laat op pad bent, ga dan naar dit plein, waar u de bus kunt nemen. Stippel uw reis altijd nauwkeurig uit. Londen is zo groot dat u, zelfs als u in een bus bent ingestapt die in de juiste richting rijdt, toch kunt verdwalen of een flink eind uit de buurt van uw hotel terecht kunt komen.

Natuurlijk moet u goed opletten als u met een nachtbus rijdt. U kunt beter niet in uw eentje op de bovenste verdieping gaan zitten. Bij reisinformatiecentra kunt u gegevens krijgen over routes en dienstregelingen van nachtbussen, die u ook bij de haltes aantreft.

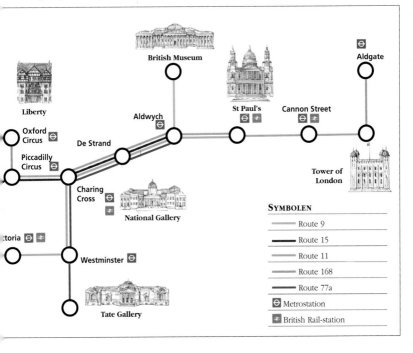

British Museum

Aldgate

Liberty

Oxford Circus

Aldwych

St Paul's

Cannon Street

De Strand

Piccadilly Circus

Tower of London

Charing Cross

National Gallery

...toria

Westminster

Tate Gallery

SYMBOLEN

———	Route 9
▬▬▬	Route 15
———	Route 11
———	Route 168
———	Route 77a
⊖	Metrostation
✚	British Rail-station

Met British Rail door Londen

Station van British Rail

Dagelijks nemen honderdduizenden forenzen de trein. Voor toeristen in Londen zijn de British Rail-diensten handig voor bezoeken aan de buitenwijken van de hoofdstad, vooral die ten zuiden van de Thames waar weinig metrolijnen lopen. U kunt met de trein natuurlijk ook langere tochten door Groot-Brittannië maken *(blz. 358-359)*.

HANDIGE ROUTES

De handigste BR-lijn voor toeristen in Londen is waarschijnlijk de lijn die in Charing Cross Station of Cannon Street Station (rijdt alleen in het weekeinde) begint en via Londen Bridge naar Greenwich loopt. Er is ook een Thameslink-verbinding tussen Luton Airport en Zuid-Londen en tussen Gatwick Airport en Brighton via West Hampstead en Blackfriars.

GEBRUIK VAN DE TREIN

Londen beschikt over acht belangrijke spoorwegstations die verbindingen hebben met het zuidoosten en nog

verder weg *(blz. 358-359)*. De BR-diensten rijden boven de grond en worden verzorgd door stoptreinen, sneltreinen, treinen naar de belangrijkste steden en Intercity-treinen die door heel Groot-Brittannië rijden. Bestudeer de aanwijzingen op de perrons zodat u de meest rechtstreekse trein naar de juiste bestemming kiest. Sommige treindeuren gaan automatisch open, andere opent u met een knop of handel. Ouderwetse deuren die met de hand worden bediend, opent u door het raam open te klappen en uw arm naar buiten te steken. Blijf uit de buurt van de deuren als de trein rijdt en houd u stevig vast als u moet staan.

BR-KAARTEN

Alle kaarten moeten persoonlijk worden gekocht, ofwel bij een reisbureau of op een BR-station. De meeste creditcards worden geaccepteerd. De rijen wachtenden voor de kaartverkoop zijn lang. Gebruik daarom de kaartautomaten die net zo werken als die bij de metro *(blz 362)*. Het aantal soorten is overweldigend, maar twee springen eruit: als u grote afstanden binnen Londen af moet leggen, bieden Travelcards u de meeste flexibiliteit, terwijl u met de *Cheap Day Return*-kaarten veel waar voor uw geld hebt in vergelijking met een gewoon retourtje. Beide zijn echter alleen na 9.30 uur verkrijgbaar.

Cheap Day Return kaartjes

DAGTOCHTEN

Zuidoost-Engeland heeft buiten Londen veel te bieden. Bel voor gegevens over bezienswaardigheden met de English Tourist Board *(blz. 345)*. BR Passenger Enquiries (0171-928 5100) geeft uitgebreide informatie over alle diensten van British Rail.

Roeien op de Thames bij Windsor Castle

Audley End
Dorp vlak bij een Jacobean herenhuis.
🚆 *Vanaf Liverpool Street. 64 km; 1 uur.*

Bath
Schitterende 18de-eeuwse stad die aan renovatie is ontsnapt.
🚆 *Vanaf Paddington. 172 km; 1 uur 25 min.*

Brighton
Levendige kustplaats. Ga naar het Royal Pavelion.
🚆 *Vanaf Victoria. 85 km; 1 uur.*

Cambridge
Universiteitsstad met kunstgaleries en oude gebouwen.
🚆 *Vanaf Liverpool Street of King's Cross. 86 km; 1 uur.*

Canterbury
De kathedraal is een van de oudste gebouwen van Engeland.
🚆 *Vanaf Victoria. 134 km; 1 uur 25 min.*

Hatfield House
Elizabethaans paleis met opmerkelijk interieur.
🚆 *Vanaf King's Cross of Moorgate. 33 km; 20 min.*

Oxford
Net als Cambridge beroemd om zijn oude universiteit.
🚆 *Vanaf Paddington. 86 km; 1 uur.*

Salisbury
Beroemd om zijn kathedraal. U kunt van hieruit ook naar Stonehenge.
🚆 *Vanaf Waterloo. 135 km; 1 uur 40 min.*

St Albans
Ooit een Romeinse stad.
🚆 *Vanaf King's Cross of Moorgate. 40km; 30 min.*

Windsor
Koninklijk paleis, in 1992 door brand beschadigd.
🚆 *Vanaf Paddington; via Slough. 32 km; 30 min.*

Vervoer per taxi

De bekende zwarte taxi's zijn bijna net zo kenmerkend voor Londen als de rode bussen. Maar ook de taxi's worden gemoderniseerd en u kunt nu tevens blauwe, groene rode en zelfs witte taxi's tegenkomen, waarvan sommige met reclame. Chauffeurs van zwarte taxi's moeten een zware test afleggen over hun kennis van de Londense straten en de snelste routes door het verkeer, voordat ze een vergunning krijgen. In tegenstelling tot wat veel wordt beweerd, zijn dit de beste chauffeurs van Londen.

Traditionele Londense taxi's met moderne kleuren

Londense taxistandplaats

EEN TAXI VINDEN

Taxi's van chauffeurs met vergunning moeten voorzien zijn van een 'For Hire'-bord, dat gaat branden als de taxi vrij is. Als u een taxi nodig hebt, kunt u bellen, een taxi aanhouden op straat of een taxistandplaats zoeken. U houdt een taxi aan door uw arm op te steken en vastberaden te zwaaien. Als een taxi stopt, moet hij u overal naar toe brengen binnen een straal van 9,6 km,

zolang u binnen het district van de Metropolitan Police blijft. U kunt in plaats van een zwarte taxi ook een minitaxi nemen. Deze bestelt u door naar een taxibedrijf te bellen of door langs te gaan bij een van de kantoren van dat bedrijf. Houdt nooit een minitaxi op straat aan omdat deze vaak illegaal, onverzekerd en gevaarlijk zijn. Bespreek de ritprijs voordat u vertrekt. Minitaxibedrijven vindt u in de gouden gids (*blz. 352*).

TARIEVEN

Alle taxi's van chauffeurs met vergunning hebben een meter die ongeveer bij £1 begint te tikken zodra u de chauffeur uw bestemming hebt genoemd. De prijs stijgt per minuut of iedere 311 m die u aflegt. Er wordt een toeslag berekend voor ieder stuk bagage, elke extra passagier en

ongebruikelijke uren, zoals 's nachts. De tarieven horen in de taxi vermeld te staan.

NUTTIGE NUMMERS

Computer Cabs (vergunning) ☎ *0171-286 0286.*

Radio Taxi's (vergunning) ☎ *0171-272 0272.*

Ladycabs (alleen vrouwen) ☎ *0171-254 3501.*

My Fare Lady (alleen vrouwen) ☎ *0171-923 2266.*

Gevonden voorwerpen ☎ *0171-833 0996.* **Open** *ma-vr. 9.00-16.00 uur.*

Klachten ☎ *0171-230 1631.* *U moet het serienummer van de taxi weten.*

Als het licht brandt is de taxi vrij.

De meter toont uw prijs en de toeslag voor extra passagiers, bagage of ongebruikelijke uren. Alle taxi's met vergunning berekenen hetzelfde tarief.

Tarief / **Toeslag** /

Taxi's met vergunningen *Met de Londense taxi's reist u veilig door de hoofdstad. Er zitten twee klapstoelen in, er is plaats voor maximaal vijf personen en er is veel ruimte voor bagage.*

STRAATNAMENREGISTER

D e verwijzingen naar de kaarten bij alle bezienswaardigheden, hotels, restaurants, winkels en uitgaansgelegenheden die in dit boek zijn gebruikt, hebben betrekking op de kaarten in dit hoofdstuk (*zie* Verwijzingen naar de kaarten *hiernaast*). Op de volgende bladzijden ziet u een compleet register met de

straatnamen en alle bezienswaardigheden die op de kaarten staan aangegeven. Op de kaarten vindt u niet alleen de bezienswaardigheden (die in kleur zijn aangegeven) maar het hele centrum van Londen met alle wijken die van belang zijn voor hotels, restaurants, pubs en amusement.

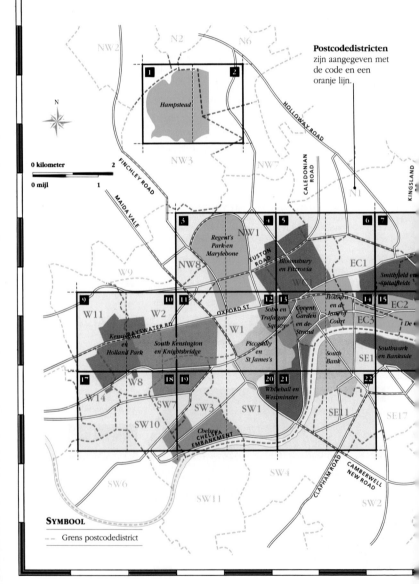

Postcodedistricten zijn aangegeven met de code en een oranje lijn.

SYMBOOL

- - - Grens postcodedistrict

VERWIJZINGEN NAAR DE KAARTEN

Het eerste getal geeft aan op welke kaart u moet kijken.

Wesley's House and Chapel ⑫

49 City Rd EC1. **Kaart 7** B4.
📞 0171-253 2262. ⊖ Old St.
Huis open ma-za 10.00-16.00 uur.
Niet gratis. 🎥 ♿ 🚻 zo 11.00 uur.
🎬 🏛 Films, tentoonstellingen.

De letter en het cijfer verwijzen naar de vakjes. Letters staan aan de boven- en onderkant, cijfers aan de zijkanten.

De kaart loopt door op bladzijde 8 van de plattegrond.

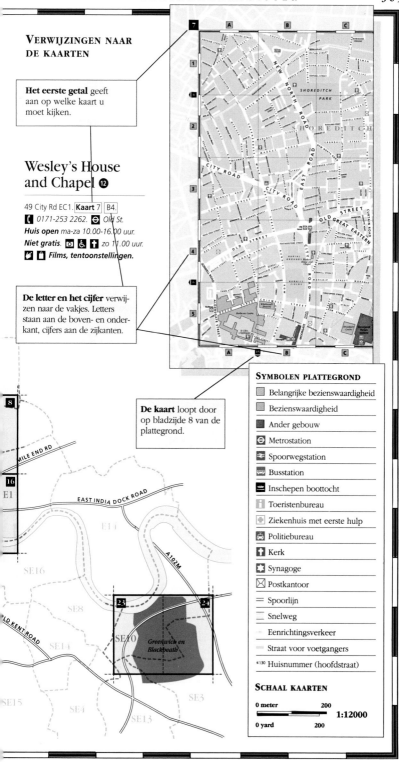

SYMBOLEN PLATTEGROND

▨	Belangrijke bezienswaardigheid
▨	Bezienswaardigheid
◼	Ander gebouw
⊖	Metrostation
≊	Spoorwegstation
🚌	Busstation
⛴	Inschepen boottocht
🛈	Toeristenbureau
✚	Ziekenhuis met eerste hulp
🚔	Politiebureau
✝	Kerk
✡	Synagoge
⊠	Postkantoor
=	Spoorlijn
—	Snelweg
-	Eenrichtingsverkeer
—	Straat voor voetgangers
⁴¹³⁰	Huisnummer (hoofdstraat)

SCHAAL KAARTEN

0 meter   200

1:12000

0 yard   200

Straatnamenregister

Elke plaats wordt gevolgd door de postcode, de bladzijde en de coördinaten op de plattegrond

Elke plaats wordt gevolgd door de postcode, de bladzijde en de coördinaten op de plattegrond

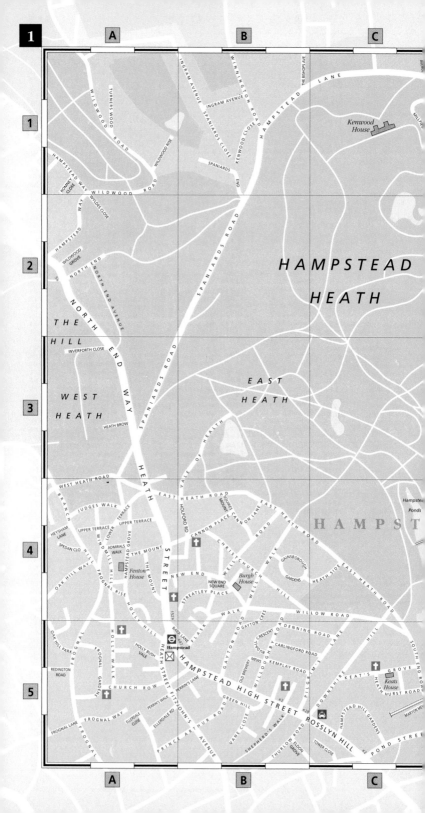

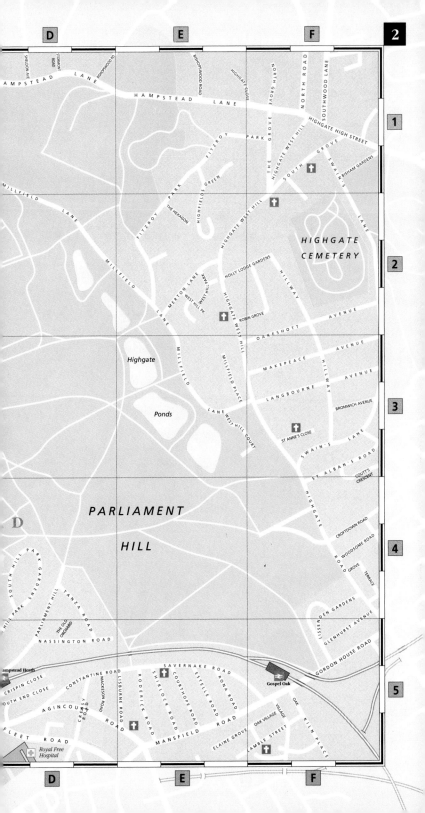

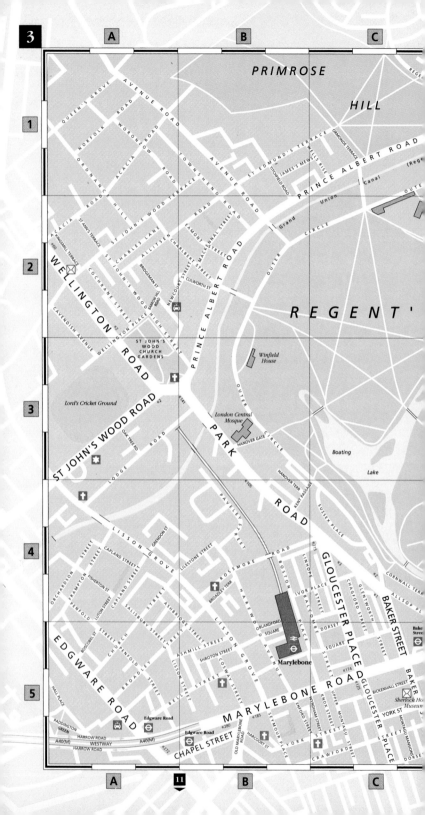

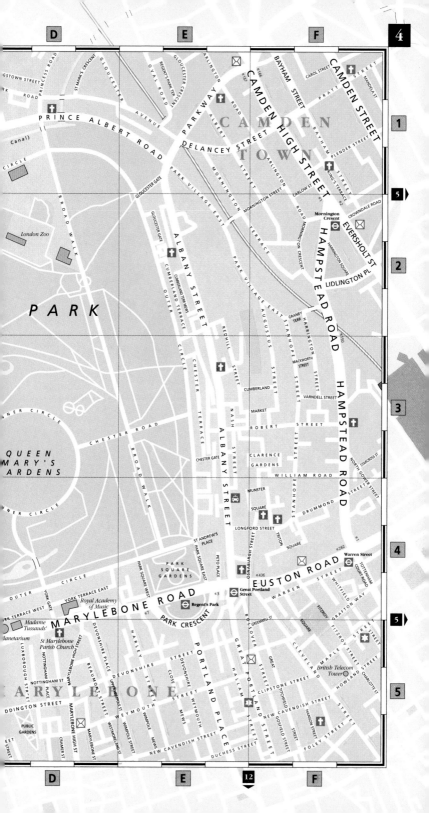

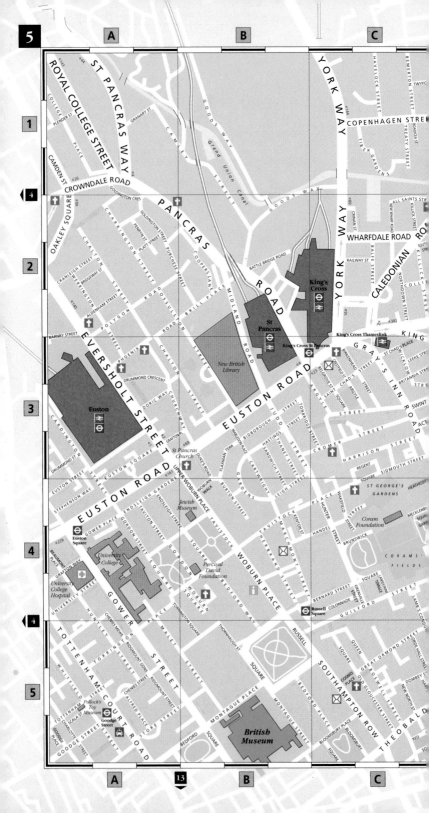

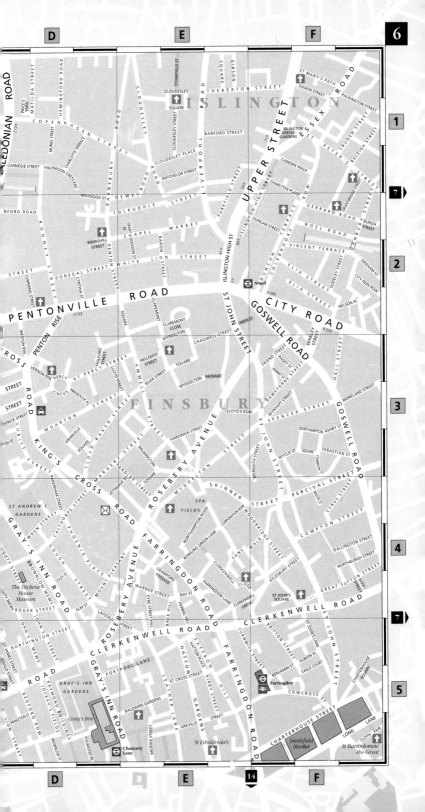

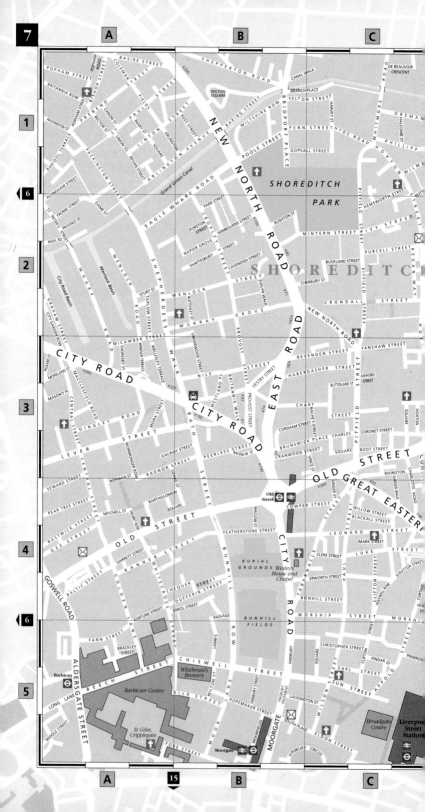

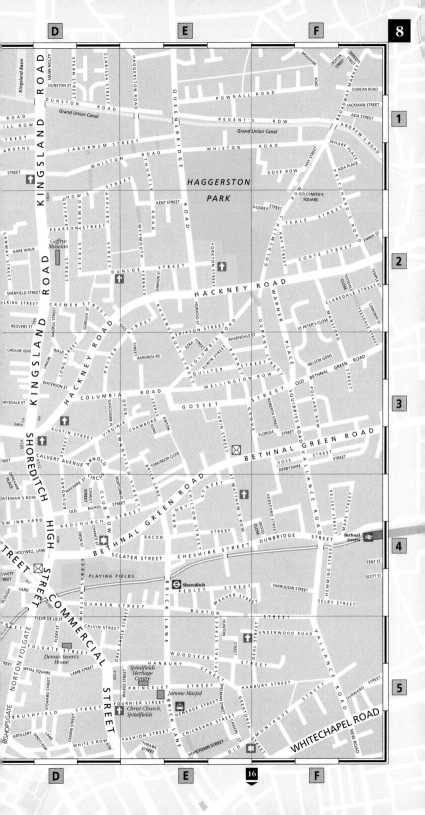

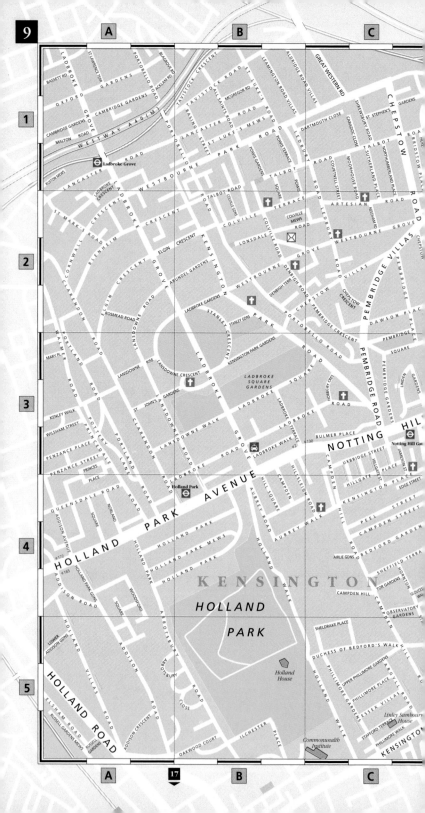

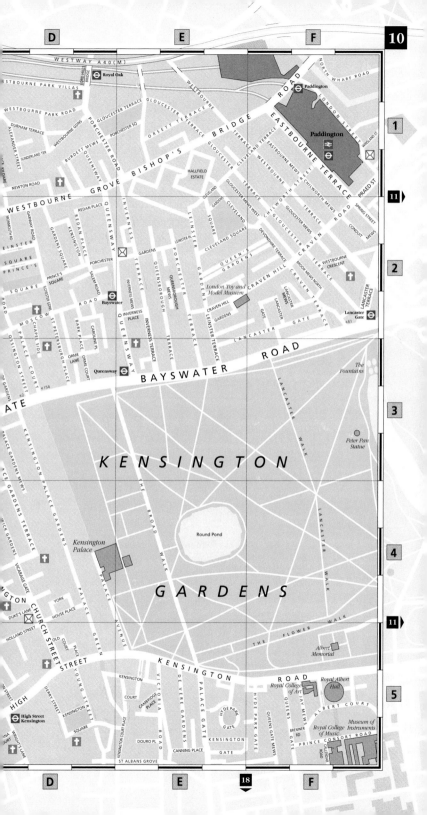

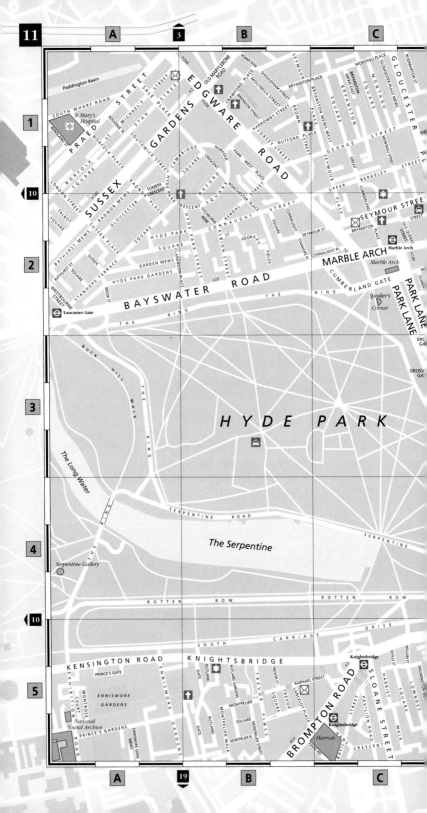

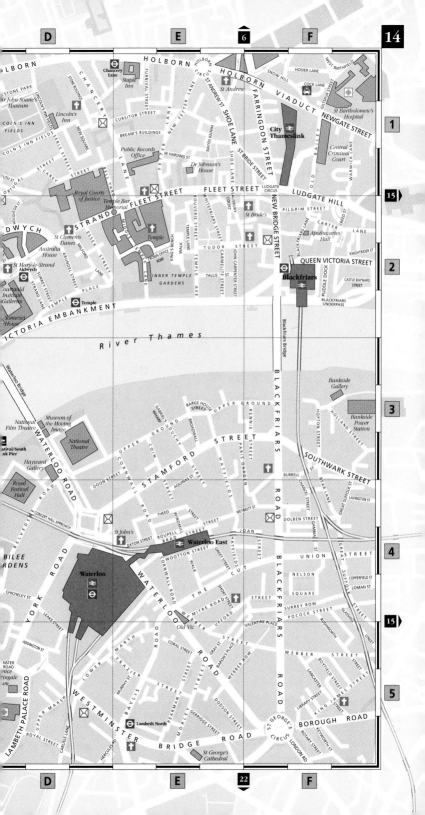

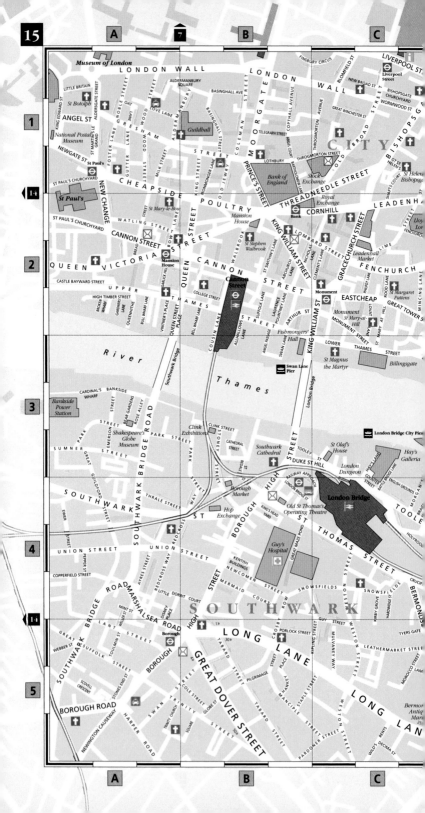

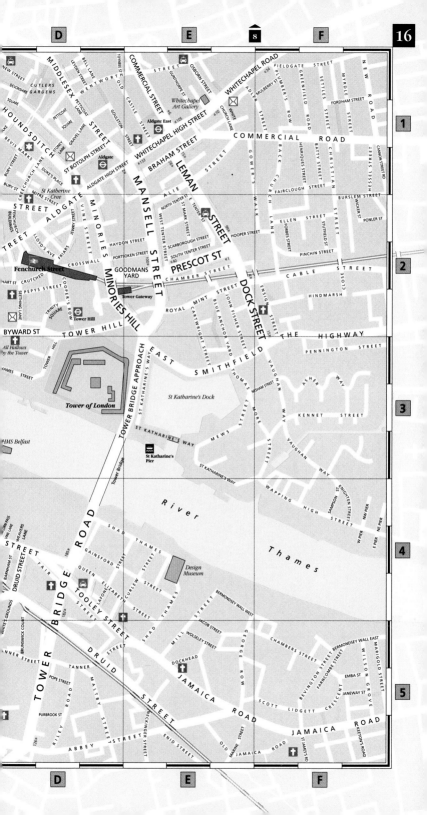

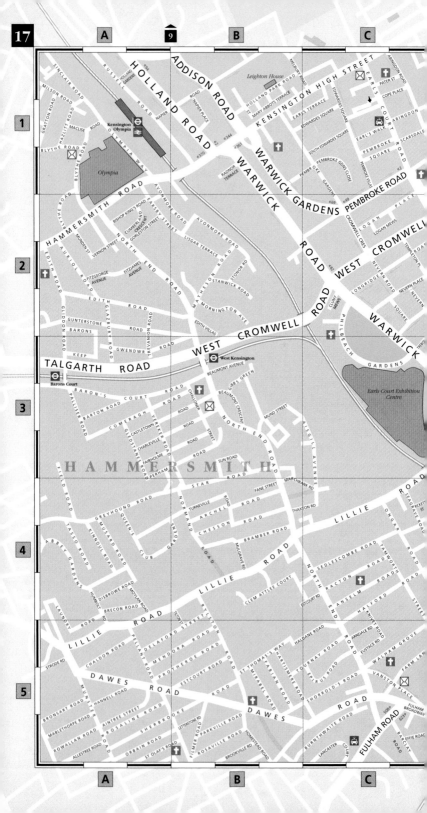

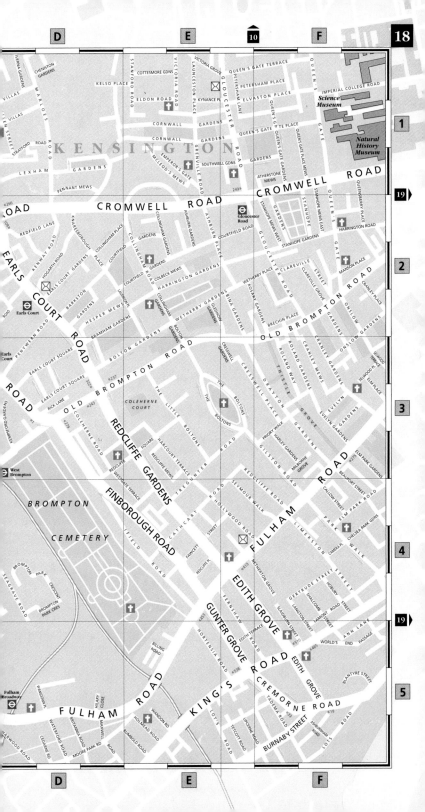

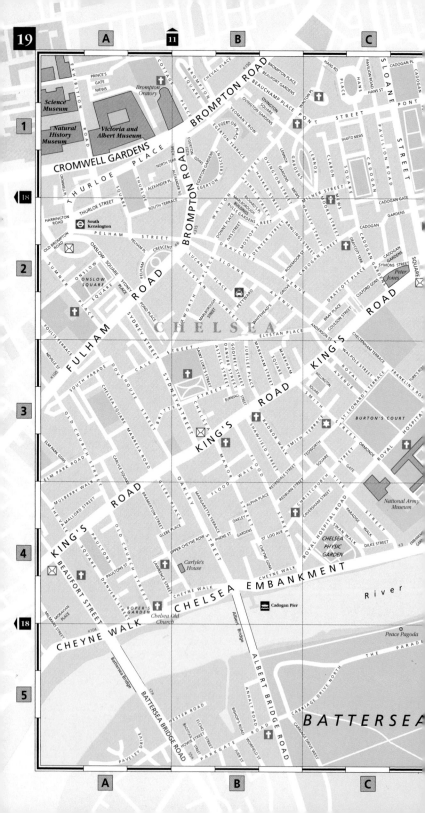

A   B   C

Science
Museum

Natural
History
Museum

Victoria and
Albert Museum

PRINCE'S
GATE
MEWS

Brompton
Oratory

BROMPTON PLACE
BEAUFORT GARDENS

BROMPTON ROAD
BEAUCHAMP PLACE

HANS RD

HANS

SLOANE

CADOGAN PL

PAVILION ROAD

HANS ST

CROMWELL GARDENS

EXHIBITION ROAD

COTTAGE PLACE

CHEVAL PLACE

WALTON PL

PONT

CADOGAN

STREET

PAVILION ROAD

CADOGAN ROAD

PONT
STREET

CROMWELL

THURLOE

PLACE

SQUARE

NORTH TERR

ALEXANDER PL

EGERTON CRESCENT

EGERTON GARDENS

EGERTON TERRACE

EGERTON

BROMPTON ROAD

YEOMAN'S ROW

OVINGTON SQUARE

OVINGTON GARDENS

FIRST STREET

HASKER STREET

OVINGTON STREET

LENNOX GARDENS

LENNOX
GARDENS

SHAFTO MEWS

CLABON

CADOGAN

1

18

HARRINGTON
ROAD

South
Kensington

THURLOE STREET

SOUTH TERRACE

PELHAM   STREET

PELHAM PL

PELHAM
CRESCENT

WALTON
STREET

DONNE PLACE

BUCKINGHAM
MARLBOROUGH
BUILDINGS

MILNER STREET

HALSEY STREET

MOORE STREET

CADOGAN GATE

GARDENS

OLD BROMPTON
ROAD

ONSLOW   SQUARE

ONSLOW
SQUARE

SYDNEY
PLACE

SUMNER
PLACE

SYDNEY STREET

FULHAM ROAD

PELHAM

POND PLACE

ELYSTAN

DRAYCOTT

LUCAN PLACE

IVES STREET

BULL'S GARDENS

MOSSOP STREET

DENYER STREET

RAWLINGS STREET

CADOGAN STREET

ROSEMOOR STREET

SLOANE   AVENUE

JUBILEE PLACE

DRAYCOTT PLACE

BRAY PLACE

COULSON STREET

DRAYCOTT TERR

SYMONS STREET

CADOGAN GARDENS

CULFORD GDNS

Peter
Jones

SLOANE   SQUARE

2

CHELSEA

ELYSTAN PLACE

ANDERSON ST

CHELTENHAM TERRACE

KING'S ROAD

FOULIS TERRACE

NEVILLE ST

FULHAM

SYDNEY STREET

SAINT LUKE'S STREET

ASTELL STREET

BRITTEN STREET

CALE   STREET

GODFREY STREET

DOVEHOUSE STREET

DANUBE STREET

BURNSALL STREET

MARKHAM STREET

MARKHAM SQUARE

WALPOLE STREET

ROYAL   AVENUE

WELLINGTON SQUARE

SMITH   STREET

BURTON'S COURT

FRANKLIN'S ROW

TURK'S ROW

3

18

KING'S   ROAD

ELM PARK GDNS

OLD CHURCH STREET

ELM PARK ROAD

CHELSEA SQUARE

MANRESA ROAD

CARLYLE SQUARE

MANOR STREET

FLOOD STREET

SHAWFIELD STREET

RADNOR WALK

SMITH TERRACE

ST LEONARD'S TERRACE

TEDWORTH SQUARE

ORMONDE GATE

ROYAL HOSPITAL

National Army
Museum

MULBERRY WALK

THE VALE

MALLORD STREET

PAULTON'S SQUARE

OLD CHURCH STREET

BRAMERTON STREET

GLEBE PLACE

MARGARETTA TERRACE

OAKLEY GARDENS

PHENE ST

REDBURN STREET

ALPHA PLACE

FLOOD   STREET

OAKLEY   STREET

ST. LOO AVE

CHEYNE ROW

CHRISTCHURCH STREET

CAVERSHAM STREET

ROYAL HOSPITAL ROAD

SWAN WALK

PARADISE WALK

CHELSEA
PHYSIC
GARDEN

DILKE STREET

4

KING'S
ROAD

BEAUFORT STREET

PAULTON'S

LAWRENCE STREET

DANVERS STREET

Carlyle's
House

UPPER CHEYNE ROW

CHEYNE WALK

ROPER'S
GARDEN

Chelsea Old
Church

CHEYNE WALK

CHELSEA   EMBANKMENT

Cadogan Pier

River

ALBERT BRIDGE ROAD

MALLORD STREET

CHEYNE WALK

MORAVIAN PLACE

MILMANS STREET

18

BATTERSEA BRIDGE ROAD

Battersea Bridge

ALBERT
BRIDGE

Albert
Bridge

Peace Pagoda

THE   PARADE

5

WESTER ROAD

HOWIE STREET

ELCHO STREET

BRIDGE ROAD

ANHALT ROAD

BISHOP'S ROAD

PARKGATE ROAD

WORFIELD ST

PIER 1

CARRIAGE DRIVE NORTH

CARRIAGE DRIVE WEST

BATTERSEA

PAVELEY   STREET

A   B   C

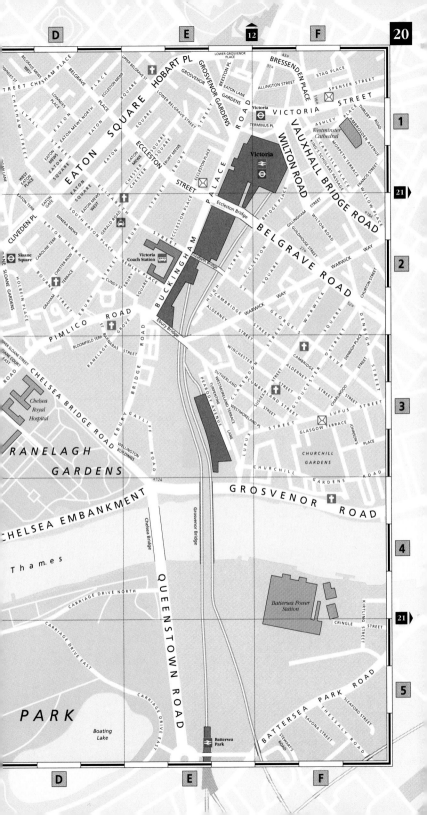

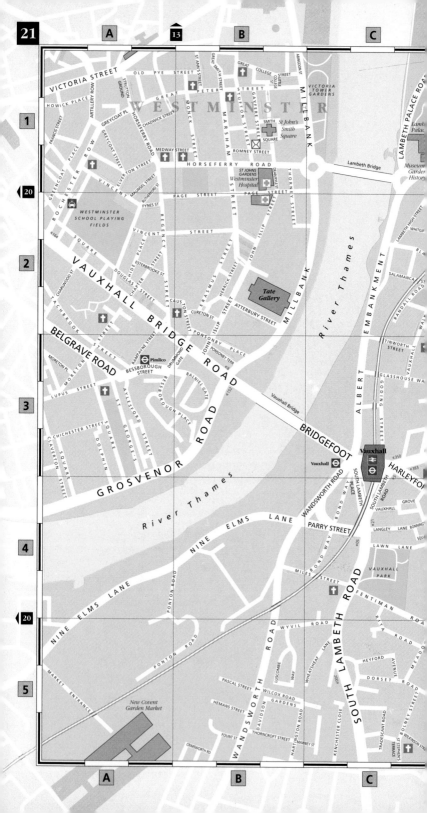

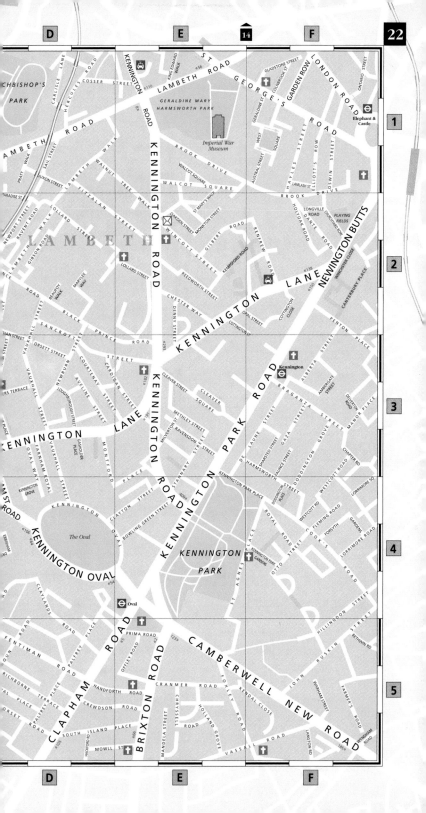

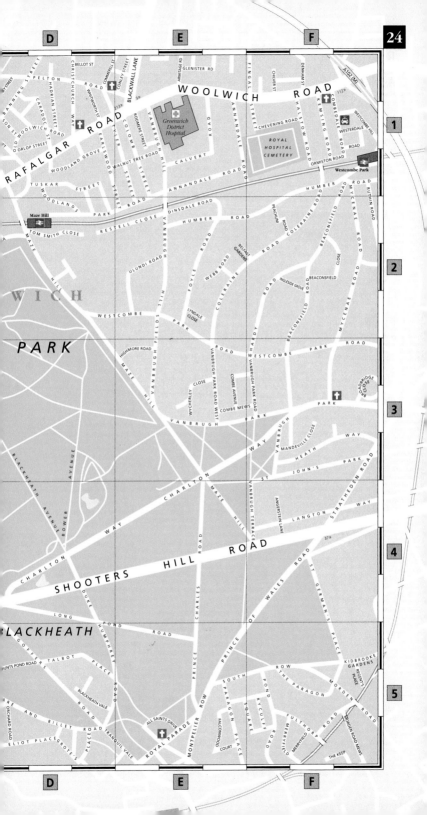

Register

Dankbetuiging

De uitgever bedankt de volgende personen voor hun hulp bij de samenstelling van dit boek.

SAMENSTELLER

Michael Leapman is een geboren Londenaar. Hij is al sinds zijn 20ste levensjaar werkzaam als journalist. Hij heeft voor de meeste Britse landelijke dagbladen gewerkt en schrijft tegenwoordig over reizen en andere onderwerpen voor onder andere *The Independent, Independent on Sunday, The Economist* en *Country Life*. Hij heeft tien boeken geschreven, waaronder *London's river* (1991) en de *Companion Guide to New York* (1983, herzien 1991). In 1989 redigeerde hij het alom geprezen *Book of London*.

MEDEWERKERS

Yvonne Deutch, Guy Dimond, George Foster, Iain Gale, Fiona Holman, Phil Hariss, Christopher Middleton, Steven Parissien, Bazyli Solowij, Mark Wareham, Jude Welton.

De uitgever bedankt de volgende redacteuren en onderzoekers bij Webster's International Publishers: Sandy Carr, Matthew Barrell, Siobhan Bremner, Serena Cross, Annie Galpin, Miriam Lloyd, Ava-Lee Tanner.

AANVULLENDE FOTOGRAFIE

Max Alexander, Peter Anderson, June Buck, Peter Chadwick, Michael Dent, Philip Dowell, Mike Dunning, Andreas Einsiedel, Steve Gorton, Christi Graham, Alison Harris, Peter Hayman, Stephen Hayward, Roger Hilton, Ed Ironside, Colin Keates, Dave King, Neil Mersh, Nick Nichols, Vincent Oliver, John Parker, Tim Ridley, Kim Sayer, Chris Stevens, James Stevenson, James Strachan, Doug Traverso, David Ward, Mathew Ward, Steven Wooster en Nick Wright.

AANVULLENDE ILLUSTRATIES

Ann Child, Tim Hayward, Fiona M. Macpherson, Janos Marffy, David More, Chris D. Orr, Richard Phipps, Michelle Ross, John Woodcock.

CARTOGRAFIE

Advanced Illustration (Cheshire), Contour Publishing (Derby), Euromap Limited (Berkshire). Kaarten plattegrond: ERA Maptec Ltd (Dublin) met dank aan en toestemming van Shobunsha (Japan).

CARTOGRAFISCH ONDERZOEK

James Anderson, Roger Bullen, Tony Chambers, Ruth Duxbury, Jason Gough, Ailsa Heritage, Jayne Parsons, Donna Rispoli, Jill Tinsley, Andrew Thompson, Iorwerth Watkins.

ASSISTENTIE BIJ ONDERZOEK

Chris Lascelles, Kathryn Steve.

ONTWERP EN REDACTIONELE ASSISTENTIE

Keith Addison, Oliver Bennett, Michelle Clark, Carey Combe, Vanessa Courtier, Lorna Damms, Simon Farbrother, Marcus Hardy, Sasha Heseltine, Stephanie Jackson, Stephen Knowlden, Jeanette Leung, Jane Middleton, Fiona Morgan, Louise Parsons, Leigh Priest, Liz Rowe, Simon Ryder, Anna Streiffert, Andrew Szudek, Diana Vowles, Andy Wilkinson.

SPECIALE DANK AAN:

Christine Brandt van Kew Gardens, Shelia Brown van The Bank of England, John Cattermole van London Buses Northern, de DK foto-afdeling, met name Jenny Rayner, Pippa Grimes van het V & A, Emma Healy van het Bethnal Green Museum of Childhood, Alan Hills van het British Museum, Emma Hutton en Cooling Brown Partnership, Gavin Morgan van het Musuem of London, Clare Murphy van Historic Royal Palaces, Ali Naqei van het Science Museum, Patrizio Semproni, Caroline Shaw van het Natural History Museum, Gary Smith van British Rail, Monica Thurnauer van The Tate en Alistair Wardle.

FOTOGRAFIE

The London Aerial Photo Library, en P. en P.F. James.

TOESTEMMING VOOR FOTOGRAFIE

De uitgever bedankt de volgende instanties voor toestemming om te fotograferen: All Souls Church, Banqueting House (Crown Copyright met dank aan Historic Royal Palaces), Barbican Centre, Burgh House Trust, Cabinet War Rooms, Chapter House (English Heritage), Charlton House, Chelsea

Physic Garden, Clink Exhibition, Maritime Trust (Cutty Sark), Design Museum, Gatwick Airport Ltd, Geffrye Museum, Hamleys and Merrythought, Heathrow Airport Ltd, Imperial War Museum, Dr Johnson's House, Keats House (the London Borough of Camden), London Underground Ltd, Madame Tussaud's, Old St Thomas's Operating Theatre, Patisserie Valerie, Place Below Vegetarian Restaurant, Royal Naval College, St Alfege's, St Bartholomew-the-Great, St Bartholomew-the-Less, St Botolph's Aldersgate, St James's, St John's Smith Square, de Rector en Churchwardens van St Magnus the Martyr, St Mary le Strand, St Marylebone Parish Church, St Paul's Cathedral, de Master en Wardens van de Worshipful Company of Skinners, Smollensky's Restaurants, Southbank Centre, Provost en Chapter van Southwark Cathedral, HM Tower of London, Wellington Museum, Wesley Chapel, de Dean en Chapter van Westminster, Westminster Cathedral, en Hugh Hales, General Manager of the Whitehall Theatre (onderdeel van de Maybox Theatre group). Ook dankt de uitgever alle andere musea, galeries, kerken en andere bezienswaardigheden voor hun hulp bij het fotograferen. Ze zijn te talrijk om afzonderlijk te bedanken.

FOTOVERANTWOORDING

b = boven; bl = boven links; bm = boven midden; br = boven rechts; mlb = midden links boven; mb = midden boven; mrb = midden rechts boven; ml = midden links; m = midden; mr = midden rechts; mlo = midden links onder; mo = midden onder; mro = midden rechts onder; gol = geheel onder links; go = geheel onder; gom = geheel onder midden; gor = geheel onder rechts.

We hebben onze uiterste best gedaan om alle rechthebbenden te achterhalen. Onze verontschuldigingen voor de gevallen waarin dat niet is gelukt. In een volgende uitgave zullen wij graag de rechthebbende(n) onze dank betuigen.

Kunstwerken zijn afgedrukt met toestemming van: © ADAGP, Paris and DACS, London 1993: 83gor, 85m; © DACS 1993: 82mr; © D. HOCKNEY 1970 1: 85go; © de familie van ERIC H. KENNINGTON, RA: 151gol; © ROY LICHTENSTEIN

DACS 1993: 83mb. De werken op bladzijden 45m, 206go, 266mo zijn afgedrukt met toestemming van de HENRY MOORE FOUNDATION.

De uitgever is de volgende personen, bedrijven en bibliotheken dankbaar voor hun toestemming om hun foto's af te drukken:

Toestemming van Mohamed al Fayed: 310go; Governor and Company of the Bank of England: 145br; Bridgeman Art Library, London: 21b, 28b; British Library, London 14, 19br, (detail) 21gor, 24mo, (detail) 32bl, 32gol; dank aan het Institute of Directors, London 29mlb; Guildhall Art Gallery, Corporation of London (detail) 26b; Guildhall Library, Corporation of London 24gor, 76m; ML Holmes Jamestown – Yorktown Educational Trust, VA (detail) 17gom; Master and Fellows, Magdalene College, Cambridge (detail) 23mlo; Marylebone Cricket Club, London 242m; William Morris Gallery, Walthamstow 19bl, 247bl; Museum of London 22-23; O'Shea Gallery, London (detail) 22ml; Royal Holloway & Bedford New College 157gol; Russell Cotes Art Gallery and Museum, Bournemouth 38br; Thyssen-Bornemisza Collection, Madrid 253go; Westminster Abbey, London (detail) 32bm; White House, Bond Street, London 28mo.

British Airways: 354b, 356bl, 359t; met dank aan the British Library Board: 127go; © The British Museum: 16b, 16mb, 17bl, 40b, 91m, 126-127 alle behalve 126b & 127go, 128-129 alle.

Camera Press, London: P. Abbey – LNS 73mo; Cecil Beaton 79bl; HRH Prince Andrew 95gol; Allan Warren 31mo; Colorific!: Steve Benbow 55b; David Levenson 66-67; Thomas Coram Foundation for Children: 125go; dank aan de Corporation of London: 55m, 146b; Courtauld Institute Galleries, London: 41m, 117go.

Percival David Foundation of Chinese Art: 130m; Department of Transport (Crown Copyright): 361go; dank aan de Governors en Directors Dulwich Picture Gallery: 43gol, 248gol.

English Heritage: 254go, 256go; English Life Publications Ltd: 255go; Philip Enticknap:

247br; ET Archive: 19gol, 26m, 26gom, 27gol, 28gor, 29mrb, 29mlo, 33bm, 33mr, 36gol, 185bl; British Library, London 18mr; Imperial War Museum, London 30gom; Museum of London 15go, 27gor, 28gol; Science Museum, London 27mlb; Stoke Museum Staffordshire Polytechnic 23gol, 25ml, 33gom; Victoria and Albert Museum, London 20m, 21gom, 25gor; Mary Evans Picture Library: 16gol, 16gor, 17gol, 17gor, 20gol, 22gol, 24go, 25gom, 25gor, 27go, 27mo, 27gom, 30gol, 32gor, 33gol, 33ml, 33gol, 33gor, 36go, 36m, 38gol, 39gol, 72mo, 72go, 90go, 112go, 114go, 116m, 135go, 139go, 155gol, 159go, 162mb, 174mb, 178go, 203go, 212go, 222go.

Dank aan het Fan Museum (The Helene Alexander Collection) 239go; Freud Museum, London: 242b.

The Gore Hotel, London: 273.

Robert Harding Picture Library: 31mb, 42m, 52mb, 169gol, 325go, 347mo, 366go; Philip Craven 206go; Brian Hawkes 21mlo; Michael Jenner 21mrb, 238b; 58go, 223b; Heathrow Airport Ltd: 356gor; dank aan Her Majesty's Stationary Office (Crown Copyright): 156 alle; John Heseltine: 12br, 13gol, 13br, 13mo, 13gor, 51br, 63gor, 98, 124go, 132, 142, 172, 216; Friends of Highgate Cemetery: 37br, 240, 242b; Historic Royal Palaces (Crown Copyright): 5go, 35bm, 250-251 alle behalve 250gor, 252-253 alle behalve 253b; The Horniman Museum, London: 248gor; Hoverspeed Ltd: 359b; Hulton-Deutsch Collection: 24gol, 124gol, 228b. The Image Bank, London: Gio Barto 55b; Derek Berwin 31go, 272b; Romilly Lockyer 72go, 94gor; Leo Mason 56b; Simon Wilkinson 197b; Terry Williams 139b; Courtesy of ISIM, UK: 352b.

Peter Jackson Collection: 24-25.

Royal Botanic Gardens, Kew: Andrew McRob 48ml, 56go, 244-245 alle behalve 245b & 245br.

Leighton House, Royal Borough of Kensington: 212b; Little Angel Marionette Theatre: 341bl; London Ambulance Service: 347mb; London Toy and Model Museum:

257b; London Transport Museum: 28mb; 362-363 alle kaarten en kaartjes.

Madame Tussaud's: 218m, 220b; Mansell Collection: 19gor, 20go, 20gor, 21gol, 22go, 22ml, 23gor, 27ca, 32gor; Metropolitan Police Service: 346go, 347b; Museum of London: 16mo, 17br, 17mo, 18go, 21mro, 41bm, 166-167 alle.

National Express Ltd: 358; dank aan de Trustees, The National Gallery, London: (detail) 35m, 104-105 alle behalve 104go, 106-107 alle behalve 107b; National Portrait Gallery, London: 4go, 41gol, 101mo, (detail) 102b; National Postal Museum, London: 26gol, 164b; dank aan de Keeper of the National Railway Museum, York: 28-29; National Sound Archive, London – handelsmerk His Master's Voice gereproduceerd met toestemming van EMI Records Limited: 197ml; National Trust Photographic Library: Wendy Aldiss 23mb; John Bethal 254go, 255b; Michael Boys 38b; Natural History Museum, London: 205b; Derek Adams 204b; John Downs 204c; New Shakespeare Theatre Co: 324bl.

Palace Theatre Archive: 108b; Pictor International, London: 61b; Pippa Pop-ins Children's Hotel, London: 339b.

Pitshanger Manor Museum: 256m; Popperfoto: 29gol, 29mro, 30gol, 30br, 30m, 33br, 39gor; Press Association Ltd: 29gol, 29gor; Public Record Office (Crown Copyright): 18b.

Bill Rafferty: 324gor; Rex Features Ltd: 53bl; Peter Brooker 53gor; Andrew Laenen 54m; The Ritz, London: 91b; Rock Circus: 100mo; Rock Island Diner: 339mb; Royal Academy of Arts, London: 90gor; The Board of Trustees of the Royal Armouries: 41br, 155gol, 157gol, 157m, 157gor; Royal Collection, St James's Palace © HM The Queen: 8-9, 53go, 88go, 93go, 94-95 alle behalve 94gor & 95gol, 96go, 250gor; Royal College of Musim, London: 196m, 202m.

The Savoy Group: 274go, 274b; Science Museum, London: 208mr, 208go, 209mlb, 209mo; Science Photo Library: Maptec

International Ltd 10b; Sealink Plc: 355b; Spencer House Ltd: 88b; Southbank Press Office: 182bl; Syndication International: 31gol, 35br, 52mo, 53m, 58gol, 59go, 136; Library of Congress 25bl.

Tate Gallery: 43gor, 82-83 alle behalve 82b & 83go, 84-85 alle.

Dank aan de Board of Trustees of the Victoria and Albert Museum: 35gor, 40go, 198-199 alle behalve 198go, 200-101 alle, 246go, 340b. The Waldorf, London: 272b; The Wallace Collection, London: 40mb, 222m; dank aan de Trustees of the Wedgwood Museum, Barlaston, Stoke-on-Trengo, Staffs, England: 26gor; Vivienne Westwood: Patrick

Fetherstonhaugh 31gor; The Wimbledon Lawn Tennis Museum: Micky White 249b; Photo © Woodmansterne: Jeremy Marks 35gol, 149b.

Youth Hostel Association: 275.

Zefa: 10go, 52go, 54gor, 324m; Bob Croxford 57b; Clive Sawyer 57b.

Omslag: alle speciale of aanvullende foto-grafie behalve The Image Bank, London: Romilly Lockyer gol, mro; Museum of London: gomr; Natural History Museum: John Downs ml; Tate Gallery: goml; dank aan de Board of Trustees of the Victoria and Albert Museum: mlb.

De Londense metro

Chesham
Chalfont & Latimer
Watford
Croxley
Amersham
Chorleywood
Rickmansworth
Moor Park
Northwood
Northwood Hills
Pinner
North Harrow
Hillingdon
West Ruislip
Ruislip
Ruislip Manor
Eastcote
Uxbridge
Ickenham
Ruislip Gardens
Rayners Lane
South Ruislip
Northolt
Greenford
Perivale
Hanger Lane
Harrow & Wealdstone
Kenton
Northwick Park
Preston Road
West Harrow
Harrow-on-the-Hill
South Harrow
Sudbury Hill
Sudbury Town
Alperton
Park Royal
North Ealing
Ealing Broadway
Ealing Common
South Ealing
Northfields
Boston Manor
Osterley
Hounslow East
Hounslow Central
Hounslow West
Hatton Cross
Heathrow Terminals 1, 2, 3
Heathrow Terminal 4
South Kenton
North Wembley
Wembley Central
Stonebridge Park
Harlesden
Willesden Junction
North London
Kensal Green
Queen's Park
Kilburn Park
Maida Vale
Warwick Avenue
Royal Oak
Westbourne Park
Ladbroke Grove
Latimer Road
North Acton
West Acton
Acton Central
South Acton
Acton Town
Chiswick Park
Turnham Green
Gunnersbury
Kew Gardens
Richmond
White City
East Acton
Shepherd's Bush
Goldhawk Road
Hammersmith
Stamford Brook
Ravenscourt Park
Barons Court
West Kensington
Kensington (Olympia)
Holland Park
Stanmore
Canons Park
Queensbury
Kingsbury
Wembley Park
Neasden
Dollis Hill
Willesden Green
Kilburn
Kensal Rise
Brondesbury Park
Brondesbury
West Hampstead
Finchley Road & Frognal
Finchley Road
Swiss Cottage
St. John's Wood
Edgware
Burnt Oak
Colindale
Hendon Central
Brent Cross
Golders Green
Hampstead
Belsize Park
Edgware Road
Marylebone
Baker Street
Great Portland Street
Paddington
Edgware Road
Regent's Park
Bayswater
Queensway
Marble Arch
Oxford Circus
Notting Hill Gate
Lancaster Gate
Bond Street
High Street Kensington
Hyde Park Corner
Green Park
Knightsbridge
Piccadilly Circus
Gloucester Road
Sloane Square
Earl's Court
South Kensington
Victoria
St. James's Park
West Brompton
Fulham Broadway
Parsons Green
Putney Bridge
River Thames
East Putney
Southfields
Wimbledon Park
Wimbledon
Pimlico
Vauxhall
Stockwell
Clapham North
Clapham Common
Clapham South
Balham
Tooting Bec
Tooting Broadway
Colliers Wood
South Wimbledon
Morden

- O Overstapstations
- ⇌ Verbindingen met British Rail
- ⇌ Verbindingen met British Rail binnen loopafstand
- ★ Gesloten op zondag
- ★ Gesloten op zaterdag en zondag
- ▲ De treinen van de Piccadilly Line: zo de gehele dag en ma-za's ochtends vroeg en 's avonds laat
- † Openingstijden: zie de grote metroplattegronden

Bepaalde stations zijn op officiële feestdagen gesloten

UNDERGROUND

Reisinformatie 071-222 1234
071-222-1200

© Copyright London Regional Transport